D0185568

LE DERNIER CARNAVAL

DU MÊME AUTEUR

Le Naïf Libertin, L'Archipel, 2009.

Le Puits aux frelons, L'Archipel, 2009.

Rue Paradis, Archipoche, 2009.

La Maîtresse du moulin, L'Archipel, 2008.

Néoules en Provence : écrevisses et bénitier, Ville de Néoules, 2002.

La Dérive, Éditions Blanc, 1998.

ARLETTE AGUILLON

LE DERNIER CARNAVAL

VINCENT, GENTILHOMME GALANT

**

l'Archipel

www.editionsarchipel.com

Si vous souhaitez recevoir notre catalogue
et être tenu au courant de nos publications,
envoyez vos nom et adresse, en citant
ce livre, aux Éditions de l'Archipel,
34, rue des Bourdonnais 75001 Paris.
Et, pour le Canada,
à Édipresse Inc., 945, avenue Beaumont,
Montréal, Québec, H3N 1W3.

ISBN 978-2-8098-0448-5

Copyright © L'Archipel, 2011.

« C'est rendre un service considérable
au public que de l'instruire en l'amusant. »

Manon Lescaut, *Abbé Prévost*

PREMIÈRE PARTIE

I

Nous marchions sur Paris, au pas de charge et en braillant ce chant de guerre de l'armée du Rhin qui demain, grâce à nous, serait *La Marseillaise*. Partout où nous passions, on nous faisait cortège. Les filles en sueur s'attelaient aux canons, jupons troussés sur leurs cuisses nues, corsages dégrafés et cheveux en bataille. Jamais bataillon de fortune fut à ce point fêté, acclamé, gorgé de vin, énervé de caresses, assourdi de chansons, que ce carré de Marseillais qui s'en allait à pied, sous un soleil de plomb, mettre feu à la France. Le pays tout entier nous portait sur la houle de son emballement, comme la vaste mer charrie une chaloupe.

En ce mois de juillet 1792, nombre de provinciaux affairés aux moissons rechignaient à exécuter l'ordre de conscription. Mais a-t-on jamais vu un épi de blé pousser sur la Canebière ? C'est donc l'œil flambant et le sourire aux lèvres que cinq cents flibustiers en mal d'aventure répondirent à l'appel vibrant de Charles Barbaroux.

Qui était ce particulier ? Vingt-cinq ans, joli garçon, beau parleur, marseillais pour tout dire, cet avocat sans cause était monté deux mois plus tôt à Paris afin de retremper sa fougue aux sources de la Révolution. Dès son arrivée, le bourreau des cœurs avait fait un carnage dans le salon de Mme Roland, célèbre bas-bleu qui se piquait de philosophie, de science et de politique. Tandis que le vieux mari jouait les ministres – ce qui, en ces heures brouillonnes, prenait du temps –, notre galant Provençal effeuillait des roses dans le verre de la belle hôtesse. Chez ce riche tempérament, la bagatelle, au lieu de la miner, stimulait l'ardeur révolutionnaire. Sitôt reculotté, il faisait chorus avec ses amis girondins. C'est que le roi leur donnait du grain à moudre. Ses veto à la déportation des prêtres réfractaires et à l'établissement d'un camp de fédérés aux portes de la capitale indignaient ces fougueux jeunes gens. C'était à qui lancerait sur le thème la plus belle harangue. Le style épique faisait alors florès de l'Assemblée aux places de village. Vergniaud, député de Bordeaux, ayant, dans un moment d'inspiration, déclaré la patrie en danger, Barbaroux devait, lui aussi, faire un malheur sauf à voir Marseille supplantée au chapitre de l'éloquence. Il avait donc dégainé sa plume comme on tire une épée et livré bataille à une feuille de papier. De cet assaut intrépide était née une lettre, enivrant mélange de ridicule et de sublime, dans laquelle il demandait aux édiles de la cité de lui envoyer sur-le-champ cinq cents hommes sachant mourir. Comment résister à si belle formule quand on est marseillais ? Dans trois mois, le bataillon serait dissous, ses soldats démobilisés, mais en ce rien de temps il aurait donné son chant national à la France et abattu quinze siècles de monarchie. Quant à Barbaroux, il tenterait deux ans plus tard de se brûler la cervelle. Moins adroit au pistolet qu'à la plume, il manquerait sa tête, ce qui permettrait aux montagnards bordelais de la lui couper. Mais pour l'heure nous marchions vers lui et cela suffisait à notre bonheur.

Qui étions-nous ? Enfants de la patrie ? Ramassis de brigands levantins ? Tantôt l'un. Tantôt l'autre. Tantôt l'un et l'autre. Certains fuyaient un créancier, un cocu menaçant, une épouse acariâtre ou une fille grosse. D'autres, enfumés de discours, rêvaient de république. Combien emmenaient avec eux la demoiselle du château habillée en garçon ? Je crois bien que j'étais le seul...

*

Pastan, le citoyen poète, mon ami de toujours, marchait au premier rang, portant les droits de l'homme sanglés sur une pique. Derrière lui, dans ses bottes trop grandes, Analys marchait d'un bon pas pour une délicate faite aux pantoufles de vair. À ses côtés, je me sentais heureux et inquiet à la fois. Paris était encore loin. Cette épreuve à effrayer un fantassin était-elle à la mesure d'une fille de marquis ?

D'un œil je surveillais les embûches du chemin et de l'autre, mes compagnons de route. Je me tenais prudemment écarté de Rambuteau, un ancien de l'armée de Vaucluse. Depuis le branle-bas, il jetait des regards sournois à mon joli compère engagé le matin, ce qui portait à cinq cent seize l'effectif du bataillon. Je savais l'animal hâbleur et je craignais de l'entendre conter nos anciennes prouesses pour se faire valoir devant le néophyte. La plus glorieuse de nos actions passées ayant été de supplicier son frère, et, pour finir, de lui enlever un œil, je craignais que ma belle, aux détails de l'exploit, se sentît un peu moins de sentiment pour moi.

À ce point je sens le lecteur trembler d'indignation. Quoi ? Séduit par l'image, se serait-il plongé dans les mémoires d'un de ces monstres sanguinaires comme en fit tant la Révolution ? Ne va-t-il pas, le dégoût aux lèvres, fermer ce livre et le jeter au feu ? Je voudrais l'en dissuader. Car le vicomte était rien moins qu'une victime. D'abord, en me coupant un doigt, il m'avait fait manchot, et puis... Bref ! Il faudrait un maître volume pour narrer en détail les multiples balafres, les coups de pistolet, les bosses et les plaies qu'en trois ans d'amitié nous avions échangés. Sans parler des avances suspectes, desquelles tout ce temps il m'avait accablé[1].

Si je dis « amitié », c'est que je n'ai d'autre mot pour parler de ces chaînes bizarres qui attachent entre eux les maîtres et leurs valets. La Bastille fut plus facile à prendre que ces ressorts secrets à démonter. Pour en finir une bonne fois avec ce sentiment tissé de haine et d'attachement, nous nous étions quittés vingt jours plus tôt sur le port de Marseille, espérant ne jamais nous revoir sinon aux portes de l'enfer. C'était préjuger du destin. J'avais eu la sottise, en le quittant, de lui faire un cadeau. Comme le font les amants lassés qui croient s'acquitter de l'octroi du ménage et racheter leur liberté au prix d'un colifichet, j'avais offert un manuscrit à ce pendard pour solde de tout compte. Étant analphabète, je ne savais rien de ce rouleau de papier, sinon qu'il me venait par bâtardise de mon père, bon gentilhomme provençal, homme de lettres et hardi libertin, embastillé pendant quinze ans pour affaire de fesses.

Je pensais en conscience avoir brisé ces fers, mais comment exposer à mon Rambuteau que Malegarde, le conscrit enrôlé à Chalon, était la sœur de ce Saint-Roman que nous avions, l'un poussant l'autre, si vilainement mutilé ? Aussi fuyais-je son regard et sa compagnie. Tantôt traînant le pas et tantôt le forçant, je m'appliquais à placer entre nous autant de rangs qu'en pouvait compter notre bataillon

1. Cf. *Le Naïf Libertin*, L'Archipel, 2011.

en pagaille. De guerre lasse, il abandonna la partie et se rabattit sur deux jeunes, Besagne et Lagoubran, qui avaient pris le nom de leur quartier en signant leur engagement. Avec eux, il eut tout loisir d'évoquer le temps où ils traînaient leur flemme au bagne de Toulon, lui arracheur de dents et les deux autres cantiniers. Libéré de son amitié indiscrète, je me consacrai à mon compagnon. Je l'assistais dans les montées, le retenais dans les descentes, comme on le fait peu en campagne où la galanterie est rarement de mise. J'espérais avoir découragé l'envahissante affection du bonhomme. C'était compter sans la rage de gasconnade qui tient toujours les vétérans. Mettant à profit un arrêt du bataillon sous des arbres, le sagouin remonta la colonne avec ses équipiers. Il m'appela de loin :

— Eh ! Lacoste ! Ils n'en veulent rien croire ! Raconte-leur un peu comment nous avons éborgné un vicomte !

Je me fusse fait souris ou blatte pour m'esbigner. Que dire ? Nier l'eût encouragé à donner les détails. Lâchement, je laissai tomber :

— Il a raison ! C'est même lui qui a tout fait !

Rambuteau bomba le torse :

— Moi seul ! Parfaitement !

Les deux conscrits hochaient leur tête, remplis d'admiration.

— Bah ! reprit le coquin, pris par la modestie, lever un œil est plus facile qu'arracher une dent : l'organe n'a point de racine…

À ce détail atroce, les traits d'Analys s'étaient quelque peu crispés. Comprenait-elle enfin auprès de quels butors elle s'était enrôlée pour me suivre ?

— Fan des pieds ! Traiter un aristo comme un lapin à cuisiner ! apprécia Besagne.

— Exactement, dit Rambuteau, enchanté par la comparaison. « On l'a arrangé comme un lapin pour le civet, ce foutu bougre de Saint-Roman ! »

C'était dit.

— Saint-Roman ? demanda ma soldate.

— Saint-Roman ! Un noble de chez nous. Ci-devant vicomte et capitaine de cavalerie. Couillu, à ce que dit Pastan qui a servi sous lui aux Amériques. Mais un cochon enragé à foutre tout ce qui lui tombait sous le vit, tant fille que garçon, père et mère, frère et sœur, jusqu'aux porcs du château !

Pour flétrir des mœurs si abjectes, Lagoubran projeta à deux pas un crachat moiré. Analys haussa un sourcil. Réflexe d'éducation ou de sœur blessée ? Comment savoir ? Car dans l'acte d'accusation, si tout n'était pas inventé, l'ensemble était du moins très exagéré. La mode était alors de charger les aristocrates et de leur faire porter tous les chapeaux qui traînaient. Mon vicomte n'était pas un ange, mais on devait, malgré tout, récuser quelques cas. Le père étant mort, point de saillie possible. Quant aux frères, il n'en avait pas. Les porcs, il n'y fallait point songer : le bougre avait trop de nez. Mais la mère et la sœur, s'il ne l'avait pas fait, il y avait pensé et même travaillé. D'ailleurs, n'était-ce pas pour échapper à sa flamme incestueuse que la belle s'était enlevée avec moi ?

— C'est donc ce Saint-Roman que vous avez tourmenté ?... dit-elle sans marquer plus d'émotion.

Foutre ! Était-elle à ce point montée contre son frère ? Ou s'agissait-il d'une feinte ? Je savais d'expérience qu'il ne fait jamais bon s'immiscer dans les affaires de famille. Tel s'apprête à planter le couteau fratricide qui se tourne d'un bloc, et fait, avec son parent, front commun contre l'assaillant. J'en étais là de mes réflexions, lorsque :

— Si ce que tu dis est vrai, citoyen, il eût été plus inspiré de le châtrer que de l'éborgner, dit-elle.

Les trois brutes partirent de rire en se tenant les côtes. Là-dessus le capitaine Garnier donna l'ordre de décamper. Chacun prit son barda pour se remettre en route. Rambuteau, enchanté par l'esprit du conscrit qu'il avait un peu vite pris pour un béjaune, décida de marcher de conserve. Je ne pus l'en dissuader car Analys l'y engageait. La palabre reprit, à laquelle je me gardai de participer. Je la regardais à la dérobée. J'étais sur des épines. Tandis que les trois croquants faisaient assaut de vantardises et de grossièretés, elle s'enquit avec finesse :

— Ce Saint-Roman... qu'en avez-vous fait ?

— On l'a jeté au Fort...

— Y est-il toujours ?

— Pour sûr ! Les portes y sont lourdes et les murs épais.

Sur ce point j'étais mieux renseigné. D'abord, j'avais aidé le coquin à s'évader, et puis nous avions passé l'hiver et le printemps à Marseille, vivant ensemble d'expédients et de crapuleries, partageant les mêmes maîtresses, parfois le même lit.

— J'espère pour vous qu'il est sous clef, dit la belle, car, s'il vous retrouvait, il n'aurait de cesse de se venger.

« Pour moi, c'est déjà fait, pensai-je. Mais si j'étais Rambuteau, j'arrêterais de me vanter », et je considérai avec mélancolie le doigt qu'il m'avait coupé en échange de son œil enlevé.

*

À la nuit tombée, nous fûmes dans les faubourgs de Beaune. Les habitants de la cité avaient, dans la cour des Hospices, préparé un banquet à tuer de mangeaille moins affamés que nous.

Malgré le ferraillement des sabres et des roues de canons, la bousculade et le gros bruit des nôtres, j'admirai la cour à galerie de bois, les toits ciselés de lucarnes plombées et recouverts d'émaux. Soucieux de redorer mon blason par un peu de finesse après le vilain conte de l'après-midi :

— Cela est-il beau ! susurrai-je à ma mie, sur le ton sucré d'un benêt en voyage de noces.

— Bah ! répondit-elle distraitement, sans cesser de manier le ceinturon qui lui battait les hanches, cela n'est rien comparé aux mosquées de Turquie recouvertes de faïences jusqu'en haut des minarets !

Je me tins coi, car j'ignorais tout de ces mosquées-là, jusqu'à leur existence.

— Il faudrait un peu m'arranger cette écharpe, dit-elle, fort occupée de son baudrier, une grosse courroie de cuir trop longue pour sa taille.

Une écharpe, cette sangle rustique dont un mulet n'eût pas voulu ? « Bah ! me dis-je, une fille reste une fille. La coquetterie, chez le sexe, ne perd jamais ses droits. »

Toutefois, je m'empressai. Bientôt je fus un genou à terre, cherchant quelque arrangement à ses buffleteries. Au moyen d'un couteau, j'y perçai quelques trous. La bande resserrée et la boucle affermie, j'entrepris d'ajuster l'appareil sur les reins. Funeste mouvement. Car j'eus alors sous les yeux deux rondeurs jumelles à nous expédier *illico ad patres.* Pendant combien de temps les Marseillais prendraient-ils pour un des leurs ce soldat callipyge ? Et que dire de la taille assez mince pour tenir dans deux mains ?

— Demoiselle, murmurai-je en un souffle, vous avez là de quoi nous faire pendre tous deux haut et court. Ôtez cette hongroise, portez ma veste à pans, ou nous sommes perdus !

— Nous sommes perdus si tu continues à m'appeler « demoiselle ». Donne-moi donc du « citoyen ». Tu verras que le mot fait la chose. La belle identité qu'une paire de fesses ! Vois ce gaillard penché : le prendrais-tu pour une cantinière parce qu'il est un peu lourd du bas ?

Ce disant, elle me montrait du menton Lagoubran, occupé à ficeler ses godasses, de gros lacets rafistolés. Sur son fessier de percheron eût pu s'asseoir la femme à barbe. Cependant...

— Si je puis me permettre, ce n'est point tant la masse qui fait charnure de fille, mais plutôt un je-ne-sais-quoi...

À ces paroles libertines elle répondit vertement :

— Crois-tu que nos compagnons se gamahuchent les méninges dans les méandres du je-ne-sais-quoi ?

— Et moi je dis que, sur ce thème, un nigaud vaut un philosophe, et un sans-culotte, un aristocrate !

— Bah ! dit-elle, nous verrons bien !

Cette légèreté me fit froid dans le dos. La gredine m'avait-elle suivi par inclination, pour échapper à son frère, ou plutôt pour se jeter à corps perdu dans la mâle aventure ? Pouvais-je oublier que bouillonnait dans ses veines le sang ardent des Saint-Roman ? Que les siens le versaient sur les champs de bataille, sans mesure et comme à plaisir depuis la première croisade ? Au moins, dans ces temps-là, les dames demeuraient au château, quenouille et fuseau en main, chastement ceinturées par-dessous leurs dentelles. Aujourd'hui la dernière d'entre eux, culottée et bottée, prétendait porter elle-même le glaive. Ah ! Qu'elle avait l'impertinence et l'aplomb des siens, affermis par dix siècles de tyrannie ! C'était une grande et belle plante au port altier, au regard impérieux, à la cambrure de cavalière. Le sein petit, la cuisse longue, plus que d'une Aphrodite, sa taille était d'une Athéna. Elle serait de ces femmes mûres qui affermissent encore leur empire, quand les gentils minois sont depuis longtemps chiffonnés. Mais existe-t-il plus piquant exercice pour un mâle que de défaire ces femelles batailleuses ?

Tandis que je me faisais ces réflexions, elle me donna, de sa blanche main, un viril pousson dans le dos.

— En avant, citoyen! dit-elle d'une voix ferme.

*

Dans la cour superbement pavée, trottinaient des religieuses vêtues de lourdes chapes et coiffées de cornettes. L'une portait un bassin, l'autre un clystère, avec cet air navré des infirmières, qui semble vous reprocher de n'être pas mourant.

Pastan qui se sentait des crampes depuis qu'il portait son tableau, l'avait posé contre un grand crucifix qui veillait sur l'entrée de la salle des Pôvres. Au flanc du rédempteur, notre cocarde semblait naître du sang de la plaie. Deux religieuses en eurent un hoquet d'indignation. L'une se jeta en avant pour écarter l'objet impie. Analys fut plus prompte. Il y eut une échauffourée. Tirée à hue et à dia, la pique vacilla. Elle glissa sur la poitrine décharnée, puis sur le bras tendu. Sans doute fût-elle tombée à grand fracas sur le pavé sonore, si les doigts du supplicié, crispés autour du clou de bronze, ne l'eussent, au dernier moment, retenue. Nous demeurâmes saisis face à ce Christ en croix, qui semblait tenir dans sa main blessée la Déclaration des droits de l'homme.

— La belle image! dit Analys.

Puis, se tournant vers les religieuses:

— Croyez-vous que ce citoyen-là vous prône autre chose, depuis tantôt deux mille ans, que ces conseils de justice? Il faut être bête ou mauvais pour ne pas l'entendre, lorsqu'il vous dit que les derniers seront les premiers!

Les deux moniales, outrées par l'arrogance, se mirent à réciter des patenôtres en se signant. Pastan applaudit, aussitôt imité par vingt Marseillais.

« Foutre! me dis-je, moi qui rêvais de discrétion! La voilà devenue célèbre! Se pourrait-il qu'elle fût parmi nous par amour pour les idées nouvelles? Enrôler le Christ par surprise dans les rangs de notre bataillon, voilà qui ne manque ni de talent ni de toupet! »

Pastan, ravi, lui donna dans le dos une tape à lui faire cracher ses poumons.

— Ah çà ! dit-il, Malegarde, tu me plais !

Sur ces mots quatre Marseillais la soulevèrent, la campèrent sur leurs épaules et la portèrent en triomphe à travers la cour. Ils tournèrent un moment autour du puits, aux rudes accents d'un cantique moyennement chrétien :

Ah ! Ça ira ! ça ira ! ça ira !
Les aristocrates à la lanterne !
Ah ! Ça ira ! ça ira ! ça ira !
Les aristocrates on les pendra !

Tandis que les innocents promenaient sur leur dos celle qu'ils prétendaient pendre, les belles fesses d'amazone dansaient sur la mêlée. J'admirai avec quelle assurance elle chevauchait les manants. « La diablesse ! me dis-je en me mordant les lèvres. Elle a devant elle une belle carrière ! Elle a trouvé dans ses langes l'art de subjuguer le peuple et les soldats ! »

Finalement ils la mirent à terre en la bousculant comme un bon compagnon. Le souffle précipité, les joues rougies par le transport, elle était belle à faire bander un castrat. Elle remit en ordre ses cheveux massacrés d'un geste si féminin que j'en eus le sang dans les bottes. Je ne savais pas encore que la Révolution plierait sous le joug d'androgynes féroces, cent fois plus acharnés que mastards velus.

Alors que je tentais vainement de soustraire ma belle à la fâcheuse attention des soldats, l'un d'entre eux fut pris par la fantaisie de montrer son adresse au tir. La mode était de prendre pour cible à ces imbéciles concours, les crucifix, les vitraux d'églises et les têtes de saints. L'artiste mit donc en joue un saint Hugues de pierre carré dans une niche et paria deux sols qu'il allait le décapiter. Par bonheur pour l'évêque de Grenoble, le vilain avait préjugé de son habileté. Deux autres, puis trois encore, tentèrent l'exploit sans remporter plus de succès. Le bon mitré, campé entre deux lys fichés dans des vases à long col, essuyait bravement les rafales. C'est alors qu'Analys fit un pas en avant. Tous s'écartèrent. Le silence tomba. Tenant à bout de bras son pistolet à deux coups, fermement, elle visa le bienheureux. Je savais quelle était son adresse, et je me dis que le grand saint Hugues s'en allait voler en éclats. Du côté de Rambuteau, qui s'était approché avec ses deux compères, un murmure roula, enflé de quelques rires. Au moment de commettre ce sacrilège, elle hésitait. Que se passait-il dans cette tête folle? Elle était immobile. Son bras ne tremblait pas. Sur le visage clair flottait un sourire. Elle semblait prendre plaisir à l'incrédulité qui montait. Le temps s'étirait. La tension commençait à tomber, les plaisanteries à fuser. Alors qu'on n'y croyait plus, les deux coups partirent presque en même temps.

Un instant la statue fut environnée de fumée. Des débris retombèrent. Le saint réapparut. Là-bas, luisant dans l'ombre, la tête était intacte. Mais les deux lys avaient giclé, coupés net au ras du cristal. Un ha! d'admiration jaillit de toutes les poitrines. La gueuse rengaina son pistolet et fit claquer l'étui contre sa cuisse.

— À table, citoyens, dit-elle, cette affaire m'a donné grand faim!

J'eus toutes les peines du monde à trouver place à ses côtés, tant elle était devenue célèbre. Autour d'elle on se bousculait, on s'écrasait les pieds. Les bons mots fusaient et les discours bravaches. Je dus jouer des coudes. En moins d'une journée, le soldat Malegarde m'avait supplanté dans l'amitié du bataillon. De protecteur, j'étais devenu protégé. Sous son accoutrement de Cadet Rousselle la coquette appliquait au bivouac l'art frivole de tenir salon. Bientôt ces pesants balourds s'en allaient faire des ronds de jambe. Fallait-il qu'ils fussent naïfs, pour ne pas sentir qu'ils tenaient là une marquise!

« Ah! Coquine! pensai-je, remontant ma ceinture comme un lutteur de foire. Va! Bavarde! Débats! Palabre! Plastronne tout ton soûl! Tu ne perds rien pour attendre! Tu verras bien, ce soir après dîner, qui de nous deux tire le mieux! »

*

Au milieu de la cour étaient dressés des tréteaux recouverts de draps blancs. Tant de sauces à la louche nous y furent servies, sans parler des rôtis et des viandes grillées, des pains farcis de lard et des poissons en croûte, qu'il nous fallut, au-delà de raison, pousser dans nos gosiers l'épais par le liquide.

Le vin de ce pays n'a rien d'un vin du pape, qui, bien honnêtement, vous avertit de ses ardeurs par la violence de son goût et l'éclat de sa robe. Celui-là est léger, pimpant, clairet, plein de parfums subtils. Il glisse comme un charme, mais sitôt avalé vous saisit par traîtrise, vous prend dans ses vapeurs et vous met soûl perdu.

Analys mit un acharnement à se débaucher comme un homme. Je la vis engloutir plus de viandes que moi, parler la bouche pleine, se torcher le menton et boire comme un trou. Je me félicitais de la voir prendre à cœur son état de soudard. Rassuré derechef sur le secret de son identité, je me jetai à mon tour sans retenue dans la ripaille.

— Braves, les enfants ! disait Pastan qui nous aimait de plus en plus.

Le citoyen poète était charmé de trouver tant de jeunesse dans les rangs de ce bataillon recruté en deux jours. Pédagogue enragé, il nous gavait de discours civiques, convaincu que les idées nouvelles s'imposeraient par la seule raison, que même les nobles et les curés finiraient par chanter avec nous. Il voyait germer partout les prémices d'une pacifique fédération.

— Je ne parierais pas trois sous sur la roture de ton compagnon, me dit-il en aparté.

Troublé, je préférai en rire.

— Tu as pourtant vu avec quelle adresse il a déquillé le ci-devant saint Hugues !

— Il a déquillé les lys, petit, seulement les lys... Saint Hugues est toujours debout !

Le gredin était moins sot que les autres. Je le savais depuis longtemps. Pourtant, je préférai jouer la surprise.

— Tu penses à une tromperie ?

— Non, à une conversion. Et je m'en réjouis. Car ces gens-là savent des choses que nous ne savons pas encore, et la République en fera son profit. Tiens ! Lorsque j'étais aux Amériques...

Je le voyais parti dans l'un de ses vaillants souvenirs où, après les Indiens, Saint-Roman, par son panache, sa bravoure, sa drôlerie, sa folie même, tenait la deuxième place. N'allait-il pas s'aviser, à comparer les deux tournures, que la mâtine lui ressemblait ? Même morgue. Même mépris pour la petitesse. Même déraisonnable goût du danger. Jusqu'aux traits fins mais sans faiblesse : le front haut, le nez droit, la bouche grande et le menton précis, assombris de cheveux noirs pour l'un et adoucis dans la blondeur chez l'autre, mais si semblables pour qui savait regarder !

Rambuteau, pour sa part, s'embarrassait moins de philosophie politique. Il avait toujours des inspirations pour finir un festin en beauté. Soulevé par ses deux amis, il grimpa au milieu de la table et lança à pleine gorge une version marseillaise du « Ça ira » :

Pissa, pissa, senso façoun
Entre lou nas et lou mentoun
De touti li aristoucrato[1]...

Besagne et Lagoubran lui firent une ovation. Encouragé par ce succès, le coquin se mêla de se déshabiller. Il jetait gracieusement aux convives ses frusques faisandées, comme une catin l'eût fait de ses cotillons. Quand il fut nu comme un coq plumé, il s'essaya à prendre des poses mignonnes pour faire valoir ses breloques de bouc, étonnamment velues sous un vit de mulet qui faisait bien sept pouces de pourtour sur au moins dix de long. L'appareil était remarquable tant par sa dimension que par ses tons moirés, et, pour en faire le portrait, un rapin eût dû inventer des couleurs sans exemple.

— Voilà un fameux maître-queux ! cria Lagoubran qui ramenait tout à son ancien métier de gargotier.

C'est alors que l'affaire prit un tour délicat. Une religieuse qui traversait la cour eut la mauvaise idée de donner son sentiment sur le recueillement de mise dans un hôpital. Mal lui en prit. Avant d'avoir risqué la moitié d'un signe de croix, elle fut transportée à côté du nudiste, au milieu des bouteilles et des plats renversés. Rambuteau fit voler la cornette, découvrant un crâne rasé.

— Le bas vaut-il le haut ? lança Besagne, facétieux.

Le sourcil gris et broussailleux, un joli début de moustache ne laissaient rien espérer de frais du côté de sa motte. L'arracheur de dents troussa la jupe grise. La malheureuse se débattait, et tout ce mouvement faisait trembloter les chairs de ses cuisses et de ses grosses fesses blêmes.

Appliquant un genou dans le creux des reins, Rambuteau la força à se cambrer pour montrer aux convives une toison épaisse parsemée de fils blancs.

— C'est beaucoup de sel pour guère de poivre ! s'exclama Lagoubran qui ne pensait que boustifaille.

1. Pisse, pisse, sans te gêner / Entre le menton et le nez / De tous les aristocrates...

Une salve d'applaudissements salua cette saillie. Rambuteau, coiffé de la cornette, planta son bonnet rouge sur la tête tondue. Un gredin de Septèmes s'approcha de l'allégorie en rampant sur la table. Un bout de chandelle allumée lui coulait sur la main. Il parla de griller les poils de l'entrecuisse et même pire encore. Ne sachant trop comment tournerait l'affaire, je pris le prudent parti d'y soustraire ma bien-aimée. Je me levai de table et rotai bruyamment pour me donner l'air brave. Par bonheur, Analys était ivre morte. La tête dans ses bras croisés sur la table, elle dormait comme un sonneur de cloches. Sans doute aurait-elle oublié demain les génitoires de Rambuteau et le minou de la religieuse. Je m'en félicitai. Je pris son bras, le passai autour de mon cou et la soulevai du banc, les jambes molles et les genoux pliés.

— La bonne nuit, collègues ! lança Pastan avec une tape amicale sur les fesses de mon amie.

— Tiens, s'exclama Rambuteau, en glissant vers nous un regard complice, voilà les jolis conscrits Lacoste et Malegarde qui s'en vont dormir à l'auberge du Tourne-Dos !

Comme je haussai les épaules, il donna le départ à un joli concert repris en chœur par les voix éraillées des soûlots :

Aucu… aucu… aucune hésitation !
Au cul ! Au cul ! Au cul, nous le mettrons !

Le refrain fit diversion. La religieuse fila entre les mains des brutes et disparut dans un vol de bure, saluée d'autant de rires que de rots et de pets.

Ce fut toute une affaire pour monter à l'échelle le poids mort de ce corps endormi. Dix fois je glissai, tous les membres accablés. Je me meurtris les coudes, les genoux et le front. Mais je m'acharnai. Finalement, renonçant à la grâce du galant qui porte sa fiancée dans ses bras, je la charriai pliée en deux sur mon épaule tel un sac de navets. À peine dans la fenière, je la déchargeai d'un coup, tant j'étais épuisé. Le choc la réveilla. Ce ne fut pas, hélas, pour se donner à moi. Les yeux hagards, la bouche ouverte, elle porta ses deux mains à sa gorge. Quand on a trop mangé et trop bu, il faudrait s'endormir debout car la position allongée, par l'effet bien connu de concordance des niveaux, vous expose aux débordements. C'est ce qu'apprit à ses dépens ma pauvre ci-devant, en sa première soûlerie au chablis de Bourgogne. L'estomac retourné, les joues trempées de larmes, elle rendit autant qu'elle avait avalé. Jusqu'aux lueurs de l'aube je lui tins le front. La belle nuit de noces ! Puis le sommeil nous prit, sans que nous eussions consommé autre chose que notre honte.

II

On a tant de nerf dans le corps à cet âge que l'aube m'éveilla aussi frais qu'une rose. Le foin neuf embaumait. Un coq chantait au loin, là-bas, dans la campagne. Sans même ouvrir les yeux, je me pris à sourire, me représentant mon bonheur et l'infinité de temps que j'avais devant moi pour assouvir ma flamme.

« Bah ! me dis-je, ce soir je me garderai mieux de ce vin en goguette, et je n'aurai que plus de bonheur après un autre jour de désir contenu. »

Je sentais sur mon dos le poids tiède et charmant de ce corps endormi, accordé à mon corps dans ses moindres reliefs. Déjà, je me délectais du plaisir que j'aurais à lui rendre vie d'un baiser. Comme elle avait posé un bras mol sur ma taille, je pris la main abandonnée et la portai à mes lèvres. Lorsque j'eus sous les yeux cinq doigts d'homme et un poignet velu, je poussai un cri et me retrouvai debout, les yeux écarquillés et le cœur en chamade.

— Ah ! me dit le vicomte, s'étirant comme un chat, rien ne vaut le plaisir de dormir près de toi ! Tu as, du côté pile, des charmes qu'on n'imagine pas…

— Sacrebleu ! m'écriai-je, je suis fou, je rêve, ou je suis encore ivre ?

Sans daigner me répondre, il se mit à chasser de pichenettes désinvoltes, les brins de foin entrés dans ses dentelles.

— Où est-elle ? demandai-je, les dents clavées.

Il leva sur moi un œil mutin, ne pouvant en lever deux pour les raisons qu'on sait.

— Envolée ! dit-il, avec un geste de magicien libérant des colombes.

Je me jetai sur lui. Je le pris par les volants de sa chemise et le secouai avec fureur.

— Où l'as-tu cachée ? hurlai-je.

Le vêtement de batiste se déchira de son long, découvrant une épaule musculeuse, embaumée d'huiles et de parfums car il passait la moitié de son temps aux étuves.

— Ah ! s'écria-t-il, au comble du ravissement. Que tu as de vigueur ! Et comme j'ai bien fait de te venir rejoindre ! Loin de toi, que veux-tu, la vie était sans goût...

On se doute que ces mots, bien dans sa manière, n'étaient pas de nature à faire tomber ma colère. Violemment je le jetai dans le foin. Il s'y laissa tomber avec une grâce de fille, d'autant plus ridicule qu'il était grand comme un clocher, bâti en athlète, ceinturé et botté de cuir par-dessus ses dentelles.

— Capon ! Pendard ! Scélérat ! J'aurais dû te tuer avant de te quitter !

— Pfff! dit-il en minaudant, tu sais bien que tu m'aimes !

— Moi ? T'aimer ? hurlai-je à me faire péter les veines du cou.

— Tu prétends vainement le cacher..., dit-il encore, feignant la pudeur bousculée.

— Je ne désire rien tant que te voir raide mort !

Il eut un petit rire.

— Tu m'as pourtant donné la seule chose que tu possèdes, outre ton cul – qui est joli – et tes dents – qui sont fort longues...

Une inquiétude me saisit, car j'appréhendais, pour m'y être souvent égaré, les chemins tortueux de ses manigances.

— Je ne sais pas de quoi tu parles ! m'écriai-je, lui donnant des coups de pied qu'il évitait en se tortillant.

— De cela ! dit-il, en tirant de la paille une sacoche de cuir. Il l'ouvrit et en sortit le manuscrit, épaissi d'avoir été manipulé. Il le posa sur ses genoux, en déroula un demi-pied. Je lui clouai le bec d'un méchant rire.

— Seulement cela ? dis-je, rasséréné.

— Seulement ! s'exclama-t-il, jouant l'indignation. Ton unique héritage ! Quatorze toises de papier recouvertes de mots tant devant que derrière ! Et quels mots ! La plus magnifique litanie d'infamies qui se puisse imaginer ! Un monument de noires délices ! L'évangile du Mal ! Écoute plutôt...

Il se mit à marmonner entre ses dents, suivant les lignes en vitesse :

— Passons sur Louis XIV… Ah ! Tiens, voilà :

Il prit un ton inspiré.

— « C'est maintenant, ami lecteur, qu'il faut disposer ton corps et ton esprit au récit le plus impur qui ait jamais été fait, depuis que le monde existe, le pareil livre ne se rencontrant ni chez les anciens, ni chez les modernes… »

— Foutre ! dis-je, quelle suffisance !

Il négligea mon interruption et poursuivit sa lecture avec l'air de m'avoir oublié. Je ne comprenais pas tout du texte, car l'écriture en était contournée. Je me mis à siffloter avec insolence.

— Tais-toi ! Et ouvre tes oreilles ! dit-il, me jetant le regard sévère d'un prieur qui admoneste un enfant de chœur turbulent. *« Sans doute, beaucoup de tous les écarts que tu vas voir peints te déplairont, on le sait, mais il s'en trouvera quelques-uns qui t'échaufferont au point de te coûter du foutre, et voilà tout ce qu'il nous faut. »*

— Bander sur du papier est affaire de vieux ! dis-je, haussant les épaules.

Ma remarque lui tira un sourire :

— L'amour est plus excitant entre les pages des livres qu'entre les draps des lits…

Il remit le rouleau dans la sacoche. Une fois refermée, il la tapota affectueusement. Puis, levant la tête :

— Merci ! dit-il avec sentiment.

Je coupai court à sa feinte émotion par un haussement d'épaule.

— Il était trop lourd pour encombrer ma besace. C'est la seule raison !

— Je n'en crois rien ! Tu regrettais déjà de m'avoir quitté…

— Ta vanité confond ! Je te verrais crevé sans verser une larme !

— Tu te trompes toi-même, dit-il, et de plus, si j'étais crevé, je ne pourrais t'apprendre où se trouve Analys…

Sur ces mots, il se tut, me couvant d'un œil noir de malice. Pour en savoir plus, je devais m'adoucir.

— C'est bon, dis-je, me contraignant au calme. Dis-moi ce que tu sais et séparons-nous bons amis.

Il tira de son ceinturon un billet plié qu'il me tendit en souriant comme un ange.

— Voilà ! J'espère que tu comprendras ses raisons.

*

Le message était encore humide et chaud d'avoir tenu contre son ventre. Je le dépliai sans espoir d'y trouver quelque soulagement, car, de notre alphabet, je ne connaissais que six lettres, celles qu'on appelle voyelles, et encore m'arrivait-il d'oublier d'entre le *o* et le *a* lequel avait la queue en haut, et lequel la portait en bas. Je parcourus l'écriture de ma bien-aimée, tout en jambages et jolis ponts. J'y découvris plusieurs points qui me signalaient quelques *i*, mais n'en tirai pas davantage. Sans doute, me disait-elle là comment la scène de la veille, entre la religieuse et Rambuteau, ajoutée à l'affaire de l'éborgné, lui avait montré qu'en suivant les Marseillais elle s'était trompée. Peut-être me découvrait-elle aussi quelle retraite elle avait choisie et m'engageait-elle à l'y rejoindre ? Je rendis la feuille au vicomte avec un sourire charmeur :

— Fais-en donc un peu plus et dis-moi ce qui est marqué là.

Il prit le billet, le parcourut d'un air bonhomme.

— Voyons, voyons...

Je ne doutai pas, à son ton complaisant, qu'il m'en fît bientôt la lecture. Déjà, je me sentais attendri d'un retour d'affection, quand brusquement il se ravisa.

— Foutre ! s'écria-t-il, repliant le billet, je me ferais tuer plutôt que flatter plus avant ta paresse ! Est-ce digne du fils d'un grand homme de lettres ? Lire est une science possédée par plus sot que toi. Tant de négligence à la pénétrer est la marque d'une âme vile ! Si tu veux connaître ce qui est écrit là, tu n'as qu'à prendre un alphabet pour les lettres, une grammaire pour l'agencement des mots, et un ouvrage de philosophie pour les finesses de rhétorique.

De fureur, je crus sentir mon sang gicler par mes oreilles. Je me baissai et donnai, du front, un grand coup dans son estomac. Avant de tomber en arrière, il me saisit par les cheveux que je portais alors fort longs, flottant sur les épaules. Nous roulâmes dans le foin, bras et jambes mêlés, cherchant vainement du genou à nous rompre les génitoires. Il tenait le billet froissé au bout de son bras tendu. Malgré tous mes efforts, je ne pouvais l'atteindre, ayant les membres moins longs que lui. Au comble de la rage, je tentais de compenser ces quelques pouces qui me faisaient défaut par des injures brouillonnes, auxquelles il répondait point par point.

— Hypocrite !

— Courtaud !

— Faux-jeton !

— Cul-de-jatte !

L'empoignade était sans issue, car à ce vain combat qui régulièrement nous jetait l'un sur l'autre, nous étions d'une force égale. Nous en sortions brisés, meurtris, le cœur au bord des dents, sans qu'il nous fût possible de savoir une fois lequel était vainqueur, lequel était vaincu.

Je réussis finalement à me dégager de ses jambes. Je m'assis sur son bras. Les mâchoires serrées, je m'acharnai à ouvrir ses doigts crispés sur le message. N'y pouvant parvenir, je cognai sa main contre un van à fayots qui traînait dans le foin. Profitant de ce que mon dos lui était offert sans défense, le bougre, se tortillant comme un poisson ferré, me planta ses dents dans la fesse et me la mordit jusqu'au sang. Blessé en même temps dans ma chair et dans mon honneur, une fatale seconde je desserrai mon étreinte. Ce fut assez. Plus vif qu'un singe, il se mit le papier en bouche et l'avala d'un trait. J'en fus estomaqué.

— Voilà, dit-il, époussetant ses manches, à quoi sert de me vouloir forcer !

J'étais désemparé, ne sachant si je devais à présent le supplier encore ou lui ouvrir le ventre. Il se leva, rajusta ses dentelles déchirées à l'intérieur de ses chausses, boucla son ceinturon, tira sur ses bottes et poussa l'insolence jusqu'à renouer par deux fois le ruban de velours qui retenait ses cheveux noirs en catogan. Restauré dans sa magnifique prestance, il se dressa devant moi, rempli de morgue, l'air souverain.

— Par la couille rouge du diable, dit-il, je me demande pourquoi les Saint-Roman se sont coiffés de toi ! Tu es rustique et sans nuance ! Tu ne vois pas plus loin que le bout de tes pieds ! Va ! Marche sur les routes avec ces énervés ! Traîne donc les canons comme un bœuf à l'araire ! Bourre-toi de pain bis et de gros vin qui tache ! Enconne des paysannes et braille sur trois notes des chansons de vilains ! Allons, oublie ma sœur ! Elle n'est point pour toi et tes grossiers hommages ! Croirais-tu qu'un instant j'ai failli moi aussi me laisser attendrir par vos roucoulements ?

Ce disant, il reculait pas à pas vers la fenêtre qui découpait un carré de soleil sur le sol. Il était de ces hommes qui sautent de dix pieds sur le dos d'un cheval et s'en vont au galop. Je pensai à mon cher Faraman qu'il avait dû faire sien quand je l'avais quitté. Je ne doutais pas que la bête fût en bas, ses jarrets nerveux vibrant d'impatience, sa robe frémissant à l'approche des taons. Le vicomte reculait toujours. S'il parvenait à s'échapper, je perdais à jamais la trace de ma princesse.

— Peste, vicomte ! m'écriai-je, je ne sais pas bien lire, mais j'ai le sens de l'amitié. Chacun a droit à ses passions. Laisse-moi donc ta sœur, puisque tu tiens, grâce à moi, ce manuscrit auquel, je ne sais pourquoi, tu attaches tant de prix !

— Je n'y attache de prix que si tu me l'as donné par amour, dit-il, d'une voix mielleuse que démentait son regard de braise.

— Disons que je te l'ai donné par amour..., accordai-je, conciliant.

— Je vois bien que tu ne m'aimes pas et que tu parles par intérêt ! gémit-il, d'une façon à vous tirer des larmes.

L'impatience commençait à faire courir des fourmis sur mes poings.

— Bon ! Je t'aime ! dis-je, sur un ton qui exprimait absolument le contraire.

Son visage refléta aussitôt la plus violente des joies simulées.

— Alors, dit-il, vibrant, donne-moi un baiser !

Je connaissais par cœur ses marchandages. Je soupirai d'accablement.

— Tu jures ta bonne foi ?

— Foutredieu ! Parole de bandit ! Si je mens, je vais en paradis !

La formule faillit me faire sourire par ce qu'elle avait de joliment biaisé. Peut-être étais-je déjà en train de retomber sous son charme loufoque ?

— Viens donc et je t'embrasse..., laissai-je tomber, me disant que s'il s'approchait je pouvais le tenir.

Il fit un pas vers moi, s'arrêta, recula encore. Cela le ramena exactement à la même place, à moins d'une toise de la fenêtre. Il prit une pause, puis :

— Non, vraiment, je ne te sens pas de goût pour cette étreinte.

En deux enjambées je fus sur lui et posai un baiser miaulant sur sa joue balafrée.

— Là ! Es-tu content ?

— L'autre ! dit-il, me tendant la joue gauche.

Comme j'obéissais, le bougre tourna la tête et me donna un baiser sur la bouche. Mais d'une violence ! Pour rien au monde je n'eusse voulu lui découvrir mon saisissement. Au lieu de me reculer, ce qui eût été sage, je le mordis avec la dernière cruauté. Le coquin me rendit la pareille un ton plus haut. Nos dents s'entrechoquèrent. Je montai encore les enchères. Il en fit autant. Vivement je me jetai en arrière lorsque je m'aperçus que je commençais à bander. Je réussis néanmoins à prendre l'air fâché. Je toussotai pour éclaircir ma voix, quelque peu altérée par ce méchant bouche à bouche.

— Me diras-tu à présent ce que contenait ce message ?

Il me regarda, avec l'air béat d'un saint qui flotte dans les airs.

— Tu me donnes trop d'émotions, dit-il. J'ai oublié...

Je l'eusse sans doute tué en le jetant par la fenêtre, tant ma colère contre lui se trouvait multipliée par cette réaction imprévue de ma chair. C'est à ce moment que, se raclant la gorge, Rambuteau lui sauva la vie.

*

La grosse tête dépassait par la trappe. Incrédule, il nous regardait l'un et l'autre tour à tour. Quand il sut qu'il était découvert, son œil jaune s'alluma d'un coup.

— Cornecul ! cria-t-il, Lacoste et Saint-Roman ! Est-ce par Dieu possible ? Se galucher ainsi entre hommes ! Vont-ils point maintenant s'enculer sur le tas ? Foutre ! J'ai tout compris ! Le sagouin fricote avec les aristos ! Cette fois, mon cochon, tu vas tâter la corde !

Mes yeux épouvantés allaient du vicomte à l'arracheur de dents qui l'avait éborgné. Leur face-à-face me perdait. Comment exposer à la brute notre invraisemblable amitié ? Plus prompt que moi dans l'analyse, le vicomte trouva un dénouement expéditif à l'affaire. Tandis que Rambuteau, la figure au ras du plancher, perdait du temps à nous couvrir d'injures, nous traitant de vilains et de sodomites, il prit à deux mains un râteau appuyé contre un mur. Il l'en gifla à la volée. Cela fit un bruit d'os qui craque, suivi par l'écroulement du corps tout au long de l'échelle qui perdit au moins trois barreaux sous le poids.

— Peste ! dit le vicomte en se frottant les mains, voilà qui fait du bien et je me sens moins borgne !

Tandis qu'il se mettait en jambes, sautillant sur ses pieds à la manière d'un lutteur, je regardais d'en haut Rambuteau effondré sur le sol. Sa mâchoire brisée avait rejoint l'oreille. Je ne doutais pas un instant qu'il fût mort. Cela rendait ma position quelque peu délicate, d'autant que des soldats, alertés par le bruit, refluaient vers la grange. Déjà ils étaient cinq à se presser autour du corps, parmi lesquels Besagne et Lagoubran qui me montraient leurs poings serrés, blanchis par la colère. Sans l'accident des barreaux, je les eusse eus à mes basques et m'en fusse plutôt mal trouvé, car ils étaient costauds. Descendre par l'échelle, il n'y fallait songer. Rambuteau, par le prestige de son vit, avait des partisans autrement nombreux que mes admirateurs. Je les avais vus pendre pour un pet de travers quelques curés et autant d'aristos pendant notre voyage, et je me voyais déjà balancer ma carcasse aux branches d'un noyer qui sont légion dans ce pays. Le vicomte restait prudemment en arrière, dissimulé par le vantail ouvert de la trappe. Aussi, les malédictions des Marseillais étaient-elles toutes pour moi. Plié en deux par le rire, le gredin se tenait les côtes.

— Ah ! Ah ! dit-il, je te sens mal parti. Si tu veux mon avis, tu ne verras jamais Paris ! C'est grand dommage, car cette ville est immense, fort belle, remplie d'opportunités pour un garçon de ton âge, et ton père eût été bien aise…

Je ne connus jamais la fin de sa phrase : je sautai par la fenêtre, priant furtivement pour que Faraman fût en bas.

Il y était. Pourtant je n'irai pas faire croire au lecteur que je tombai comme un prince au milieu de son dos. Ce sont là vantardises de mousquetaires. Je roulai dans ses jambes, je me meurtris le dos, mais point assez pour perdre le ressort de me hisser en selle. Sitôt monté, je piquai des deux au hasard des ruelles sous les huées de mes anciens frères d'armes. Ils tirèrent au jugé quelques coups de fusil. Par bonheur, c'était une armée de rencontre, composée de piétons et de mauvais tireurs. Bientôt, ils abandonnèrent la partie. Je me laissai aller sans retenue à la double joie de monter un bon cheval, et d'avoir laissé le vicomte dans de mauvaises mains.

III

Après une demi-lieue de chevauchée ventre à terre, je fus assez éloigné de Beaune pour me sentir en sûreté. Je cessai de talonner Faraman qui prit un petit trot de routine.

Les blés mûrissants étaient dans ce chatoiement qu'ils prennent quelques jours par an pour passer du vert tendre de l'herbe à l'or de la moisson. De lourdes fermes carrées aux toits pentus couverts de lauzes s'éveillaient dans les fonds bleutés. Des petits veaux tétaient leur mère ou dormaient en rond près des clôtures. On entendait le chant d'un coq ou l'aboiement d'un chien, le bref battement d'aile d'un oiseau surpris à son nid, mince drame dans le jour naissant.

Au milieu de cette douceur, s'élevait, tragique, une ancienne abbaye qu'on avait mise à mal. Ses tours démantelées dressées contre le ciel me rappelèrent celles de Malegarde, et les derniers mois de mon enfance, juste avant la Révolution. Je m'arrêtai en haut d'un tertre pour les contempler. Un calvaire avait été là, qu'on devinait à son piédouche, au centre duquel se dressait encore un morceau de ferraille tordue. Je me remis en marche.

Un tiraillement d'estomac m'avertit que mon ventre était vide. Je me mis en quête de pitance et trouvai bientôt sur le bord du chemin un cerisier chargé. Je me gavai de fruits tandis que Faraman tondait l'herbe d'un carré de blé à demi grainé. Je m'allongeai au pied de l'arbre, les bras derrière la tête, un brin d'herbe entre les dents.

Cependant, soit que l'excitation de la chevauchée fût tombée, soit que la vue de l'abbaye m'eût assombri, soit encore que la digestion des guignes se fît malencontreuse, un voile de tristesse tomba sur mes pensées. Hier, pourvu d'amis et d'une fiancée, je savais où j'allais, ce que j'avais à faire. En moins de temps qu'il n'en faut au mistral pour décoiffer une jardinière, je me retrouvais seul et ne sachant où aller, car accusé d'assassinat. Jusqu'au vicomte que je me représentais pendu, tirant la langue et balançant ses longues jambes sous la maîtresse branche d'un arbre. Qu'il fût la cause de mes présents malheurs ne pouvait m'ôter certaine nostalgie et comme l'amorce d'un regret pour nos anciennes aventures.

Je me mis à traîner de fossé en hallier, incapable de me décider à tirer la route. Vers cinq heures du soir, je m'aperçus que j'avais tourné en rond, comme tenu au licou par cet hôtel-Dieu qui avait vu mon infortune. Je me dis qu'il me suffisait de changer ma culotte blanche et ma veste à pans contre un accoutrement moins remarquable pour me faufiler dans la foule des citadins. Sitôt pensé qu'exécuté. Sur une corde à linge, je volai quelques hardes et m'habillai en gueux. Je noircis ma figure au charbon, roulai dans les fontes de la selle mon uniforme de soldat et retournai vers Beaune, avec l'air matois d'un paysan qui s'en va vendre son cheval à la foire.

À la tombée du jour, j'arrivai dans la ville. Tenant Faraman par la bride, j'entrai dans la cour des Hospices. Par la porte en ogive, passait dans les deux sens une foule de cornettes et de pauvres gens. Une main me saisit par le bras, me tira contre un mur, tandis qu'une voix sourde me grondait dans l'oreille :

— … bécile ! Que viens-tu faire ici ? Crois-tu remercier le Seigneur qui t'a sauvé, en venant te fourrer dans la gueule du loup ?

Je reconnus la religieuse que Rambuteau avait, la veille, vilainement secouée.

— Ne sont-ils pas partis ?

— Pas tous ! dit-elle en se signant. Ils nous en ont laissé deux pour interroger sur ton compte le galapiat que tu as assommé…

— Rambuteau n'est pas mort ?

— Ah ! Ah ! ricana la moniale, il n'est pas mort mais ne vaut guère mieux ! Ce ne sont pas mes soins qui lui vaudront sursis, ni mes prières l'indulgence !

— Et le pendu ? demandai-je, le cœur serré.

Elle me regarda, le sourcil levé pour marquer sa surprise.

— Quel pendu ?

Mon soulagement fut tel que je faillis lui baiser les deux joues. Ainsi errais-je dans mes incohérences, poussant le vicomte au gibet, et tremblant de l'y voir balancer.

À ce moment, un gendarme s'approcha de nous, le mousqueton à la main. Son bicorne trop grand lui tombait sur l'oreille. La coiffe était ornée d'un panache mal arrimé, hâtivement teint en tricolore. L'opération avait collé entre elles les plumettes et leur donnait l'aspect poisseux d'une queue de chat trempée dans la confiture. Malgré l'aspect comique de cette coiffure, je sus, au flux saccadé de mon sang, que j'étais passé de l'autre côté de la loi.

*

— Qui va là, citoyenne infirmière ? demanda-t-il d'une voix de stentor.

— ... bécile ! lui cria la moniale, tu faisais moins le fier cet hiver, quand tu pissais des mèches de chandelles, et que je devais te ramoner deux fois par jour le vit avec du crin tressé !

Sous cette avalanche de détails critiques, le pandore rabattit un peu de sa superbe. Il jeta alentour des regards contrariés.

— Ce n'est pas tant pour vous, ma sœur, dit-il, baissant le ton. Mais nous recherchons ce foutu Marseillais qui a démoli son collègue. Qui est ce garçon que vous entretenez ?

— Un particulier qui a la petite vérole ! répondit la moniale.

À cette information, l'homme fit un saut en arrière. Le bicorne lui glissa sur le nez, le plumet vibrant comme un ressort. Il le renvoya en arrière, mais cette fois le chapeau retomba sur la nuque, comme une bosse de taureau encornée d'une banderille.

— Allons ! Prends un peu l'air dolent ! me souffla la rouée en poussant un coude osseux dans mes côtes.

Sous le coup, je perdis le souffle.

— Il n'est pas frais ! reprit l'homme, impressionné par ma grimace.

Puis, presque aussitôt, avisant Faraman qui ferraillait du sabot sur le pavé de la cour :

— Et le cheval ? demanda-t-il, tout en s'efforçant de retrouver pour son bicorne la position réglementaire.

— Le cheval ? Il est vicieux ! Il botte qui l'approche !

— Que porte-t-il sur son dos ?

— Ma foi..., viens donc y voir ! lança-t-elle comme un défi.

L'homme fit un pas vers nous. Je sentis la sueur perler à mon front. S'il débouclait les fontes de la selle et découvrait mon uniforme, j'étais perdu. Tandis que le gendarme s'approchait, je vis la religieuse planter sournoisement la croix d'argent de son chapelet dans les naseaux de Faraman. La pauvre bête poussa un hennissement de douleur et sauta sur ses jambes, faisant gicler sur le pavé un gaveau d'étincelles. Le gendarme fit un saut de côté pour éviter le sabot, ce qui remit son bicorne de travers, et l'aigrette dans une oblique fort peu martiale.

— Merde ! dit-il en renonçant à fouiller l'animal, c'était pourtant une belle bête !

— … bécile ! maugréa la femme, tandis que l'homme sortait de la cour, redressant d'une vingtième tape son chapeau déséquilibré par le poids de ce foutu plumet.

— La queue du haut vaut celle du bas ! grommela-t-elle entre ses dents.

J'admirai avec quelle gaillarde insolence elle lui avait tenu tête, comme la veille à Rambuteau.

— Merci, ma mère ! dis-je en riant.

Elle me toisa, l'air grincheux.

— Tu m'appelles « ma mère », parce que tu as vu hier soir, à ma nature poivre et sel, que je ne suis plus jeune ?

Je me troublai sous ce regard fier qui me faisait vergogne d'avoir vu ce qu'il est séant de cacher. Des deux, j'étais le plus confus.

— Apprends donc, galapiat, que je suis sœur Gastonne. J'ai derrière moi quatre quartiers de noblesse ! Crois-tu que je condescendrais à être abbesse ? Seuls les mesquins acceptent des grades !

Elle me prit le bras et, d'un pas ferme, m'entraîna.

*

La salle des Pôvres offrait le spectacle commun d'un souffroir d'hôpital. Toutefois, le splendide agencement du plafond en carène de vaisseau, les gueules de dragons qui soutenaient les poutres, la richesse des tentures brodées de tourterelles, le vermillon pimpant des couvertures et des rideaux, vous donnaient à penser qu'on avait sous les yeux quelque temple de la douleur avec ses fêtes carillonnées et ses rites bizarres.

Deux rangées de lits sous courtine étaient placées le long des murs. Au centre, les religieuses affairées s'arrêtaient quelquefois pour échanger quelque avis inaudible.

Sœur Gastonne se campa au pied d'un lit.

— Tiens, dit-elle, voilà mon fiancé! Tu lui as joliment arrangé le portrait! Tu comprendras que je préfère attendre un peu pour célébrer les noces...

Rambuteau avait la tête empaquetée de charpie. Sous les étoffes perçait du sang séché. De fortes bandes de coutil, serrées autour du front et du menton, retenaient deux planchettes verticales placées de part et d'autre de la figure, si bien que le visage avait l'air encadré. Malgré la contrainte des attelles et des bandages qui tenaient la bouche clavée, on voyait que la mâchoire ne tenait plus. Sous l'oreille gauche, elle faisait une boule grosse comme le poing et un trou de l'autre côté. Les yeux creusés de cernes noirs étaient clos.

— Holà, joli cœur! dit sœur Gastonne, tu as de la visite!

Et elle appuya son salut d'un grand coup de pied dans le montant du lit.

Rambuteau ouvrit des yeux hagards et poussa un gémissement. Lorsqu'il me vit à son chevet, son regard prit une telle expression de fureur que je crus sentir sur ma peau la brûlure d'un fer rougi. Son corps se tordit. Je vis alors que ses mains et ses pieds étaient attachés aux bois du lit.

— Hé! Hé! dit la religieuse en pouffant, il ne faudrait pas qu'il s'ôtât les emplâtres! C'est qu'il pourrait se défigurer...

Sans plus de compassion, elle l'abandonna à sa crise et m'entraîna vers le maître-autel qu'elle honora d'une brève génuflexion.

— Tu dois t'en aller avant que les deux Marseillais ne rentrent de l'auberge.

Je pensai à Besagne et Lagoubran. Je frémis.

— On te cherche partout. C'est miracle que tu aies pu revenir jusqu'ici. Il faut croire que Dieu te protège!

Elle dessina, du pouce, un signe de croix sur mon front.

— Où irai-je? demandai-je d'une voix bêlante, car traqué de partout je me sentais pitoyable.

— Tu n'auras qu'à te joindre aux nôtres qui doivent quitter le pays d'ici un jour ou deux.

— Des émigrés?

— Parbleu ! Comment les appeler autrement ?

— Je me joindrais aux aristocrates ? dis-je avec un début de révolte, car, malgré ma crainte de tomber entre les mains des républicains, je méprisais ceux qui s'enfuyaient pour pactiser avec l'Autrichien.

Ainsi, me retrouvais-je une fois de plus le cul entre deux chaises.

— … bécile ! dit sœur Gastonne. Crois-tu que les aristocrates sont les seuls à fuir ces enragés ? Tu verras dans nos rangs plus de paysans, de boutiquiers et d'artisans que de nobles ! Tout ce qui est un peu honnête est menacé ! C'est le règne de la crapule ! La gloire de l'Antéchrist !

— Pourtant, ma sœur, les droits de l'homme…

Elle me jeta un regard glacé.

— J'eusse plutôt aimé, hier soir, que vous honorassiez ceux de la femme !

Je baissai les yeux. Bonne âme, elle me réconforta.

— Il est vrai que tu m'as bien vengée !

Pouvais-je clamer mon innocence puisque mon crime supposé me valait son estime ?

— Viens donc dans la tisanerie, dit-elle. Je vais te donner un laissez-passer qui te signalera aux nôtres comme un ami. Ensuite tu te rendras jusqu'à l'abbaye de Saint-Sulpice qui est sur la route de Tonnerre.

— Mais, ma sœur, elle est en ruine…

— … bécile ! Je le sais bien qu'elle est en ruine ! Les bleus l'ont brûlée l'an dernier ! C'est pour cela qu'elle est sûre ! L'abbesse y a établi ses quartiers dans les caves. Tu te posteras sous ce qu'il reste de la poterne et tu attendras.

Nous prîmes une petite porte et nous pénétrâmes dans une pièce encombrée de pots à pharmacie, de flacons, de cornues et de mortiers en pierre. Là, on réduisait en poudre, pour en faire des onguents et des juleps, les simples des montagnes cueillis de bon matin. On y serrait aussi ces horreurs avec lesquelles les médicastres nous tuent sans coup férir, comme l'huile de scorpion ou la tisane d'yeux d'écrevisses. Tout cela était conservé dans des bocaux décorés de serpents d'un vert peu ragoûtant.

Sœur Gastonne me tendit un feuillet placé sous l'un de ces pots. Je sentis au cœur une crampe de joie lorsque je l'eus sous les yeux, car c'était la copie exacte de celui que, le matin même, le vicomte avait avalé.

*

La nuit était de velours bleu, cloutée des agrafes d'argent de la lune et des astres. Au ras de l'horizon, un reste de lumière dessinait les vestiges de l'abbaye. Depuis les fonds humides, mille crapauds lançaient leur chant funèbre. Ce décor tragique ne pouvait cependant entamer l'allégresse qui m'avait envahi depuis que je croyais savoir ce que contenait le message d'Analys.

Ainsi, ma bien-aimée avait choisi pendant la nuit de rejoindre les siens. Cela se pouvait comprendre après les gracieuses saynètes données par Rambuteau. Pouvais-je reprocher à ma princesse d'avoir fui tant de bestialité ? Elle avait su, la veille, détourner du pauvre saint Hugues les escopettes des Marseillais, mais sans doute avait-elle mesuré le monde qui la séparait d'eux, et ce qu'il lui faudrait fouler aux pieds pour les suivre. Elle avait dû sentir mon peu d'enthousiasme à de tels débordements, et m'avait fait remettre par son frère un sauf-conduit me permettant de la rejoindre. Que le bougre eût tenté de m'embabouiner, quoi de plus conforme à son caractère ? L'essentiel, pour moi, était qu'Analys ne me tînt pas pour complice des brutes et ne m'eût pas ôté son estime, en trois mots, qu'elle m'aimât toujours !

Je chevauchais donc hardiment, serrant le sauf-conduit sur mon cœur. On devinait que le sentier était peu fréquenté aux touffes vigoureuses qui poussaient entre les ornières. Faraman avançait au petit pas, parmi les herbes folles qui lui frottaient le ventre.

Au détour du chemin, les restes du bâtiment jaillirent devant mon nez. L'ensemble était noyé dans cette végétation fourrée qui envahit les ruines, un an après l'incendie. L'entrée n'était plus qu'une ouverture sans porte donnant sur un espace informe, encombré de blocs noirs et tapissé d'orties. Campé sous l'arc brisé, je me laissai envahir par ce sentiment fort et doux qui vous prend au milieu des vestiges, fait de tristesse à contempler la mort, et de bonheur à se sentir vivant.

Un remuement se fit dans l'ombre. Je plissai les yeux et distinguai la silhouette d'un enfant. Encore qu'il n'eût ni arc ni flèche et, sur la tête, un chapeau tricorne, je trouvai d'excellent augure qu'un chérubin vînt servir de messager à Vénus. Il me fit un signe. Des genoux, je pressai les flancs de Faraman. Je lui tendis le laissez-passer. Il le fourra dans sa chemise, se saisit de la bride et, sans dire un mot, entreprit de guider ma monture entre les éboulis.

Nous prîmes un sentier pentu encombré de cailloux qui roulaient sous les sabots. On devinait vaguement l'enceinte d'un cloître aux tronçons inégaux de colonnes qui se tenaient encore debout. Plus d'une fois je dus serrer les rênes pour me tenir en selle. Faraman trébuchait, mais, hardi, à son habitude, il me portait vaillamment sur son dos. Bientôt, cependant, il dut s'arrêter, car le sentier se terminait en cul-de-sac, devant un gros buisson d'épines sèches. Mon mentor avait disparu. Je sentis mon cœur se serrer. Dans un froissement de ronces qui tenait de la fantasmagorie, le buisson s'écarta et découvrit une porte basse. Elle n'était point assez élevée pour permettre le passage d'un cavalier sur sa monture. Je vidai les étriers et me retrouvai à terre. L'enfant était occupé à faire jouer une clef dans la serrure du battant clouté. Il en avait toute une théorie, enfilées sur un anneau de fer. Cet appareil évoquait fâcheusement le geôlier de prison. Mon cœur se serra un peu plus. Une lanterne sourde était posée à terre, et, malgré la faiblesse de la clarté, je vis alors, à sa testasse cabossée et à ses membres courts, que mon pilote n'était pas un enfant, mais un nain, et qu'il avait passé la quarantaine. Mon cœur se serra encore. Les augures me parurent moins bons.

Le vantail tourna sur ses gonds en grondant. Faraman tiqua au moment de s'avancer dans les ténèbres. Il jeta la tête en arrière et poussa un hennissement. Je dus le rassurer en le baisant au nez. La brave bête, qui m'aimait, accepta de m'accompagner dans le passage voûté, plus noir qu'un cul de loup, et qui, par sa déclivité, semblait vouloir rejoindre les entrailles du monde.

Le nain nous précédait. La lueur jaune de la lanterne ouvrait un court espace éclairé qui se refermait derrière nous. Bientôt nous fûmes devant une porte cintrée rongée d'humidité et tout aussi bardée de fer que la précédente.

— Peste ! dis-je à haute voix pour me rassurer, on n'imagine pas autrement la porte de service des enfers !

L'homme ne répondit pas. Il choisit une clef dans son trousseau et fit jouer le pêne. Le vantail résista un peu puis finit par céder. Ce que je vis alors était de nature à démoraliser le plus enragé optimiste.

*

Qu'on imagine un tunnel de cinquante toises de long, rempli de population comme une église le dimanche, à cela près qu'au lieu de se tenir pimpants, debout face à l'autel avec cet air content de qui sait l'office suivi par des agapes, les fidèles étaient assis par terre au milieu de leurs hardes. Ils avaient les chairs jaunâtres, les cheveux emmêlés, le regard vide, l'air absent.

Pourtant, on devinait, comme à la messe, des distinctions dans les rangs. Rien n'était ridicule comme ces minuscules vanités conservées dans ce lieu sordide. Les paysans se coudoyaient, les bourgeois devisaient entre eux, les aristocrates feignaient de disserter. La seule chose qu'ils mêlaient était ce terrible fumet qui monte de toute foule un peu serrée. L'odeur qui régnait là-dedans était épouvantable, de crasse, de sueur et de soupe mêlées, de parfums tournés, de pieds pourris, sans parler des tinettes qui s'alignaient près de la porte.

Vieux coffres et baluchons, couffins de sparterie, besaces, paniers d'osier, malles de cuir, cartons à chapeaux, cages de bois contenant poules et lapins, seaux remplis de navets encombraient le passage, pauvrement éclairé par des lampes à huile rencognées dans des niches du mur. Le plafond, en plein cintre, était noir de fumée. Une lourde rumeur de caravansérail traînait sur l'assemblée.

Des femmes tenaient leurs nourrissons à la mamelle, des vieux, les yeux fermés, disaient des patenôtres. Je vis des hommes qui jetaient les dés d'un air las, des enfants aux joues creuses couchés sur des couvertures liées par des sangles. Pas la moindre lucarne ouvrant sur la campagne.

Fallait-il que les imbéciles craignissent la liberté pour se contraindre à ce destin de taupe ! Les nobles et les bourgeois appréhendaient pour leurs apanages, mais que craignaient les gueux ? Car sœur Gastonne n'avait pas menti. Il y avait plus de manants que de nobles parmi ces partisans de Capet. Et même chez les aristocrates qui se distinguaient par leur air affecté, on voyait, sous l'ourlet de l'habit démodé, le velours du soulier usé jusqu'à la trame, le talon de la botte biaisé par trop de marches, la plume et le chapeau devenus proie des vers. Ces nobliaux mités n'étaient pas les cousins du roi ! Mais ils en avaient la sottise et la morgue, confortées par le respect de vilains abêtis. Combien étranges sont les hommes qui chérissent leurs chaînes au point de les regretter quand elles sont rompues !

À mon arrivée un vague silence se fit, traversé par des raclements de gorge.

— *Avanti e aspetta !* me dit le nain.

Inutile d'entendre l'italien pour savoir ce qu'il voulait me dire. Je dois cependant préciser que par mon enfance passée en pays de Vaucluse où les papistes de Rome, depuis trois siècles, faisaient florès, j'avais l'oreille accoutumée à cet idiome. Le provençal, qui est la langue de mon berceau, s'y attache d'ailleurs par de multiples liens, et je ne devais ma pratique du français qu'à mon commerce tardif avec les ci-devant.

Je m'affermis sur mes jambes.

— Attendre quoi ?

— Le départ clandestin organisé par Mme l'abbesse...

Son accent me parut différer sensiblement de celui des gens du pape, romains pour la plupart. Une sorte de glissement se faisait sur les *r* qui, du coup, paraissaient moins roulés que mouillés.

— Doit-on attendre longtemps ? demandai-je, d'autant plus inquiet qu'Analys ne se trouvait pas parmi les malheureux tassés là.

— Cinq ou six jours, peut-être dix...

— Dix jours ! m'écriai-je, stupéfait.

— *Si !* reprit le nain avec un geste d'exaspération. Deux ou trois personnes seulement peuvent quitter cet endroit chaque nuit sans éveiller de soupçons.

Un frisson me parcourut l'échine. Devrais-je attendre tout ce temps dans une cave, en commençant le plaisant séjour dans la compagnie des tinettes ? L'idée de croupir là m'était insupportable. Autant crever dans la campagne que vivre comme un rat ! Seul l'espoir de retrouver ma princesse m'avait conduit parmi ces gens...

— *Amico*, dis-je au nain, ramène-moi dehors ! Je préfère la corde à la geôle, pourvu qu'on soit pendu à l'air !

— *Impossibile!* s'exclama-t-il, me montrant, à l'extrémité de la galerie, un battant muni de gros verrous à clef. On ne sort d'ici que par l'autre porte.

Une sueur d'angoisse commençait à me mouiller le dos.

— Pourquoi ne pourrait-on pas retourner? demandai-je après une hésitation.

— Tu connais notre retraite...

— Quelle importance? Je suis moi-même fugitif et n'aspire qu'à tirer ma route. Les bleus me recherchent. Une fois dehors, je n'aurai de cesse de galoper vers la frontière...

Tout en plaidant ma cause, je sentais que le raisonnement du nain se tenait. Quel conjuré serait assez sot pour laisser vaquer dans la campagne un inconnu connaissant son repaire? Je pouvais les vendre contre un sauf-conduit. Ces vilains marchés entre pandores et coquins se font dans tous les coins du monde. En espérant rejoindre ma princesse, je m'étais fourré dans un méchant guêpier! Cependant, la foule des pauvres hères, intéressée par le débat, avait reflué jusqu'à nous.

— Il va nous trahir! glapit, en se cachant derrière une épaule, un petit vieux aux sourcils farineux.

Autour de moi, la masse humaine se resserrait, menaçante. Les plus hardis en furent bientôt à me toucher. Que faire sinon m'enfuir ou plier sous le nombre? Je me retournai vers la porte, seule issue possible dans ce combat inégal. Le nain s'y était adossé, les bras écartés, avec l'air de vouloir la défendre au péril de ses jours.

Sottement, je pensais que mes cinq pieds sept pouces m'assuraient l'avantage sur lui. Je m'avançai donc et le menaçai du poing. Mal m'en prit. Inspiré par sa petite taille, le coquin employa contre moi la ruse de David affrontant Goliath. Il saisit une tinette, la fit tournoyer comme une fronde, puis me la jeta dans la figure. L'objet était de fer, et alourdi par son contenu de sanie. Je le pris en plein front et sombrai dans le noir, au milieu d'une odeur de merde à vous faire imaginer l'enfer.

IV

Je revins à moi avec un furieux mal de crâne, dans une pestilence soutenue. J'avais un bandeau sur les yeux et je me trouvais dans le noir complet.

Mes bourreaux avaient bouclé sur ma bouche une sangle de cuir et attaché ensemble mes mains et mes pieds dans mon dos, si bien que mon pauvre corps tordu en arrière vibrait comme un arc tendu.

J'étais couché sur le côté, la joue contre une dalle humide. Je pestais contre moi-même en me bombardant de reproches et de questions. Pourquoi diable étais-je retourné à Beaune ? Qu'avais-je besoin de me soucier du vicomte ? Quel monstre était donc cette abbesse, pour recevoir de la sorte ses visiteurs ? Quelle place tenait Analys dans cette affaire ? Ne la retenait-on pas aussi prisonnière dans ce dédale obscur ?

J'en étais à attendre la mort qui ne pouvait manquer d'advenir, soit par la prolongation, soit par l'aggravation de mon présent lamentable, lorsque je heurtai du front un obstacle mou, qui me fit l'effet d'être un corps étendu. Entravé, aveuglé et bâillonné comme je l'étais, je n'avais d'autre ressource que de le flairer pour savoir s'il était charogne ou vivant. C'est alors que je sentis, derrière les effluves merdeux, un fumet que j'eusse reconnu entre mille pour être ce chaud parfum d'ambre que le vicomte utilisait à sa toilette.

Ma première surprise passée, je me sentis comme ragaillardi. Le savoir lui aussi dans le malheur me rendait le mien plus léger. De plus, nous nous étions déjà tirés ensemble d'aussi fâcheuses postures, en faisant l'addition de nos ressources. Je tentai donc de lui faire comprendre qui j'étais. Mais autant je me poussais vers lui, autant il se reculait, rebuté par les miasmes infects que je dégageais. Je finis par renoncer à ce rapprochement qui me forçait à me tortiller sur le sol comme un ver coupé.

Bientôt j'entendis un bruit de pas mêlé à des voix et à un grincement de serrure. Une clarté se fit derrière le bandeau qui occultait mes yeux. Je compris, aux bruits des semelles, que deux personnes piétinaient autour de moi. Je distinguai le chuintement des bottes du nabot et un claquement plus précis de talons.

— Voilà donc ces deux obstinés que nous envoie sœur Bécile ? D'ordinaire, convenez-en, mon cher Biscantino, ses fidèles se distinguent plutôt par la souplesse de leur échine que par leur arrogance. Il faut que la vieille ait perdu le sens…

La voix était harmonieuse, ornée d'un accent étrange. Toutes les voyelles y étaient fermées, les *r* comme avalés. On avait le sentiment d'entendre une chanson, tant la ligne mélodique en était sinueuse. De plus, ce curieux organe possédait en même temps les inflexions aiguës qui font le timbre des femmes, et les notes vibrantes qui caractérisent celui des mâles. Je pensai à ce castrat qui m'avait ouvert la porte de l'abbé Trophime dans le Limas d'Avignon.

— Vous l'avez dit, *signor* Daffodil, reprit le nommé Biscantino.

— Est-on certain qu'ils n'ont pas été suivis ? demanda l'autre avec préciosité.

— Personne, affirma le nain.

On devait s'approcher de moi, car la lueur se fit plus forte.

— *So lovely!* reprit la voix. Ceci nous change un peu des bancroches et des eczémateux que nous recevons d'ordinaire ! Portaient-ils sur eux, pour payer leur passage, autre chose que leur jolie figure ?

— L'un avait un beau cheval et l'autre, ce rouleau de papier que vous voyez là, sortant de sa besace.

Un froissement se fit près de moi, comme si l'on ramassait un objet à terre.

— *Strange…*, apprécia le questionneur. Comment la vieille les aura-t-elle rencontrés ?

— Ils étaient dans le bataillon marseillais. Ils se sont battus entre eux et se sont mis dans un mauvais cas. Sœur Bécile a voulu les soustraire aux recherches des leurs.

Le *signor* Daffodil eut un rire de diva chatouillée.

— *My God!* Faut-il que la vieille soit sotte pour compatir à toutes les détresses, et jusqu'à celles des républicains !

La façon peu révérencieuse que les acolytes avaient pour nommer sœur Gastonne semblait mettre la religieuse hors de cause dans ma triste affaire. Cela me fut une consolation de courte durée, car le gnome demanda aussitôt d'une voix où perçait la plus perfide cruauté :

— Raison de plus pour les traiter sur l'heure...

Le ton comme le mot « traiter » me firent dresser les cheveux sur la tête par ce qu'ils laissaient supposer de terrible et de définitif. Ces coquins avaient dû s'infiltrer parmi les candidats émigrés à l'insu de la brave nonne, pour exploiter à leur profit l'abbesse et l'abbaye.

On me retourna sans ménagement. Je sentis contre ma gorge le froid mortel d'une lame.

*

Je m'apprêtais à rendre mon âme au diable, lorsque le *signor* Daffodil lança :

— *Stop!* Pourquoi tant de hâte? Ces deux *gentlemen* ont des figures à laisser supposer d'autres charmes!

Je me félicitai de ma bonne fortune, lorsque je sentis une main s'insinuer dans ma culotte. J'en fus soulevé de colère et d'humiliation. Je ne pus, derrière mon bâillon, que glapir des injures.

— *By Jove!* L'un vaut l'autre, s'exclama le castrat. Les attributs sont intéressants, et pourront orner la cérémonie de ce soir. Voyez comme tout s'arrange et que le ciel est avec nous. Il nous envoie ces fouteurs qui nous faisaient cruellement défaut depuis le départ de mon frère et de ses amis!

Je compris qu'ils s'éloignaient au son décroissant des voix. J'entendis ferrailler la serrure. Les ténèbres retrouvèrent toute leur densité. Le cœur cognant contre les côtes, je ne pouvais penser plus loin que deux terribles questions. La première concernait cette cérémonie dont avait parlé Daffodil. De quelle abomination pouvait-il s'agir, pour qu'il fût nécessaire de l'orner avec cette pièce d'anatomie que la bienséance interdit de nommer? La présence d'une abbesse dans ces tristes lieux m'inclinait à supposer quelque messe noire avec rites obscènes, sévices et sacrifices. Enfin, et celle-là dépassait largement en horreur la première : allait-on m'y conduire entier sur mes deux jambes, ou y produirait-on seulement, comme la tête du Baptiste sur son plat d'argent, cette partie de moi-même à laquelle j'avais la faiblesse de me sentir attaché ?

À ce moment, je ne devais rien avoir dans ma géographie qui dût me faire gloire, et j'eusse pu paraître nu sur une peinture sacrée sans offusquer personne.

« De tous les appareils qui composent notre organisme, celui-là, me dis-je, doit se trouver le plus directement lié au cœur, pour en traduire aussi fidèlement les humeurs ! »

Les liens qui entravaient mes chevilles et mes poignets sciaient lentement ma chair. Des crampes me prenaient dans les épaules et dans les cuisses. Le temps dura infiniment. Une soif ardente me séchait le gosier. Je ne saurais dire si cet affreux état dura deux heures ou deux jours. Parfois je tombais dans une lourde somnolence et je m'éveillais brusquement, le cœur en bataille, la tête en feu. J'en étais, de souffrance et de désespoir, à prier la Camarde, lorsque la porte de la cave s'ouvrit de nouveau en forçant sur ses gonds rouillés.

— Lequel des deux est le coquin qui a porté ce livre ? demanda une femme avec des inflexions de maîtresse chatte dans la gorge.

J'eusse pu faire un portrait de l'abbesse, rien qu'au son de sa voix. Elle devait être charnue, belle, brune, et allant sur ses quarante ans. De plus, c'était, à n'en pas douter, une lubrique, car elle vous eût fait bander en récitant l'*Ave Maria*.

— C'est celui qui est vêtu de noir, répondit le nain.

— Il a l'air qui convient ! dit la gueuse.

Elle dut s'approcher du vicomte pour le considérer à son aise. Aussitôt j'entendis un gloussement de surprise.

*

— Ciel ! Seriez-vous point Siffrein de Saint-Roman, vicomte de Sarrians, fils du marquis de Malegarde ? Détachez-le ! dit l'abbesse avec impatience.

On dut faire diligence, car bientôt :

— Victoire ! s'écria mon vicomte, sur un ton de théâtreux. Victoire de Bézuéjouls ! La divine surprise ! Vous voici donc abbesse à cette heure fort mal choisie pour servir le Seigneur ? Je reconnais bien là, ma chère, votre saint goût pour le martyre…

La coquine eut un de ces rires de gorge que l'on entend dans les salons.

— Mais qu'avez-vous donc fait de votre vieil époux, si riche et si fâcheux, ma belle cousine ?

— Hélas ! reprit l'autre, il s'en est allé du poumon à Venise, au milieu de l'hiver dernier !

— Venise en février me paraît tout indiquée pour les vieux maris pulmonaires. Je ne vois guère que Londres pour la surclasser. Et je gage que le veuvage doit vous peser bien fort ?

— Infiniment ! Je me console dans la prière et l'étude. Aussi, jugez de mon bonheur à recevoir un nouvel ouvrage de notre bon cousin de Lacoste, un bien grand philosophe…

« Peste, me dis-je, ces gens sont tous du même sang ! C'est cette humeur appauvrie par les cousinages qui les perdra jusqu'au dernier ! »

Cependant on s'amusait autour de moi qui demeurais dans un état calamiteux. Par le crédit inattendu qu'on lui accordait, le vicomte pouvait me sauver ou me perdre. Je le savais capable de l'un comme de l'autre. Ne lui avais-je pas joué moi-même, et fort récemment, un vilain tour qui pouvait réclamer vengeance ?

Tout à coup, je reçus dans les côtes un coup de pied qui me coupa le souffle.

— Permettez-moi, madame, de vous présenter mon ami, qui est justement un fils par la couille gauche de ce grand poète dont vous parliez tantôt !

— Cela est-il possible ? Détachez-moi donc ce garçon ! minauda l'abbesse.

On se mit à fourrager dans mes liens. Enfin je pus reprendre une forme rectiligne et remuer mes jambes. Mon premier regard fut pour Biscantino qui me tenait en joue avec deux pistolets aussi longs que ses bras.

— Allons, mon ami, lui dit l'abbesse, posez donc vos pétoires ! La menace n'est plus de saison ! Nous sommes entre amis, que dis-je, entre parents !

— Parlez pour vous ! lâchai-je d'une voix rogue en massant mes poignets.

— Ne t'en déplaise, dit le vicomte, ravi de me faire enrager, par les Rohan nous tenons à toute la France, et par les Médicis, à la moitié de l'Italie !

Je haussai les épaules.

— Reconnaîtrais-tu la bâtardise comme lien de parenté ?

— Qu'il est drôle ! s'exclama la Bézuéjouls, en prenant à témoin un escogriffe roux qui devait être le *signor* Daffodil.

Le particulier était jaune et mol comme un cierge au soleil, avec des restes de fard dans le creux de ses rides. Cela lui donnait un air de vieille belle qui ne dort pas la nuit, impression encore accentuée par son habit surchargé de pompons et de rubans, sans parler d'un incroyable chapeau de cardinal agrémenté de lourdes plumes rouges. Le drôle portait de chaque côté de ses hanches grasses deux sabres damasquinés qui traînaient par terre. Je le trouvai parfaitement ridicule, mais, me souvenant qu'il m'avait tantôt sauvé la vie, je lui adressai un sourire contraint. Il me le rendit avec des grâces, et m'aida à me mettre debout. J'étais harassé de courbatures.

La Bézuéjouls était telle que je l'avais imaginée. Sa tenue et sa contenance n'évoquaient que de fort loin celles d'une abbesse. Elle était vêtue en homme, du noir de la tête aux talons, mais sur une chemise de chantilly furieusement échancrée. Elle portait une perruque poudrée à l'ancienne, boucles roulées sur les tempes, la queue liée en catogan. Cette coiffure de gentilhomme encadrait un beau visage dur mais régulier, agencé autour d'un nez droit à mettre sur un camée, et d'une bouche grande, rouge et sinueuse, à mettre autour d'un vit. Les yeux étaient chatoyants, d'un ton indéfinissable comme il arrive aux chats qui vivent de rapine. Une culotte de velours moulait ses belles cuisses, hardiment plantées dans des bottes de mousquetaire. Le gilet de damas broché qui emprisonnait les épaules faisait bondir, dans le décolleté, deux tétons d'une blancheur de nacre, les plus superbes que j'eusse jamais vus. Ce capiteux mélange de féminité et de mâle assurance énervait délicieusement les sens.

Je compris, à son regard appuyé, qu'elle se livrait sur moi au même type d'examen.

— Qui êtes-vous, monsieur, qui avec tant de morgue récusez notre cousinage ? demanda-t-elle en mordillant ses belles lèvres peintes.

— Je suis... personne! grondai-je, mortifié de manquer d'esprit à ce point.

Elle dut trouver drôle cette sotte présentation, car elle m'offrit son bras.

— Personne? Voilà un nom charmant, dit-elle. Un autre coquin le porta qui vécut il y a fort longtemps et connut bien des aventures. Il se mêla même de crever son œil à...

S'avisant de l'infirmité du vicomte, elle se tourna vers lui:

— Vous ne me direz pas, mon cousin...?

— Hélas! s'exclama l'autre pitre sur un ton de tragédie grecque.

La gueuse, du coup, me porta un intérêt décuplé. Ses yeux étincelèrent.

— Eh bien! Monsieur Personne qui, comme Ulysse, éborgnez les honnêtes gens, joignez-vous donc à nous, dit-elle.

Puis, se pinçant le nez:

— Vous avez toutefois besoin de prendre un bain!

Je pris hardiment mon parti de ce changement de situation. Le vicomte m'adressa un clin d'œil par-dessus la tête de notre ancienne geôlière, devenue en un rien de temps notre hôtesse.

Nous dûmes nous baisser afin de franchir la porte. Nous le fîmes tous trois avec un bel ensemble, comme s'il s'agissait d'exécuter quelque figure de quadrille. Le *signor* Daffodil nous faisait une escorte, dans le ferraillement de ses sabres d'opéra.

Nous empruntâmes un long couloir sur lequel ouvrait une multitude de portes. De loin en loin, un lumignon fumeux dispensait une vague clarté. Une odeur de vinasse couvrant des relents de viande faisandée ajoutait encore au charme de ce riant séjour.

*

L'abbesse devisait avec le vicomte sur ce ton précieux que prennent entre eux les aristocrates.

— Ah! Seigneur! s'exclama la Bézuéjouls, ces temps sont d'un inconfort, d'un triste! Tout ce qui a un peu d'esprit a passé les frontières, et le plaisir m'est grand de recevoir enfin un peu de bonne compagnie.

— Vous avez une façon d'accueillir vos amis qui, peut-être, décourage les moins sincères..., susurra le vicomte.

L'abbesse eut un soupir.

— Que voulez-vous, mon cousin, sœur Gastonne ne met point de frein à sa bienfaisance. Elle m'envoie n'importe qui ! Comment distinguer le bon grain de l'ivraie ?

— En lui pesant les couilles, pardi ! lançai-je abruptement.

La Bézuéjouls partit d'un rire fol en renversant la tête, ce qui fit bondir ses seins blancs.

— Vous êtes d'un drôle achevé, monsieur Personne ! dit-elle. Où l'avez-vous trouvé, vicomte ?

— Dans le lit de mon père ! répondit l'autre brigand sans hésiter.

J'abandonnai le bras de la rieuse pour prendre mon vicomte au collet. Entendre ramener la tendre amitié qui m'avait lié au marquis à une coucherie m'était insupportable. Je le secouai.

— Menteur ! Calomniateur ! Tu m'en rendras raison !

Il se dégagea vivement. Le sourcil haut et la moue dédaigneuse, il remit de l'ordre dans les haillons qui lui tenaient lieu de chemise :

— Giton et honteux de l'être ! laissa-t-il tomber, méprisant.

— Giton ! Ah ! Mon Dieu ! Qui l'eût cru, avec cet air carré ? dit l'abbesse en renversant le cou.

Nous arrivâmes devant une porte. La Bézuéjouls jeta un regard dans le tunnel que nous venions de parcourir.

— Je vois que M. Biscantino a ses humeurs ! cria-t-elle vers le passage désert.

Lorsque le battant fut refermé, elle nous dit en confidence :

— L'Italien est enragé de jalousie et l'Italien contrefait, pis encore ! Que j'aime donc votre égalité d'humeur, mon cher Daffodil ! Mis à part vos petits secrets, bien entendu…

— Ils sont ma sauvegarde, madame !

— Douteriez-vous de ma tendresse ?

— Point ! Mais deux assurances valent toujours mieux qu'une…

*

Nous nous trouvâmes bientôt dans une vaste salle souterraine. De grands foudres étaient alignés le long des murs. La plupart avaient été fracassés à coups de hache, crime impardonnable, vu l'excellence du vin sottement répandu. Mais ainsi procédaient les bleus : ils démolissaient ce qu'ils ne pouvaient emporter...

Au centre de cette cave ravagée, on avait dressé une tente de drap brodé.

— Voilà où j'habite, dit la Bézuéjouls. Je préfère le *camping*, comme disent nos amis anglais, à l'hostilité de ces murs.

Elle souleva une portière, nous découvrant un boudoir de dame tendu de soie. Un lit enjuponné de dentelles occupait le centre de la pièce. Une baignoire à col de cygne laissait s'échapper au travers des linges un nuage de vapeur parfumée.

— Ma cousine, s'écria le vicomte, vous voici installée dans ces ruines comme une papesse dans son palais !

— Je dois convenir que d'autres sont plus à plaindre..., dit-elle coquettement. MM. Biscantino et Daffodil assurent ma sécurité, quant à mes filles, elles ont à cœur de veiller sur mes commodités.

— Vos filles ? demanda le vicomte, vivement intéressé.

— Douze novices de bonne famille et de petite fortune que leurs parents m'ont confiées avec leur maigre dot, avant que le royaume ne s'enflamme !

— Douze novices ! s'exclama avec gourmandise le coquin, qui, déjà, se faisait des idées.

— Depuis bientôt six mois, nous vivons dans ces caves à l'insu de tous, exploitant les maigres ressources qui nous viennent de Beaune, par le truchement de sœur Gastonne... Que deviendront ces malheureuses novices, dans ce siècle impie qui ferme les couvents ? Seuls les ordres enseignants et hospitaliers ne sont pas encore supprimés. Institutrices ? Infirmières ? Pour combien de temps ? Je ne vois que...

— Vous vous détourneriez du service de Dieu ? demanda le vicomte.

— Mais point de celui des hommes...

— Je veux bien être pendu si je saisis un traître mot de vos projets de carrière, m'écriai-je. Que voulez-vous faire de ces demoiselles ?

— Des putains, dit calmement le vicomte.

— Sur un navire de plaisir qui porte le joli nom de *Starfish*, « L'Étoile de Mer », ajouta gaîment l'abbesse.

— Ah çà! m'écriai-je, s'appellerait-il « Étoile des Neiges » ou « Les Enfants de Marie », un lupanar reste un lupanar! Ne peut-on trouver, pour une fille, d'autre carrière que nonne ou catin? Il est du blé à faucher, des habits à tailler, des enfants à faire...

— Des enfants? Quelle horreur! s'exclama l'abbesse. Cela déforme le corps, et vingt ans plus tard vous vous trouvez face à des ennemis!

— C'est cependant le sort des femmes d'enfanter!

— Voyez-vous ce fâcheux qui nous prend pour des vaches! s'écria-t-elle en marchant sur moi, le sourcil froncé.

Comme elle était à me toucher, je reculai d'un pas prudent.

— Au nom de quel arrêt nous refuseriez-vous les plaisirs sans suite que vous vous réservez? Courriez-vous si volontiers au déduit, si vous deviez, en conséquence, pousser sur vos cuisses un gros ventre pendant près d'une année? Et enfin, monsieur le giton, que savez-vous des filles?

— J'en sais ce que j'en sais, balbutiai-je piteusement.

— C'est-à-dire rien du tout!

Elle me poussa contre le bord de la baignoire qui mit un terme à ma retraite. Me choquant à petits coups de ses seins magnifiques, elle me fit basculer dans la cuve au milieu d'une gerbe d'eau. Elle se pencha sur moi, qui la regardais d'en dessous, quinaud comme un chat mouillé.

— Voyez ce que valent les dames! dit-elle, plongeant sa main dans l'eau, et dites-moi si jamais aucun de vos amants vous a si bien branlé.

Je tentai de lui échapper en me débattant au milieu des éclaboussures, mais sitôt qu'elle eut saisi cette partie fort tendre, je me sentis paralysé par la frayeur de me faire castrer. Me tenant bien mieux qu'au licol, la gueuse m'amena au bord de la baignoire où elle me fit asseoir.

— Doux Jésus! L'intéressante cambrure! minauda-t-elle en maniant mon vit qui me trahit, le monstre, et apprécia le compliment.

— N'est-ce pas? dit le vicomte sur le ton grave d'un huissier qui établit un constat puis, battant des paupières. On voudrait être fille ou bardache pour en goûter tous les effets...

— Tais-toi donc, imbécile! haletai-je, violet de confusion, car l'abbesse était d'une adresse!

— Si fait! répondit l'autre. Me voici muet. Tâche d'en faire autant! Un écu pour toi si tu y tiens. Pari tenu?

Prenant aussitôt en bouche ce qu'elle avait entre les doigts, la Bézuéjouls m'en fit voir de toutes les couleurs. En un rien de temps, je perdis l'enchère et même très au-delà. D'abord, je fus au supplice de tenir ce concert sous les yeux de Daffodil, et surtout du vicomte qui, on s'en doute, ne se fit pas discret. Finalement, je pris mon parti de l'aubaine, me disant qu'une heure plus tôt je me voyais rendre mon âme au diable, et que j'étais à présent dans un cénacle d'amis, le cul dans l'eau comme un pape, à me faire pomper le vit par une abbesse.

V

Nous devions nous trouver sous la chapelle, car cette cave avait tout d'une crypte. Des tombeaux de pierre contenant les restes des abbesses remplaçaient les foudres à vin le long des murs moisis. Au fond se trouvait un antique autel portant un crucifix. Je respirai un peu mieux en constatant que le Seigneur n'avait pas la tête en bas. J'avais craint le pire en endossant la robe de moine que Daffodil m'avait donnée pour remplacer mes hardes trempées de merde. En effet, malgré le peu de sympathie que m'inspirait la Bézuéjouls, je devais reconnaître que, loin de pousser l'âpre décor dans la fantasmagorie, on avait tout fait pour l'adoucir à la mesure d'un appartement ordinaire. Il y avait une longue table de ferme, un clavecin marqueté, et surtout les novices.

Les douze demoiselles étaient fraîches comme on l'est à quinze ans, de beauté inégale mais avec du piquant. Qu'on imagine des robes brunes éclairées de cols blancs. De courts voiles empesés leur faisaient de charmantes cornettes. Diaphanes à force d'être dans le noir, elles se tenaient sagement assises autour de la table sur des bancs de bois. Au milieu, près d'un encrier de cristal où trempait une plume, on avait posé le rouleau manuscrit.

Les jeunes visages, encore mal définis, étaient tournés vers le clavecin, sur lequel s'acharnait le *signor* Daffodil. Il accompagnait au clavier et donnait la réplique à une jeune personne tout à fait jolie. La conjonction était surprenante de ces deux voix incompatibles, l'une aussi fraîche que malhabile, l'autre sensuelle et corrompue, mais d'une virtuosité ! On croyait voir une coulée de mercure troubler l'eau vive d'une source.

L'enfant était revêtue d'une longue tunique blanche. Ses cheveux blonds, lâchés sur les épaules, s'ornaient d'une couronne de fleurs des champs, dans la manière des peintres italiens d'allégories. Il me parut que le cantique était un peu profane :

Dans ces doux asiles
Par nous, soyez couronnés,
Venez !
Aux plaisirs tranquilles
Ces lieux charmants sont destinés.
Le fleuve enchanté
L'heureux Léthé,
Coule ici parmi les fleurs...

Par deux fois, le castrat répéta la ritournelle d'accords graciles. Vainement, il reprit :

— ... *Coule ici parmi les fleurs...*

Il s'arrêta, rouge de confusion. La Bézuéjouls eut un petit rire cruel :

— Vous voilà, mon pauvre ami, retombé dans l'un de vos trous de mémoire ? Un jour, vous oublierez le nom de votre mère, et jusqu'au chiffre de votre assurance !

— Croyez bien, madame, que je l'ai noté ! répliqua Daffodil, pincé.

— Que ferez-vous si vous oubliez où est caché le pense-bête ?

Le castrat se troubla. Ses yeux ne savaient où se poser. De-ci de-là, ils semblaient chercher quelque bout de papier pour y fixer ses fuyants souvenirs. Je sentis comme une amorce de sympathie pour le malheureux qui souffrait pareille vexation.

« Par exemple, me dis-je, la mémoire aurait-elle son siège dans les couilles et non dans les méninges ? »

Enchantée de l'avoir affolé, l'abbesse se tourna vers nous :

— Croiriez-vous que ce pauvre garçon a fait pleurer La Fenice du parterre jusqu'au dernier balcon ?

Du coin de l'œil j'interrogeai le vicomte. Il m'écrasa du souverain mépris de l'initié pour le béotien. Vexé, je remâchai ma rancœur. Comment eussé-je pu imaginer que, dans quelques années, j'aurais ma loge dans ce temple de la musique, et que l'autre pédant... Ah ! La vie nous réserve de ces surprises !

La Bézuéjouls, contentée par ses méchantes piques, s'adressa alors au vicomte :

— Saint homme, à présent qu'Euterpe s'est tue, nous apporterez-vous les lumières de votre sacerdoce, afin d'édifier Mlle Solange en ce jour solennel de ses vœux ?

Je compris enfin à quoi rimaient ces costumes de bénédictins. La Bézuéjouls comptait nous faire célébrer quelque office de fantaisie. Je me promis de m'y refuser absolument. Mais comment le vicomte eût-il pu résister au plaisir de commettre si plaisant sacrilège ?

*

D'abord, il baissa la tête comme quelqu'un qui prie. Tous les regards se tournèrent vers lui. Le silence s'établit. J'admirai avec quel naturel il s'était glissé dans ces effets, et avait adopté en un instant l'air sage et pieux qui s'y attache. Il prit une profonde inspiration, redressa la tête et carra ses épaules :

— Dieu est mort…, dit-il d'une voix de sépulcre.

Un gémissement d'effroi parcourut les rangs des nonnettes. D'un même mouvement, elles se tournèrent vers l'abbesse, habituées qu'elles étaient à tenir d'elle toutes leurs certitudes. La supérieure ne frémit pas d'un cil. Avec un bel ensemble, les cornettes, rassurées, revinrent se fixer sur le prédicateur.

— Je n'en veux pour preuve, mes enfants, que les désordres qui règnent dans ce monde.

L'abbesse tiqua. L'argument était faible. Des désordres, on en avait vu d'autres et de plus sévères, à commencer par le Déluge, sans que l'existence du Très-Haut fût un instant remise en cause, bien au contraire. De ce grand débatteur, elle attendait quelque chose de terrible ou de saugrenu qui la fît rire ou qui la fît trembler. Elle eut un soupir de déconvenue. Le vicomte comprit qu'il devait faire mieux. Les mains jointes et les yeux clos, il se recueillit un moment.

— Mes enfants, dit-il après un silence, comme nos misérables corps charnels se nourrissent de pain, Dieu, qui est un pur esprit, se nourrit de prières. Si elles viennent à faiblir, il pâlit, s'anémie. Si elles viennent à lui manquer trop longtemps, il meurt. Voilà pourquoi il faut chasser les hérétiques ! Chacune de leurs prières détournées prive Dieu de la nourriture nécessaire à sa survie !

L'abbesse eut un froncement de sourcils. Le vicomte se tourna vers elle. Il brandit dans sa direction un doigt d'inquisiteur.

— Je vous sens assaillie par le doute, ma mère ! Et pourtant ! Me direz-vous ce qu'est devenu Râ que vénéraient les czars d'Égypte ? Où se trouvent aujourd'hui le Zeus des anciens Grecs, et le Jupiter des Latins ? Chacun d'eux a cependant présidé pendant des siècles à la course du soleil, à la succession des équinoxes. Ils brandissaient la foudre, commandaient aux tempêtes et les hommes tremblants craignaient de les désobliger ! Pour leur être agréables et gagner le séjour éternel, ils se pliaient à leurs diktats, contraignaient leur nature, les priaient à genoux, leur sacrifiaient leur bonheur, leur cheptel, leurs enfants ! Qui se soucie aujourd'hui de ces idoles disparues, à peine bonnes à fournir des sujets aux barbouilleurs de tableaux profanes ? Pourquoi cette désaffection ? Simplement parce que le manque de prière les a privés de leur substance. Plus de fidèles : plus de Dieu !

La sentence tomba dans un silence à faire frémir. L'abbesse eut un sourire. Elle prit cependant un air effrayé pour demander, avec dans la voix des trémolos de drame :

— Nous direz-vous donc à présent, saint homme, quel nouveau dieu, peut-être à ce jour inconnu, nous recevra dans l'au-delà ?

Le vicomte se tut un moment pour ménager son effet, puis il laissa tomber sur un ton glacial :

— Aucun.

L'accablement affaissa les cornettes.

— Voulez-vous nous dire, mon père, reprit l'abbesse, que le ciel s'est fermé ? Que nous devons nous résigner à voir nos âmes se mortifier avec nos corps quand ils seront poussière ?

— Non ! s'exclama le vicomte. Les âmes sont immortelles et ne sauraient être réduites aux mesquines humeurs qui animent la chair !

Un soupir de soulagement parcourut l'assemblée.

« Tiens, voilà autre chose ! me dis-je. Point de Dieu et des âmes éternelles. Quel argument va-t-il développer pour faire tenir ensemble ce plaisant paradoxe ? Je veux bien être pendu s'il y parvient ! »

C'était méconnaître les ressources de ses méninges et faire peu de cas du gibet. Le bouffon faisait voler ses grandes mains, bénissait, maudissait tour à tour les innocentes qui buvaient ses paroles, derechef rassurées sur l'issue de leur mort, ce qui est la grande affaire ici-bas.

— Cohue de justiciables et absence de juge ! Songez, mes sœurs, au désarroi des âmes ! Se bousculant dans les pâles et froids vestibules de l'au-delà, ne sachant que décider, où aller, quel séjour espérer, errant, mornes, dans les éthers, *sans eyes, sans taste, sans anything...*

À ces paroles que je jugeai bien mystérieuses, le castrat eut un hochement de tête.

— Hamlet ? demanda-t-il, admiratif.

— *Yes !* Hamlet ! affirma le vicomte, précis.

— Notez, mon cher Daffodil, notez ! Vous allez oublier la citation ! railla la Bézuéjouls.

Affolé, le chanteur s'empara de la plume. Il chercha à l'entour un feuillet de papier, n'en trouva d'autre que le manuscrit. D'une main il en aplatit quelques pouces et, de l'autre, écrivit dans la marge.

— Ajoutez votre chiffre, on ne sait jamais..., ajouta la perfide dans un ricanement.

— C'est fait ! répondit sèchement le castrat.

Aussitôt elle se pencha sur la feuille avec tous les signes du plus vif intérêt. Mais déjà le rouleau avait nerveusement repris sa forme, dissimulant l'ajout dans ses plis.

*

Tandis que se déroulait ce duel feutré, le vicomte maintenait ces demoiselles dans les rets de sa philosophie. Les regards subjugués suivaient ses mouvements de bras comme la balle au jeu de paume.

— Prions, mes sœurs, prions ! Prions pour ces âmes lasses, car seule la prière peut les tirer des limbes où vaquent sans fin les âmes après la mort du Très-Haut, comme avant sa venue.

À ces mots, il baissa la tête, imité par les demoiselles qui prirent un air dévot. Le castrat, après une hésitation, en fit autant. Seule de l'assistance, l'abbesse exposait sur sa belle bouche un sourire de contentement et l'air de s'amuser beaucoup.

— Qui prions-nous, mon père ? demanda-t-elle d'une voix que la gaîté faisait trembler.

— Personne ! laissa tomber le vicomte.

— Cela me paraît évident, dis-je, me signant avec conviction.

Il me toisa puis reprit gravement :

— La seule énergie d'une fervente évocation des disparus produit des vibrations capables de réanimer les fantômes errants de leurs âmes mortes, et de leur rendre pour un instant la densité charnelle et les jouissances des corps vivants ! Telle âme de cavalier retrouvera le bonheur d'une chevauchée, telle de fin gourmet le régal de la table, telle autre de libertin les plaisirs de la chair... Aussi, mes enfants, laissons sur cette terre ingrate des traces indélébiles ! Signalons-nous à nos héritiers par l'éclat de nos œuvres ou de nos actions en ce monde ! Ainsi nous serons fameux dans les temps à venir ! Quelque disciple viendra toujours, par son admiration posthume, nous arracher des parvis où croupissent les ombres ! Voyez comme Dante et Shakespeare, Botticelli et Monteverdi ont su vaincre l'oubli du temps et devenir divins à leur tour ! Divin Michel-Ange qui peignit la Sixtine, divin Alexandre qui conquit l'univers, divin Néron qui fit brûler Rome, divine Cléopâtre qui aima tant de généraux ! Signalons-nous dans l'art, dans la science, la politique ou alors dans le crime, et si nous n'avons pas ces talents, aimons, mes sœurs, aimons, de tout notre cœur, de toute notre âme, de toute notre chair, pour bien contenter tous ceux qui nous survivront ! Rien d'autre n'est à craindre, mes enfants, que la tiédeur et la médiocrité. Elles seules conduisent à la mort, car la platitude d'une vie sans exploit nous effacera du souvenir des vivants et nous rejettera dans le néant de l'oubli, aussi sûrement que s'effacent sous les saisons les épitaphes des pierres tombales...

Je faillis applaudir à cette magnifique envolée. Le scélérat n'avait rien perdu de son étonnant brio. Vivement, il saisit le manuscrit, et le montra à l'entour. L'abbesse tiqua.

— Voilà qui peut rendre immortel, mes frères. Je gage que dans les siècles des siècles on évoquera l'âme de l'homme qui a fait ce livre, en l'appelant « divin poète » !

Brusquement, changeant de registre, il s'adressa directement à la jeune chanteuse :

— Pour qui avez-vous prié, mademoiselle Agnès?

L'enfant se troubla, puis, d'une voix tremblante:

— J'ai prié pour le petit chat, mon père. Celui qui mourut cet hiver...

— Fort bien! s'écria cet original directeur de conscience. Grâce à vous, son âme féline aura croqué dans l'au-delà quelque âme de souriceau. Mais si vous eussiez prié pour la victime...

Connaissant par cœur mon vicomte, je me dis que l'affaire menaçait de tourner à la farce, et qu'il allait sous peu nous entretenir de l'âme du fromage que les rats ont de tout temps goûté. L'abbesse dut le penser aussi. Elle se leva et, frappant dans ses mains, fit se ranger deux par deux les fillettes. Elles sortirent en bon ordre, bien que visiblement troublées, accompagnées par Daffodil qui les couvait d'un regard de duègne. Ne restèrent plus dans la crypte que Mlle Agnès et la Bézuéjouls qui devisaient en aparté. La petite rechignait.

Le vicomte se leva et s'étira comme quelqu'un qui vient de fournir un effort signalé. L'air content de lui, il me demanda:

— Que dis-tu de mon petit sermon?

— De ma vie, je n'ai entendu de telles âneries!

— Hé! Que veux-tu, je me mets à la mode du temps! Les autocrates ne font plus florès nulle part. La monarchie ces derniers jours semble passée de mode. Du royaume des cieux, j'ai fait une république où un moment de paradis se gagnerait aux voix, comme un mandat de député.

— Ton système de jean-foutre a peu de chance de faire fortune!

— Qui sait? De bien plus étranges croyances ont servi jusqu'ici à contenir les imbéciles en leur peignant comme péchés ce qui fait le bonheur de leurs maîtres. Du moment qu'on leur parle de l'immortalité... La seule chose que les gueux craignent, mon pauvre ami, c'est de crever. Les simples sont ainsi faits qu'ils préfèrent l'idée de l'enfer à celle du néant. Mais si ma petite religion te déplaît, je peux t'en inventer deux ou trois autres...

— Vantard! Tu n'as rien inventé du tout! Tu as fabriqué ton système avec des bouts de ficelle volés ici ou là et rassemblés par de gros nœuds!

— J'ai procédé comme tous les gredins qui ont lancé un nouveau culte, en écumant ceux qui les ont précédés.

— Tu me fatigues de tes billevesées. Me diras-tu plutôt comment tu te retrouves ici, dans les mains de cette fausse abbesse ?

— Et toi-même ? lança-t-il, car il s'y entendait comme personne à répondre à une question par une autre.

Pouvais-je lui dire que je m'étais inquiété de son sort et que j'étais retourné à Beaune, craignant de le trouver pendu ?

— Je cherchais ta sœur, et le hasard, guidé par sœur Gastonne… Je t'en prie, dis-moi où se trouve Analys !

— Je n'en sais fichtre rien, répondit-il avec l'accent de la sincérité. Je t'ai trouvé seul dans la paille, et tenté de te faire croire à un message de sa part pour te faire bisquer ! Sachant que tu ne sais pas lire, je t'ai montré ce laissez-passer. Depuis cinq jours, j'accompagnais de loin le bataillon, guettant l'opportunité de t'accoster pour te faire comprendre qu'à suivre ces coquins, tu faisais fausse route. Ton destin n'est pas dans la foule ! Il faut t'en dégager, te tenir au-dessus…

— Assez de poésie. Continue ton histoire !

— Hier matin, j'ai vu Analys, habillée en garçon, s'engager parmi vous. Juge de ma surprise ! Je vous ai escortés jusqu'à Beaune, retenant Faraman qui vous eût dépassés de bon cœur. Vingt dieux ! la brave bête…

— Point de maquignonnage. Poursuis donc ton récit !

— J'ai contemplé votre banquet de sagouins, toutes vos beuveries. Entre nous, quel manque de tenue ! L'armée de La Fayette avait une autre allure quand nous courions sus à l'Anglais dans les Adirondacks, et…

— Je te fais grâce d'un cours d'histoire et de géographie. Reviens à notre affaire !

— Je vous ai vus tomber soûls perdus dans le foin, ronflant comme des poêles. J'ai tenté de vous réveiller. Rien n'y fit. Vous étiez comme morts. J'ai donc remis à l'aube le soin de vous catéchiser. Je me suis endormi dans un coin. Quand j'ai ouvert les yeux, elle n'était plus là. J'ai pris sa place près de toi pour te faire enrager.

Il posa sa main sur mon épaule, prenant l'air de me réconforter.

— Tu la connais… Elle est remplie de sentiments non compatibles qui la font varier aussi vite que le temps change. L'épisode de Rambuteau retroussant sœur Gastonne l'aura contrariée. Elle a de ces pudeurs. C'est la cause qu'elle est encore pucelle à vingt ans passés...

— Ce qui n'est point à t'imputer!

— Eh! dit-il en riant. Que veux-tu, elle n'a pas voulu...

— Peut-on sans crever de honte prétendre baiser sa sœur?...

Il me coupa la parole en haussant les épaules.

— Bah! C'est affaire de mœurs! Les anciens rois d'Égypte n'épousaient jamais que leur sœur.

— Épouser, peut-être, mais forcer?

Il ouvrit grand son œil de jais.

— Forcer? Le plaisant poème! Autour de moi, les femelles se battent, et je n'ai point assez de foutre pour toutes les honorer! Analys n'eût pas regretté de m'avoir pour boute-en-train, mais si elle préfère laisser déchirer ses prémices par un rustaud de Marseillais dans ton genre... à sa guise! Il n'empêche qu'à mon avis elle aura trouvé la compagnie rustique et un peu raide le voyage à pied. Je la vois prendre un coche pour se rendre plus honnêtement à Paris.

— Ce n'est donc pas elle qui t'a remis pour moi le sauf-conduit que tu as avalé?

— Du tout! C'est la sœur Gastonne!

J'étais anéanti. Analys avait donc filé dans le noir, comme un chat ou une traîtresse? Ah! S'il était un point sur lequel le vicomte était clairvoyant, c'était au sujet de son humeur! Qu'attendre d'une fille qui m'avait déclaré sa flamme en me tirant dessus des coups de pistolet? Hier elle m'avait rejoint, pour me quitter le jour d'après. Mais peut-être demain, lasse de me bouder, reviendrait-elle vers le bataillon et, ne m'y trouvant pas, disparaîtrait encore. Peste! Ces Saint-Roman avaient-ils juré de me rendre fou? Mais ne devais-je pas, si je voulais conserver quelque chance de la revoir, me rapprocher des Marseillais? M'en rapprocher sans toutefois me découvrir. Mais il me fallait d'abord m'échapper de cette abbaye. Je regardai d'un œil mauvais la Bézuéjouls qui caressait Solange comme une tribade, en lui parlant comme une mère.

— Il faut nous sortir d'ici. Cette femme me déplaît!

— Elle t'a cependant joliment sucé!

— Justement! Mon plaisir n'est complet que si je peux choisir, et me faire violer me rend mélancolique.

Il rit en me claquant affectueusement l'épaule.

— Où voudrais-tu aller pour être mieux qu'ici dans un vrai nid de demoiselles ?

— À Paris, rejoindre mes amis.

— Ils te croient meurtrier !

— Je leur expliquerai !

— Serais-tu naïf à ce point ? Sais-tu que ces forbans n'écoutent plus personne ! Ils ont constitué dans Paris des sections jacobines qui veulent renverser l'Assemblée. Ils se dévoreront entre eux comme loups enragés ! Laissons-les faire : il n'en restera plus ! Nous aurons bien le temps de reprendre la pièce, quand ces mauvais acteurs nous auront dégagé la scène ! Ces gueux projettent, pour les supplices, de monter un gibet qui coupe en deux les condamnés à la hauteur du col, et qu'ils appellent « la Louisette ». Crois-tu que ces morceaux se recollent aisément ?

Je voyais bien qu'il cherchait à me noyer de paroles pour reprendre en main la laisse qui me tenait attaché à ses basques. Car enfin, le lecteur l'aura remarqué, depuis que je l'avais retrouvé, ma vie avait repris un tour dangereux, imprévisible et, par ma foi, assez réjouissant.

*

La Bézuéjouls nous fit signe d'approcher, ce qui mit fin au conciliabule.

— Voilà, nous dit cette maîtresse femme, nous sommes tombées d'accord, avec Mlle Agnès, que le moinillon ouvrirait la voie au Saint-Père.

La fillette nous dérobait son regard avec un air enchifrené. Un vif incarnat colorait ses joues rondes.

— J'en suis bien aise, dit le vicomte, car je me soucie peu, quant à moi, de ces travaux de défrichage.

— Qu'est-ce à dire ? demandai-je, entrevoyant où les coquins désiraient m'entraîner.

— Que cette jolie personne, qui est ma préférée, vous a choisi, monsieur Personne, pour emporter son pucelage.

— Ah ! Mais non ! Je n'en voudrais pas pour tout l'or du monde et on ne pourra m'y forcer !

— Allons, dit la Bézuéjouls, vous ferez bien, pour nous plaire, une petite entorse à vos mœurs ordinaires !

— Là n'est pas la question, dis-je en frappant du pied. Mais il me faut du sentiment, ou au moins de la conjoncture pour me mettre en condition, et foutre sur commande est au-dessus de mes forces.

— Il a toujours été babillard sur ce thème, dit le vicomte avec indulgence. Mais une fois engagé il bande honorablement !

— Fort bien ! dit l'abbesse, car la participation d'un giton bien monté met du piment dans ces affaires, par la multiplication et la diversité des scènes qu'elle introduit.

— C'est cela, dit le vicomte, enchanté par ce qu'il devinait des projets en préparation.

En un tournemain, il fit tomber son aube et se retrouva nu. Avec cette incroyable désinvolture qu'il était seul à posséder, il s'accouda ainsi au clavecin. Les pupilles de la Bézuéjouls s'agrandirent, à considérer cette magnifique carcasse, aussi mâle dans ses toisons que dans les cicatrices qui en marquaient les chairs. Je dois même ajouter que le bandeau qu'il portait sur son œil n'ôtait pas une once de séduction à ce grand scélérat. Bien au contraire. La petite Agnès avait l'air un peu effrayé, mais déjà intéressé. Le moins émerveillé de tous n'était pas le *signor* Daffodil qui nous avait rejoints, après qu'il eut couché ces demoiselles.

— La lecture de votre beau livre m'a donné des idées, vicomte, et j'imagine mettre à profit son enseignement pour organiser quelques jolis tableaux. L'opération de boute-en-train terminée, notre petite Agnès en sera le point névralgique. Chacun de nous s'agencera autour d'elle à sa convenance, selon son appétit et ses goûts, étant bien entendu que rien n'est interdit, et que la voie est libre à l'imagination. Je demanderai seulement à mon cher Daffodil de bien noter les figures et de les consigner par écrit, afin de ne rien perdre de ce qui pourrait être piquant d'une fugitive et belle inspiration. Qu'en dites-vous, monsieur Personne ?

— Qu'il faut être fol pour prétendre bander dans ces conditions. Un écrivain noterait nos ébats ! N'avez-vous point de peintre qui pourrait, sur le tas, en faire des vues ?

Appuyé au clavecin, toujours nu comme un œuf, le vicomte croquait des raisins qu'il faisait sauter en l'air et rattrapait avec ses dents. De mon côté, je serrais contre moi la bure de ma robe, sentant l'idée qui rôdait de me l'enlever.

— Ferez-vous languir encore longtemps Mlle Agnès ? gronda la Bézuéjouls.

— Jusqu'à la fin du monde ! m'écriai-je, me drapant dans mon aube comme un patricien romain dans sa toge.

— Il faudra donc vous faire violence ! dit la coquine, saisissant un pan de cet habit sacré et tirant dessus de toutes ses forces. Je tentai de lui échapper en mettant la table entre nous. Elle en fit le tour et partit derrière moi, toujours entichée de l'idée de me dévêtir.

— Tenez, mon pauvre ami, dit-elle à Daffodil, lui tendant un feuillet qu'elle sortit de son corsage, n'écrivez pas n'importe où...

Nous tournâmes un moment, nous menaçant du menton par-dessus le plateau, changeant de sens pour nous surprendre, et poussant de ces cris d'enfants qui jouent à chat perché. Je dois avouer que cette affaire devint tôt divertissante, du fait du vicomte et même de Mlle Agnès qui nous encourageaient tantôt l'un, tantôt l'autre de la voix et du geste, cependant que Daffodil, éperdu, commentait à haute voix et cassait des plumes en écrivant :

— Madame l'abbesse tourne à droite. Monsieur Personne s'arrête, puis repart dans l'autre sens. Madame l'abbesse...

— Cessez donc de noter la géographie, haleta l'abbesse. Attendez que l'assaut soit bien engagé !

Cela mit entre nous cette gaillarde complicité propice à introduire ces parties à plusieurs qui ne tirent pas à conséquence et ne sont jamais, au fond, que de petits jeux pour grands enfants. Je commençais à ralentir ma course, prêt à me laisser rattraper, lorsque Biscantino entra, jetant un froid dans l'échauffourée.

Le nain s'approcha de la Bézuéjouls. Il lui dit quelques mots à l'oreille. Le visage de l'abbesse se rembrunit. Elle se redressa, mit un peu d'ordre dans sa tenue, et :

— Mes amis, dit-elle, voulez-vous nous pardonner un instant. MM. Daffodil, Biscantino et moi-même avons un léger problème d'intendance à régler.

Daffodil abandonna sa plume. Sans rien comprendre, il suivit l'abbesse et son coquin. Au moment de sortir par une issue dissimulée derrière un paravent de grosse toile, elle lança :

— Surtout, ne laissez pas tomber cette belle humeur ! Elle est si rare par les tristes temps qui courent…

Cette recommandation était superflue pour le vicomte, occupé à lutiner la demoiselle, qui, perdue de chatouilles, laissait échapper des couinements de souris. Avant de quitter la pièce, la Bézuéjouls, d'un geste, intima l'ordre à Daffodil de prendre le manuscrit. Le castrat se frappa le front comme quelqu'un qui retrouve le nom d'une rue ou d'un ancien collègue. Il mit le rouleau sous son bras et sortit après eux.

Je restai les bras ballants, un peu niaiseux, voyant que le vicomte m'avait supplanté dans l'amitié de la nonnette. Le bougre avait relevé la tunique sur un cul bien pommé, le plus joli du monde.

— La belle chose ! dit-il, joignant les mains, et qui laisse loin derrière elle les fleurs des champs et les oiseaux du ciel !

Puis, ayant fait accouder la fillette au clavecin :

— Sentez-vous point, mon enfant, comme les chatouillis se font plus pertinents lorsqu'ils s'intéressent aux parties concaves des corps charnus, plutôt qu'à celles nommées convexes par les anatomistes et les géomètres ?

Ce disant, après avoir caressé de la paume le bombé charnu des fesses potelées, il glissa un doigt fort délié dans ce vallon qui les fait deux, sans pour autant les séparer :

— Si fait, mon père, il me semble que cela est vrai…, répondit l'innocente qui rosissait et se penchait autant qu'elle pouvait pour lui faire une place.

« Le fameux pédagogue ! », me dis-je, hésitant entre l'indignation et l'envie de rire.

Il me sembla alors entendre un ferraillement derrière la porte par laquelle nous étions entrés.

— Vicomte ! Écoute ! dis-je, posant ma main sur son épaule nue.

Mais le bougre était trop occupé pour avoir encore l'oreille fine. Il s'arrêta seulement de titiller la demoiselle lorsque le volet de bois battit contre le mur, livrant passage à un peloton de gendarmes.

VI

À leur tête, se tenait le vilain emplumé qui m'avait soupçonné lorsque je devisais avec la sœur Gastonne.

— Ah! s'écria le soudard, me reconnaissant aussitôt, je savais bien que c'était toi!

— Voilà un méchant contretemps! dit le vicomte.

Sans perdre un instant, il saisit les deux sabres de Daffodil et m'en jeta un dans les mains. Les pandores qui entraient en tas étaient armés de fusils. Ils tirèrent leur salve au jugé qui ne fut pas très bon, car la seule balle à faire mouche fut celle qui tua la petite Agnès. L'instant d'avant aux portes du paradis, la malheureuse s'affaissa sans un cri, l'air étonné de contenir tout ce liquide rouge qui salissait sa belle robe blanche.

— Si tu n'avais pas lambiné, elle ne serait pas morte pucelle, dit le vicomte.

Ce fut là l'oraison funèbre de la demoiselle.

Déjà les gendarmes étaient sur nous, tirant le sabre car recharger les fusils demandait trop de temps. Les lames de Daffodil n'étaient pas des accessoires de théâtre, mais des armes forgées dans le meilleur acier, de celui qui se faisait alors à Birmingham, dans les ateliers de M. John Wilkinson.

Je frappai moins d'estoc que de taille avec une belle énergie, retrouvant dans l'action la vive excitation du combat corps à corps. Ma robe de moine me gênait pour me fendre. Je la fis voler. Le vicomte, malgré sa nudité, avait une incroyable élégance dans sa façon de croiser le fer! C'est qu'il avait eu d'autres maîtres d'armes que moi... Alors que je sabrais à grands coups, bondissant et me jetant à terre, il eût pu, tant il était précis, tuer son homme dans un placard. Mais nous étions deux fiers bretteurs, et les gendarmes en firent les frais. Leurs uniformes et alourdis d'épaulettes et de baudriers, les engonçaient autrement que nos tenues d'Adam, aussi légères qu'adaptées. Peut-être étaient-ils, après tout, un peu déroutés d'avoir à combattre, dans un tombeau, deux hommes nus n'ayant pour les couvrir rien d'autre que leurs épées. Aussi, ne pouvant nous atteindre, nous jetaient-ils des injures.

— Brigandaille !

— Corneculs !

— Saligauds !

Côte à côte nous reculions, nous protégeant le flanc, parant de sixte et de quarte, sur la défensive plus que sur l'attaque, car ils étaient six à se disputer l'honneur de nous embrocher. Ils se gênaient d'ailleurs l'un l'autre et n'eussent pas volé quelques leçons d'escrime.

— Il faut en tuer quelques-uns, dit le vicomte, sinon nous n'en sortirons pas !

Alors qu'il reculait, entraînant avec lui trois bretteurs, il se fendit brusquement en avant, et sa lame s'enfonça dans la panse de mon méfiant.

— Un ! dit-il.

Surpris par la rapidité de l'assaut, les balourds eurent une seconde d'indécision. Ce fut assez. La pointe haut levée perça l'un à la gorge. Aussitôt rabattue, elle poignit l'autre au flanc.

— Deux et trois ! conclut mon vicomte qui, bon prince, se porta sitôt à mes côtés, afin de me conforter.

Piqué, je l'écartai du bras. Me rappelant la botte de Pastan, je lui en fis démonstration. D'un double moulinet, je fis sauter en l'air la lame de mon adversaire. Mettant à profit sa surprise, je lui ouvris le front avec la garde de mon sabre. Le second vint se jeter dans mes bras et, aussi vivement désarmé par mes soins, subit le même sort, sans seulement comprendre ce qui lui arrivait. Le dernier n'eut pas le temps de parer ce coup bas que je portai encore dans ses menus détails, pour la troisième fois et comme à l'exercice.

— Foutre ! dit le vicomte en essuyant sa lame au plumet empesé, pour n'être pas classique, ton style est enchanteur ! Ton maniement est plus marteau que sabre, mais ne chicanons pas. Tu donnes le frisson ! Combien, à ton avis, pourrais-tu en descendre en une heure d'horloge ?

— Point tant qu'il en arrive, m'écriai-je, lui montrant la porte ouverte par où entraient six autres spadassins.

— Il vaut mieux s'éclipser, me dit-il, cet assaut m'a donné du mol dans les rotules…

Nous prîmes en courant la voie qu'avaient tantôt empruntée la Bézuéjouls et ses complices. Elle donnait sur un boyau obscur où nous ne pouvions qu'espérer distancer nos assaillants. Nous filions ventre à terre dans le noir absolu, raclant nos sabres contre le mur, comme font les aveugles pour se conduire malgré l'obscurité. Cette vigoureuse friction du fer contre le roc faisait jaillir des étincelles, point assez cependant pour éclairer notre retraite. Si un obstacle venait à surgir, nous nous aplatissions sur lui. Par bonheur, aucun ne se présenta. La galerie avait plusieurs tournants, et le sol inégal était tantôt pentu et tantôt remontant.

Il faut croire que les gendarmes se montrèrent moins téméraires dans leur déplacement, car le bruit de la poursuite décrut rapidement. Sans doute cherchèrent-ils de la lumière, cependant que nous nous fondions comme des chats dans les ténèbres.

Je compris que le boyau remontait à la crampe de fatigue qui me prit aux mollets. Je pensais m'arrêter, au bout de mes dernières forces, lorsque le vicomte me montra une pâle lueur devant nous.

— Serait-ce un soupirail ? dit-il.

En effet. Nous le franchîmes sans peine, nous faisant la courte échelle. Bientôt nous fûmes sous un beau soleil de midi, avec de l'herbe jusqu'au ventre. Aucune trace de plantes couchées ne signalait autour de nous le passage de la Bézuéjouls et de ses complices.

— Il y aura un passage secret qui s'embranche sur le boyau que nous avons suivi, dis-je.

Le vicomte s'en allait partir droit devant lui. Je l'arrêtai d'une main ferme.

— Non ! dis-je avec tant d'autorité qu'il m'obéit sans discuter. Tôt ou tard nos poursuivants arriveront ici. Il faut leur faire croire que nous sommes passés ailleurs.

— Comment ?

— Marchons à reculons, en restaurant la friche derrière nous.

— Ah ! dit-il, c'est ce que je vis faire aux Indiens d'Amérique, lorsque…

— Peste ! Ne pourras-tu jamais dire trois mots sans évoquer La Fayette ? On jurerait l'un de ces canoniques qui vous assomment avec leur guerre de Sept Ans…

— Il est vrai que tu te flattes moins de ton glorieux passage dans l'armée de Vaucluse, où, pour passer le temps, vous arrachiez les yeux de vos contemporains…

Cet échange fielleux n'était pas de saison quand nous étions dans un si grand péril. D'ailleurs, qu'eussé-je pu répondre ?

— Tais-toi ! dis-je, recule en te courbant et brasse l'herbe de tes bras.

Mais le coquin avait une dent contre moi :

— Je reconnais bien là ton âme braconnière ! Tu as dû m'en voler, des lièvres et des lapins, du temps de Malegarde !

— Et je ne regrette rien ! Tu nous tenais dans un tel excès de misère que je fusse crevé sans ces expédients.

Malgré sa mauvaise humeur, il m'obéit en tout point. Nous nous trouvâmes bientôt perchés comme deux pies sur les charpentières d'un chêne à peine éloigné de vingt pas.

*

Quelques instants plus tard un gendarme mit son nez au soupirail.

— Personne n'est passé par là ! dit-il, avant d'ajouter : Il y aura un passage secret, et ces coquins…

Le reste se perdit dans la profondeur du boyau où il était rentré.

— Bravo ! Tu as vu juste ! Et quand le roi aura chassé les tiens, je te ferai décorer de l'ordre de la toison d'herbe ! murmura le vicomte.

Je négligeai l'impertinence, et fixai mon attention sur les alentours. Les gendarmes passèrent à quelques pas de notre chêne. Aucun n'eut l'idée de lever les yeux !

Un jour entier, nous fûmes nus dans ces branchages. Malgré l'incertitude du moment, l'ennui se fit sentir. Afin de passer le temps, le vicomte trouva un jeu de sa façon. L'œil étincelant de malice, il se mit à prendre mes proportions du pouce au bout d'un bras tendu, comme un rapin méticuleux mesure son modèle.

— Vraiment, tu es fait à peindre ! dit-il, baisant le bout de ses doigts avec gourmandise.

Je soupirai d'agacement, mais ne pus longtemps feindre d'ignorer la partie de mon anatomie qu'il évaluait avec le plus de complaisance. Exaspéré, je lui tournai le dos.

— Ah ! gémit-il, parodiant l'extase, quoi de plus beau qu'un cul de fille, sinon un cul de garçon ?

Ainsi depuis trois ans me tenait-il en laisse, à mi-chemin entre la farce et le harcèlement. Peut-être m'eût-il repoussé en riant si la fantaisie me fût venue, finalement, de succomber à ses avances. D'ailleurs, avait-il vraiment les goûts qu'il affichait pour me faire enrager ? Depuis tout ce temps, si je l'avais vu trousser une infinité de cotillons, je ne l'avais jamais surpris baissant une culotte...

Le charroi ne cessait pas autour de l'abbaye. Au bout d'un moment, le vicomte, qui était à califourchon sur une maîtresse branche, me tira par le bras.

— Si cette procession continue, on va crever de faim !

— Croque donc cela, dis-je, lui tendant une poignée de glands verts et tendres, car point encore bien mûrs.

— Je mangerai des glands, dit le délicat montrant ses attributs, lorsque j'aurai la queue en forme de vis à bouteille !

— À ta guise ! répondis-je, mastiquant de bon cœur ces nourrissants légumes.

Sous nos pieds passa tout d'abord le misérable cortège des demoiselles orphelines. Elles clignaient des yeux en voyant le soleil et leur affolement faisait pitié à voir. Les gendarmes les bousculaient avec des rires gras, cependant qu'elles trébuchaient sur le sol raboteux.

— Foin de bordel marin ! me souffla le vicomte. Au coucher du soleil, même les laides auront perdu leurs prémices, et cela sans toucher un sol ! Quelles mœurs déplorables ! Tous ces pucelages gratuits...

— À voir ces trognes faisandées, elles en perdront à jamais le goût des choses de l'amour...

— Qui sait ? dit le coquin, qui se plaisait au paradoxe, et plus encore au libertinage.

À ce moment, ses entrailles firent ce bruit d'organe qui signale les affamés.

— Tiens ! lui dis-je, lui présentant un escargot que j'avais cueilli à une enfourchure, jamais de ma vie je n'en ramassai d'aussi gros !

— Pouah! dit le vicomte! Quelle horreur! Tu manges les limaces?

— Pourquoi non? Celles-là sont tendres, parfumées, délicieuses, et propres à rendre ce pays fameux!

— Merci pour lui, ricana le vicomte. Jusqu'à présent le duché de Bourgogne s'enorgueillissait de son vin, mais je gage que sous peu, grâce à toi, les escargots mettront un fleuron de plus à sa couronne!

Après le passage du premier défilé, nous vîmes arriver les imbéciles qui croupissaient dans le tunnel d'attente. Ceux-là traînaient leurs baluchons et marchaient en baissant la tête.

— Tiens! Regarde ces nigauds qui préféraient manger des raves sous leurs maîtres, plutôt que des lapins en liberté!

Je considérai le vicomte avec surprise.

— Te voilà républicain, à cette heure?

— N'ayant plus rien à moi, c'est le parti qui m'avantage. Si plus tard l'on me rend mes domaines, je saluerai à nouveau Capet!

— Ton cynisme est répugnant!

— Ne fais donc pas ton tartufe! C'est seulement du bon sens! Il est aussi sot d'accepter son sort quand on est pauvre que de chicaner sur le fond quand on a du bien!

— Tu n'as donc point de règle?

— Si fait. J'ai celle de n'en pas avoir.

Le bec cloué, je vis venir vers nous une étrange corvée. Les gendarmes se mettaient à deux pour porter des ballots allongés. Ils les déposaient dans un fossé, puis s'en retournaient vers l'abbaye pour en ramener d'autres. Cette étrange noria dura un bon moment.

— Foutre! dit le vicomte, au lieu de les faire passer en Allemagne, la Bézuéjouls les détroussait et baisait les jolis, puis les faisait expédier par ses coquins dans l'au-delà! Une simple femelle aurait monté sans maître de philosophie ce succulent commerce entre Éros et Thanatos?

— Ces deux-là vont aussi mal ensemble que possible…

— Pour les simplets comme toi!

— J'aime autant être simple que me tortiller l'esprit avec des notions bizarres, et l'idée d'un cadavre ne me fera jamais bander! Je connais ton goût pour les chimères, mais il y a un pas entre la doctrine et l'exercice, et ce pas, tu ne le franchirais pas si vite, malgré tes grands airs ! Cette abomination que nous avons sous les yeux est sans exemple, et le demeurera probablement toujours...

— Je n'en suis pas certain, dit-il. Le goût de l'horreur est partout... Ce livre qu'elle nous a volé – et que je lui reprendrai – en fait l'analyse parfaite !

Quand le tas de morts fut bombé, les gendarmes le couvrirent de branchages et y mirent le feu. Une puanteur affreuse partit dans la fumée. Sans doute incommodés autant que nous l'étions, les soldats s'écartèrent. Lorsque le charnier ne fut plus qu'un brasier, ils montèrent à cheval, poussant devant eux les malheureux qui ne songeaient même plus à s'enfuir.

La nuit tombait, et le ciel de turquoise au bord de l'horizon était obscurci par le nuage de vapeur humaine. Les braises rougeoyaient. De loin en loin, un pétard signalait quelque éclatement d'os.

— Quand je songe, dit le vicomte, que, sans l'arrivée opportune des six gaillards que nous avons tués, nous serions peut-être à griller comme pieds de cochon...

— Je suppose que cette idée te coupe l'appétit !

— Hélas ! me dit-il, si le cœur me manque, l'estomac m'obsède, et je t'envie de pouvoir te nourrir dans les arbres !

— Comme un singe des bois ? dis-je, pris par un brusque accès de rage contre lui qui m'avait mené là.

— Pourquoi dis-tu cela ? reprit-il, l'air chagrin. Pour un oui pour un non, tu me rappelles ces mots légers que je prononçai voilà plus de dix ans ! Nous étions encore des enfants ! Comment peux-tu me garder rancune après tant de belles aventures ?

— Parce que tout est là, justement, de nos aventures, coquin d'aristocrate ! Je suis de ces hommes du peuple trop simples et trop droits que les tiens prenaient pour des bestiaux. Alors que je me révolte au spectacle de l'abomination, ton esprit contourné lui trouve encore des charmes ! Tu es de ces scélérats corrompus qui nous ont affamés ! À qui la faute, si je mange des glands ? Si Rambuteau est une brute ? À ceux qui, pendant mille ans, nous ont dédaignés, bastonnés et interdit les livres ! Je te tiens personnellement comptable de mes malheurs !

— Allons, dit-il, accommodant, car prenant la mesure de ma juste colère, tu sais bien que je suis ton ami...

— Tu n'es rien de cela ! Tu es d'une autre race ! Tu reprendras du bec quand le temps changera ! Tu te flattais tantôt de ton opportunisme !

— C'était pour te faire bisquer…

— Eh bien ! Je bisque ! Et pire que cela ! Je dénombre tes infamies, et le sournois plaisir que tu pris à me perdre, me dévoyant une autre fois quand je marchais le cœur léger, au bras de ma bien-aimée ! J'y vois clair, à présent : tu l'auras effrayée par tes lubriques entreprises ! Te voir à son réveil l'a contrainte à la fuite !

— Holà ! Tu me fatigues ! Tu rêves tout debout, dit le vicomte qui était rien moins que patient. Eh quoi, je t'ai sauvé ! Après trois jours de tendresse, ma sœur t'eût fait pisser le sang ! C'est toi qui aurais fui ! Te sentais-tu d'attaque pour t'ensevelir dans le mariage et me fabriquer une douzaine de neveux ?

— Il n'était question que de baiser et guerroyer ensemble !

— Innocent ! Les femelles n'ont que langes et berceaux dans la tête. Leur unique dessein est d'entraver un imbécile et le faire trimer pour assurer le pain de leur portée. C'est ce qu'elles appellent l'amour. Elles nous promettraient la lune pour nous mener où elles l'ont décidé. Allons, recouvre la raison ! Jette ton foutre aux quatre vents sans jamais te fixer. Et si une coquine veut en faire un marmot, laisse-la couver, c'est son affaire !

J'eus beau évoquer ma mère, sa première version me fit froid dans le dos. Ma colère contre lui en fut multipliée. Je haussai le ton, comme il arrive quand on ment.

— Et si j'en veux, moi, des enfants ! C'est ma roture qui te gêne ? J'eusse été une mésalliance ?

— Tu dis n'importe quoi ! Et puis, pourquoi te faire gloire d'être croquant ? Tu es plus qu'à moitié des nôtres !

— Je suis bâtard !

— C'est le sang qui compte !

— Non, c'est le cœur ! Il ne bat pas pour vous !

— En auras-tu bientôt fini avec ces mômeries ? On jurerait entendre un veau qui meugle après sa vache !

— Voudrais-tu dire encore que je suis une bête ?

— Mais c'est toi qui le dis !

— Répète-le !

— À ta guise, si tu y tiens ! Tu es une bête ! Voilà !

Je lui sautai dessus. Nous roulâmes en bas de l'arbre, nous battant comme des chiens, nous rouant les côtes de coups de poing et les jambe de coups de pied, soulignant chaque choc d'une bordée d'injures.

— Tu es bien un foutu rustre de paysan du Ventoux !

— Et toi un sacré fumier de cochon d'aristo !

— Va rejoindre les tiens ! Va manger des chenilles !

— J'irai dans un instant, quand je t'aurai tué !

Le souffle court et les membres meurtris, nous étions bec à bec, comme deux coqs dressés sur leurs ergots. Je l'ai déjà dit, nous étions d'une force égale et bien malin qui eût pu nous départager. Aussi, reculions-nous, tous deux à genoux dans l'herbe et acharnés à nous injurier. Je pris une pierre que je lui jetai. Il l'esquiva, mais il en lança une qui me frappa l'épaule. Cela nous éloigna peu à peu l'un de l'autre. Nous partions à présent dans la nuit obscurcie où couvait ce brasier, chacun de son côté, écumants de fureur et crachant du venin, nus, et nous lapidant comme préhistoriques.

— Va crever dans ta tour ! hurlai-je quand il eut disparu.

L'ultime mot que j'entendis de lui parlait de haine, à moins que cet extravagant, une dernière fois, m'eût assuré : « Je t'aime ! »

Je marchais les yeux remplis de larmes, fouettant les herbes d'un bâton que j'avais trouvé, donnant des coups de pied aux cailloux, ce qui, finalement, me brisa les orteils. J'avais bien fait une demi-lieue lorsque je posai mon cul sur le bord du chemin. Aussitôt, je me représentai qu'aveuglé par la rage j'avais laissé dans le chêne le sabre de Daffodil.

« Va ! me dis-je, rempli d'amertume, tu n'es qu'un croquant, pour avoir machinalement troqué une épée contre un morceau de bois ! »

Je pris mon parti de revenir sur mes pas, ne sachant trop si j'espérais ou craignais de retrouver le vicomte. L'aube n'était pas loin lorsque je fus à l'abbaye. Déjà cet air froid qui précède l'aurore tombait du grand ciel gris. Je grimpai dans le chêne. Les sabres n'étaient plus là. Je descendis bredouille et posai mes pieds nus dans l'herbe emperlée de rosée.

— Vicomte ! appelai-je à voix contenue.

Seul le silence me répondit.

— Siffrein ! dis-je encore plus bas, craignant presque d'être entendu, car cette familiarité lui eût découvert ma tendresse, ce dont il n'eût pas manqué de rire, puis d'abuser.

Mais le bougre devait avoir déjà tiré sa route vers le midi, emportant les deux lames, sans se soucier de moi. C'est bien déconfit que je pris la mienne aux antipodes, me dirigeant vers le septentrion où je savais que se trouvait Paris.

VII

Je compris vite, lorsque je fus dans Paris, qu'y retrouver ma bien-aimée ne serait pas une mince affaire. La ville était immense. L'étendue me décourageait moins que l'ignorance dans laquelle je me trouvais de ses us et coutumes, donc de l'endroit où se pouvait tenir dans ses murs une personne de son sexe, de son rang et de son caractère.

Je déplorai la taille de cette capitale, organisée autour d'une infinité de clochers. J'en remarquai deux qui surclassaient, et de fort loin, tous ceux que j'avais vus jusque-là : c'étaient les tours de Notre-Dame. Diable ! La belle église !

Elle se tenait toute droite au milieu d'une île qui partage à cet endroit la Seine, une fort honorable rivière qui se pourrait comparer au Rhône quant à la largeur, quoique, pour être juste, l'impétuosité n'y soit pas.

Après avoir franchi un petit pont, je m'approchai de ce magistral monument, orné d'une quantité de statues. Jusqu'aux becs des gouttières qui étaient façonnés, évoquant avec art les démons de l'enfer.

Là-haut, derrière les abat-sons, les cloches donnaient à vous faire saigner les oreilles, quelque chose entre le *Te Deum* et le tocsin. J'eusse dû comprendre à cela que cette ville avait perdu toute mesure et reprendre ma route. Au lieu de quoi, je passai sous le porche en ogive, et me trouvai bientôt dans une céleste fraîcheur teintée de mauve et de bleu par deux vitraux en rosace qui remplaceraient avec avantage les huisseries du paradis.

Nous étions au tout début du mois d'août. Le soleil martelait Paris aussi fort que Marseille, mais, n'étant point secourue par la brise marine qui adoucit le climat des ports, la ville semblait sur le point de prendre feu subitement. Peut-être cette furieuse chaleur, qui empoussiérait les ruelles et troublait l'eau du fleuve, n'est-elle pas innocente du débordement que connut la cité les jours suivants.

Je ne cherchais qu'un peu d'ombre et la sérénité qui habite souvent les lieux sacrés. Quelle ne fut pas ma surprise de trouver, à la place de dévots recueillis, une foule énervée qui s'exaltait pire qu'à la taverne. Dans les travées on brandissait des fusils, des piques et des bâtons. Porté par le mouvement, je m'avançai entre les pilastres qui bordent la nef centrale. Je m'arrêtai, pressé de toutes parts, sous une chaire de bois sombre dressée à vingt pieds de haut. De ma place, je ne voyais de la tribune que les poutres qui en maintenaient le plancher. Une cavalcade se fit dans l'escalier sonore, et bientôt j'entendis là-haut brailler un forcené. Je ne pouvais pas voir sa figure, mais son accent typique sentait son Marseillais :

— Citoyens ! hurlait l'énergumène, ces foutus députés nous prennent pour des couillons ! Du Sud au Nord, ils nous ont fait traverser le pays tout entier ! Cent cinquante lieues en vingt jours ! Voyez ces pieds calleux, qui portent sur leurs orteils la poussière de toute la France !

Cette poétique envolée fut saluée par une ovation. Le tribun reprit de plus belle :

— Et pourquoi tous ces *agassins ?*

Sans doute les cors aux pieds ne portaient-ils pas à Paris le même nom qu'en Provence, mais le mot *agassin* faisait vibrer les nerfs par une bienheureuse coïncidence musicale. On le sentait propice à exprimer toute la gamme des contrariétés, de la simple taquinerie à la plus cruelle persécution.

— Oui ! Pourquoi ? dirent vingt voix dans la foule, sur un ton qui exprimait plus la colère que la curiosité.

— Pourquoi ? Pour rien ! reprit l'homme.

Un silence se fit. Le prédicateur en profita pour donner les explications que tous attendaient.

— Depuis cinq jours nous attendons qu'ils foutent le roi à la porte ! Ils nous l'ont promis ! Et depuis cinq jours, qu'est-ce qu'ils font, nos députés ? Hein ? Qu'est-ce qu'ils font ?

— Oui ! Qu'est-ce qu'ils font ? reprit le chœur, manipulé avec art par le bateleur.

Je me poussai des coudes pour tâcher de voir à quoi ressemblait l'artiste. Au moment où je parvenais à avoir assez de recul pour le distinguer, le bougre se tourna, esquissa le geste de s'asseoir en écartant les pans de sa veste et, de la bouche, lèvres serrées, il fit un bruit de pet assez bien imité.

— Ppppp ! Ils siègent ! dit-il avec le bienheureux soupir d'un constipé qui, après des efforts intestins, se décharge de son clystère.

Des rires fusèrent. Il était difficile de trancher si l'homme devait son succès à son accent ou à sa rhétorique, mais la foule lui fit un triomphe. Cabotin, il reprit la parole.

— Parfaitement, citoyens ! Les députés ont laissé les Suisses de Rueil et ceux de Courbevoie se rassembler autour du roi avec les curés et les aristos ! Ils sont complices de l'Étranger ! Quatre pelés, trois bras cassés et deux tondus nous arrêteraient, nous autres, qu'on a peur de rien ? C'est pas un foutu Prussien qui va nous donner des leçons de français ! Manifeste, mon cul ! Les *veto* on s'en torche ! Alors, aux députés, au roi, et à *Bronsouique*, le peuple, qu'est-ce qu'il leur dit ? Il leur dit… il leur dit…

— … Merde ! hurlèrent cent voix à l'unisson.

— Les députés, comme les autres ! Tous dans la même barque ! On y fait un trou ! Et zou ! Par le fond !

À l'énoncé de cette solution radicale, on applaudit avec fureur. Le traditionnel bateau à soupape destiné à se défaire des fâcheux était-il donc en usage sur les bords de la Seine, comme sur les rives du Lacydon ? Galvanisé par son succès, l'homme haussa encore le ton, et se mit à déclamer en détachant des tronçons de phrase qu'il terminait par un cri apoplectique :

— Alors… citoyens ! Je vous le dis… avec les camarades du Théâtre-Français… qui nous ont fait l'amitié de nous recevoir dans leur section… et même… de la rebapti… la renommer section des Marseillais…

Quelques rires saluèrent l'usage qu'il avait failli faire du mot banni entre tous : « baptiser ». Sans se démonter, le bougre enrichit alors son discours d'une tirade improvisée sur le clergé et le bon Dieu :

— Les curés et leur patron barbu, on leur pisse à la raie !

Les applaudissements tournèrent à l'hystérie. Porté par l'enthousiasme, il se lança dans une vibrante énumération de ces sections jacobines qui reproduisaient trait pour trait le découpage des anciennes paroisses. Soit qu'ils fussent encore ceux des vieilles rues de Paris, soit qu'ils évoquassent l'Antiquité ou les idées nouvelles, les noms en étaient beaux et portaient à l'emphase :

— ... avec les citoyens de la section de la Cité, de la section des Quinze-Vingts, de la section des Piques, de la Butte des Moulins, de Brutus, des Quatre-Nations, du Faubourg Montmartre, du Pont-Neuf, de la Fontaine de Grenelle, des Sans-Culottes, du Marché des Innocents...

Entre chaque nom de section il s'arrêtait un temps pour laisser à la foule le temps d'applaudir. Je m'émerveillai qu'en si peu de temps le gaillard eût appris tant de choses sur Paris. L'énumération fut longue, mais point fastidieuse, car ponctuée d'ovations plus ou moins nourries, selon que la section nommée s'était signalée ou non par la hardiesse de ses discours ou la violence de ses manifestations. L'on eût pu dresser, quartier par quartier, rien qu'à l'oreille, une carte de l'ardeur jacobine dans la capitale. Au ralentissement de sa voix et au fait qu'en orateur habile au maniement des foules il avait recommencé à placer le mot « section » pour enfler son effet, je compris que le Marseillais en aurait bientôt terminé avec sa liste qui devait porter une cinquantaine de noms :

— ... de la Section de l'Observatoire, de la section du Jardin des plantes et de celle des Gobelins... je vous le dis... moi... Lagoubran... Marseillais de Toulon : peuple de Paris ! Aux Tuileries !

On jugera l'effet qu'avait produit sur moi la déclaration d'identité du fédéré ! Je me rétrécis d'un demi-pied pour me fondre dans la foule.

Besagne tenait le bras de son compère en l'air, comme on fait pour montrer à la foule le vainqueur d'un concours. De son organe sans timbre, éraillé, mais vibrant d'un étrange pouvoir, le Toulonnais entonna avec une solennelle lenteur :

Allons enfants de la patrie
Le jour de gloire est arrivé.
Contre nous de la tyrannie
L'étendard sanglant est levé...

La foule reprit le refrain de notre chanson sanguinaire qui devait devenir à jamais le cantique de la liberté.

Aux armes citoyens!
Formez vos bataillons!
Marchons! Marchons!

La brute possédait ce don mystérieux d'entraînement des foules qui, en cinq minutes, d'un inconnu, fait un roi. Soulevée comme la mer par l'équinoxe, la foule se rua hors de la cathédrale.

Dès que nous fûmes sur le parvis, une esplanade s'ouvrit devant nous. Le bel élan populaire, canalisé jusque-là par les pilastres de l'entrée et comme forcé dans ce goulet, y perdit de sa vigueur. Je mis à profit ce moment d'hésitation pour me soustraire à la masse furieuse. Je m'évadai vers la rive droite par un pont où se tenait l'octroi. Je laissai derrière moi, dans le contre-jour du couchant, les tours sombres de la Conciergerie, qui deviendraient bientôt si tristement fameuses.

*

Je me dirigeai au hasard vers le cœur battant de Paris où je devais passer, entre le 9 et le 10 août 1792, la plus étrange nuit de ma vie qui fut aussi la dernière de la royauté.

Je marchais par les rues de la ville, attentif à ne pas m'éloigner du fleuve où me ramenait sans cesse une odeur de vase. Je tournais en rond dans des venelles obscures. Je croisai maints groupes d'énervés qui parlaient fort et s'attroupaient sur le seuil des portes, puis se disloquaient pour se reformer plus loin. On se serrait autour d'un porteur de message. On le lisait à haute voix à la lueur d'un flambeau. On le commentait.

— Le roi ne veut pas retirer ses *veto*!

— Pardi! Il en tient pour les curés non jureurs!

— Il veut garder le trône pour ses frères, l'imbécile...

— ... et leurs biens aux traîtres émigrés!

— L'Assemblée maintient ses décrets!

— S'il faut trancher entre le roi et les élus, le peuple tranchera!

Sur plusieurs places on avait allumé des feux. Le rougeoiement, la chaleur, l'odeur âcre de la fumée, le pétillement des étincelles, échauffaient encore les esprits et les corps, déjà exaspérés par la canicule.

Des femmes du peuple se joignaient aux hommes. Moins attachées à calmer leur humeur qu'à l'exciter davantage, elles usaient de frôlements lubriques sous prétexte de fraternelle accolade. J'allai d'un rassemblement à un autre, soucieux de comprendre ce qui se passait entre ces murs où montait une fièvre maligne.

À chaque carrefour on débattait de tout, du maniement des fusils et du poids de la poudre, du nombre de canons placés sur le Pont-Neuf, de l'armement des Suisses, mais aussi, bizarrement, on se demandait ce qu'on jouait aux « Italiens », ou s'il faudrait, une fois le roi abattu, dater les décrets de « l'an I de l'Égalité » ou de « l'an IV de la Liberté », car dans Paris, et même au cœur des plus terribles crises, la frivolité ne perd jamais ses droits. Je fus apostrophé par des passants, et invité à donner mon avis sur cette dernière question qui me dépassait bien.

— Hé ! Toi ! Le jeune ! me demanda un gaillard vêtu de brailles trop courtes sur des mollets poilus, que choisirais-tu de la liberté ou de l'égalité ?

— Ma foi, je tiendrais plutôt pour la liberté, car vivre dans les fers me fut insupportable !

— Pourtant, l'égalité…, tenta d'argumenter un long sifflet au regard de braise.

On s'attroupait autour de nous.

— L'égalité, citoyen, je m'en charge ! complétai-je en lui montrant mon poing fermé.

Mon succès fut immense, car l'air bravache faisait florès. Quant à mon accent, l'arrivée dix jours plus tôt du bataillon fédéré des Bouches-du-Rhône qui, depuis, servait de levain à la révolte parisienne, l'avait rendu fort populaire.

— Un Marseillais ! C'est un Marseillais !

Aussitôt, je fus enlevé et porté en triomphe.

— Citoyen ! Chante-nous ta chanson !

Je me fis un peu prier, puis lançai le couplet des tyrans qui me valut une ovation. On reprit en chœur au refrain, puis on me posa à terre et je fus oublié aussi vite que j'avais été célèbre. Tout en me désolant de la versatilité de ces gens, je m'enfonçai plus avant dans la ville.

Je passai près d'un parvis de belles proportions, dont la porte, grande ouverte sur une salle illuminée, drainait un flot de population.

C'était l'Hôtel de Ville. Je saisis des bribes de phrases, le plus souvent chuchotées, avec cet air important et grave que prennent les initiés aux secrets politiques. Je m'étonnai de cet accent pointu, propre aux Parisiens, qui semble donner du poids aux plus plates sentences.

— ... commissaires du conseil général...

— ... réunion de toutes les sections...

— ... faire taire les modérés...

— ... commune insurrectionnelle...

— ... suspendre le roi...

— ... créer une Convention...

— ... Pétion ne bougera pas...

— ... Roland à l'intérieur...

— ... Danton à la justice...

Je connaissais les noms de ces grands hommes qui, depuis la prise de la Bastille, parlaient pour le peuple avec passion et fermeté. Je compris que se préparaient des choses grandes et terribles.

Il me faut cependant avouer que, n'ayant rien mangé depuis le matin, la faim qui animait mon estomac de crampes me gâtait quelque peu l'intérêt politique. Quant à mes jambes, elles semblaient vouloir m'abandonner, après tant de lieues arpentées depuis le point du jour. J'eusse bien aimé trouver dans une auberge un quignon de pain et une paillasse. Hélas, mes poches étaient vides et mon élégance rustique, depuis que je m'habillais chez le tailleur de la corde à linge. Qui me ferait crédit ?

À défaut de dîner, je me mis donc en quête d'un quartier plus calme et d'une porte cochère où dormir un peu. Je longeai des murs immenses et noirs comme des remparts de cité. Toutes les ouvertures en étaient arpentées par des gardes. Je traversai une large place et me trouvai devant un autre monument, où un joli tribun haranguait en des termes fleuris un attroupement qui portait des flambeaux. Je sus, plus tard, qu'il s'agissait d'un côté du Louvre, de l'autre du Palais-Royal, que le beau parleur se faisait appeler d'Églantine et qu'il était poète. Mais, sur l'heure, je ne trouvai dans ce quartier que le désagrément d'y rencontrer trop de monde.

Par tout un lacis de ruelles, je me trouvai finalement sur une fort belle place carrée, entourée de bâtiments harmonieux, bien droits et rectilignes. Entre ces murs sévères se tenait une réunion des plus extravagantes. Deux groupes d'hommes encocardés de tricolore s'étaient pris de querelle pour la plus futile raison. Fallait-il nommer la section de ce quartier « de la Place Vendôme » ou « des Piques » ? Cela paraissait d'une importance capitale, vu que l'on jouxtait le Club des Cordeliers. On conviendra que le débat était de mince intérêt pour un Provençal qui crève de faim et tombe de sommeil. Je m'éloignai de ces extravagants et trouvai enfin ce que je cherchais : un coin tranquille et obscur où reposer mes os.

Je m'allongeai de tout mon long sur une marche de granit dont la fraîcheur fut un bonheur à mes membres fourbus. Je pliai en deux ma besace et la glissai sous ma tête qui déjà dodelinait. Aussitôt le ciel nocturne me remplit la pupille. Superbement marqueté d'étoiles, il portait au milieu une lune ronde, plus brillante que vingt sous en argent. La nuit était belle et d'une étendue si profonde que la futilité de tout ce grouillement me tira un soupir. J'adressai une pensée tendre à ma belle. Peut-être, d'un lieu voisin, portait-elle un même regard détaché sur l'infini des mondes ? Avec sept lieues dans les jambes et deux doigts de philosophie dans la tête, je ne fus pas long à trouver le sommeil.

Cet instant de paix fut de courte durée. Je me sentis bientôt secoué comme un rameau de buis pour la bénédiction.

*

— Citoyen ! Hé ! Citoyen !

« Peste ! me dis-je, les Parisiens ne dorment-ils jamais ? »

C'était une femme. Elle m'avait pris l'épaule et semblait décidée à me la déboîter. Je ne distinguais d'elle que le volant de sa coiffe, traversé par un rayon de lune.

— La mère, laisse-moi dormir, pleurnichai-je en bâillant.

— Pardi ! s'écria-t-elle, je voudrais bien, mais tu bouches ma porte et je ne peux rentrer chez moi.

Je me poussai sur le côté en maugréant :

— Ne point manger d'un jour, passe encore, mais ne pouvoir dormir, c'est trop, et ce Paris me fait l'effet d'un pays de *fadas* !

— Ton accent viendrait-il de Marseille ? demanda-t-elle en riant.

— En vingt jours et à pied ! répondis-je, prostré.

— Alors, pourquoi n'es-tu pas avec les tiens qui campent sur le Champ-de-Mars ?

— Je suis marseillais, mais point du bataillon, dis-je avec une hâte qui eût paru suspecte à moins candide que la donzelle.

— C'est malencontreux pour toi, citoyen, reprit-elle, bonne fille, car depuis dix jours on les gave de vin et de mangeaille.

— Ne me parle pas de mangeaille que je m'en vais dans les vapeurs...

Elle se campa devant moi, les deux mains sur les hanches, d'un air hardi et gracieux à la fois. Je ne voyais pas son visage, mais la gentille silhouette était remplie de charme et s'accordait avec la voix piquante de grisette.

— Allons, dit-elle, lève-toi ! Il doit bien me rester deux onces de saucisse et une demi-livre de pain.

Aussitôt je fus sur mes jambes, enchanté de l'aubaine. Mon hôtesse tira une clef de son corsage et fit jouer le pêne qui céda sans bruit. Nous entrâmes dans un couloir obscur. Pour trouver l'escalier qui montait à l'étage, il nous fallut tâter les murs des paumes et le sol du soulier. Dans tout ce noir, nous nous heurtâmes deux ou trois fois, ce qui nous fit pouffer. Finalement, elle prit ma main pour me guider. Toujours à tâtons, nous passâmes une seconde porte qui me heurta au front et provoqua une nouvelle crise. Lorsqu'elle battit le briquet pour éclairer sa chandelle, nous étions deux amis, car rien ne lie comme de rire ensemble. Je m'en félicitai : penchée sur sa bobèche, je vis qu'elle était jolie comme un cœur.

Elle avait un visage pointu et une bouche fraîche, des yeux bien ronds, bien noirs et remplis de malice, l'air vif, la taille fine, deux mignons petits seins qui bombaient le corsage sous le fichu croisé.

— Mets-toi à l'aise, citoyen, dit-elle, en m'indiquant une mauvaise chaise.

La pièce était rustique et le mobilier sans attrait. Mais le tout était bien tenu, avec du crochet aux fenêtres, et, au milieu de la table, un bouquet de fleurs. Dans le fond, posés sur une cheminée de plâtre, des livres en quantité, mi-alignés, mi-entassés. Elle suivit mon regard, et dit avec certaine emphase :

— Je suis actrice ! Mon ami est auteur dramatique...

Ce mot d'ami me rembrunit, me révélant les pensées libertines qui m'étaient, à mon insu, déjà venues en tête. La coquine prit un air innocent qui ne me trompa qu'à demi, car si, tantôt, dans la rue, sa position en contre-jour m'avait caché son joli visage, par le même effet d'ombre et de lumière, elle m'avait vu de face et en entier. Ce n'est point vanité de dire que ma figure, en ce temps-là, était de nature à me faire des amitiés spontanées. Je n'avais pas vingt ans… Je décidai donc de ne rien brusquer, persuadé qu'elle marcherait vers moi la moitié du chemin.

— Tu m'avais parlé de saucisse, citoyenne, laissai-je tomber en salivant un peu.

— Ah çà ! reprit la rouée, en voici un qui va droit au but ! À peine est-il poli !

Je décidai de jouer les benêts, ce qui est toujours un bon moyen de prendre le vent.

— Pardonne-moi, dis-je, mais la faim me cisaille les tripes.

Avec un joli rire et une volte-face pleine de vivacité, elle alla au garde-manger. Elle en tira une pièce de charcuterie et un bon bout de pain, dont la taille et l'odeur faillirent me tirer des larmes. Je tendis la main. Aussitôt, elle fit un pas en arrière et me considéra, le cou penché comme quelqu'un qui a une idée par-derrière la tête.

— Que me donneras-tu, en échange de ce goûter ?

Je pris l'air désolé.

— Je n'ai pas un sol, citoyenne. Si tu es fesse-mathieu, il me faudra mourir de faim.

— Qui te parle d'argent ? Moi, je connais d'autres monnaies…

Je voyais où menait son système. Par plaisir je poussai le jeu.

— Certes, citoyenne ! m'écriai-je avec enthousiasme, et ce soir, en échange, je t'offre l'amitié !

Elle s'approcha de moi. Crânement, elle s'assit sur mes genoux. D'une main, elle tenait la saucisse, et de l'autre un petit couteau qu'elle utilisa pour en tailler un bout. Elle le piqua sur la pointe, et de son bras potelé entreprit le jeu de me le dérober. Je ne me fis guère prier pour entrer dans la partie. Ainsi face à face, nous nous frottâmes un bon moment l'un contre l'autre, en poussant de ces petits cris bêtes qui énervent les sens. Dans l'engagement, la coiffe tomba à terre, découvrant des cheveux crêpelés, d'un joli brun de châtaigne. Le fichu croisé ne nous résista guère. Il dissimulait un corsage simple, joliment décolleté, qui semblait faire une corbeille aux pommes des deux seins. En guise de hors-d'œuvre, je dégustai leur blanc laiteux, parfumé ce qu'il faut, par la framboise des tétins. À ce point la belle était comme attendrie. Elle prit le morceau entre ses jolies dents et ainsi me l'offrit. En même temps que la rondelle, je volai un baiser.

— As-tu autant d'amitié, citoyen, que je t'offre de charcuterie ? Car tout marché se doit d'être équitable.

— Ah çà ! lui répondis-je, j'en ai au moins le double ! Tu peux t'en assurer ! Et qui présente, sur ta saucisse, l'avantage de rester entière, après qu'on s'en est régalé !

Elle se trémoussa sur mes cuisses avec un rire coquin. Tous ces frétillements me mirent de belle humeur, d'autant plus que le mets, par sa richesse et son parfum, me reconstituait en vitesse.

— Oui ! Je sens bien, s'écria-t-elle, ayant repris son souffle, que ton amitié est sincère. Sans doute n'est-elle pas éternelle, aussi…

— … hâtons-nous de la partager ! terminai-je en la faisant adroitement tomber à cheval sur mes jambes.

La mâtine devait avoir de la pratique, car elle fut en place en deux temps et un seul mouvement, qui, on s'en doute un peu, ne fut pas le dernier. Elle sautait de fort bon cœur en un trot enlevé de mauvais cavalier, mais de bonne baiseuse. Les cheveux crêpelés s'évadaient du chignon, les lacets du corsage glissaient dans leurs œillets, un soulier jaillit même, qui roula sous la table.

— Ah ! s'écria la gueuse, que c'est beau, l'amitié !

Sous nos poids conjugués et le hardi transport de tant de sentiment, la chaise commençait à plier. Je la soulageai d'un coup, me mettant sur mes pieds, sans pour autant lâcher la belle, qui étant de petite forme n'était pas lourde à transporter. Ainsi debout, je mis à profit la posture pour aller vers une crédence, où reposait, en broc, une pinte de vin. Le coude haut levé, j'en bus mon soûl à la régalade, tandis que la coquine, agrippée des deux bras à mon cou et des jambes à mes hanches, s'en allait dans des hululements.

— Hou ! Hou ! Hou ! Citoyen ! Moi qui t'imaginais innocent !

Je revins à la table aussi facilement que si j'eusse porté sur mon ventre quatre livres de blé à semer. J'y terminai à belles dents la saucisse et le morceau de pain, pendant que mon hôtesse s'agitait plaisamment, afin d'augmenter mon bonheur, en un mouvement de godille que lui eussent envié les meilleurs bateliers. La partie terminée à l'avantage de chacun, elle se remit sur ses pieds, lissa son jupon froissé, et s'offusqua de mon air fat de fouteur ayant fait crier sa complice.

— Je te vois tirer vanité de cette agitation.

— Ma foi, lui dis-je, il m'avait semblé que tu goûtais l'exercice ! Je peux cependant me tromper car les filles auront toujours sur nous l'avantage de pouvoir mentir.

— Hé ! Tu n'es pas si sot ! Aussi, je vais t'en montrer un autre qui ne manque pas d'intérêt et que je tiens de mon ami.

C'est alors que la coquine, sans la moindre pudeur, se mit en devoir d'expérimenter sur ma géographie une pratique à ce point libertine que je rougirais de l'exposer au lecteur. Je dois pourtant préciser que j'étais loin d'être un novice, et que ma fréquentation du vicomte m'avait porté dans les situations les plus scabreuses, tant par la nature bizarre des caresses, que par le nombre astronomique des participants à l'échauffourée.

— Par exemple ! m'écriai-je au comble du ravissement, j'ignorais que cela se fît !

— Et cependant, comme tu peux le voir, avec fort peu de moyens ! s'esbaudit la lubrique.

M'ayant bien fait gémir et presque pleurer de plaisir et contente d'avoir repris sur moi l'avantage sur le chapitre de la science amoureuse :

— On m'appelle Constance, dit-elle enfin, me baisotant au cou. Et toi, comment te nomme-t-on ?

— Vincent ! répondis-je, tout en me disant à part moi que la coquine était mal baptisée. Sans trop de compassion pour l'auteur dramatique, je me dis que, ce soir, la fortune était de mon côté, pour m'avoir offert en si peu de temps le vivre, le couvert et même, en plus, une décharge. Un bon lit de plume, enseveli sous son édredon, me tendait les bras, là-bas, au fond de l'alcôve. Je décidai d'entreprendre une manœuvre d'approche, car, me sentant apaisé dans ma chair et mon estomac, je n'espérais rien d'autre que ronfler un moment.

— Où donc est ce rimailleur, qui, s'il est ton ami, doit se trouver souvent cocu ?

Aussitôt, la belle se fâcha tout rouge, ce qui mit un comble à ma perplexité quant à l'attachement que nous portent les femmes.

— Ah çà, non, citoyen ! Je ne te laisserai pas mal parler de lui ! C'est un homme de bien, et c'est un grand esprit !

— Serait-ce mal parler que parler de ses cornes ? C'est toi qui les fourbis, et on les verrait moins sans le soin que tu portes à les entretenir !

— Que tu es donc peu délicat pour parler de ces choses ! Nous n'en étions qu'à l'amitié ! Et ce simple transport de franche sympathie ne saurait être comparé au cruel et délicieux mélange de tendresse et de tourment qu'on appelle passion. Mon ami, vois-tu, est mon seul amour, et toujours je lui serai fidèle !

Je décidai de prendre à la farce cette curieuse déclaration.

— À temps nouveaux, mœurs inédites ! Et si, à présent, l'attachement à leur bien-aimé permet aux femmes d'avoir d'autres amants, j'aurais mauvaise grâce à m'en plaindre, n'étant pas en ménage ! Alors, vraiment, à bas l'Ancien Régime, et tout de bon : Vive la Révolution !

— Tu parles comme une bête ! s'exclama Constance. Mon ami a beaucoup souffert de cet Ancien Régime dont tu plaisantes sans savoir. Il a vécu dans les prisons et depuis qu'est tombée la Bastille, il donne tout le temps laissé par le théâtre à la section des Piques dont il est secrétaire. Je gage qu'en cet instant où si cruellement tu te gausses de lui et croques ses provisions, sans parler que tu baises sa femme, il note le détail des délibérations, et qu'il met le talent de sa fameuse plume au service du peuple ! Aussi, bougre, coquin, galapiat, je m'en vais…

La friponne m'eût jeté à la rue, à présent qu'elle était contentée, si une volée de cloches n'eût mit fin à sa vertueuse colère. Constance se figea :

— Ciel ! La cloche des Cordeliers…

*

Il pouvait être la demie avant minuit. Dans toute la ville, d'autres cloches lui répondirent, mêlant à son puissant bourdon leurs timbres argentins ou graves. Là-bas de simple fer, à peine résonnantes pour les paroisses pauvres, ici de noble bronze ou encore d'airain avec ses notes bleues. Nous nous précipitâmes à la fenêtre pour écouter ce formidable carillon qui fracassait la nuit de Paris.

— Je m'en doutais, murmura Constance ! C'est pour ce soir...

À ce moment la porte s'ouvrit sur un homme mûr d'une corpulence excessive, mais qui, malgré l'âge et la graisse, conservait de l'allure. Son maintien avait cet air d'élégance et de noblesse que l'on trouve, quelquefois, fabriqué aux acteurs, mais naturel, souvent, aux gentilshommes. Il émanait de lui un je-ne-sais-quoi de pesant et de félin à la fois qui remplissait l'espace. Le tintamarre des cloches avait masqué le bruit des pas dans l'escalier. Ou peut-être se déplaçait-il sans faire plus de bruit qu'un tigre dans la nuit ?

L'homme s'arrêta sur le seuil. Il prit la mesure du négligé de sa belle, des pièces de son costume éparses sur le plancher. Il me considéra, avec, dans ses yeux incroyablement clairs, presque phosphorescents sous la paupière lourde, un singulier mélange d'ironie et de complicité. Constance se précipita vers lui, parlant trop haut comme quelqu'un qui ment.

— Mon ami, voici Vincent, un Marseillais que j'ai nourri tantôt, car il crevait de faim !

— Allez donc savoir pourquoi, dit l'homme, en me regardant du haut en bas avec une moue gourmande, pourquoi la bonne âme ne réconforte jamais des bossus, des bancals ou bien des pustuleux ?

Je toussotai, troublé par son sourire et déconcerté par sa lucidité. Constance se mit à babiller :

— Dites-nous au moins, mon ami, vous qui savez tant de choses, ce que disent ces cloches ? Pourquoi sonnent-elles la nuit ? Qu'annoncent-elles ? Devons-nous avoir peur ? Faut-il se réjouir ?

L'homme eut un geste las de la main et un soupir d'infinie tristesse.

— Elles nous disent que le roi est perdu. Dans moins d'un jour, nous aurons une république. Il nous reste à l'inventer avec ses oriflammes et ses ressorts secrets. Fasse la raison, si peu commune aux hommes, que la liberté n'enferme pas davantage que ne le fit la tyrannie !

Constance allait de droite et de gauche en se tordant les mains.

— Mais vous, que ferez-vous ? Et ces événements rendront-ils votre sort plus clément ou bien pire encore ?

« Tiens, me dis-je, voici la gueuse qui s'enquiert du devenir de sa matérielle, et si le barbon pourra toujours y subvenir ! Prends garde, imprudente, car le vieux beau pourrait fort bien un de ces jours te remplacer par un blondin… »

— Sensible ! Mon enfant ! Je reconnais bien là ton cœur prompt à saigner pour le vieillard que je suis devenu, après tant d'enfermement. J'y ai perdu les yeux, la poitrine, toutes mes sensations s'y sont éteintes ; je n'ai de goût à rien, le monde que j'avais en folie de regretter me paraît d'un ennui, d'un triste ! Il est des moments où l'envie me prend d'aller à la Trappe ! Ah ! Cet Ancien Régime m'a rendu trop malheureux pour que je le pleure ! Pourtant, au moment de le voir tomber, je suis fâché de savoir mon souverain dans les fers. Je sens bien que le peuple n'attend que des occasions pour s'électriser, car, toujours placé entre la cruauté et le fanatisme, il se remontera à son ton naturel, dès que les occasions le détermineront ! Comment oublier qu'il interrompit mon *Suborneur* au théâtre des Italiens, sous prétexte que le nom de l'auteur s'ornait d'une particule ? Qu'il s'affubla du bonnet rouge pour me faire enrager ? Eh ! Qu'y puis-je ? Je suis né gentilhomme comme d'autres rouquins ! Cela m'a-t-il empêché d'écrire les plus vifs pamphlets contre la tyrannie et contre le clergé ? Suis-je aristocrate, suis-je démocrate, à ce jour, Sensible, je ne le sais plus…

Toute la tirade avait été prononcée sur ce ton mélodramatique mis à la mode par les tribuns de l'Assemblée. Vu la circonstance et le lieu domestique, le discours me parut quelque peu forcé. Je me dis que l'homme devait préparer une pièce sur le sujet, et qu'il s'essayait aux arguments du dialogue. À ces mots convenus, Constance s'alla blottir contre lui, avec un de ces beaux élans de spontanéité calculée dont les actrices ont le secret. Il caressa les cheveux d'un geste noble. Aussitôt, sa voix, comme ragaillardie par le contact de la chair fraîche, prit un ton vif et colère.

— Mais, foutre ! C'étaient trop de sottises accumulées comme à dessein ! Le roi devait-il s'enfuir, et pis encore, se faire arrêter à Varennes ! Ses frères avaient-ils le droit de pactiser avec nos ennemis ? Et ce sot de Brunswick qui, dans une crise, s'est pris à menacer le peuple, lui promettant mille tourments, s'il venait à toucher à son roi ? Mais le roi de qui, je vous le demande ? Et par quelle légitimité ? Est-il toujours le roi des Français, ou simplement le beau-frère d'un roi étranger? C'était, follement, par pure bêtise, d'un seul coup, d'un seul, d'un amas de peuples qui parlaient vingt patois, faire une Nation!

Je me retins à grand-peine d'applaudir tant la démonstration était limpide et les mots agencés avec art. Sensible s'exclama:

— Ah! Que cela est beau! Comme je voudrais l'entendre aux Italiens!

L'homme battit des paupières et se rengorgea. Si ce particulier avait un point faible, ce n'était ni l'âge ni la graisse qui n'avaient point de prise sur son charme ambigu, mais bien la vanité!

— Au moins, demanda tout à coup Constance la sensible, avez-vous vu votre imprimeur? S'est-il montré satisfait du manuscrit que vous avez remis?

— Ah çà! reprit l'homme de lettres, maître Girouard le demandait poivré, je le lui ai fait capable d'empester le diable! Il m'en a donné une poignée de pièces qui me permettront de n'être plus pour toi, ma fille, un poids insupportable...

— Taisez-vous, mon ami, c'est de bon cœur!

« Tiens, me dis-je, il faut que je me sois trompé! Ce n'est pas le barbon qui entretient, c'est la demoiselle! Cette géométrie est au moins aussi répandue que l'autre... »

L'homme interrompit mes réflexions peu charitables en se désolant tout haut:

— Quand je compare le dénuement dans lequel je suis tombé, au faste dans lequel je vécus! Ma femme et mes enfants ont laissé perdre le fruit compensatoire de tant d'années embastillées. Si seulement j'avais ces dix-huit volumes égarés ou brûlés par légèreté, j'en tirerais bien de l'argent! Ah! Famille infernale et anthropophage! Que je te hais! On retrouve des lits, des tables, des commodes! On ne retrouve pas des idées! C'est chaque jour que je pleure sur elles des larmes de sang!

Le malheureux pleurait vraiment, sans qu'il fût possible de savoir si son chagrin était réel, s'il donnait la comédie, ou s'il avait perdu de vue la frontière qui sépare la scène du théâtre de celle de la vie. Constance-Sensible baisait les beaux yeux froids avec toutes les marques de la passion.

« Ma foi, me dis-je, je n'y comprends goutte, mais ces deux-là s'aiment, cela crève les yeux. L'amoureuse est une catin, le galant un vieux débauché et tous deux se croient au théâtre, mais je les vois liés ensemble comme les mains dans la prière. »

Le couple se mignotait dans un grand fracas de sanglots et semblait m'avoir oublié. Le coquin brassait les jupons que je venais de chiffonner, avec une belle vigueur au vu de son âge avancé. Sans parler d'une adresse qui n'était pas du premier venu. Me sentant de trop, je pris le parti de m'éclipser. Comme je franchissais la porte, une poigne ferme me retint sur le seuil :

— Es-tu donc si pressé, beau passant ?

Je croisai le regard de métal dans les orbites d'ombre. J'en eus un choc, comme un coup au plexus. La main nerveuse broyait mon bras juste au-dessus du coude. Mais la voix était douce. D'un velouté ! Je me pris à balbutier comme un rosier de village des mots sans suite de benêt :

— On m'attend au foyer… et mon père… et ma mère…

— Tu as le temps…

Vivement, je me dégageai. Sans me retourner, je dévalai les marches et m'en allai dans le petit jour.

« Tout de même, murmurai-je, pour chasser de ma tête les papillons noirs qui me battaient les tempes, dix-huit volumes écrits et brûlés ! Que de temps perdu ! »

Lorsque j'arrivai dans la rue, j'entendis une fusillade suivie de quelques coups de feu isolés. Mon trouble était si grand, après cet échange bizarre, que je me dirigeai vers le bruit au lieu de m'en éloigner.

VIII

On me fit souvent raconter cette journée. Au fil du temps, j'étoffai mon récit. Il me paraît presque impossible, aujourd'hui, de faire la part entre les souvenirs et l'imagination. Mêlé à la foule comme je l'étais, je manquais foutrement de recul pour juger des événements dans leur ensemble et comprendre ce qui se passait autour de moi.

J'affirmai par exemple avoir vu le grand Danton faire enlever les canons du Pont-Neuf. En fait, je ne vis rien sur ce pont qu'un terrible désordre. Les soldats de la Garde nationale reculaient pas à pas, face à une bande d'énergumènes venus de la rive gauche pour les déloger. On tirait les affûts à hue et à dia, tantôt d'un côté et tantôt de l'autre. Une pièce d'artillerie traversa par trois fois le tablier du pont, poussée par les uns et retenue par les autres, comme un baudet aux prises avec des paysans querelleurs.

Ce dont je me souviens, en revanche, c'est de la timidité des gardes, pourtant confortés dans leur position par la superbe de l'uniforme et l'efficacité du mousquet à baïonnette. Les insurgés, tous débraillés, gueulards, armés de bric et de broc, semblaient déjà animés par cette force et cette foi qui les conduiraient bientôt à se couvrir de gloire sous le moulin de Valmy. Sans doute le tribun du peuple était-il parmi eux, puisque l'Histoire nous le dit. Je dois pourtant avouer n'avoir pas discerné les vibrations de son célèbre organe dans le vacarme que faisaient les roues ferrées, les armes entrechoquées et la formidable rumeur de l'engagement – bien que la plupart des coups de feu fussent tirés en l'air. Il faut dire que, parmi ces hommes qui venaient de l'Hôtel de Ville et du faubourg Saint-Antoine, se trouvaient nombre de fédérés de notre bataillon, et que personne n'a jamais pu, sur le chapitre de la gueule, en remontrer à un Marseillais, fût-il le grand Danton soi-même.

Lorsque le soleil se leva entre les tours de Notre-Dame, le pont était dégagé. Les deux rives de la Seine communiquaient. Le peuple de Paris pouvait affluer vers les Tuileries.

Je fus emporté par cette marée qui vint buter contre les grilles, comme la mer sur une digue. Je pris à pleines mains deux barreaux pour me garder de la pression qui me poussait au cul, de tout un peuple en révolution. Il ne s'agissait pas encore des sectionnaires et des fédérés, toujours retranchés du côté de l'Hôtel de Ville où se tenait la commune insurrectionnelle. C'étaient les petites gens de Paris venus de la boutique ou de l'atelier. Ils portaient en guise d'armes les outils de leur profession, pourvu qu'ils fussent lourds, piquants, ou propres à trancher. Ainsi, tel forgeron brandissait son marteau, tel barbier son rasoir, tel cordonnier son alène ; jusqu'à un imprimeur, pourtant homme de principe sensé, qui avait détaché le tranchoir de son massicot et le tenait en l'air à la façon d'une faucille. Les femmes n'étaient pas en reste qui avaient emporté les instruments de leur paisible industrie ménagère. Elles secouaient à bout de bras des fuseaux, des quenouilles, des ciseaux à broder et même des aiguilles à tricoter avec leur bout de nacre. Ces armes de rencontre étaient peu de chose contre des couleuvrines, mais elles montraient l'état d'énervement dans lequel se trouvait la population.

Dans la cour Royale, protégée de la cohue par des portails de fer, les gardes nationaux se glissaient vers les angles par groupes flottants aux gestes avortés. Les canons qu'ils servaient étaient pointés au hasard, leur bouche visant le sol ou le ciel. Ils semblaient mal disposés à dessein par un mauvais stratège qui eût fait son affaire d'une défaite certaine. À leur décharge, ces hommes n'avaient plus de chef pour les diriger et les affermir. Leur commandant, le citoyen Mandat, avait été arrêté et exécuté une heure plus tôt en place de Grève, alors qu'il se rendait à l'Hôtel de Ville pour protester sur l'affaire des canons du Pont-Neuf. De cela nous ne savions rien, mais il paraissait peu probable que ces soldats, recrutés dans le peuple, tireraient volontiers sur leurs amis et leurs parents. Pour miner encore leur résolution, la foule les appelait au travers des grilles, les incitant à pactiser avec les manifestants.

— Hé! Gabriel Jaunas! C'est nous! Les citoyens de la porte d'Antin!

Gabriel Jaunas adressait un pâle sourire à ses collègues et se faisait petit.

— Alphonse Darcet de Ménilmontant! Regarde! Voici ta sœur!

L'Alphonse cherchait la gamine qui lui lançait des baisers à deux mains, puis il baissait les yeux.

— Jean Carvalet de Grenelle, ta place est avec nous! Avec nous!

— La Garde! Avec nous! La Garde! Avec nous! scandait la foule sur l'air des lampions.

La messe eût été dite sans les Suisses, gens de principe, qui, l'œil froid et le muscle bandé, sur deux lignes impeccables nous opposaient leur front. Ceux du premier rang avaient un genou en terre. Les autres étaient debout. Tous nous tenaient en joue, prêts à faire feu. En première ligne et désigné comme une cible, aussi peu équipé pour la parade que pour la riposte, je me sentais des douleurs partout.

C'est alors que quelques gentilshommes en tenue d'apparat sortirent sur le perron. Ils encadraient un personnage de haute taille et de noble maintien, malgré un début d'embonpoint qui tendait son écharpe de soie bleu pâle, ornée d'une cocarde tricolore. Le contraste était saisissant entre ces tons incompatibles, le bleu-blanc-rouge et le pastel, comme un bouquet champêtre au bord d'un bassin de Le Nôtre.

— Le roi! murmura une femme derrière mon dos.

— Il a du cran! apprécia un quidam à côté de moi.

Bousculé par ses voisins, l'homme se ravisa. Il enfla son organe:

— Il a du cran… à l'abri des grilles!

— … et des fusils!

— … et des canons!

— … et surtout de l'Autrichien, reprirent vingt voix.

Aussitôt, un torrent d'injures s'éleva de la foule.

— Capon!

— Traître!

— Curé!

— Cocu!

Un refrain à la mode partit d'un bord, vif comme une flamme dans un sous-bois, et embrasa d'un coup la place:

Ah ! Ça ira ! ça ira ! ça ira !
Les aristocrates à la lanterne !
Ah ! Ça ira ! ça ira ! ça ira !
Les aristocrates on les pendra !

Il faut bien dire, cependant, que le roi ne se démonta pas. Tandis que ses courtisans se mettaient à l'abri du porche qui portait, de part et d'autre de l'entablement, deux lanternes fort bien venues, il descendit les marches sous les quolibets. Il se dirigea vers la Garde nationale. À son approche, les soldats s'étaient rangés en un vague carré. Le roi eut un geste d'impuissance désolé. C'est alors qu'un soldat emplumé sortit en bousculant les aristocrates blottis sur le perron. Il descendit les marches quatre à quatre. Il fit rectifier la position des hommes. On lui obéit plus ou moins.

— C'est Santerre !

— Il remplace Mandat !

— Il est des nôtres ! cria-t-on dans la mêlée, tandis que le roi tentait vainement de passer la troupe en revue. Les soldats dressaient ou baissaient le mousquet au hasard, dans une formidable pagaille qui fut portée à son comble lorsque l'un d'entre eux leva son arme en braillant :

— Vive la Nation !

Cent poitrines lui répondirent. Ce fut le signal de la débâcle. La troupe se débanda. Certains couraient aux grilles qu'ils escaladaient, d'autres désarmaient les canons en écrasant les gargousses. Tout cela dans les cris de joie et d'encouragement du peuple qui retrouvait ses enfants. On les tirait à soi entre les piques des portails, et plus d'un y laissa la culotte ou les pans de sa veste.

Pour ma part, je tentai sans succès de suivre des yeux la retraite du roi si cruellement humilié. Je n'y parvins pas, tant il y avait de mouvement et de poussière dans la cour. Près de moi, on secouait les barreaux avec une telle fureur qu'une grille se dégonda. Dix ou douze gaillards cul par-dessus tête roulèrent sur le pavé de la place.

C'est à ce moment que la fusillade éclata.

*

Ce fut la stupeur. Ces gens, pour avoir déjà enlevé la Bastille, pensaient, contre toute raison, pouvoir se saisir du roi sans essuyer un coup de fusil.

La foule reflua en arrière des grilles. Au-dessus des Suisses montait une jolie bande de fumée en flocons. Autour de moi, le sang coulait sur les pavés. On gémissait, on lançait des imprécations, on traînait les blessés à l'abri des statues équestres. La révolte semblait matée.

Cependant, alors que l'on s'attendait à une prompte retraite, la masse populaire, en un mouvement aussi puissant qu'imprévisible, se porta en avant, soutenue par les pièces d'artillerie de la place Louis-XV, à l'ouest des Tuileries, qui, retournées sur leurs affûts, tiraient vers le château.

Poussée sur ses arrières par les sectionnaires et les fédérés formés en bataillon, la populace, malgré qu'elle en eût, ne pouvait plus reculer. Elle se cracha dans la cour, comme une lave coule d'un volcan. Elle renversa tout sur son passage, tordit les grilles et, s'en servant de pont, déversa sa masse haineuse jusque sous le nez des Suisses qui tirèrent encore quelques salves à bout portant. Les fédérés leur répondirent. On tomba en masse des deux côtés puis, les troupes étant au contact, le reste se fit à la baïonnette, au corps à corps, à coups de poing et de couteau, de bâton, de lame, de poinçon. Bientôt les mercenaires, noyés sous la multitude, taillés en pièces, cédèrent le terrain, livrant le château au pillage et à la destruction. Suisses et Parisiens mêlés, on ramasserait là plus de mille morts sans parler des blessés.

La foule s'abattit sur les Tuileries comme un essaim de frelons sur un morceau de viande. On jetait à bas de leur piédestal les statues des anciens rois de France. On fracassait les vitres à coups de crosse. On se faisait la courte échelle pour investir les fenêtres. On crevait les miroirs en lançant des pavés. Depuis les étages envahis, on jetait dans la cour des meubles, des tapis, des tableaux, des livres et des porcelaines qui venaient éclater sur le pavé noirci de poudre et de graisse brûlée. Comme il arrive souvent, le feu se mit dans les décombres. Léchant les façades, il gagna bientôt les bâtiments et les maisons voisines.

Les Suisses rescapés du massacre ôtaient en vitesse leurs dolmans chamarrés qui les désignaient à la vindicte publique. Mais ils portaient encore à leur culotte assez de boutons et de soutaches pour être reconnus. On les poursuivait comme des lièvres à courre. Sitôt rattrapés, ils étaient embrochés dans le dos par quatre coquins à la fois, qui, d'un coup de talon au cul du cadavre, dégageaient leur baïonnette sanglante.

Bousculé de toutes parts, je ne savais où me cacher pour tirer mes os de l'affaire. Je m'accroupis sous une grille, espérant que l'étripage s'arrêterait avant que j'en fisse les frais. Une grosse fumée noire, alourdie d'étoffes brûlées, traînait à ras de terre, vous engluait la bouche et la narine. À deux pas de moi, je vis un Suisse qui suffoquait, le ventre ouvert et le poumon percé, avec au coin des lèvres cette mousse rosâtre qui parle de la mort. Bien qu'ayant peu d'inclination pour son état de mercenaire, la pitié m'envahit. Je me sentis soulagé lorsque j'aperçus une femme du peuple se pencher sur sa carcasse pour lui porter secours. Ce que je vis alors plaide peu pour le sexe dit faible, car la mâtine, au lieu de le soigner, entreprit à fins coups de ciseaux de lui couper les couilles. N'écoutant que mon cœur, je sortis de ma cache et bondis en avant, pour tenter de la raisonner.

— Arrête, citoyenne ! On regrette ces gestes quand la fièvre est tombée…

Mais la gueuse avait les yeux rouges. Elle ne pouvait plus discuter. Se tournant d'une pièce, la bouche tirée sur un rictus affreux, elle me planta ses ciseaux dans le bras. La douleur me fit chanceler. Je lui donnai deux gifles à la volée. Le malheur voulut que la garce, en braillant comme une écorchée, se fît des partisans. Deux gaillards au front bas volèrent à son secours. L'un tenait une herminette, l'autre, un couteau à raser. Ma viande fit les frais de ces outils tranchants, si vilainement détournés de leur usage. Le premier, d'un seul coup, me brisa net le coude, et le second, voulant me couper le nez, m'enleva tout un pan de cheveux et me fendit la peau du front. Comme si ce n'était pas assez, le mauvais sort, s'acharnant sur moi, fit passer ce coquin de Besagne à moins de trois coudées.

— Tuez-le ! cria-t-il, c'est un bougre qui en tient pour les aristos !

Il tira dans ma direction un coup de mousquet qui fit gicler dans mes chevilles des éclats coupants de pavés. Du bras, de la tête et des pieds, je saignais abondamment. Je tremblais de tous mes membres. Ma seule ressource était de fuir à toutes jambes et sans me retourner.

La grille, tordue et courbée vers la cour, formait une nasse et renfermait la place où se donnait un bain de sang. Avant de trouver une brèche ouvrant sur une rue, je dus la longer un moment ventre à terre, le bras comme un lambeau traînant derrière moi, aveuglé par le sang qui coulait dans mes yeux, le cœur battant aux cris des deux furieux qui me poursuivaient en m'injuriant. Dans ma fuite éperdue, je bousculai deux escogriffes qui agitaient joyeusement des piques sur lesquelles étaient empalés une tête de femme portant perruque et un paquet de tripes nouées en guirlande. Les deux anatomistes partirent à ma suite sans lâcher leurs morceaux, grossissant le peloton des vilains qui en voulaient à ma peau. Bien plus que la colère, la peur donne des ailes : je réussis à mettre une vingtaine de coudées entre mes fesses et mes poursuivants. Deux fois, trois fois, je pris des virages à la corde. Je tournai au coin de la première rue. Je m'engageai sans calmer l'allure dans une avenue paisible, bordée de belles maisons. Je rattrapai dans ma course une escouade de Suisses qui avaient pris ce chemin, poussés par la même urgence. À notre cul, grondaient les cris des acharnés qui nous voulaient du mal. Comme nous ne pouvions guère espérer les distancer longtemps, nous cherchions à nous retrancher sous un porche pour reprendre souffle. De nos poings, nous martelions les portes qui restaient closes.

Brusquement, sur ma gauche, un battant s'entrouvrit sur un visage blême. Un Suisse s'engouffra. Je partis à sa suite. Mais déjà l'ouverture n'était plus qu'une fente. Le propriétaire, arc-bouté sur les gonds, m'interdisait l'entrée.

— Je suis marseillais ! m'écriai-je, désespéré.

— Va rejoindre les tiens ! cracha l'homme avec un accent étranger avant de claquer le battant.

Je sus plus tard que j'avais croisé Bonaparte, à ce qu'il se fit gloire d'avoir sauvé un Suisse en cette terrible journée. Il ne se vanta point, que je sache, du Marseillais qu'il avait laissé dans la rue ! Je me vengeai plus tard de plaisante façon, mais n'anticipons point sur les tenants de ce livre…

Sur le coup, je restai abattu, les bras levés, collé à ce refuge qui m'était refusé, le sang battant aux tempes, la mort dans les poumons.

Un Suisse me tira par le bras et me poussa dans l'ouverture d'une porte voisine qui s'était offerte à notre désespoir. Le lourd vantail se referma avec un bruit puissant. Aussitôt nous fûmes plongés dans la pénombre et le silence.

*

Le locataire de ces lieux devait avoir le cœur plus large que son voisin, car nous étions sept ou huit, essoufflés, pantelants, nous soutenant l'un l'autre, à le contempler de nos yeux hébétés. D'un signe bref, il nous montra le grand escalier qui tenait le fond du vestibule. Pêle-mêle nous nous jetâmes là-dessous, tandis que l'homme, très calme, faisait rouler par ses servantes le tapis que nous avions souillé de sang. Déjà on martelait la porte. Combien de temps ce mesquin rempart nous protégerait-il ?

— Ouvrez ! criait une voix démolie par trois heures de hurlements. Ouvrez, ou je fais donner le canon !

Le maître des lieux fit écarter un peu son portail. Un rai de lumière blanche traversa l'entrée et vint se poser sur mon pied. Je le tirai vivement dans l'ombre. Je me sentis perdu.

L'homme, très digne, se tenait immobile et droit, en contre-jour sur la clarté aveuglante qui venait de la rue. Son calme et sa tenue en imposaient. Contre toute attente, les insurgés marquèrent le pas.

— *Piacere ?* leur demanda-t-il, aussi courtoisement que s'il se fût agi de s'enquérir de l'heure.

— On nous dit que des Suisses ont trouvé asile chez vous ! Il faut nous les livrer, sinon il vous en cuira.

— Des Suisses ? dit l'homme sur un ton de parfaite stupéfaction.

Il se retira de côté, comme on le fait pour accueillir des amis chez soi.

— Voyez vous-mêmes, citoyens ! Mais croyez bien que comme ambassadeur d'un pays étranger, établi en république depuis plus de mille ans et ami de la France, si je me désole des troubles intestins qui agitent votre patrie, je ne saurais m'immiscer dans ses affaires intérieures, me devant de par mes fonctions à une stricte neutralité ! Cependant, si vous doutez de ma parole, faites votre devoir. Je vous y engage, tenant à être lavé de tout soupçon.

L'homme s'exprimait dans un français subtil et comme brodé de soie par l'accent italien. Le soldat, noyé dans ce flot de paroles, plissait son front obtus.

— Bon, bon ! bougonna-t-il, embobiné par les belles formules. Mais laisse la clef sur ta serrure, citoyen, cela évitera la suspicion. Et puis, demande au maire de t'expédier un piquet de gardes pour te protéger avec ta maisonnée !

— Je n'y manquerai pas ! répondit notre sauveur.

— Salut et fraternité ! lança le soldat en se mettant instinctivement au garde-à-vous.

La porte claqua. L'ombre et la fraîcheur retombèrent sur le vestibule. Nous sortîmes de notre cache, soupirant de soulagement. Je m'avançai vers mon hôte pour le féliciter et le remercier.

— *Osco manosco*, dis-je en brandissant le pouce, ça, c'est du culot !

— Non, répondit-il avec un sourire, c'est de la diplomatie.

C'est alors que la formidable tension de la fuite étant tombée, et peut-être aussi à cause du sang perdu, je me sentis mol comme un pantin d'étoffe et tombai inanimé.

*

— *Monte siù*[1] ?

En reprenant mes esprits, la langue de mon berceau m'était revenue sur la langue. Il faut dire que je n'avais jamais vu de ma vie le pèlerin tonsuré qui se penchait sur moi.

— Almorô ! Lorenzo ! *Il Francese si sveglia*[2], lança le moine.

Mon bienfaiteur s'approcha du lit, accompagné d'un jeune homme à bésicles qui avait l'allure d'un étudiant. Il souriait d'un air paterne.

— Le dialecte que tu parles me paraît à égale distance du français, que le vénitien l'est de l'italien… À ta place, j'aurais sans doute dit « *Onde soi*[3] ? », plutôt que « *Dove sono*[4] ? ».

---

1. *Où suis-je ?* en provençal.
2. *Le Français se réveille.*
3. *Où suis-je ?* en vénitien.
4. *Où suis-je ?* en italien.

Ces précisions linguistiques me laissèrent assez froid, mais je vis que mes blessures avaient été lavées et pansées. Je balbutiai des remerciements cependant que mon hôte poursuivait :

— Pour répondre à ta question, tu es ici chez moi, rue Saint-Florentin, à l'ambassade de la République de Venise. Voici Lorenzo Vignola, mon secrétaire, et le père Signoretti, mon conseiller. Quant à moi, mes trois enfants m'appellent *« padre »*, mes amis « Almorô », et ma chère épouse que j'ai perdue déformait quelquefois tendrement ce prénom en *« Amore »*. Le doge, lui, m'appelle N. H. Pisani. N. H., pour ta gouverne, signifie *nobile huomo* – quelque chose comme la particule de vos ci-devant. Enfin, le reste du monde me donne de l'« Excellence », ce qui est la façon ordinaire de s'adresser aux diplomates. Es-tu satisfait ?

Étourdi par cette avalanche de détails, je compris que les Vénitiens étaient peut-être plus bavards que le sont les Provençaux.

— Je ne serais pas étonné qu'après une telle saignée il se sentît un peu d'appétit..., dit le moine avec bienveillance.

À ces mots, je me vis près de défaillir, car la saucisse de Constance m'était depuis longtemps tombée dans les talons.

— En effet, mon père. Je crève de faim !

Le brave homme envoya Lorenzo chercher une collation à l'office.

— Bien, dit-il, on va te reconstituer en remplissant ta panse. À ton âge, on se fait plus vite du bon sang rouge que de la sagesse... Dis-nous un peu, à présent, toi qui poses tant de questions, d'où tu sors, et comment tu t'es fourré dans ce guêpier.

Je ne savais trop par quel bout prendre mon histoire. Voyant mon air embarrassé, l'ambassadeur eut un geste d'apaisement :

— Peut-être pourrais-tu nous expliquer pourquoi, étant français, tu t'enfuyais comme un Suisse ?

À ce moment le secrétaire revint des communs portant un plat odorant. Une cuillère de vermeil était posée sur le plateau d'argent. Je l'empoignai et goûtai la pitance. Son goût délicat m'enchanta le palais. J'avais cru d'abord qu'il s'agissait d'épeautre, mais les grains en étaient plus tendres, presque ronds et d'un blanc nacré.

— C'est une céréale que je fais venir de Venise, dit Pisani. Nous l'appelons *el rizzo*.

— Va pour *el rizzo*! dis-je gaillardement.

C'est la bouche pleine et postillonnant sur les dentelles de ma couche, que j'entrepris de raconter ces derniers jours: mon engagement dans le bataillon des Marseillais en compagnie d'Analys, comment ma belle avait disparu, comment j'avais retrouvé son frère, comment j'avais été contraint à déserter après l'affaire de Rambuteau, comment, secouru par sœur Gastonne, je m'étais retrouvé à l'abbaye de Saint-Sulpice en compagnie du vicomte et de trois assassins, comment, après l'assaut des gendarmes, nous avions passé une journée tout nus dans un arbre, comment j'avais rejoint Paris à pied, rencontré Constance, assisté à la prise des Tuileries et croisé ce diable de Besagne qui avait lancé une meute enragée sur mes talons.

— ... et cela en combien de temps? demanda Pisani, incrédule.

— Vingt jours, Excellence, pas un de plus!

— *Ocio!* s'exclama-t-il, retrouvant lui aussi, pour le coup, le *dialeto* du pays. L'aventure te colle aux talons! On ne doit guère s'ennuyer avec toi... Comment t'appelle-t-on?

— On m'appelle Vincent Lacoste, répondis-je.

— Notez, mon père: Vincent Lacoste, cela donnerait en vénitien Visente Dacosta. Puis, s'adressant à moi:

— Car je gage, vu le nombre d'ennemis que tu t'es fait chez toi, que nous allons devoir te fournir une autre identité, voire une autre patrie...

Je compris que cet honnête homme ne comptait pas me rejeter dans la rue mais pousser sa bienfaisance. Je m'en réjouis, n'ayant dans Paris de secours à attendre de personne. Pourquoi, après tant d'autres, Pisani s'enticha-t-il de moi? Peut-être parce que les Vénitiens partagent avec les Provençaux un goût immodéré pour le bavardage que l'on appelle chez nous *barjaco* et chez eux *ciacola*, deux mots qui se complètent, l'un commençant où l'autre finit.

À ce moment de mon récit, il me faut admettre que longtemps je ne fus pas maître de mon destin. La Fortune prit souvent pour moi la forme de la volonté des autres. Dans ma jeunesse, ma route fut tracée par ceux qui, tour à tour, se pincèrent pour moi. Après le marquis, ce fut Jourdan, puis Pisani, enfin Barras. Sur leurs conseils, j'embrassai de singulières carrières dont quelques-unes peu recommandables. Jamais je ne fus inquiété pour celles de ces activités que la loi et la morale réprouvent. Il m'arriva, en revanche, d'être poursuivi et châtié pour des crimes dont j'étais innocent, et même pour quelques belles actions. On en tirera, sur le chapitre de l'éthique, les conclusions que l'on voudra…

IX

L'hôtel de la rue Saint-Florentin était d'une incomparable splendeur. Venise tout entière s'y montrait, concentrée en un délicieux microcosme. Les dorures des boiseries, les pampilles des lustres, le brocart des rideaux, le rouge sombre des meubles se multipliaient à l'infini dans la profondeur de miroirs magnifiques. J'y fus traité comme un coq en pâte.

Sans presque bouger de chez lui, Pisani savait tout de ce qui se passait dans Paris. Il entretenait une armée de *confidenti*, qui, pour une tabatière en or, pour quelques sous, ou même pour rien, lui rapportaient ce qui se disait dans les couloirs de l'Assemblée, de l'Hôtel de Ville, sur la place de la Révolution et jusque dans les tavernes. L'air de Paris en ressortait, avec son parfum mêlé de sauvagerie et de liberté. Mon bienfaiteur le restituait dans de longues lettres qu'il expédiait par courrier spécial au doge, le maître de sa ville, une sorte de roi, mais un roi élu par ses pairs, selon une méthode d'une effroyable complexité.

Il poussa la complaisance à mon égard jusqu'à lancer son réseau d'espions sur la piste d'Analys. Hélas, ces investigations ne donnèrent aucun résultat. Point de jeune aristocrate provençale arrivée récemment en ville. La principale préoccupation de tout ce qui portait particule semblait être plutôt de s'enfuir. Piteux, je me résignai. Sans doute avait-elle, comme tant des siens, franchi les frontières ? Qui se sentait en sûreté dans cette ville qui ne dormait jamais ? L'inquiétude générale gagnait aussi l'ambassade.

Après la prise des Tuileries, Pisani prit la mesure de l'extrême péril dans lequel se trouvait la royauté auprès de laquelle son gouvernement l'avait accrédité. Il comprit qu'il risquait de faire, un jour prochain, figure d'imposteur aux yeux d'une république insurgée. Le peu de cas qui se faisait de la famille royale le résolut à mettre la sienne en lieu sûr. Il était fort attaché à ses trois enfants qui toujours le suivirent dans ses déplacements. Il décida donc de se rendre en Angleterre sous prétexte d'affaires, pour sauvegarder sa nichée. Il me proposa de l'accompagner, ce qui me remplit de joie.

Depuis que la France était entrée en guerre contre les coalisés, il fallait demander des visas de sortie du territoire. On se doute qu'après tant d'aventures je ne portais pas sur moi mon certificat de baptême. Il fallut m'en composer un, faux mais superbe, car portant dans la cire le lion de Saint-Marc, sceau de la Sérénissime. Je me retrouvai donc Visente Dacosta, natif de Padoue, territoire vénitien de la *terra firma*, cette partie de la Sérénissime République qui tient à l'Italie. Le père Signoretti certifiait par écrit m'avoir baptisé dans l'église Santo Stefano proche du Palazzo Pisani. Comme je m'inquiétais de ne rien entendre à l'italien et craignais d'être démasqué par l'octroi, Pisani me dit :

— Bah ! Les Parisiens rangent à la même enseigne tout ceux qui ne pratiquent pas leur patois. Ils prendraient un Breton pour un Ibérique. Ton provençal te servira de vénitien. Ils n'y verront que fumée.

Je me rendis à ses arguments. Cet homme avait réponse à tout et une façon feutrée de vous faire violence qui vous désarmait. Son affaire était par ailleurs bien montée. Outre que l'Angleterre lui proposait un havre proche de la France, il était curieux de ces machines à feu qu'un certain James Watt utilisait pour assécher les puits de mine à Birmingham. Ne pouvait-on les convertir à drainer les marais qui entouraient sa propriété de Stra sur les bords de la Brenta ? Fort de ma connaissance des vannes, roues et écluses qui gouvernent les Sorgues de mon Vaucluse natal, je donnai mon avis sur l'affaire : aussitôt je fus promus ingénieur hydraulicien.

Les demandes de visas furent déposées. Elles s'en allèrent grossir une formidable pile de dossiers en souffrance, la Révolution étant paperassière. Pour meubler l'attente qui risquait de s'étirer, Pisani décida que je devais apprendre à lire. Il confia la tâche de précepteur à Francesco, son fils aîné qui semblait prendre quelque ombrage de la place tenue auprès de son père par un étranger. Le coup fut magistral car nous devînmes deux amis, mais en suivant des voies sensiblement différentes de celles prévues par l'ambassadeur.

*

Francesco était mon cadet de deux ou trois ans. Sa vie, cependant, avait été jusque-là si bien lissée par l'étude et la fortune qu'il semblait à peine sorti de l'enfance. Il entendait le grec et le latin, et en sus de l'italien, sa langue natale, il maniait à la perfection le français, l'espagnol et l'anglais.

Bien que rempli de science, le jeune homme ne montrait guère d'empressement à m'en verser dans les cervelles. Ses leçons données du bout des lèvres étaient une corvée tant pour lui que pour moi. Cela m'était une double souffrance, car je me représentais l'avantage que nous eussions tiré du partage de nos expériences si diverses, toutes de doctrine pour lui et de pratique pour moi. Enfin, l'assemblage d'un gueux et d'un aristocrate est toujours amusant. On voit que je nourrissais certaine nostalgie du côté du vicomte...

Un soir qu'il faisait chaud, je retournais ces pensées dans ma tête et décidai de lui en faire part. La porte de ses appartements était ouverte, j'entrai sans me faire annoncer.

Quel ne fut pas mon embarras de trouver le garçon aux prises avec une petite lingère qu'il s'acharnait à chiffonner malgré sa résistance. La gamine pouvait avoir autour de quatorze ans, et son refus enchifrené était celui d'une pucelle. Mon arrivée imprévue lui fut une sauvegarde. Rajustant sa coiffe d'un geste vif, elle s'enfuit les yeux baissés, le rouge aux joues. Francesco me jeta un regard à m'étendre raide mort.

— Va ! Va ! Va donc raconter l'aventure à mon père ! me jeta-t-il avec une arrogance où perçait, malgré tout, la crainte d'être livré. Sans doute appréhendait-il davantage la raillerie qu'une correction, car gronde-t-on un jeune seigneur qui bouscule une domestique ? Mais on craint plus la moquerie que les sermons à cet âge. Je compris le parti à tirer de la situation.

— Je n'ai vu qu'un peu de tissu froissé, lui dis-je avec un sourire amical, et parler de cela serait parler pour ne rien dire.

Je vis le soulagement se peindre sur ses traits.

— Elle n'a pas voulu..., dit-il, déconfit.

— Pardi ! On défend ses prémices à cet âge, car si les fillettes ont souvent envie elles ont peur aussi.

Il soupira, me disant qu'il trouvait honteux pour un Vénitien d'être encore puceau à son âge. Suzette, qui avait à peu près le même, lui semblait la partenaire idéale pour se sortir de cet état calamiteux.

— Romeo et Giulietta avaient quinze ans à peine, ajouta-t-il, comme ultime argument.

— Sont-ils de tes amis vénitiens ?

— Plutôt véronais, dit Francesco surpris par mon ignorance, pourtant bien compréhensible, de ces amours italiennes.

— Les as-tu rencontrés ?

— Seulement dans les livres...

— Je m'en doutais. De leur passion leur vint-il le bonheur ? demandai-je, désireux de développer mon système.

— Point, puisqu'ils en moururent ! dit-il en haussant les épaules.

— Tu vois bien à ce dénouement que leur exemple n'est pas à suivre. Les amours entre jouvenceaux sont affaires de cœur. Es-tu certain que c'est cet organe qui te porta vers la fillette ?

Il se troubla, puis, prenant son parti de ma supériorité sur le thème :

— Je ne saurais franchement l'affirmer...

Je ris. Il m'imita.

— Tu devrais plutôt regarder du côté de Marion, la grande et forte blonde qui allume les chandelles lorsque tombe la nuit. Elle a des avantages, l'air doux et, dans les gestes, une mollesse qui parle de lubricité.

— Marion ? C'est une vieille ! Elle a au moins trente ans !

— C'est l'âge qu'il te faut.

— Elle se moquera de mon inexpérience !

— Du tout ! Tu n'imagines pas le bonheur qu'ont les femmes à nous enseigner les détails de ces choses.

Il marqua un moment d'irrésolution :

— Je me sentais du goût pour la petite Suzette, son frais minois, ses yeux clairs, ses membres fins. Elle a de petits seins aussi durs que des pommes...

— Ils sont trop verts et tu n'en feras rien ! Si tu y tiens, je peux te les mûrir un peu, pendant que Marion t'apprendra les éléments de la cuisine et comment les accommoder.

Je le quittai songeur. Le lendemain, à l'heure de la lecture, je le trouvai frais comme l'œil, et brûlant de me narrer les conclusions de la leçon reçue la veille.

*

— Je te rends grâces pour tes conseils ! La Marion ne se fit pas prier. Je n'eus pas plus tôt posé ma main sur son bras qu'elle avait déjà les deux jambes en l'air !

— A-t-elle été moqueuse ?

— Point ! Mais plutôt fort attentionnée à me conduire jusqu'où je ne savais aller seul, et bien contente de ma roideur, sitôt enfilée. Trois fois nous sommes allés au déduit. Elle est mariée à un vieux, aussi mol qu'une chiffe...

— C'est pour affermir ces pièces fatiguées que les barbons recherchent les jeunesses, cependant qu'à notre âge tout peut faire bander ! Le temps fort long que les vieux mettent à décharger correspond à celui que les fillettes prennent à s'échauffer. Tandis que les femmes mûres sont aussi promptes que nous à trouver le bonheur. Cela permet de reconduire maintes fois l'exercice, ce dont les rassis sont bien empêchés par la fatigue des ans. Ainsi, chacun y trouve son compte. Les vieilles sont bonnes pour les jeunes et les jeunettes pour les vieux, malgré ce qu'on en dit.

— Comment te remercier de m'avoir ouvert les yeux sur ce thème ?

— En t'exerçant comme un bon élève.

Le coquin ne se fit pas prier. Les livres, de ce jour, demeurèrent fermés. Le lascar s'engrainait de cuisinière en souillon, comparant les couleurs, les odeurs, appréciant les formes, notant le grain des peaux comme un vrai libertin. Je le vis prendre goût à la chair faisandée, au point de m'ébahir lorsqu'il me raconta avoir pris, tout debout et devant son baquet, l'Adelaïde, une vénérable lingère qui avait des poches sous les yeux et des cordes bleues sur les mains. Quand il en vint à Marie-Louise Carnavignac, la cuisinière, une matrone chenue qui taillait la viandaille à grands coups de tranchoir, avec des bras aussi gros que mes cuisses et des ongles cassés avec du sang dessous :

— Elle a tant de chair à flatter, me dit-il, ne pourrait-on s'y mettre à deux ?

Nous le fîmes. Les mots n'existent pas pour exprimer la gourmandise incrédule de la grosse minette qui n'avait plus croqué de rat depuis au moins dix ans, et se trouvait dégustant d'un seul coup un couple de souriceaux, à chair aussi fraîche que ferme.

À ma grande honte, je dois avouer que je découvris, par hasard, dans le commerce de l'ancêtre, un plaisir aussi vif qu'imprévu. En effet, lorsque je parlais de vieilles à Francesco, j'entendais seulement cet âge où les femmes, à l'exemple des fruits, offrent les sucres et les parfums d'une pleine maturité. Avec la Marie-Louise et l'Adelaïde, nous en étions largement au marché de la poire blette et du pruneau séché pour la conserve. J'eusse violemment reguigné si le vicomte eût prétendu m'entraîner sur ce chemin scabreux. Pourtant, je remarquai alors, non sans surprise, que cette espèce de laideur qui passe pour éteindre le désir des communes personnes vulgairement entichées de simple beauté, porte un coup infiniment violent sur la lubricité des libertins accoutumés aux transports du sexe.

En contrepoint, comme je l'avais promis à Francesco, je me mis en devoir de déniaiser Suzette. Je n'eus pas même besoin de l'aller quérir du côté des communs. Elle s'en vint rôder dans mes parages, sa curiosité allumée par ce qui se disait de nous dans les cuisines, et que rien ne nous rebutait, du plus charmant objet à la vieillarde infâme. Son intérêt se trouvait décuplé par la singularité affichée de nos goûts, et l'idée que l'on puisse si bien bander pour des horreurs. Décidée à nous ramener à plus d'orthodoxie en matière d'amour, elle prenait des airs, se cambrait, bombait le torse et tendait le mollet pour en faire valoir le galbe. Je posai au distrait, ce qui mit un comble à son énervement. Finalement, un jour, n'y tenant plus, elle vint se planter devant moi, l'air colère.

— Crois-tu qu'il soit chrétien, citoyen, de baiser des grand-mères ?

— C'est la Révolution… citoyenne, répondis-je, et rien ne se fait plus comme avant !

La simplette en crevait de me voir réponse à tout. À ce point d'agacement, elle était prête à tout me donner, pour me faire savoir que je me trompais dans mes démonstrations. Ainsi se comportent souvent les filles, qui croient nous emprisonner en se jetant dans nos filets.

Dans les premiers temps, encore toute remplie de pudeur, elle s'abandonna en détournant la tête, comme pour cacher à ses yeux ce qui se passait sous ses jupes. Cependant, peu à peu, lui vint la curiosité de contempler à loisir les instruments de son bonheur, et même d'en maîtriser la variable géométrie. À ce moment elle pouvait servir Francesco. Elle le fit avec enchantement, persuadée de nous avoir, tous deux, ramenés sur les voies de la raison.

On comprendra sans peine que, foutant comme un forcené de l'aïeule au tendron, Francesco perdît peu à peu ses couleurs. Bon père, Almorô s'en inquiéta. Redoutant que l'étude lui gâtât la santé, et qu'il s'en allât du poumon, il décida de le décharger de la tâche de m'enseigner. Il confia la besogne à la plus âgée de ses filles, Caterina, qui venait d'avoir quatorze ans.

*

Cependant, la rumeur du dehors nous parvenait comme assourdie. Rien n'est douillet comme une ambassade, et les forbans le savent bien qui viennent y chercher un refuge d'où narguer les pandores.

Occupés comme nous l'étions à exploiter les ressources en fesses de la maison, nous entendîmes à peine que les journaux royalistes étaient interdits, Louis et les siens enfermés à la prison du Temple, les biens des émigrés mis en vente, les derniers ordres religieux supprimés. Robespierre et Danton demandaient la création d'un tribunal du peuple chargé d'expédier les suspects. Dumouriez piétinait à l'armée du Nord. La Fayette s'était rendu aux Autrichiens. Brunswick venait de franchir la frontière. Tout cela nous paraissait fort lointain, et, pour tout dire, un peu ennuyeux, comparé aux fortes émotions que nous donnait l'usage immodéré des servantes. Les rendez-vous secrets, les crapuleries à trois, les intrigues et les jalousies, les batailles que les coquines se livraient entre elles suffisaient à notre bonheur. Le vicomte eût été charmé des progrès de son élève qui s'était fait, lui-même, un disciple.

Les visas tardaient à venir, ce dont, à dire vrai, nous nous inquiétions peu. Pisani, qui avait plus de suite dans les idées, envoya Lorenzo chez Lebrun, le ministre des Affaires étrangères, pour s'enquérir de l'avancement des dossiers. Le secrétaire passa la journée entière dehors. L'ambassadeur arpentait nerveusement l'étage noble, sourd aux paroles réconfortantes du père Signoretti. Son inquiétude finit par nous gagner. Francesco en oublia même de s'en aller trousser sa gueuse du moment. Lorsque le secrétaire revint à la nuit tombée, nous nous précipitâmes sur lui, assoiffés de nouvelles. Il était dans un état! Les mots se bousculaient dans sa bouche.

— Excellence... Mon père... une horreur... des hurlements... du sang partout...

— As-tu pu obtenir nos visas? demanda Pisani.

— Ah... oui... les visas... non..., balbutia-t-il, égaré.

Le malheureux nous dit alors que l'on venait de monter, sur la place du Carrousel, une machine à couper les têtes. Pour faire au peuple la démonstration de son fonctionnement, on avait décapité, au moyen de sa lame qui coulissait entre deux montants, un obscur aristocrate accusé pour l'occasion d'une peccadille par le nouveau tribunal.

— Le bourreau a saisi par les cheveux la tête tombée dans le panier de sciure. Il a torché le sang qui dégouttait, l'a présentée au public en vantant le bord net de la coupe, comme l'eût fait un maître boucher pour allécher la clientèle...

Ainsi, cette affaire de Louisette dont m'avait parlé le vicomte n'était pas le fruit de son imagination enfiévrée. Elle existait bel et bien, la funeste mécanique! Nous étions stupéfaits, avec ces fourmis sous les pieds qui viennent à la narration des horreurs.

— ... le coquin s'est alors pris à exalter les mérites de sa machine, comparés à la rusticité de la hache, qui, du fait de sa lame courbe, crée du bris d'os dans les vertèbres. Le fil biaisé de ce rasoir, attaquerait, selon lui, la peau du cou et les cartilages en douceur, si bien que le patient ne sentirait rien d'autre qu'une délicieuse sensation de fraîcheur. Ce sont ses mots...

Comme nous restions sans voix, il ajouta:

— Cependant, M. l'usager n'a pu donner son sentiment sur l'affaire...

— Nous diras-tu, à présent, ce qu'il en est de nos visas? demanda Pisani qui mesurait l'urgence de quitter un pays à ce point enfiévré. As-tu vu Lebrun?

— Je n'ai vu au ministère qu'une effroyable pagaille, des dossiers éparpillés et un piquet de garde fin soûl qui m'a gardé trois heures durant sous la menace de sa baïonnette ! Quand un scribe est enfin venu, il m'a dit en ricanant que, pour être si pressés de quitter la France, nous n'avions sûrement pas la conscience nette !

— Mais Lebrun…

— Quand j'ai prononcé son nom, le gaillard est parti à rire sans donner d'autre explication. Mais il y a pire…

Nous nous pressâmes autour de lui. Il poursuivit :

— Lorsque j'ai quitté les lieux en me faisant petit, je me suis aperçu que l'on avait mis des argousins à mes basques. Les coquins me suivaient de loin, faisant mine d'admirer les génoises. Pour leur échapper, j'ai dû tourner et retourner dans Paris, revenir vingt fois sur mes pas, prendre des cours et des passages. C'est ainsi que je me suis trouvé, par hasard, sur la place du Carrousel…

— Peste, dit Pisani en frottant son menton avec perplexité, serait-il déjà trop tard ?

Comme pour apporter réponse à sa question, la porte qui m'avait sauvé un mois plus tôt se mit à trembler sur ses gonds de bronze.

— Ouvrez ! Au nom de la loi !

*

Lorenzo tremblait de tous ses membres. Le père Signoretti était d'une blancheur d'albâtre. Quant à mon Francesco, il claquait des dents. Pour ma part, je n'en menais pas large. Je lançai un regard éperdu à Pisani.

Aussi maître de lui, dans cet instant critique, qu'il l'eût été dans un salon, l'ambassadeur nous expédia tous quatre d'un geste dans les profondeurs de la maison. Des coups de crosse redoublés ébranlaient le battant. Je m'accroupis petitement derrière une balustrade. De cette peu glorieuse position, je voyais mon bienfaiteur demeuré seul sur la dernière marche de l'escalier d'apparat, appuyé d'une main à la rampe. Un laquais s'en alla, à regret, faire jouer les clenches.

À peine la porte fut-elle entrebâillée, qu'un soldat emplumé de tricolore tomba dans la maison, comme s'il s'était tenu jusque-là l'oreille collée au battant. Il se redressa et se racla la gorge avec un grand air de dignité. Trois gaillards rubiconds, décorés comme des poulets de comices, se bousculèrent sur ses talons, dans un ferraillement d'armes dépareillées.

— Citoyen Pisani ! brailla la brute.

— C'est moi ! dit l'ambassadeur d'une voix ferme, mais sans bouger d'un pouce.

— Citoyen, reprit le garde, tu as demandé des visas de sortie du territoire pour t'en aller chez ces bougres d'Anglais ?

— Oui, reprit sobrement Pisani.

Le coquin tira un feuillet froissé de son dolman où manquaient deux boutons, et se mit à lire laborieusement :

— Carnavignac Marie-Louise ; Dacosta Visente ; Pisani Almorô ; Pisani Caterina ; Pisani Francesco…

S'ensuivait la liste complète des douze visas demandés, français et italiens mêlés, démocratiquement classés par ordre alphabétique. Quant il eut terminé l'homme leva la tête :

— C'est bien là tout ce que tu as demandé ?

— Oui, répondit encore Pisani avec certaine réticence, car il craignait que cette innocente liste de voyageurs devînt, par quelque imprévisible lubie, une liste de suspects puis de condamnés.

Le garde prit alors un air bonasse dont on se demandait s'il fallait en déduire une embellie et baisser la garde, ou craindre une feinte avant l'estocade finale.

— Tu as demandé douze visas !

Cette fois, Pisani ne répondit pas, il se contenta de hocher la tête. Le garde se tourna alors vers ses collègues et reprit, en martelant ses mots :

— Il a demandé douze visas !

Les autres s'agitèrent, remuant leurs plumets tricolores, en répétant comme à la comédie :

— Douze visas ! Douze visas !

De mon poste perché, je voyais, derrière sa contenance impeccable, le teint de Pisani se plomber.

— Il a demandé douze visas, et… et… et…

La sueur ruisselait le long de mon échine.

Brusquement, le mâtin tira de sa poche un rouleau de feuillets liés ensemble et le brandit comme un jambon gagné à la loterie :

— … et… et… et… il les a !

Pisani s'empara des documents. Pendant qu'il paraphait le reçu, l'imbécile entreprit de le catéchiser :

— Et tu pourras t'en aller dire à ces foutus Anglais que la République française est généreuse et qu'on la calomnie ! Douze visas ! Parfaitement ! Pas un de moins !

Au moment de sortir, il fit un signe enfantin de la main, et lança :

— Bon voyage, citoyen Pisani !

La porte se referma avec un bruit profond. Nous entendîmes les quatre argousins s'éloigner dans la rue en braillant une chanson à boire destinée aux émigrés :

Bon voya-a-a-ge…,
Et ne reviens ja-a-a-mais…

Puis ce fut le silence. Brusquement toute la maisonnée, maîtres et domestiques mêlés, se rua dans le vestibule en riant aux larmes, félicitant Pisani, l'embrassant, lui baisant les mains.

— Demain ! dit Pisani en tamponnant son front avec un mouchoir. Nous partons demain !

*

Caterina devait me donner ce soir-là sa première leçon. Le récit de Lorenzo et la visite des gardes portant les visas nous avaient fortement émus. Il y avait quelque chose d'épouvantable dans l'addition de la pantalonnade et de la tragédie. Fallait-il être barbare pour ajouter le rire à la cruauté, et pervers pour nommer l'amalgame « liberté » ! Toutefois, nous étions si excités par notre prochain voyage, qu'au lieu de se lancer dans l'alphabet, la fillette choisit de m'enseigner quelques mots d'anglais, parmi lesquels *laugh* et *blood*, qui sont utilisés là-bas pour parler du rire et du sang.

Je désignais divers objets qui nous entouraient, elle m'en faisait la traduction spontanée. D'abord, je lui montrai la plume, l'encrier, les livres, le bureau :

— *Pen… ink… books… desk…*, dit-elle, faisant claquer les consonnes de ces mots si brefs.

Je tendis le doigt vers la porte.

— *Door…*, prononça-t-elle, arrondissant ses lèvres roses en une moue à croquer.

Un peu ému, je me tournai vers la fenêtre entrouverte sur le soir qui tombait.

— *Window… open window…*, gazouilla-t-elle.

À ce moment, le ferraillement d'une patrouille en armes vint couvrir sa voix fraîche de petite fille.

— Comment dit-on « la paix », Caterina ? demandai-je, subitement attristé.

— On dit *peace…*, répondit-elle docilement, ses doux yeux noirs remplis de candeur.

— C'est étrange…

Elle esquissa un geste d'excuse en pliant son cou de tourterelle.

— Que disent les Anglais, quand ils parlent d'amour, Caterina ?

— Ils disent : *love.*

— C'est joli. Comment disent-ils « je vous aime » ?

— *I love you*, monsieur ! dit-elle en baissant les paupières, tandis que ses joues de porcelaine se coloraient d'incarnat.

Quoi de plus joli que des paupières qui battent sur des yeux noirs ? On se croirait devant un petit feu qui couve sous la cendre, et je me sentis à l'instant tout près de m'enflammer. Caterina possédait déjà, en bouton, sous le vert mantelet de l'adolescence, l'éclat velouté et la sensualité qui font le charme des Italiennes.

— *I love you…*, répétai-je pensivement, mettant un comble à sa confusion.

Le lecteur coquin à qui j'ai déjà fait des secrets, ne me croira pas lorsque je lui dirai que je ne touchai pas un cheveu de la demoiselle, pourtant jolie comme un portrait. C'est toutefois la vraie vérité. J'avais suffisamment commis d'horreurs avec mon vit, pour ne pas y ajouter l'infamie de suborner la fille de mon bienfaiteur. L'éducation amoureuse que j'avais faite à Francesco ne me troublait pas autrement la conscience, car rien ne vaut une jeunesse débauchée pour préparer un âge mûr d'honnête homme. Je dois cependant avouer que je trouvai certain plaisir à caresser des yeux sa sœur cadette, plaisir que je me plais, aujourd'hui encore, à imaginer partagé.

Le lecteur sentimental, lui, pensera que je m'étais tôt consolé dans des bras de rencontre de la perte de ma bien-aimée. À celui-là je répondrai qu'il est deux façons de pleurer un grand amour perdu, l'une étant de s'enfermer à la Trappe, et l'autre de vivre en parfait libertin. Quand le cœur est muet, le vit peut chanter à son aise. Cette sentence, je le sais, ne m'attirera guère la sympathie, mais qu'y puis-je ? Le parti que j'ai pris est celui de la sincérité. Je ne cherche point à me forger une auréole. Je suis comme je suis et comme sont presque tous les hommes…

X

Quelle étrange chose que le départ en voyage de nobles fortunés ! Alors que l'urgence nous tenaillait, ces demoiselles débattaient avec leur gouvernante de l'opportunité d'emporter tel ruban assorti à telle capote, telle coiffe faisant ensemble avec col et manchettes, telles bottines ou châle indien. Pas une fois on n'évoqua l'usage premier de ces babioles, à savoir garantir du chaud, du froid, du sec et du mouillé. Pour ma part, je m'estimais heureux dans les vieilles frusques de Lorenzo Vignola, bien qu'elles me bridassent un peu aux entournures. Bah ! Je laissais le col ouvert et le gilet déboutonné. En revanche, la culotte m'allait, car si la rudesse de la vie m'avait élargi les épaules, elle m'avait fait la fesse petite et la cuisse nerveuse, comme il arrive aux bêtes trop souvent pourchassées.

Finalement, on monta les bagages sur l'impériale d'une berline à six chevaux. Pisani y prit place avec le père Signoretti, ses trois enfants et leur gouvernante, Mlle Eudoxie de Savernes, une vieille demoiselle de petite noblesse, laide et désargentée, ce qui avait à deux titres éloigné les prétendants.

Je me trouvai un peu serré dans la seconde voiture, une calèche à deux roues, en compagnie de Lorenzo Vignola, du valet de Pisani, de son intendant et de Marie-Louise Carnavignac, la cuisinière, à laquelle l'ambassadeur était très attaché. En effet, mon bienfaiteur, qui admirait à la folie le régime politique de l'Angleterre, se montrait infiniment plus réservé sur le chapitre de son régime alimentaire.

Dès la sortie de la rue Saint-Florentin, les voitures prirent la direction de la barrière de Clichy. Nous passâmes devant l'église des Augustins. Sur le parvis, un attroupement d'énervés se faisait haranguer par un sans-culotte. Je saisis au passage quelques bribes de discours :

— … La Fayette… l'échafaud… traîtres… curés… confiscation… tribunal du peuple… l'Autrichienne…

Peu à peu, les maisons devinrent moins hautes, plus espacées, et les artères moins fréquentées. On voyait des hommes et des femmes tranquilles qui vaquaient à leurs occupations quotidiennes. Ici on portait un panier, plus loin une cruche d'eau, l'air un peu las, car la journée tirait sur sa fin. Nous longions ces champs de cimetières que l'on place souvent à la périphérie des villes, par crainte des miasmes mortifères. Je n'étais pas fâché de sortir enfin de cette cité où bouillonnait comme en un volcan le magma d'un peuple en fureur. Je respirai l'air adouci, dans lequel flottaient déjà des parfums de campagne.

— Halte !

Nous étions à la barrière. De part et d'autre de la route se dressaient des monuments à pilastres à moitié démolis et noircis par le feu. Trois ans plus tôt, quelques jours avant de prendre la Bastille, le peuple avait démantelé ces postes d'octroi fraîchement élevés selon les plans pompeux de Nicolas Ledoux. Il désirait, alors, voir circuler librement les hommes et les marchandises. Il ne se doutait pas que ces frontières lui feraient cruellement défaut lorsqu'il s'agirait de retenir à l'intérieur des murs le flux des fugitifs terrorisés par ses excès.

Depuis les départs en masse des émigrés, on avait rétabli et renforcé les contrôles. Nous devions faire vérifier nos passeports. On sait que le mien était faux comme un ducat d'Égyptien. Pisani passa la tête à la portière, perruque blanche et catogan de velours, comme il sied aux ambassadeurs de Venise. Des deux côtés de la voiture déferlèrent alors des énergumènes menaçants. Ils portaient des fusils, des pistolets, des piques et des sabres, et semblaient décidés à les utiliser contre nous.

Tandis que l'officier commandant la garnison examinait les passeports, la foule se faisait plus compacte. On se pressait contre les flancs des voitures. Certains se penchaient à l'intérieur pour examiner les voyageurs. D'autres grimpaient sur les roues en utilisant les rayons comme barreaux d'échelle. Bientôt, les voitures furent englouties sous la marée humaine.

— Bast ! cria l'officier à l'adresse du populaire, laissez-moi travailler, citoyens, et donnez-nous un peu d'air !

Loin d'obtempérer, la foule se resserra encore. Elle porta sur lui l'hostilité qu'elle nous avait dès l'abord réservée.

— Qui t'i es toi ? lança avec insolence un escogriffe au teint bistre et à l'accent marseillais.

— Je suis officier de la Garde, répondit l'autre sans se démonter. Je vais demander du renfort à la barrière de Monceau pour faire rétablir l'ordre. Dégagez la voie !

— La voix ? Quelle voix ? La voix du peuple, c'est nous, putain de Bonne Mère ! s'écria le coquin en se frappant la poitrine.

L'officier comprit qu'il n'était pas maître de la situation. Des gouttes de sueur roulaient le long de ses joues. Il tenta de gagner du temps en pourparlers.

— C'est M. l'ambassadeur de Venise..., plaida-t-il, enflant maladroitement l'effet du « monsieur ».

— Il n'y a pas de « monsieur » qui tienne ! Ici, il n'y a que des citoyens ! cria une voix dans la foule.

— Ou alors, ce « monsieur » est un émigré qui nous fuse dans les pattes !

À ce moment, Marie-Louise Carnavignac, fort mal inspirée, se leva du siège de la calèche et s'écria avec son joyeux accent de Toulouse :

— Allons, citoyens ! Vous voyez bien qu'il est italien !

Italien, certes, Pisani l'était ! Cependant, cette intervention inopportune de sa cuisinière découvrait à l'évidence qu'il emmenait avec lui des Français, ce qui était sévèrement réglementé par les récents décrets sur l'émigration.

— Ce sont des Français, citoyens ! On nous ment ! hurla un forcené.

— Allons vérifier à l'Hôtel de Ville ! brailla son voisin.

— Oui ! À l'Hôtel de Ville ! À l'Hôtel de Ville ! se prit à scander la populace, soulevant en cadence les piques, les sabres et les fusils.

À ce moment, le détachement de Monceau arriva. Le peuple ne voulut pas céder un pouce. Il avait pris du bec, depuis les événements, et, comme jadis les rois, n'écoutait plus que son bon plaisir. Il fallait lui obéir ou craindre le pire, car il se montrait inventif en matière d'horreur depuis qu'il se savait du pouvoir. Les gardes de Monceau furent aussi impuissants à nous dégager que ceux de Clichy.

— Excellence, dit l'officier d'une voix altérée, je vous conseille de céder. Je n'ai pas les moyens de vous protéger. Je peux simplement vous faire escorter jusqu'à l'Hôtel de Ville par deux gardes et un officier à cheval.

Nous prîmes donc en sens inverse, et fort contrariés, ce chemin que nous avions tantôt parcouru dans l'allégresse. La foule nous faisait un cortège vociférant comme aux charrettes des condamnés. Les plus sottes rumeurs y circulaient.

— C'est un suspect qui s'enfuit...

— C'est le marquis de La Fayette...

Cette dernière et stupide supposition était sans doute due à ces perruques blanches que portaient Pisani et son secrétaire, postiches qui n'étaient pas sans rappeler la coiffure de l'ancien général de l'armée du Nord, récemment émigré et considéré comme traître à la patrie après avoir été adulé.

Des lurons se dressaient sur les marchepieds, ils adressaient aux dames des grimaces obscènes, tiraient la langue et roulaient des yeux lubriques, imitaient des bruits de baisers en se frottant l'entrejambe ou l'arrière-train. Je ne pouvais voir la contenance des demoiselles, mais j'imaginais leur effroi.

La foule grossissait à mesure que nous avancions dans Paris, précédés par les trois gendarmes à cheval. Deux officiers municipaux ceinturés de tricolore s'étaient mêlés à la presse, sans que nous sussions s'ils étaient là pour nous protéger, ou nous accuser. Autour de nous, c'était une pagaille affreuse, grossie du ferraillement des armes improvisées.

Les deux voitures s'arrêtèrent devant l'Hôtel de Ville. Le silence se fit lorsque l'ambassadeur en descendit, accompagné de ses enfants et de ses gens. Le peuple s'écarta, avec cet air gourmand de qui s'attend à du spectacle. On nous fit une double haie jusqu'à l'entrée. J'en étais à la dernière marche lorsque je vis virevolter le jupon de cotonnine de la petite Suzette. Elle se dissimula derrière une colonne, ne laissant passer que le bout de son nez. Elle me fit les cornes de ses doigts croisés.

— Tu n'es pas encore en Angleterre, coquin, et la grosse Marie-Louise non plus !

Nous entrâmes derrière les municipaux et l'officier d'escorte qui tenait nos passeports. La foule se rua derrière nous, pour ne rien manquer de l'action si gaillardement engagée.

*

Sous ces lambris officiels, la populace rectifia un peu la position. Pisani en imposait par son attitude. Sa cape rouge lui donnait une allure superbe. Elle plut. À défaut de sagesse, le peuple avait le goût du panache. En revanche, on ne fit pas grand cas de la suite anonyme que nous formions. Nous fûmes bousculés comme sur un marché.

Le vestibule, le grand escalier et les couloirs étaient noirs de monde. On s'y pressait comme à la comédie. On se poussait du col. On se dressait sur la pointe des pieds. On questionnait, en leur frappant l'épaule, les bienheureux des premiers rangs. Je ne fus pas long à remarquer, dans la masse rassemblée là, quelques-uns de ces bonnets rouges portés la pointe en avant, que notre bataillon avait rendus célèbres. Aussitôt, je me sentis rétréci dans tous mes orifices. Je savais que les fédérés, et tout particulièrement ceux de Marseille, avaient établi leurs quartiers dans cet Hôtel de Ville, où la Commune des sections insurgées tenait la dragée haute à l'Assemblée nationale. C'était là, désormais, que siégeait le pouvoir, sous la pression du peuple, avec une impulsivité fort nuisible au droit comme à la raison.

Je me dis que si l'un de mes anciens compagnons me reconnaissait, j'étais bon pour tâter de la délicieuse sensation de fraîcheur, comme assassin de Rambuteau.

Une bousculade nous poussa en avant, si violemment que Lorenzo en perdit sa perruque. Je ne lui laissai pas le temps de se baisser. Je me saisis du postiche et le coiffai de travers, sous les yeux ébahis de mon compagnon. D'un doigt sur les lèvres, je lui imposai silence.

La salle était vaste et garnie jusqu'au plafond de galeries, à la manière d'un opéra. Le parterre et les étages étaient pleins à craquer. Des grappes de gaillards se tenaient à califourchon sur les balustrades qui bordaient les balcons.

Pisani s'avança jusqu'à un comptoir de bois sombre derrière lequel se tenait un officiel flanqué de deux assesseurs, tous trois emplumés et bardés de tricolore. Il s'agissait du procureur de la Commune, un certain Manuel. D'un bref balancement de son tricorne, l'ambassadeur le salua.

— Qui es-tu ? lança le rustique d'une voix rogue.

— Almorô Alvise Pisani, ambassadeur de la Sérénissime République de Venise.

— Et ceux-là ? demanda-t-il encore, en nous montrant du doigt.

— Ce sont mes enfants, mes amis et mes serviteurs, répondit Pisani d'une voix égale où ne perçait pas l'émotion.

— Où allais-tu, avant d'être arrêté ?

— Je me rendais en Angleterre pour commerce scientifique, muni de passeports délivrés par M. Lebrun, votre ministre des Affaires étrangères.

Le citoyen Manuel haussa les épaules.

— Lebrun est un jean-foutre. Ses paperasses ne valent rien ! Seule cette assemblée est légitime. C'est à elle qu'il faut demander les passeports. Et elle les refuse tous !

Cette sentence stupide fut saluée par une salve de gros rires. Je me dis, à part moi, que la légitimité est un bel alibi qui permet aux tyrans de bafouer les lois.

— Vous emmenez des Français ? reprit Manuel, soupçonneux.

— En effet, repartit Pisani, trois de mes domestiques sont de vos concitoyens. Les autres, comme moi, sont italiens.

— Il ne s'agit pas de domestiques mais de Français suspects ! gronda Manuel.

Suspect ! Le mot était lâché...

Pisani prit un air mi-surpris, mi-offusqué :

— Des suspects ? Je ne vois pas de quoi vous voulez parler...

La perfidie de Suzette, ulcérée de ne pas être du voyage anglais, à la place de la grosse cuisinière, était évidente.

Manuel se leva. Il se pencha par-dessus le bord du comptoir :

— Faites ranger les Italiens d'un côté et les Français de l'autre.

Ce ne fut pas sans appréhension que je me plaçai avec les Vénitiens, tandis que Marie-Louise, le valet de chambre et Mlle de Savernes se groupaient piteusement. Alors commença un interrogatoire en règle, où chacun dut décliner son identité et ses fonctions dans sa langue natale et par le truchement d'un traducteur. Je m'appliquai à rouler les *r* avec le sentiment que ma vie tenait tout entière sur le bout de ma langue.

— *Visente Dacosta*, dis-je avec aplomb. *Soi ingeniere.*

— *Parli francese?* me demanda l'interprète.

— *No.*

— Quelle est ta spécialité, citoyen?

— *Idrologia!* laissai-je tomber, elliptique pour les raisons que l'on devine.

— *Di che cosa tratta l'idrologia?* repartit le coquin.

— *L'idrologia tratta de l'aïgo*, dis-je sans hésiter.

— *L'aïgo?* répéta le polyglotte, surpris.

Je compris que l'eau italienne ne portait pas le même nom que la provençale, et que je risquais de m'y noyer.

— *M'agrade di più il vino!* lançai-je joyeusement en faisant mine de lever un verre, malgré mes fesses serrées. Ma gaillarde bonne humeur, bien dans le ton à la mode, lui fit oublier qu'*agrada* se situe à distance égale, et dans les deux cas fort éloignée, de l'italien *piacere*, comme du français *aimer*. Il rit et se mit à interroger Lorenzo qui se montra aussi peu loquace que moi, afin d'accréditer mon méchant sabir.

Lorsqu'il en eut terminé avec les Italiens, l'homme se tourna vers les Français. On se doute que l'identité de la gouvernante fit son effet.

— C'est une ci-devant qui se fait la belle!

— Arrêtez-la!

La vieille demoiselle semblait vidée de son sang.

— Cette personne est à mon service depuis près de dix ans! dit Pisani.

Manuel lui jeta un regard soupçonneux.

— Qui nous le prouve?

— Ma Parole! répondit l'ambassadeur, hautain.

— Le peuple préfère s'en assurer par lui-même, en vérifiant qu'elle tient ses pénates chez vous, ainsi que les autres Français qui vous accompagnent!

Je compris là que Suzette, ignorant qu'on m'avait fait ce passeport vénitien qui me sauvegardait, avait dénoncé un serviteur français de fraîche date.

— Soit! répondit Pisani, sans laisser échapper un soupir.

Nous crûmes un instant que nous allions quitter l'Hôtel de Ville séance tenante, pour retourner rue Saint-Florentin. Il n'en fut rien. Cette assemblée d'insurgés qui outrageait toutes les lois était enragée de simulacre démocratique, au point de mettre aux voix la décision à prendre, et même la nomination des quatre commissaires chargés de perquisitionner les voitures et l'ambassade. Cela dura un temps infini, et jusque bien après minuit. Nous tombions de sommeil lorsqu'on nous fit savoir que l'affaire était entendue, et qu'on ne nous retenait plus. La grosse envie de dormir avait clairsemé la foule des curieux, ce qui en dit long sur la nature humaine et ses passions si fort soumises à la biologie. Arrivés sous les huées de la célébrité, nous partîmes pour ainsi dire *incognito.*

Les sabots des chevaux martelaient le pavé. Déjà, la rue vide s'étirait derrière nous. Tout à coup, je vis un soldat se détacher de l'ombre du perron. Chargés comme nous l'étions, il eut tôt fait de nous rattraper et de grimper sur la calèche en escaladant les ressorts. Sa position en contre-jour lui faisait un visage d'ombre. Une peur instinctive me fit lever le bras pour protéger ma figure, à la façon d'un enfant.

— Tu t'en es bien tiré, collègue, pour un paysan du Ventoux ! Tu parles l'italien comme le grand Pétrarque en personne !

— Pastan ! m'écriai-je, reconnaissant la voix du citoyen poète, mon cher et vieil ami.

Mais déjà il avait sauté à terre, et l'espace qui grandissait entre nous me le rendait petit.

— *Adesias*, galapiat, et puisque tu vas en Angleterre, *farewell*! dit-il encore, en agitant le bras en signe d'adieu.

— Qu'est-ce là ? me demanda Lorenzo, stupéfait par l'intermède.

— Ce qu'il reste d'honneur et d'espoir à la France…, murmurai-je avec des larmes plein les yeux.

*

Lorsque nous quittâmes Calais, la lune sortait de l'horizon et faisait danser sur la mer une écharpe d'argent. La chaleur qui, le jour durant, avait chauffé le monde, faisait se lever sur les flots une vapeur légère, comme un voile de mariée.

Je regardai s'éloigner les rivages de France avec le sentiment de tourner à jamais la page de ma jeunesse, et de quitter l'espoir de retrouver un jour mon pays et ma mie.

J'avais vu tant de désordres et d'excès dans Paris que je désespérais d'un avenir pour mon infortunée patrie, menacée du dehors comme du dedans. Que le dépit d'une Suzette pût être suivi d'effets remontant jusqu'à l'Assemblée nationale, et l'eût incitée à prendre des mesures propres à brouiller la France avec une nation amie, était inconcevable.

Je sentis derrière moi une présence et j'entendis la voix de mon bienfaiteur.

— T'arriverait-il, *polon*[1], d'avoir des crises de mélancolie ?

J'étais accoudé au bastingage, les yeux fixés sur l'horizon où s'estompaient les côtes de France.

— Je pense à tous ceux que je ne verrai plus. À ma bien-aimée, à mon ami Pastan, au vicomte, et même à cet homme de lettres de triste renommée qui passe pour mon père...

— Que veux-tu, c'est la vie ! Seuls les petits romans ont une conclusion.

— La plupart des hommes et même les manants connaissent au moins les traits de leur père...

— Tu connais son nom, c'est presque le connaître.

— Sade, dis-je pensivement, marquis de Sade...

Almorô fronça le sourcil, comme quelqu'un qui traque dans sa tête des souvenirs fuyants.

— Attends... c'était aux Italiens... au début du printemps... Je ne sais plus qui m'avait traîné là... On y donnait une pièce, très moyenne, ma foi, d'un certain Sade, *Aldonze* ou *Louis*, je ne sais plus. Non... *Donatien* ! C'est cela : *Donatien* ! Elle fut interrompue par l'irruption de forcenés portant le bonnet rouge. La représentation ne put reprendre, tant les coquins débitaient d'insultes à l'adresse de l'auteur, pour le sot motif qu'il était comte ou marquis, je ne sais plus... L'homme est venu sur scène et a tenté d'expliquer que malgré sa naissance il était un fervent défenseur de la liberté...

— Comment était-il ? demandai-je, la voix brisée par ce que j'entrevoyais.

1. Littéralement « jeune coq » en dialecte vénitien.

— Bien moins joli que toi, car âgé de trente ans de plus, et fort gras, quoique, pour être juste, gardant une belle élégance et du charme.

Après ces mots, je ne pouvais plus ignorer que l'homme dont l'ambassadeur me parlait était l'ami de Constance.

— Excellence, je crois bien que j'ai baisé la femme de mon père !

— Cela se fait donc ailleurs qu'à Venise ? dit Pisani, amusé.

Je me repassais en mémoire les détails de la conversation entre les deux amants. Comment n'avais-je pas songé à lui lorsqu'il avait parlé des volumes perdus et peut-être brûlés ? Sa douleur était déjà la mienne, comme il arrive aux enfants de parents cruels, qui aiment davantage de n'être pas aimés. N'avais-je pas été charmé et confondu par son habileté à tirer les leçons de tant d'agitation dans ce pays blessé ? Son esprit vif m'avait séduit. Mais que penser du regard magnétique, de la poigne refermée sur mon bras ? Quelle perte pour l'humanité que dix-huit livres agencés par les subtils ressorts de cette intelligence ! Mais peut-être, dans le même temps, quel péril évité ?

— Toute ma vie, Excellence, je regretterai de ne pas avoir dit à cet homme qu'au moins un de ses livres…

— Il est toujours un mot qu'on n'a pas osé dire à son père, et qu'on regrette jusqu'à sa fin. Mais toi, comment aurais-tu pu penser que, sur les sept cent mille Parisiens qui vivent dans la capitale, tu allais justement tomber, et le premier soir, sur cet homme-là ?

— La Fortune m'a toujours joué de ces tours. J'aurais dû le connaître. Sentir un souffle… un fluide… un… je-ne-sais-quoi ?

— Allons, tu ratiocines ! La voix du sang est une invention de poète.

— Mais ses yeux, Excellence, ses yeux si semblables au souvenir qu'en conservait ma mère : « Le mistral sur la neige en haut du mont Ventoux. »

— Eh bien, dit Pisani, bonhomme, tu tiens au moins de lui un trait physique…

Il me montra une ligne blanche qui bordait la mer au ras de l'horizon.

— Regarde plutôt devant toi. Voici Albion ainsi nommée pour la blancheur des falaises qui la bordent et la défendent. D'aucuns la qualifient de perfide, car elle a certain sentiment de sa supériorité sur les autres nations, et se donne les moyens de le leur faire savoir. Je tiens quant à moi les Anglais pour un grand peuple, ferme, sage, et fort en avance sur ce vieux siècle frivole. Ils ont déjà, dans leur grande île, franchi les bornes du suivant. Tu le verras bientôt. Et pour le reste, fais donc crédit à la Fortune, puisque tu dis qu'elle a des tendresses pour toi…

DEUXIÈME PARTIE

I

Quoi de déconcertant pour un Provençal comme l'Angleterre et les Anglais ? Chez les esprits bornés, que toute nouveauté rebute, la surprise se tourne vite en aversion, mais chez l'homme d'esprit la singularité éveille l'intérêt, principal ressort de la sympathie.

Autant le Provençal est excessif dans le verbe et indolent dans l'action, autant l'Anglais est discret au parloir et ardent à l'ouvrage. Outragé, un Provençal insulte. Un Anglais assassine. Car l'erreur serait impardonnable de juger ce peuple sur les apparences et de le supposer refroidi. Il est seulement contenu. Ses passions n'en sont que plus terribles. À ce moment de la Révolution où nous tremblions d'avoir osé emprisonner Louis XVI, il avait déjà décapité un roi et, même, en avait empalé un autre, ce qui n'est guère dans nos mœurs. Depuis, ses monarques se tenaient cois, et laissaient gouverner à leur place un Premier ministre assisté de deux assemblées, la « Chambre des lords » et celle des « communes ».

Orazio Lavezzari, qui était ministre résident de la Sérénissime à Londres, avait loué, pour recevoir son confrère, Weeleby House, l'une des plus ravissantes maisons de Chelsea, le quartier élégant de la capitale. Le bâtiment, de belles proportions, était blotti au fond d'un jardin rempli de rhododendrons, un arbre à roses tout à fait délicieux.

Dans les appartements privés, on ne brûlait pas du bois dans de rustiques cheminées fumeuses, mais une sorte de pierre noire appelée *coal*. Cela se consumait dans des poêles décorés de faïences. Ce que j'en dis est manière de renseigner le lecteur, car, faisant partie des proches de l'ambassadeur, je n'eus jamais à pourvoir ces appareils en combustible, encore moins à les purger de leurs cendres, une fois le feu éteint. Cependant, mon passé de valet n'était pas si éloigné de moi que je ne me sentisse intéressé par ces détails domestiques.

Pisani me fit les honneurs de la capitale anglaise. Londres, dite parfois « la ville aux cent églises », me parut fort belle, comparable à Paris pour l'étendue, la quantité et la diversité des monuments. On y eut cependant cherché en vain ces grands espaces qui font le charme si particulier de Paris. Chapelles, palais et bâtiments semblaient un peu jetés au hasard de ruelles étroites et de jardins ombreux. Ils étaient tantôt réguliers et ordonnés autour de Leicester Square, tantôt ouvragés, comme Westminster Cathedral, et tantôt d'une sévérité à donner le frisson, ainsi cette Bastille appelée Tower, qui se tenait sur les bords de la Tamise et dressait jusqu'au ciel des murailles de vingt pieds d'épaisseur, surplombées par quatre tours abruptes couvertes de petits bonnets incroyablement ridicules.

La ville, à cette époque, s'enorgueillissait de rassembler près d'un million d'âmes, alors que Paris en comptait un peu plus de la moitié. Cependant, Londres me parut plus proche de Marseille avec son port bouillonnant. Les navires de haut bord remontaient l'estuaire du fleuve et venaient s'amarrer en plein cœur de la cité. Le long de docks interminables voisinaient les maisons de commerce les plus diverses, comme le Royal Exchange, les compagnies des Indes Orientales, de Virginie ou de Moscovie. Là se déballaient et se négociaient les produits du monde entier, ivoire d'Afrique, thé de Chine, tabac des Amériques, coton et canne à sucre des îles, épices indiennes, mokas d'Arabie. Plus d'une fois, respirant ces parfums exotiques, je me crus retourné à Marseille.

Dois-je le dire ou le taire ? Je me dissipai quelque peu dans la basse ville, en compagnie de mon bienfaiteur. Dans les ruelles tortueuses, on trouvait des théories de gargotes éclairées de loupiotes, bordels de filles ou de garçons, comme on en voit dans tous les ports du monde, et où il ne fait pas bon s'attarder sans un couteau dans la ceinture, si l'on tient à sa bourse ou aux prémices de son fondement. Je sais que je surprendrai le lecteur lorsque je dirai que Pisani connaissait par cœur ces endroits louches qui sentaient la bière, le foutre et la sueur. Mais il faut bien admettre que, dans les débordements du sexe, ce qui produit sur nos sens la plus forte impression est ce qui est le plus éloigné de notre nature, et peut la surprendre par la nouveauté ou l'étrangeté. Ainsi, cet aristocrate né dans la soie goûtait les ribaudes, alors qu'ayant partagé ma paillasse d'enfant avec les puces je n'aspirais qu'aux dentelles et aux parfums de l'Arabie.

Un soir, à l'heure où il venait d'ordinaire me chercher vêtu de droguet bleu comme un officier marinier, je vis Pisani apparaître en perruque blanche et cape rouge.

— Nous allons dîner chez mon confrère Lavezzari. Tâche de te montrer digne de ta nouvelle charge.

— Ma nouvelle charge ?

— Secrétaire, parbleu…

— Vous vous moquez, Excellence, vous savez bien que je ne connais qu'une moitié de l'alphabet !

— Tu pourras toujours dire que tu ne lis pas l'anglais, dit le coquin avec un clin d'œil.

Une lingère entra qui tenait sur ses bras un habit sévère. Il me fallut l'enfiler. L'ayant revêtu je me considérai dans la psyché et me trouvai l'air d'un séminariste.

— Ainsi, tu as l'air d'entendre le grec et le latin, dit Pisani, content de la métamorphose.

Je le suivis dans la rue où nous attendait une calèche, laquelle portait à ses portières, dans un écu frappé d'azur et d'or, le majestueux lion de Saint-Marc. J'oubliai à l'instant la redingote cintrée et les escarpins à boucle d'argent qui enserraient mes pieds. Je me sentais léger comme une balle de coton. J'inclinai crânement sur ma tête un chapeau haut de forme tout à fait ravissant, pliai deux ou trois fois les genoux pour me mettre à l'aise, puis je montai en voiture.

*

La plupart des diplomates étrangers qui avaient fui la France se trouvaient en Angleterre. Ambassadeurs danois, hollandais et suisses de Genève, mêlés à la *gentry*, y vivaient entre théâtre, bals et concerts. On s'y délectait de bons mots et de médisances. Quelle ne fut pas ma surprise de constater que, pour s'entendre, ces aristocrates de l'Europe entière utilisaient le français. Je me rengorgeai d'être de cette nation dont la langue primait toutes les autres, car ma toute nouvelle et fort imméritée condition de proscrit n'avait pu émousser mon puéril sentiment patriotique.

Nous fûmes entraînés dans un tourbillon de bavardages et de futilité, entourés, fêtés, applaudis. Ayant différé notre entrée dans le monde, nous nous étions, sans le savoir, fait désirer. Oserais-je ajouter que nous avions tous deux certaine prestance, dans des âges et des tournures fort différents, l'un blondin aux yeux clairs, l'autre latin ténébreux, si bien que l'un faisait valoir l'autre, comme l'ombre exalte la lumière et le froid du sorbet, la flamme des liqueurs.

On nous pressait de questions. Tout passionnait nos hôtes, des discours de nos conventionnels au noir biseau de la guillotine, du sort de la famille royale aux chants bravaches des insurgés, et nos récits faisaient courir dans les salons de voluptueux frissons d'effroi. La France était à la mode. Un soir, je fus même pressé de chanter *La Marseillaise.* Je le fis accompagné au clavecin par une demoiselle de la société, ce qui n'eût pas manqué de surprendre Besagne et Lagoubran.

J'eus la surprise de constater que la république avait ses partisans parmi les aristocrates. Ce goût singulier des nobles anglais pour la démocratie amenait parfois des échanges un peu vifs avec les émigrés. Je m'en réjouissais, ayant toujours tenu cette race en détestation. Les dames, fussent-elles actrices, chanteuses ou même ladies, entendaient bien donner leur avis, et on les écoutait, pourvu qu'elles fussent jolies.

À ce point, je ne puis différer plus longtemps le plaisir et le chagrin d'évoquer celle qui devait incarner à tout jamais pour moi le charme ambigu de l'Angleterre. Après tant d'années, à seulement évoquer son nom, je sens se lever en moi une marée de sentiments contradictoires, les mêmes qui agitent mes contemporains à la seule évocation d'Albion, et les engagent quelquefois à la qualifier de perfide.

*

Un soir d'octobre, je me trouvais chez lord Bolingbroke, un *gentleman* flexible enragé de musique baroque, qui s'entourait volontiers de ces chanteurs castrats dont l'Angleterre a toujours raffolé. Le mélomane s'était coiffé de moi au point de prétendre m'arracher à la maison de Pisani pour m'attacher à la sienne. À ses sourires tendres, je comprenais le genre de service qu'il attendait de moi. Je me sentais peu de goût pour ces impromptus où la partie de la flûte couvre celle du violon.

Dans un accès de mélancolie, je regardais, les mains au dos, par-delà les vitres, tomber cette pluie d'automne qui fait frissonner la Tamise. Un gros garçon fardé chantait un madrigal de Monteverdi. Notre hôte l'écoutait distraitement tout en tâchant de capter mon regard. J'évitais avec soin ses œillades assassines, ce qui semblait le dérouter car il était bel homme et le savait. Mais quoi ! On ne commande pas ses élans, et ses beaux yeux dorés ne me faisaient ni chaud ni froid.

Je m'ennuyais, comme on peut s'ennuyer à vingt ans parmi des gens trop bien élevés. J'évoquai Analys, Pastan et le vicomte. Je n'étais pas loin de regretter les grosses plaisanteries et les pantalonnades des Marseillais. Tout à coup, une voix inconnue, grave et mélodieuse, traversa les trilles du chanteur et le brouillard de ma mélancolie. Je me retournai. Je fus ébloui.

La divine était à demi étendue sur une méridienne, son bras blanc relevé et arqué comme une anse d'amphore. La main délicate, mollement pliée, soutenait une fine tête d'oiseau pensif. Elle était incroyablement rousse, avec les plus beaux yeux du monde, bleus comme jamais ne le fut le ciel d'Angleterre. Vêtue d'une robe de soie gris perle au décolleté voilé de gaze, elle conduisait les débats, avec cette assurance que prennent les femmes autour de trente ans. Je ne saurais dire de sa tournure ou de son esprit lequel était le plus remarquable et le plus propre à lui gagner les cœurs. À l'inverse de tant d'hommes qui ne trouvent de charme qu'aux sottes, j'ai toujours été séduit par le jugement chez les femmes, et ravi lorsque au miel de la beauté vient s'ajouter le piment de l'intelligence, comme au chatoiement de la fleur, la griserie du parfum.

Je m'approchai du groupe pour échapper aux regards insistants de Bolingbroke qui, par-dessus la partition, m'adressait des sourires engageants. Un léger parfum de lavande flottait dans l'air, non pas ce rude lavandin sauvage qui par chez nous écarte les pierres et dont l'odeur vous prend à la gorge, mais une lavande anglaise amollie par les brumes, délicate, sophistiquée. J'en remplis mes poumons avant de prêter l'oreille. La conversation, qui se tenait en français, portait justement sur la France et sa révolution. Parmi les causeurs, les uns en tenaient pour le roi, les autres, autour de la belle dame, pour la liberté.

Elle avait lu Voltaire et parlait du philosophe avec la verve d'un bel esprit. À ses côtés, un jeune homme pâle s'exaltait pour Rousseau avec la passion d'un grand cœur.

— William! *Sweetheart*... convenez, dit-elle avec un délicieux accent, que le rire de Voltaire a plus fait pour la liberté que les larmes de Rousseau!

— Ah! *Madam*, s'exclama le poète en se frappant la poitrine, le rire vient de la tête, mais les larmes viennent du cœur!

La belle sourit à cet emportement juvénile.

— *Prithee fellow!*

Le jeune William eut un soupir pathétique. Les dames portèrent à leurs lèvres des tasses de thé, une assez fade tisane, qui jouit en Angleterre du même prestige que le vin en France. Le jeune homme but une gorgée avec un air désespéré. On lui pardonnait ses humeurs car il était poète et avait déjà produit quelques bouts rimés assez bien venus. Il avait vécu quelque temps près de Blois, et, de ce fugitif séjour, avait rapporté une adoration sans bornes pour la France. Je soupçonnai quelque intrigue amoureuse comme terreau d'un tel enthousiasme.

Le camp des royalistes se composait de Mrs Hatteras et de Saint-Gillier. Cette douairière bavarde, grasse et couperosée, veuve d'un armateur, était accompagnée d'une nièce à marier prénommée Louisa, aussi laide que riche. M. de Saint-Gillier, un émigré de 90 qui vivait pendu aux basques de vagues cousins britanniques, espérait obtenir la main du laideron pour redorer son blason.

— Vous en parlez à votre aise de ce côté du *Channel*! gémit Saint-Gillier, pinçant ses lèvres peintes en une moue méprisante. Mais, par la faute de ces coquins de Voltaire et de Rousseau, la France a perdu toute mesure. Elle est devenue folle...

— Folle... de joie! *Mad with joy!* l'interrompit le poète, sur un ton d'emphase qui laissait supposer la mise au point d'un poème lyrique sur le thème.

— Une joie vulgaire qui, aux yeux de toutes les nations d'Europe, la couvre de honte!

— *Pshaw!* Je ne sens point cette honte, affirma le poète, et si je n'étais anglais, je voudrais être français.

Saint-Gillier renversa la tête et jeta un cri de pintade égorgée:

— Eh bien moi, monsieur, je préférerais être Patagon!

À ce moment, la belle fixa un instant ses prunelles célestes sur moi et dit tout de go :

— Et vous, monsieur, qui, je le crois, êtes aussi français, quelle nationalité aimeriez-vous embrasser, si l'opportunité vous en était offerte ?

La plus élémentaire courtoisie me commandait de choisir l'Angleterre pour patrie de secours. Mais je n'avais point la tête à la courtoisie. Depuis un moment, j'observais avec tant d'attention le mouvement des belles lèvres pulpeuses que j'en étais presque à sentir leur saveur sur ma langue. Que la ravissante pût s'inquiéter de moi malgré le haut débat qu'elle menait était de nature à faire naître des espoirs. Je me trouvai donc en même temps charmé de pouvoir donner mon avis, et désolé de n'en avoir aucun. Comme tout Vauclusien, je n'étais français que depuis deux ans et n'en avais point encore épuisé les charmes.

— Ma foi…, dis-je, me sentant plus sot que nature, si je n'étais français, je voudrais être… français !

Cette sotte déclaration fut saluée comme un bon mot. Je m'étais fait des partisans et n'en fus pas peu surpris. Mrs Hatteras gloussait derrière son éventail. Les yeux de miss Louisa se mirent à briller aussi fort que son nez de corbin et son fuyant menton. La jeune femme salua mon involontaire saillie d'un haussement de ses beaux sourcils.

— Ah ! Monsieur ! dit-elle, me regardant droit dans les yeux, et si profond que j'en tressaillis, il est bien vrai que l'esprit français prime tous les autres…

Saint-Gillier ne se tint pas pour battu par un freluquet dont il soupçonnait la roture.

— Vous parlez d'un temps, Milady, où il se pratiquait entre gentilshommes, lorsque la crapule et la soldatesque ne prétendaient point l'imiter !

J'eusse dû affirmer bien haut que j'étais de cette crapule et de cette soldatesque. Mais pouvais-je mettre en péril l'inclination naissante qui semblait porter la délicieuse vers ma personne que l'habit noir laissait supposer scribe ou précepteur ? Le poète me déchargea de ce dilemme où ma conscience se fût perdue.

— Une crapule et une soldatesque, monsieur, qui, face à l'Europe coalisée, s'offrent en sacrifice et versent glorieusement leur sang pour sauver l'honneur de la France, qu'en désertant vos semblables ont bafoué !

Le poète avait un peu passé les bornes. Son envolée tomba dans un silence embarrassé. Une voix d'homme, grave et bien timbrée, mit fin à la fâcheuse algarade.

— En fait de sacrifice, crapule et soldatesque viennent de défaire le duc de Brunswick en une canonnade qui restera dans les mémoires ! Gardez-vous, monsieur Wordsworth, de porter sur la guerre et la politique des jugements… poétiques !

Le jeune homme bredouilla quelques mots inintelligibles.

— Valmy ! reprit la voix. Retenez ce nom. De ce jour, les cartes sont à rejouer.

— Valmy ? reprirent quelques voix, comme s'il s'agissait de se mettre le mot en bouche.

Il faut savoir que, lorsque j'avais quitté la France un mois plus tôt, les ennemis remportaient victoire après victoire sur les armées de la République en déroute. Dans l'affolement, l'Assemblée criait à la trahison, changeait de ministre, de tactique et de généraux, allant jusqu'à nommer à ce grade des soldats sans expérience, ainsi ce Kellermann qui, la veille encore, était sous-officier. Le sort des combats entre ces néophytes et les soldats aguerris des puissances coalisées ne faisait alors guère de doute.

Je me tournai à demi pour voir qui m'apportait la stupéfiante nouvelle d'une victoire française.

*

Je vis d'abord un front haut et superbe. Il appartenait à un homme, ou plutôt l'homme semblait lui appartenir. Le personnage était d'aspect sévère, vêtu de noir, hormis un haut col blanc à pointes dressées qui montait jusqu'au menton, et semblait tenir la tête sur un piédestal. Je compris, tant à l'autorité de la voix qu'aux regards déférents de la société, qu'il s'agissait d'un homme important. Pour ces belles dames qui, un instant plus tôt, me buvaient des yeux, j'étais devenu transparent.

« Bah ! me dis-je, voilà sans doute un puissant. La séduction d'une jolie figure n'est rien comparée aux effluves enivrants que le pouvoir exhale ! »

La belle lady, avec cette impertinence que la grâce permet aux jolies femmes, lui adressa un sourire pétillant de malice.

— Sir William, un proverbe français nous dit à peu près : « Qui peut le plus, peut le moins ! » Vous, qui conduisez l'Angleterre, ce que ne saurait faire M. Wordsworth, nous direz-vous quelques vers, art dans lequel excelle notre jeune ami ?

Je compris, aux regards offusqués des convives, que l'audace de la belle était grande. Pourtant, peut-être parce que l'insolente était vraiment très jolie, le mystérieux sir William se prêta au jeu :

— *With all my heart, dear Rowena !* Mais le sujet est vaste. Me proposerez-vous un thème ?

Rowena ! Quel délicieux prénom ! Et tellement plus original que celui de William porté par une bonne moitié des Anglais ! La belle triomphait, et ses grands yeux lançaient des rayons électriques. Les joues roses d'excitation, elle proposa :

— La politique, bien sûr, sir William !

— Cela n'est guère un thème poétique ! crut bon de lancer cet imbécile de Saint-Gillier, et je ne vois pas quel poète…

— *Well !* dit sir William, négligeant l'intermède.

Il se recueillit, les doigts joints et les yeux au plafond, puis laissa tomber avec flegme quelques vers anglais auxquels je ne compris rien, mais dont la musique était belle.

— *I did my upmost !* dit-il avec un geste d'excuse, puis, se tournant vers Saint-Gillier :

— Mais peut-être Shakespeare n'est-il pas poète, monsieur le Français ? Quel grand nom de chez vous nous proposerez-vous pour lui porter ombrage ?

Saint-Gillier ouvrit deux ou trois fois la bouche comme un poisson sorti de l'eau. Il ne trouva rien à répondre.

— Voltaire, *sir* ! m'écriai-je avant même d'avoir rassemblé mes esprits, tant je refusais de laisser à ce fat le privilège de parler ou de se taire pour la France.

— J'aurais dit Racine, mais soit ! répliqua sir William avec une moue mi-moqueuse, mi-bienveillante…

Quelques discrets sourires détendirent les visages, qui, entre Avignon et Marseille, se fussent traduits par un tonnerre d'applaudissements. Sir William s'éloigna de la table après avoir salué les dames. Mrs Hatteras se pencha vers Rowena en gloussant :

— *Haoh! Milady!* Je crois bien que sir William vous trouve fort à son goût!

La coquette haussa ses belles épaules, et, sans me quitter des yeux:

— Vous savez bien que sir William n'a de goût que pour le vin de Porto...

Son regard me disait sans mots qu'elle me soupçonnait de préférer les liqueurs de l'amour à tous les vins du monde. Soucieux de ne point la décevoir, je me penchai vers elle, et mettant ce qu'il faut de promesses dans mes yeux:

— Qui est ce *gentleman*, Milady? Et que signifient les vers qu'il vient de nous dire?

— *Poor child!* murmura-t-elle en étouffant un rire. Ce *gentleman* est sir William Pitt, notre grand chancelier, et ces vers sont tirés de *Macbeth*, l'une des plus belles pièces de notre grand poète. Ils parlent du pouvoir et disent à peu près ceci: « ... on commence par le servir, puis on le convoite et on le conquiert; après quoi on en use, on en abuse, et enfin on le perd... »

— Cela est admirable, dis-je, et votre grand poète est aussi un grand philosophe!

— Vous plairait-il de le mieux connaître? me demanda la coquine avec, dans les yeux, une lueur peu littéraire bien que fort éloquente.

— C'est mon vœu le plus cher, répondis-je avec sentiment, persuadé que cette étude du grand Shakespeare, dont j'ignorais tout le matin, jusqu'à son existence, ne pouvait manquer, en compagnie de lady Rowena, d'être des plus exaltantes.

Les flammes commençaient à baisser dans les chandeliers. Soucieux de ne pas perdre mon prestige par des paroles maladroites, je décidai de me retirer, afin de laisser derrière moi quelque regret.

Je me dis que la soirée n'était pas mauvaise qui m'avait appris la première victoire française, fait croiser William Pitt, le recteur d'Angleterre, un jeune poète amoureux de la France, et une jolie femme à demi séduite.

Comme je m'apprêtais à traverser en vitesse le vestibule glacé, une main s'abattit sur mon épaule.

Je me retournai vivement. Je rencontrai la figure blafarde de Saint-Gillier, à moitié dépoudrée à cette heure avancée de la nuit. Le carmin des lèvres avait filé dans les sillons de la peau.

— Monsieur, lança le nobliau en levant le menton avec morgue, vous avez ridiculisé mon pays…

La taille mesquine, les fards fatigués et l'air arrogant formaient un si ridicule mélange que le rire me prit.

— Pourtant… je ne sais rien de la Patagonie ! dis-je, feignant l'étonnement.

— Je parle de la France, monsieur ! s'écria l'imbécile.

— Eh bien ! Je vous en rendrai donc raison à l'heure et dans le lieu qu'il vous plaira, dis-je. Où dois-je envoyer mes témoins ?

Le mondain eut un ricanement de mépris.

— On ne croise le fer qu'avec ses pairs, et pour certains le bâton…

Il n'eut pas le loisir d'achever sa phrase. J'ajustai à la pointe de son menton un coup de poing de crocheteur qui le mit à terre, assis sur son cul, les jambes ouvertes et la perruque de travers. Il se mit à glapir :

— Faquin ! Ces façons de butor…

— … sont désormais celles de la France ! répondis-je, balayant majestueusement le parquet d'un panache imaginaire.

Je me tournai alors vers les quatre laquais qui n'avaient pas bougé un cil et semblaient peints à fresque sur les pilastres de l'entrée :

— Nous laisserons à ces messieurs anglais le soin de décider, au lendemain de Valmy, qui de nous deux, ce soir, la représente.

Je quittai les lieux, assez content de ma sortie, en me disant que cette canaille de vicomte n'eût pas fait mieux.

*

Lorsque j'arrivai à Weeleby House, je me dirigeai vers le cabinet de travail où, malgré l'heure tardive, des chandelles brûlaient. Je trouvai Pisani, Lorenzo et le père Signoretti occupés à rédiger l'une de ces interminables lettres destinées au doge.

— Voyez ce gredin qui n'a plus besoin de compagnie pour sortir en ville ! dit Pisani.

Je tentai de m'excuser en balbutiant :

— J'étais chez lord Bolingbroke, Excellence, et …

— A-t-il enfin réussi à te convaincre d'entrer à son service ?

Je m'étouffai de surprise.

— Comment savez-vous cela, Excellence ?

Il sourit.

— C'est mon métier de tout savoir, *polon* !

Je me piquai et repris avec un rien d'insolence :

— Sans doute savez-vous, alors, que sir William Pitt était là, et qu'il m'a fait l'honneur de m'entretenir ?

Les trois hommes se regardèrent.

— Tu voudrais nous faire croire que Pitt, qui ne parle même pas à ses ministres, est venu te faire la conversation ? dit Pisani.

— Tout à fait ! Il a même récité des vers !

— Des vers ! À toi ! s'exclama l'ambassadeur, feignant de la trouver impayable.

— À dire vrai, il les a plutôt récités pour complaire à une dame...

Les trois hommes parurent encore plus étonnés.

— Pitt conter fleurette à une dame ? s'étonna Signoretti.

— En fait, la conversation s'était engagée sur la France. MM. Wordsworth et Saint-Gillier n'étaient pas d'accord sur l'issue probable de la guerre. Sir William Pitt est intervenu pour dire que les Français venaient de battre les coalisés à Valmy, et que...

— Que dis-tu ? cria presque Pisani, se levant d'un coup.

Je repris non sans fierté :

— Je dis que la France est victorieuse, et le duc de Brunswick défait !

— Voilà qui bouleverse singulièrement la partie ! dit le père Signoretti.

— C'est exactement ce qu'a dit le chancelier.

— Quel paraissait son sentiment vis-à-vis de la France ?

— Il n'en a rien laissé paraître, et je dois dire qu'il est intervenu pour clouer le bec à Wordsworth comme à Saint-Gillier, qui l'un se désolait et l'autre se réjouissait du mauvais pas dans lequel se trouvait l'armée française.

Pisani saisit les trois feuillets déjà écrits. Il les déchira.

— Il faut refaire cette lettre au jour de ces nouvelles.

Lorenzo prit une page qu'il posa sur le maroquin. Il trempa sa plume dans un encrier de verre vénitien liseré d'or, et se mit à rédiger la formule entrante à savoir l'infini respect de l'ambassadeur pour le doge, et son éternel dévouement à la Sérénissime...

— Non ! dit Pisani, cette lettre sera longue, allons droit au but : « Sérénissime prince, je dois consacrer cette dépêche à exposer à Votre Sérénité un événement aussi inattendu que chargé des plus lourdes conséquences, non seulement pour la France, mais aussi pour toute l'Europe. Aussi, ne ferai-je que passer légèrement sur les détails militaires qui sont secondaires… »

Je souris intérieurement à cette adresse de diplomate qui feignait de négliger par commodité les précisions stratégiques dont il ignorait tout. J'allais me retirer, lorsque :

— Au fait ! lança Pisani au moment où je franchissais le seuil, qui est cette dame qui a engagé Pitt à dire des vers ?

— On l'appelait Rowena, Excellence, dis-je sur un ton neutre que j'estimai adroit.

— Il doit s'agir de lady Greesham, dit-il. Son époux est propriétaire de fonderies à Birmingham, mais elle vit à Londres, car elle déteste le Pays Noir.

— Dois-je noter le nom ? demanda Vignola. Si Pitt tombait amoureux, cela pourrait changer…

Pisani eut un rire bref.

— Pitt n'est pas homme à tomber amoureux ! Il a pour seule maîtresse l'Angleterre. Néanmoins, il pourrait avoir de l'amitié pour cette dame. Comment voyait-elle la France ?

— Avec des yeux tendres, Excellence ! dis-je, sans parvenir à dissimuler un sourire.

— La Sérénissime te remercie, *polon* !

— C'est trop d'honneur que vous me faites, Excellence. Le grand chancelier vous reçoit quand vous le désirez. Je ne peux rien vous apprendre que vous ne sachiez déjà…

— Tu te trompes. Pitt ne me fait que des communiqués officiels, autant dire des annonces destinées à m'intoxiquer en travestissant la vérité. Ce que tu me découvres là est d'un autre intérêt ! C'est grâce à des *confidenti* placés aux carrefours des passions que l'on peut percer l'écorce de l'apparence, et pénétrer dans la moelle des combinaisons politiques.

Je regagnai ma chambre perplexe, à la fois flatté et agacé de me dire que le récit de ma soirée serait consigné par écrit, puis expédié à un grand monarque vivant à l'autre bout du monde, pour forger son opinion sur l'Angleterre et sur la France.

*

Quelques jours après cette soirée, où je m'étais taillé dans la société londonienne une renommée de bel esprit et de querelleur, Pisani me fit appeler dans son cabinet. Cela m'inquiéta. N'avais-je point passé les bornes de la réserve qu'impose le statut d'hôte, en jouant tout seul des coudes et du menton chez lord Bolingbroke ?

Je trouvai Pisani assis à son bureau. Il n'avait pas son bon air amical et complice de nos soirs de bamboche, mais sa tête d'ambassadeur. Il comptait des guinées d'argent qu'il fit couler dans une bourse. Enfin, il tira sur le cordon et posa le réticule devant moi. Je crus que ce viatique était un solde de tout compte. Je me sentis désespéré.

— Je vous en prie, Excellence, larmoyai-je, ne me chassez pas ! Je vous promets de ne jamais plus me mêler de politique, et...

— Qui parle de te chasser ? dit Pisani les yeux agrandis par l'étonnement.

Je montrai la bourse du menton. L'ambassadeur éclata de rire, ce qui ne me rassura qu'à moitié.

— Alors, pourquoi ces largesses, Excellence ? m'inquiétai-je encore.

— Pour les renseignements que tu m'as donnés l'autre soir.

Je soupirai d'aise et repris un peu d'assurance :

— Je les ai obtenus par hasard, Excellence, et je vous les ai donnés de même. Les échanger contre de l'argent me ferait l'effet d'une coquinerie.

Pisani posa alors ses coudes sur la table, joignit les mains, et me regarda avec attention.

— Vois-tu, *polon*, Venise est une république marchande. Elle sait par expérience que tout a un prix, et que ce qui feint de n'en pas avoir coûte toujours très cher, souvent trop cher. Cette bourse ne t'attache pas plus à Venise que Venise ne t'est attachée. Donnant, donnant. Point d'obligation, point de dette.

J'acquiesçai et empochai l'argent. Il reprit :

— Quant à ne plus te mêler de politique, garde-t'en bien ! Tu me parais assez doué pour te trouver au cœur des actions engagées, et tu gagnes la confiance des gens avec une facilité qui confond. Ces qualités naturelles sont celles que l'on attend d'un *confidente.*

Je fis un saut en arrière.

— Espion, Excellence ! Je ne voudrais de cette horrible charge pour tout l'or du monde !

Cette fois, Pisani fronça les sourcils.

— Dois-je te rappeler que, de toutes les nations d'Europe, l'Angleterre et Venise sont les seules à ne pas être en guerre contre la France ? Peut-être peux-tu, modestement, grâce à ce talent dont tu n'es guère conscient, contribuer à perpétuer cet état de fait si fragile ? En politique, de fort petites causes peuvent produire de grands effets.

Je ne savais quelle contenance adopter, ni comment, sans goujaterie, je pouvais lui opposer un ferme refus. Il fit mine de prendre mon hésitation pour un assentiment et, d'un air détaché, me confia ma première mission.

— Ce soir, pour mon service, tu iras au théâtre.

Aussitôt je protestai.

— Mais... je ne comprends presque rien à l'anglais, Excellence ! Surtout à celui, contourné, que parlent les acteurs !

Alors, ce diable d'homme trouva un argument à faire fondre toutes mes réticences.

— Lady Rowena Greesham t'accompagnera. Elle m'a fait savoir, ce matin, que l'on donnait *Hamlet* au théâtre du Globe. Elle désire, m'a-t-elle dit, faire mieux connaître Shakespeare à mes enfants et à leur précepteur.

— Vos enfants ne sont plus à Londres, Excellence !

En effet, dès notre arrivée sur le sol anglais, Pisani avait décidé de mettre à profit cet épisode imprévu de sa carrière pour expédier son fils dans une ville voisine, afin de parfaire son éducation au Jesus College. Quant à Caterina, il l'avait confiée, avec sa jeune sœur et leur gouvernante, à une douairière volubile, Mrs Constable. La dame les avait emmenées dans le comté de Suffolk où elle possédait un cottage. Le prétexte frivole était de s'initier aux joies de l'aquarelle, dans laquelle son fils John, qui avait à peu près l'âge de Caterina, excellait. Les couleurs des frondaisons étaient, selon ses dires, en cette période, extraordinaires. Il ne fallait point laisser passer cette occasion de s'exercer d'après nature, technique méprisée alors en France comme en Italie, où les peintres travaillaient enfermés dans leurs ateliers.

Ce double départ m'avait privé d'une chaude amitié, en même temps que d'une tentation à laquelle je n'eusse peut-être pas longtemps résisté…

Le sourire de Pisani s'accentua :

— Certes, Francesco est à Cambridge, et Caterina près d'Ipswich. Aussi, ne pouvais-je accepter cette gracieuse invitation que pour leur précepteur.

— Bien, Excellence ! J'irai puisque vous me l'ordonnez…, répondis-je avec l'air d'un martyr qui ne peut se soustraire au supplice.

C'est ainsi que je devins espion de Venise.

II

La soirée fut charmante malgré ma première déconvenue. En effet, je m'étais mis en tête que je me trouverais seul avec la délicieuse. C'était mal connaître la rigueur qui règne en Angleterre et fait du chaperon un personnage obligé. Lady Greesham vint donc me prendre à Weeleby House accompagnée de Mrs Hatteras, enrubannée de violet comme un archevêque. L'une n'allant jamais sans l'autre, miss Louisa l'accompagnait, effrayante avec son teint d'huître, dans une robe de faille jaune d'œuf. Pour compléter la navrante compagnie, il y avait aussi Saint-Gillier, vêtu de bleu pervenche et portant autant de faveurs à son habit et de plumes à son chapeau qu'une actrice des Italiens. La simple robe de lady Greesham, en velours noir rehaussé de chantilly, donnait à ses compagnons une allure d'oiseaux exotiques, encore renforcée par leur perpétuel caquet.

Elle apprécia ma tenue d'un bref :

— *Well! You look right!*

Avoir l'air « comme il faut » était bien ce que je pouvais espérer de mieux dans ce pays où la suprême élégance masculine consiste à passer inaperçu, attitude à l'exact opposé du négligé français comme du piaffant débraillé italien. Je me félicitai d'avoir conservé, pour la circonstance, ma tenue de secrétaire, à peine égayée par une cravate à jabot et des manchettes. Sitôt en voiture, elle s'adressa à Saint-Gillier :

— Messieurs, dit-elle, il m'a été conté que vous vous étiez fort mal conduits, l'autre soir chez lord Bolingbroke.

— Ce faquin…, attaqua Saint-Gillier avec des éclairs dans les yeux.

— *Stop!* l'interrompit lady Greesham. Je me soucie peu de passer ma soirée entre deux vilains coqs, prêts à se couper les artères. Les Français sont insupportables à se quereller sans cesse ! Et croyez bien que, si nos maris n'avaient la fâcheuse coutume de vivre crottés sur leurs terres, nous ne sortirions jamais en ville avec vous. Conduisez-vous, s'il vous plaît, en *gentlemen*, messieurs !

— Je ne demande pas mieux, susurrai-je, aussi, je m'en vais à l'instant, si vous le permettez, présenter mes excuses à Saint-Gillier, et le prier de les accepter.

Le malheureux en resta bouche bée. Ses protestations avortées lui remplirent la gorge. Remarquer que j'avais omis le monsieur de rigueur et la particule l'eût fait passer pour un fat.

— Eh bien, messieurs, la chose est faite, et vous voilà raccommodés !

— Ce n'étaient que billevesées d'après boire, sur une sotte question de géographie, dis-je en tendant une main franchement ouverte à Saint-Gillier abasourdi.

— Où que soit la Patagonie, mon cher, n'en parlons plus ! Il se pourrait bien, dans l'affaire, que tous deux nous nous trompassions !

— Cela se trouve en Amérique australe, dit timidement miss Louisa.

— Allons, Louisa, dit lady Greesham sur un ton d'affectueux reproche, vous savez bien que les messieurs n'aiment pas les bas-bleus ! Voulez-vous demeurer vieille fille ?

— *Aoh ! No !* Milady ! s'exclama la pauvre fille en se tordant les mains.

— *Poor child !* gémit Mrs Hatteras en prenant sa nièce aux épaules, vous voyez bien que notre amie vous taquine !

— Et j'oserai la contredire ! surenchérit Saint-Gillier, empressé. Je tiens quant à moi une femme savante pour irrésistible, et parée d'une séduction infiniment supérieure à celle, fugitive, d'un joli minois !

— Cela n'est galant qu'à moitié, dis-je, et si miss Louisa n'était pas si évidemment parée de toutes les grâces du monde, elle aurait matière à s'offusquer !

La gourde me jeta un regard ébloui.

Je crus que Saint-Gillier allait se jeter sur moi et m'étrangler, là, devant les trois dames que nous prétendions conforter. La pomme d'Adam s'affolait le long du gosier de poulet. Je le gratifiai d'un sourire gracieux, et je fis mine de m'absorber dans la contemplation du paysage.

Bientôt la voiture s'arrêta. Lorsque je tendis la main pour aider lady Greesham à mettre pied sur l'asphalte, elle s'arrangea pour frôler mon oreille de ses lèvres, et me glissa dans un souffle :

— Dans l'attaque et dans la parade, vous semblez redoutable, monsieur !

— Mais si faible dans la tendresse..., répondis-je sur le même ton.

« Peste ! me dis-je, tandis que j'avançais vers les portes d'un pas de courtisan, ce diable de vicomte m'a-t-il contaminé si profond ? N'est-ce pas lui qui parle par ma bouche et marche sur mes pieds ? » Pourquoi diable étais-je si acharné à le contredire en sa présence et à l'imiter quand il n'était pas là ?

*

C'était la première fois de ma vie que j'allais au théâtre. Ma connaissance en la matière se bornait au *Mystère de la Nativité* donné à Malegarde pendant la nuit de Noël. Les acteurs y étaient les fidèles de la paroisse qui jouaient leur propre rôle de pauvres gens, autour de la crèche où dormait un Enfant-Dieu en carton colorié. J'avais vu, aussi, quelques Égyptiennes en cheveux qui dansaient pieds nus avec un tambourin à sonnailles, des paillasses, des montreurs d'ours et quelques orateurs politiques débitant leurs fâcheux discours. Cela est peu de chose comparé à *Hamlet*...

Dès les parvis, je dissimulai mon émerveillement de Candide, sous un air blasé.

— Sans doute, monsieur, lorsqu'on vous a parlé du Globe, vous attendiez-vous à trouver ce *Wooden O* créé par notre grand poète, et dont la renommée a franchi les mers ?

On se doute combien, ne sachant rien, la veille, de Shakespeare, je regrettais le *Wooden O* !

Je me tirai d'affaire par une pirouette :

— Nous en ferons notre deuil, Milady ! Je crois bien vous aimer plus fort sans le *Wooden O* que je n'aimerais le *Wooden O* sans vous !

— Ah ! L'esprit français ! dit-elle encore, se pendant résolument à mon bras.

Miss Louisa qui venait de nous rejoindre crut bon de préciser :

— Le *Wooden O* a brûlé entièrement en 1666, lors du *Great Fire*, car il était entièrement construit en bois, comme son nom l'indique, et…

Lady Greesham, agacée, lui coupa la parole :

— Ce théâtre n'en est qu'une troisième copie d'où le bois est banni, et vous aurez le déplaisir de voir *Hamlet* sur une scène à l'italienne.

— Nous nous en accommoderons, dis-je avec entrain.

Nous déambulâmes un moment dans les parvis, croisant une population compacte et détendue, fort préoccupée du nom des acteurs, et ne jetant sur nous pas le moindre regard. Cependant Saint-Gillier, avec ses rubans et ses plumes, ne passait pas inaperçu ! Mais la discrétion est un trait principal du caractère anglais : peindriez-vous votre figure en vert et porteriez-vous trois plumes dans le cul, que l'on vous saluerait à Londres, sans marquer de surprise. On appelle *flegme* cette disposition particulière du tempérament britannique. Je saisis quelques bribes de conversation. Pas une fois je n'entendis prononcer le nom de la France ni le mot Révolution.

« Bah ! me dis-je, je vois bien qu'à Londres comme ailleurs la politique est affaire d'aristocrates. Le peuple se fiche de ce qui se passe au-delà des frontières. Il ne cherche pas plus loin s'il peut disposer de bon pain pour son ventre, et de poèmes pour son cœur. »

Enfin, nous fûmes dans la place. Bientôt la tenture qui dissimulait la scène se leva sur un donjon de bois peint, ourlé de créneaux.

— *Who are you ?* brama d'une voix de stentor un comédien casqué de fer et drapé dans une peau de bête.

Ces premiers mots me firent sursauter sur mon siège, comme s'ils m'eussent été adressés. Qui étais-je en effet après tant d'aventures qui m'avaient vu changer d'état, de nom et même de patrie ? Lady Greesham, sentant mon trouble, tapota doucement ma main, comme elle l'eût fait pour calmer un enfant nerveux. Cet attouchement délicat produisit sur ma peau l'effet inverse. Je croisai vivement les genoux pour éviter qu'elle ne s'offusquât de certain changement dans ma géographie.

Tandis que sur la scène se déroulait un drame affreux tout rempli de vengeance, de haine et de poison, nous échangions, dans l'ombre, de ces regards furtifs qui, dans les premiers temps d'une aventure à naître, donnent tant d'émotion.

— Désirez-vous, monsieur, que je vous fasse traduction des passages les plus pertinents ? dit-elle avec un air d'innocence.

— Je n'osais vous en prier, madame !

Alors, commença un jeu d'une délicieuse perversité.

— *This time is out of joint !* s'exclamait l'acteur.

— Ces temps sont désordonnés…, murmura-t-elle.

Bien des scènes passèrent, et une fille se noya, et le héros conversa avec un squelette, sans qu'elle trouvât mot de poids à me découvrir. Mais tout à coup, lorsqu'un personnage se lamenta en ces termes : « *There is nothing either good or bad, but thinking makes it so…* », elle me dit contre l'oreille :

— Rien n'est en soi bon ou mauvais ; tout dépend de ce qu'on en pense…

Elle monta un ton plus haut lorsque : « *What a piece of work is a man…* » devint dans sa bouche :

— Quel chef-d'œuvre qu'un homme !

Enfin, après trois bonnes heures de complots, de crimes, d'adultères et d'assassinats, un personnage, resté seul en scène, laissa tomber, le regard à terre et fort accablé :

— *The rest is silence…*

Elle se contenta de poser un index sur ses belles lèvres, tout en laissant parler ses yeux.

— Au moins, avez-vous bien compris, monsieur ? me demanda-t-elle lorsque nous fûmes à nouveau installés sur les coussins de la voiture.

— À merveille, Milady ! répondis-je.

Cependant, miss Louisa, qui avait goûté la pièce, ne cessait de répéter, au comble de l'exaltation :

— *To be or not to be !* Ah ! Monsieur ! On ne s'en lasse pas ! Cela est admirable, *isn't it ?*

— Certes ! Certes ! acquiesçai-je d'un air docte, bien que lady Greesham n'eût pas jugé utile de me faire la traduction de ce vers. Sans doute était-il de piètre intérêt ?

*

Lorsque nous fûmes remontés en voiture, lady Rowena s'exclama :

— Mes amis ! Que diriez-vous d'aller admirer les éclairages de Picadilly ? On n'a guère l'occasion de les apprécier en plein jour.

— Tout le bien du monde ! m'écriai-je, peu pressé de quitter la société de la belle.

Mrs Hatteras, Louisa et Saint-Gillier se déclarèrent enchantés. Je dois à la vérité de dire que ces fameux lampadaires n'étaient que des quinquets fumeux. Cependant, on ne voyait rien de tel alors à Paris qui était, la nuit, un vrai coupe-gorge. Miss Louisa nous dit que Rome, déjà, éclairait ses forums, de même que Byzance. Lady Rowena attendait avec un rien d'impatience la fin de l'exposé. Comme Louisa s'apprêtait à se lancer dans un nouveau discours, la cruelle lui coupa la parole :

— Fort bien, mon enfant, mais il se fait tard. Nous devrions songer à regagner nos foyers.

Saint-Gillier nous quitta le premier.

— Ce monsieur me semble fort épris de miss Louisa, dit Rowena lorsqu'il eut disparu.

— *Pshaw!* ricana la douairière, ce n'est qu'un *lovelace*!

Le terme me parut piquant pour désigner le nobliau qui, du séducteur, n'avait que l'évident désir de le paraître.

— Miss Louisa mérite mieux que ce coquelet déplumé, dis-je perfidement.

Le laideron se rengorgea.

— Monsieur, j'aimerais tant que, dans un jour prochain, vous nous montriez Paris, comme nous vous avons montré Londres !

— C'est mon plus cher désir, miss ! répondis-je sur ce ton aimable que l'on emploie pour ne rien dire.

Enfin je me retrouvai seul avec Rowena au fond de la berline qui s'enfonçait dans la nuit du faubourg. Elle poussa un long soupir.

— Sont-ils fâcheux, tous trois, avec leurs bavardages ! Et la fillette est d'un pédant !

— Ne sont-ce pas vos amis, Milady ?...

— Vous moquez-vous, monsieur ? Croyez-vous que sans cette stupide coutume anglaise qui interdit à une femme de sortir seule avec un homme, je les eusse invités ?

Je chancelai sous la précision de l'invite. Comme il arrive souvent, je perdis mes moyens à me voir privé de la position offensive. Je ne trouvai qu'à questionner :

— N'êtes-vous donc pas anglaise, Milady ?

— Je suis irlandaise, monsieur, et point tant confite dans ces mielleuses pratiques où tout se dissimule.

Là-dessus elle me prit les mains et les porta à sa gorge.

— Entendez-vous comme mon cœur bat ? Je crains qu'il ne se rompe !

J'entendais mal le cœur, mais fort bien ce que l'on espérait de moi. N'étant pas en état de répondre, je cherchai à gagner du temps et jouai les médicastres :

— Je l'entends, Milady ! Se pourrait-il que sous ce battement se dissimulât quelque germe de pleurésie ?

— Vous moquez-vous, monsieur ? demanda-t-elle avec un début d'inquiétude. Je m'attendais, de la part d'un Français, moins à un diagnostic qu'à une cure !

Je compris à quel point l'annonce de la victoire française lui avait échauffé le sang. On me faisait l'économie des manœuvres. La fleur se pouvait cueillir sans demander plus d'agrément. J'eusse dû faire la preuve sur-le-champ qu'un Français ne se dérobe point. J'eusse dû... si je l'eusse pu... Car si sensible, malgré son air farouche, est cet organe qui nous porte vers les jupons, qu'un rien lui fait perdre sa contenance et le rend tout de bon inutilisable. Je me trouvai ainsi dans la pénible situation de pouvoir honorer sans délai ce que je désirais le plus fort, et d'en être rendu incapable par un défaut inopiné de ma biologie. En deux mots, et malgré que j'en aie, il me faut avouer qu'après avoir bandé comme un âne pendant les cinq actes d'*Hamlet*, à ce moment où l'on me priait de démontrer ma flamme, je ne bandais pas plus qu'un anémique à qui l'on vient de pratiquer la saignée.

L'honneur de la France était en jeu. Allais-je devant une royaliste, anglaise de surcroît, ridiculiser la patrie des droits de l'homme ? L'imagination vint à point suppléer le pitoyable état de la réalité. J'écartai prudemment la main friponne qui se glissait vers mes valeurs en baisse, et, troussant à pleins bras la belle évaporée, je présentai ma langue à cet endroit si chaud où c'est le vit que l'on attend. Confondue, la coquine poussa un cri de garenne piégé.

Des deux mains elle agrippa mes cheveux et tira dessus de toutes ses forces.

— Ah ! Monsieur, cria-t-elle, quelle folie vous prend ?

On comprendra que la position me rendait délicate la rhétorique, encore que ce fût l'instrument de la conversation qui s'employât à la convaincre. Comme je me plaçai autour de ce bouton qui commande les femmes, elle se récria :

— *Jesus !* Cela est-il possible ?

Bataillant comme un furieux, je parvins à me maintenir dans le fouillis de dentelles qu'elle avait sous sa robe.

— Monsieur ! C'est une horreur ! Cessez ! Cela suffit ! Je vais crier !

Je me gardai d'obtempérer, m'acharnant dans la lutte à conserver contact serré et rythme invariable, ce qui n'était pas simple, car ne pouvant me refouler elle entreprit de m'étouffer. Serrant ma tête de ses belles cuisses, elle se mit en devoir de me faire jaillir les yeux des orbites. Il fallait la réduire ou j'y laissais ma peau. Du pouce et du majeur et d'une seule main, je la crochai en deux endroits qu'il n'est point séant de nommer.

— *My God!* dit-elle enfin, avant de s'effondrer aussi molle qu'une balle percée.

À ce point, la guerre était gagnée.

— Que cette chose est donc étrange…, dit-elle encore, avant de la louer d'abord avec surprise, puis enthousiasme et dans sa langue maternelle, preuve indéniable qu'elle avait oublié les urbanités :

— *Shoking! Shoking! But delicious indeed! Yes! Yes!*

Après ces affirmations répétées, je me retrouvai, suffoquant, à l'air libre, et tout décoiffé.

— Est-ce là, monsieur, ce qu'on appelle *french kiss*? demanda-t-elle.

— Sans doute, madame…, répondis-je distraitement, car je m'aperçus que l'exercice m'avait redonné de l'allant. Ainsi, je pus, *in extremis*, l'honorer de façon plus classique et restaurer complètement la belle image de la France.

— Ah ! Monsieur ! s'écria-t-elle, pâmée. Quelle énergie ! Quel enthousiasme ! Quelle flamme ! Et comme je comprends les Niçoises et les Savoyardes qui veulent devenir françaises !

*

Lorsque je rendis compte de ma soirée à Pisani, je me trouvai embarrassé.

— Je n'ai rien appris, Excellence ! Il vous faudra admettre que je ne suis pas né pour ce métier !

— Permets-moi de n'en pas préjuger et raconte-moi plutôt ta soirée.

— D'abord, j'ai appris que Londres fut détruit par un incendie en *sixteen sixty six*, et jamais je ne l'oublierai.

— L'allitération fortifie la mémoire, dit Pisani en souriant, mais n'as-tu pas de nouvelle plus fraîche ?

— Aucune, sinon que les Anglais qui vont au théâtre semblent ne pas savoir que la France existe, et que les Anglaises bien nées déplorent que leurs maris préfèrent la campagne à Londres.

— Voilà qui est intéressant, dit Pisani. Tu vois bien que tu m'es utile !

— Excellence, vous vous moquez !

— Il te faut encore apprendre, *polon*, que les faits ne sont rien. Tout est dans l'analyse.

— Que pouvez-vous déduire du rien que je vous ai rapporté ?

— Que l'Angleterre dort sur ses deux oreilles, puisque les ministres préfèrent chasser le renard que surveiller les affaires intérieures de la France. De plus, ils ne seront pas contraints de le faire par l'opinion publique tout aussi détachée à cet égard. Or, tant que la nation pense que, quoi que fasse la France, à l'intérieur ou à l'extérieur, tout est indifférent pour elle, ou même avantageux, le ministère ne prendra jamais sur soi de contrarier ce sentiment national. Mais si les manœuvres et les progrès extérieurs des Français faisaient naître des situations où l'intérêt du peuple britannique se trouvait menacé…

— Peut-être les Anglais voudront-ils devenir français comme les Niçois ou les Savoyards ? dis-je en manière de boutade.

— Que dis-tu là ? s'étonna Pisani.

— Ce que j'ai appris hier, Excellence. Que la France ne se contente plus de remporter des victoires, et que les nations se rendent à elle sans combattre, comme des femmes à un amant !

L'ambassadeur hocha la tête :

— Et tu prétends n'être pas doué pour faire un *confidente*!

— Je n'ai rien demandé, Excellence! Cela est venu à moi par hasard.

— C'est là le plus grand art!

Je me rengorgeai sous l'éloge, me disant à part moi que j'avais bien un peu aidé ce grand coquin de sort, par l'expression d'autres talents que mon douteux génie pour l'espionnage.

— Eh bien! dit Pisani, comme je faisais mine de me retirer, puisque les Anglais ne viennent pas à nous, il nous reste la ressource d'aller jusqu'aux Anglais! Ces messieurs chassent le renard? Pourquoi n'en ferions-nous pas autant? Je projetais pour le printemps certain voyage à Birmingham pour voir un peu ce qu'il en est de ces machines à feu, et s'il est possible de s'en procurer pour cultiver le riz de façon plus moderne. Pourquoi ne pas partir demain? L'automne est beau...

Le développement de ce projet qui, deux jours plus tôt, m'eût enchanté fit sur moi l'effet d'une catastrophe. Quel crève-cœur de quitter si tôt des délices d'alcôve que j'entrevoyais à peine!

— Demain, Excellence?... lançai-je sur un ton lamentable.

Pisani sourit.

— Allons, dit-il, on nous aime mieux quand on nous désire. Les femmes savent cela depuis longtemps! À ton retour, la place aura perdu ses défenses.

— Hélas, Excellence, m'écriai-je, peut-être, tout au contraire, les aura-t-elle retrouvées!

Pisani ouvrit des yeux stupéfaits.

— En un soir? Et devant tout ce monde? *Madona!* Les Français sont extraordinaires! Comment cette vieille Europe pourrait-elle leur résister?

III

Aller de Londres à Birmingham ne demande que deux jours à un bon cavalier. Notre dessein n'étant pas d'établir un record, mais de voir et sentir l'Angleterre, nous prîmes notre temps. Nous chevauchions de conserve, suivis de loin par une malle chargée de nos effets.

Nous faisions de courtes étapes, nous arrêtant parfois dans une auberge, le plus souvent dans une gentilhommière où nous étions accueillis avec familiarité. Nous parcourûmes ainsi les comtés des Midlands.

En ce mois d'octobre, un bel automne mûrissait la campagne anglaise. Les forêts pleuraient des larmes d'or sur les prairies où paressaient de placides rivières. De longs arbres mols s'y miraient, laissant tremper dans l'eau leurs rameaux chevelus. La lumière, voilée de brumes, noyait dans le lointain des horizons bleutés. La terre était fertile, l'herbe grasse, et les renards que nous chassions à courre avaient le ventre blanc et fourré comme les loups du septentrion.

Pisani m'entraîna chez ses amis anglais de *castle* en *manor*. Je ne sentis bientôt plus ma langue à force de débattre, ni mon cul, tant je chevauchai.

La *gentry* ne se tenait pas serrée autour du trône en un microcosme frivole et oisif comme la noblesse française. Les aristocrates anglais ayant, dans le temps, comploté contre Cromwell, comme les Français s'étaient ligués pour évincer Louis XIV, les deux tyrans avaient pris des dispositions opposées mais tout aussi efficaces pour rétablir leur autorité. Tandis que le *lord protector* dispersait et taxait les rebelles afin de briser leur cabale, le Roi-Soleil les rassemblait et les pensionnait dans le but de les asservir.

Ces solides *country squire* qui vivaient sur leurs terres, le plus souvent à cheval et crottés, n'eussent pas supporté longtemps les minuscules intrigues qui remplissaient l'existence des petits marquis poudrés de Versailles. À l'inverse de leurs cousins français qui professaient le plus grand mépris pour le travail, ils étaient armateurs, industriels, éleveurs, agronomes, maîtres de forge ou négociants. Ils ne répugnaient pas à arpenter les manufactures, les écuries, les plantations et, par-dessus tout, les quais d'embarquement. Lorsqu'ils n'étaient pas sur leurs terres, ces acharnés étaient en mer, car l'Anglais, fût-il éleveur de moutons ou planteur de seigle, est enragé de navigation. Il n'est heureux que chevauchant la vague dans les pires transports de courant d'air. Si un ouragan se présente, qui drosse et démâte son vaisseau, le Français vomit tripes et boyaux tandis que l'Anglais, cheveux au vent, déclame *The Tempest.*

Il n'empêche que ces hardis marins laissaient un peu imprudemment à Londres dames et demoiselles, que beaucoup s'ennuyaient après les soupers, et que si l'Anglais surclasse tous les hommes pour ce qui est du pied marin, le Français, sur d'autres pièces d'anatomie, ne manque pas d'aplomb…

Finalement, nous arrivâmes dans le Pays Noir. Birmingham est la ville la plus surprenante que je visse jamais en pays chrétien. Le fer y remplace partout le bois et la pierre. Imaginez une métropole hérissée de métal, environnée de montagnes noires aussi pointues que des toits d'église, un ciel mangé de fumasses comme un front bombardé, le tout baignant dans l'odeur de la forge et le vacarme qui vous tympanise, de cent mille marteaux frappant autant d'enclumes.

« Foutre ! me dis-je, comme je comprends Rowena qui préfère vivre à Londres ! Ce Birmingham n'est pas fait pour les jolies femmes… »

Je sais bien qu'on ne me croira pas lorsque je dirai que pour y accéder nous passâmes sur un pont de fer. C'est cependant l'exacte vérité. De plus, ce pont métallique, qui sonnait sous les pas et enjambait la rivière Severn, n'était que le prélude à d'autres inconcevables merveilles dont regorge cette capitale de l'humaine industrie, laquelle mérite bien le titre flatteur d'*atelier du monde.*

Mais ce qui plus que tout captiva ma curiosité fut cette machine à feu que souhaitait voir Pisani.

*

— *My name is Watt... James Watt!* dit l'Écossais en inclinant la tête.

Il pouvait avoir entre cinquante et soixante ans. Il était grand, raide, dégarni sur le dessus d'un crâne oblong et blanc comme un œuf de cane. L'aspect roide de Watt tranchait sur celui de Matthew Boulton, petit bonhomme affable, qui s'agitait et dissertait avec volubilité. L'un fabriquait dans ses ateliers, puis négociait les machines que le vaste cerveau de l'autre avait conçues. L'un sans l'autre n'eût rien été. Alliés, on mangeait dans leur main. Aussi, le maître de forge couvait-il son ingénieur d'un regard rempli d'affection.

Boulton entraîna Pisani dans les profondeurs assourdissantes de la manufacture. Watt, peu loquace, les suivait en silence.

— Pourquoi ces machines, qui assèchent nos puits de mine, ne draineraient-elles pas vos marais? dit Boulton qui flairait un marché prometteur.

— La quantité d'eau à pomper est infiniment supérieure...

— Sans doute! Mais il n'est point nécessaire de la relever depuis les profondeurs. Ceci compense cela!

Émerveillé par tant de nouveauté, je ne savais où poser mes yeux. Ce n'était partout que cylindres de cuivre, volants et pistons, presses qui s'abattaient en grondant, jets de vapeur qui vous fusaient dans les jambes.

Watt, toujours silencieux, marchait à côté de moi. Il comprit à mon étonnement que je n'entendais rien à la mécanique. Le désir d'exposer sa science l'emporta, pour finir, sur la timidité. Je n'infligerai pas au lecteur le pensum d'un exposé rédigé en anglais, bien que ce fût cette langue qu'employât le savant. Je ne le ferai même pas en français, craignant d'être fâcheux. Qu'il comprenne seulement que cette astucieuse machine utilisait la force de la fumée d'eau chaude comprimée dans un tuyau creux. Qui n'a pu observer que la vapeur s'élevant de tout liquide chaud, fût-il lait, chocolat ou soupe de rave, parvient à soulever le couvercle des marmites? Cette force habilement maîtrisée permettait de faire venir et aller une tige de métal reliée à un palonnier nommé bielle, puis à une roue dentée qui tournait merveilleusement, sans le secours de bras d'homme ni de patte animale. La simple chaleur du feu sous une marmite d'eau faisait se mouvoir l'appareil, comme un corps vivant sur des genoux de bronze.

— Fichtre, m'écriai-je, au comble de l'admiration, voilà qui est finement pensé, et cet engin me semble avoir autant de force qu'un cheval…

Watt se rengorgea :

— … et même davantage ! Il suffit d'augmenter la quantité de vapeur pour obtenir la puissance d'un attelage !

— Des chevaux de vapeur ! Comme ceci est amusant ! dis-je, riant de plaisir.

— C'est tout à fait cela, reprit Watt, surpris et charmé par le terme, voici des chevaux de vapeur !

— Et que l'on peut utiliser à tous les services que nous rendent les bêtes !

— Absolument !

À ce moment, Pisani et Boulton revinrent vers nous. Ils entendirent ces derniers mots, ce qui les amusa. Watt ne riait qu'à moitié.

— Ce garçon est intéressant ! dit-il.

— C'est un Provençal : il aime à plaisanter ! dit Pisani pour excuser mon extravagance.

Mais Boulton, qui avait déjà fabriqué, pour le compte de lord Wilkinson, cet incroyable pont de fonte sur lequel nous étions passés, répétait à présent :

— Des chevaux de vapeur… Hé ! Hé !

Pisani, pour se gausser, laissa tomber :

— Je vous vois, monsieur Boulton, enragé de métallurgie, au point de projeter des bateaux d'où le bois d'arbre serait banni.

— Certainement, Excellence, dit le maître de forge. Cela se fera plus tôt que vous ne pensez ! Songez comme ces navires de fer résisteront aux boulets !

— Mon ami, dit l'ambassadeur avec un sourire, on concevra en même temps des projectiles vicieux, capables de les percer !

En cela il ne se trompait guère, car au même moment un méchant libertin qu'on appelait Choderlos de Laclos, et devait attacher son nom à la littérature plus qu'à l'artillerie, venait d'inventer le boulet explosif, ancêtre de l'obus.

C'est alors qu'un colosse bâti comme une cathédrale, et qui tenait en main des plans de machines roulés, fondit sur nous, et lança d'une voix de stentor :

— Pisani ! Vous allez donc pomper toute l'eau de Venise et nous la mettre dans un désert ?

— Lord Reginald ! Quelle surprise ! dit l'ambassadeur, sur un ton quelque peu contraint.

Mais l'autre n'y prit garde :

— Comment ? Vous étiez à Birmingham et n'êtes point venus chasser à Greesham Manor ?

Greesham ? N'était-ce point là l'époux de Rowena ?

*

« Diable ! me dis-je, avec mes cent quarante livres, je suis loin de faire la pesée ! »

Le géant se tourna vers moi et, jovialement, me donna une bourrade à étourdir un bœuf :

— Et voilà Francesco... qui est... presque un homme à présent !

Pisani toussota. Il le détrompa et lui dit que j'étais un ami. Là-dessus lord Greesham renouvela son invitation. Pisani tenta de la décliner, mais l'exubérant bonhomme ne voulut rien entendre. Il fut convenu que nous dînerions et dormirions chez lui, puis que le lendemain, dès l'aube, nous courrions sus au *fox* !

Ce ne fut pas un jour, mais quinze que nous passâmes à Greesham Manor, entre Stratford et Worcester. L'antique demeure était un incroyable foutoir encombré de peaux mal tannées, de lingots de fonte et de barres d'acier, de massacres de cerfs et de portraits d'ancêtres noircis par la fumée. Quand il sortait de ses fonderies, lord Reginald y vivait comme un palefrenier. Dans ce manoir capharnaüm qui tenait du boui-boui, du repaire et de l'atelier, les écuries primaient sur les salons. Il y traînait jusqu'au bord du lit, où il dormait avec ses chiens, des bottes de sept lieues d'où se détachait par plaques la boue rouge et noire de la rivière Severn. Vif, alerte malgré ses soixante ans et ses deux cent vingt livres, au fait de tout, bouillonnant d'invention, constamment sur la brèche, pétant de santé, parlant dru, ne souffrant pas d'attendre, dormant cinq heures par nuit mais d'un sommeil de plomb, mangeant comme quatre et baisant comme six, il avait la passion des chevaux, le goût des ribaudes, le culte de l'amitié et le vice de la chasse.

La magnifique symphonie de sons, de parfums et de couleurs, qu'une battue au renard dans la campagne anglaise ! Dès les premières lueurs de l'aube, dans ce froid vif et bleu qui précède l'aurore, nous nous tenions en selle, dans la fauve vapeur qui montait des chevaux. Les bêtes piétinaient sous les murs du manoir, dans un intense ferraillement de mors, d'étriers, d'éperons.

Hommes et femmes, les chasseurs étaient coiffés de tricornes noirs emplumés de faisans ou d'oiseaux exotiques. Les tuniques fort ajustées, d'un rouge vif soutaché d'or, dessinaient sans indulgence la taille alourdie des barbons, mais sculptaient l'insolente cambrure des amazones, la cuisse serrée dans la selle d'arçon de leurs *ackneys*. Éclaireurs, rabatteurs, piqueurs et veneurs, humbles piétons vêtus de livrées moins voyantes, rassemblaient fouets et bâtons, puis élaboraient des stratégies dans la buée de leur haleine. Autour d'eux, des mâtins efflanqués et chatoyants, *fox-hound* à la cuisse longue, vibraient d'impatience dans les jambes des bêtes et jappaient aux rhododendrons, marée de rose et de pourpre, butant contre le vert sombre des bois. Enfin, les cors sonnaient à l'unisson pour donner le départ.

Ajoutez à cela le plaisir fort piquant de croiser par hasard le regard de beaux yeux, car quelques dames de sang fort étaient là, qui préféraient aux élégances londoniennes la vigoureuse émotion que donne la vénerie.

Nous galopions sous un immense ciel d'argent, portés par la houle de la meute. Devant nous, s'ouvraient de vastes plaines d'un vert puissant, des forêts obscures au parfum de tombeau, des landes monotones fourrées de genêts nains et de pâles bruyères. Nos montures fumaient dans l'air froid. Nous les talonnions avec enthousiasme, moins préoccupés de style que d'équilibre, bondissant par-dessus les haies vives et les ruisselets, assis à l'anglaise au profond de la selle, plus près du troussequin que du pommeau, étriers chaussés à fond, jambe en avant, et le vicomte, qui galopait sur l'encolure, nous eût certainement traités de paysans. Comme je lui en faisais la remarque, Pisani me dit affectueusement :

— Tu as pris d'instinct *« the old english hunting seat »* : la « vieille assiette de chasse anglaise »... cette monte naturelle qui fait tellement enrager les perruques poudrées des manèges dont ton ami doit faire partie.

Je ris à mon tour, tout en me disant que le terme de « perruque poudrée » ne suffisait point à définir ce grand coquin flamboyant et imprévisible que je me surprenais tantôt à regretter...

— Me voilà donc chevauchant comme un *« country squire »*?

— Tout à fait! Lord Reginald m'en a fait hier la remarque! Il semble te tenir en grande estime et...

— Je vous en prie, Excellence, ne parlons pas de...

Je me tus, bourrelé de remords à l'idée que j'avais encorné cet homme charmant qui ne semblait pas s'inquiéter beaucoup, d'ailleurs, de son épouse. Les bottes fumantes devant le feu de cheminée, il nous conta en riant ses déboires conjugaux.

S'étant retrouvé veuf dans la force de l'âge de l'austère Écossaise que son père lui avait fait épouser, il s'était d'abord rabattu sur les domestiques. Comptant paillarder un peu ses vieux jours, il avait fini par convoler avec la jolie Rowena, fille sans dot d'une petite famille irlandaise, et sa cadette de trente ans. Hélas, la jeunesse s'était révélée un dragon pire que la vieille bigote: elle n'avait jamais voulu mettre le pied à Greesham Manor. Pour l'honorer une fois par mois, il lui fallait faire le voyage de Londres, si bien qu'il en était peu à peu revenu aux pratiques de son ancien veuvage, à savoir chiffonner les servantes, les filles de ferme et même les souillons, pourvu qu'elles fussent bien pourvues en mamelles et callipyges ce qu'il faut. Or les beaux culs étaient légion dans cette province fertile, car si elle manque parfois de charme pour les traits du visage, l'Anglaise a le sein lourd, la fesse abondante et le teint frais. Lord Reginald n'était donc pas malheureux entre ses maîtresses et ses chevaux de selle qu'il nous invitait à admirer.

Dans un premier temps, je ne vis que des bêtes noires, blanches, grises ou alezanes, mais bientôt, élève attentif du *country squire*, je distinguai les pur-sang, les barbes, les lipizzans et les genets, non plus à la couleur mais à la silhouette, tantôt nette, tantôt adoucie, à la charpente ample ou sèche, aux longues lignes dures ou aux souples rondeurs qui les dessinaient de l'encolure à la croupe. Enfin je fus à même d'apprécier l'ampleur d'un poitrail, la force d'une arrière-main, la vivacité d'un regard, la nervosité d'un sabot. Et Lord Greesham suivait avec intérêt mes progrès.

*

Un soir, au retour de la chasse, après avoir dévoré une panse de brebis, bu cinq pintes de bière et troussé deux servantes, lord Greesham nous entraîna vers son haras.

Outre cinq poulinières pleines et un étalon barbe au regard de braise, il y avait dans les stalles, infiniment mieux tenues que ses appartements, une douzaine de *yearlings*. Je les regardai attentivement, flattai quelques croupes, et m'arrêtai près de celui qui me parut le plus beau. C'était un animal à trois balzanes, construit en montant, avec la croupe surbaissée par l'engagement des postérieurs sous la masse du corps, une grande silhouette, une ample charpente aux longues lignes heurtées. C'était un cheval de prince, comme on en voit quelquefois en rêve, galopant sur un lac gelé ou un rayon de lune...

— Hé! Hé! Ce gredin a du nez, dit lord Greesham s'adressant à Pisani.

Il caressa la croupe frémissante, et dit sur un ton où perçait la fierté:

— Nemrod, fils de Godewa et d'Éclipse.

Pisani hocha la tête d'un air entendu. Je ne savais pas que les chevaux anglais avaient, comme les aristocrates, un armorial, un *stud-book* dans lequel on consignait leur lignée. Je me contentai d'admirer le splendide animal.

Brusquement, lord Greesham se tourna vers moi en lissant ses favoris blancs:

— Vous plairait-il de courir à Epsom ce printemps, *boy*?

— Courir? Que voulez-vous dire, Milord?

— Monter, que diable! Monter Nemrod et lui faire passer la ligne pour moi!

Je me dérobai, asphyxié par tant d'honneur:

— Monter Nemrod! Je ne sais, Milord, si je suis assez bon cavalier...

— Allons, dit le bougre, balayant mon objection d'un revers de main, je vous ai vu depuis tantôt deux semaines sur ce cheval net et propre, certes, mais sans vices ni vertus. Je vous ai senti du feu, de l'audace, du perçant! Vous avez le *feeling* d'un centaure!

Je me sentis rougir sous l'éloge.

— Je ne suis qu'un fils de paysan…

— La belle affaire ! Savez-vous que ce malin d'Edward Coke a trouvé Godolphin Arabian, le père de tous nos pur-sang, tirant dans les rues de Paris une voiture d'arrosage ? On vient d'où on peut ! Le tout est de savoir où on va !

On se doute si cette maxime me plut ! Déjà je me voyais en selle.

— Dans ce cas, Milord, je suis votre homme. Et demain, si vous le désirez…

— Tout doux, *boy* ! D'abord, il faut travailler. Vous faire aux pur-sang qui sont chevaux de fantaisie, nerveux comme pucelles, raccourcir les étriers, quoi qu'on en dise dans nos campagnes, monter, enfin, *a la jineta*, ce qui vous est bien étranger !

— … monter *a la jineta* ? répétai-je, fronçant le sourcil.

— Le cul en l'air, parbleu !

Je me frappai le front comme touché par l'évidence :

— Suis-je sot ! Poserait-on son cul sur un cheval de si haute lignée ?

Lord Greesham éclata de rire, puis, s'adressant à Pisani :

— Il a de l'esprit pour un fils de paysan ! Me le céderez-vous, Almorô ?

L'ambassadeur eut un fin sourire :

— Je crains, Reginald, qu'il n'appartienne qu'à lui-même. Les Français sont devenus chatouilleux ces derniers temps…

Le *country squire* me tendit une main large comme un van à blé. Suffoqué de joie, je la saisis. Il secoua mon bras à me démancher l'épaule et poursuivit avec un rire d'ogre :

— J'irai à Londres pour *Christmas* ! Nous reparlerons du *Derby* ! D'ici là, mon garçon, faites-vous les jarrets, et ne posez plus votre cul que sur le lit des dames !

Je me sentis rougir jusqu'au fond des oreilles. Je me dis alors que non, trois fois, et même davantage, après cela je ne pouvais plus baiser sa femme. Je m'en trouvai mélancolique, car la rouquine sentait bon !

*

Nous fûmes de retour à Londres vers le début du mois de novembre, juste pour apprendre le succès des Français à Jemmapes.

Malgré l'offensive victorieuse des armées de la République en Flandre, nous étions à présent persuadés que l'Angleterre n'interviendrait pas aux côtés des alliés, sauf à se voir directement menacée. Or la France guerroyait sur le continent. L'insulaire ignore volontiers ce qui se passe au-delà de l'eau qui l'entoure et l'Anglais est insulaire comme personne. Mons et Bruxelles tombèrent, puis ce fut le tour de Liège et d'Anvers, sans que Pitt fît seulement les gros yeux.

Pour mon malheur, cette marche triomphale de mes compatriotes sur l'Europe continentale redoubla l'intérêt que me portait Rowena. Et moi, pauvre de moi, désarmé par sa beauté et le désir violent dont elle m'entourait, je sentais ma détermination s'effriter. Je la fuyais pourtant avec une farouche énergie. Mais ce que femme veut…

Un soir, à force de manœuvres, elle me serra dans le fumoir de Bolingbroke. Elle ferma la porte à clef, puis la fourra dans son corsage. Suppliant, je me jetai à ses genoux :

— Milady, je vous en conjure, laissez-moi m'en aller !

Elle frappa du pied :

— Ah çà ! Monsieur, me direz-vous ce que signifient ces simagrées de pucelle ?

Je la regardai d'un œil qui implorait grâce. Elle était si intéressante avec ses joues rougies par la colère ! Je me sentais perdu, après ce mois de continence forcée.

— Ah ! Milady ! Si vous saviez…

— Eh bien, justement ! Vous allez me dire…

— Je ne puis !

— Êtes-vous amoureux d'une autre ?

— Point ! Mais votre mari…

— Il est à Birmingham !

— Je sais. Je l'y ai vu…

Ses yeux n'étaient plus que deux fentes d'où filtrait un rayon meurtrier :

— Seriez-vous poltron ?

— Comme tout le monde…

— Pour un Français, quelle horreur !

— Les Français, justement, ont le culte de l'amitié…

Sa fureur tomba d'un coup.

— *Crazy boy!* soupira-t-elle, se laissant glisser à genoux elle aussi, à telle enseigne que je retrouvai ses lèvres à l'endroit où un instant plus tôt je tenais ses genoux.

— *Kiss me! Kiss me, my love...*

« Une fois, rien qu'une fois... », me dis-je en croquant à ce fruit vénéneux. Mais s'arrête-t-on sur si glissant chemin ?

— Non... Non..., murmurai-je, tandis qu'elle couvrait mon front et mes joues de baisers affolants, si bien qu'au lieu de reculer je sentais avec horreur que je m'y prêtais, ne pouvant faire moins, sauf à mourir d'un éclatement subit de toutes mes artères.

Je luttai encore cependant, ce qui dira l'acharnement que je mis à honorer l'affection du cocu. Au prix d'un effort surhumain, je parvins à lui échapper. Je me levai d'un bond. Funeste circonstance ! Car par l'effet géométrique du changement de position, comme j'étais debout et elle agenouillée, sa bouche et ses yeux se trouvèrent fort bien placés pour juger de la fragilité de ma résolution. Le temps de gémir : « Par pitié... », je me trouvai déculotté.

Le bruit tout ensemble grouillant et feutré que faisaient derrière la porte les invités de Bolingbroke ajoutait un affreux piquant à la situation. Comment affirmer sa froideur en bandant de la sorte ? Où trouver la force de refuser cet hommage dont trop de femmes sont avares, ignorant le pouvoir qu'il leur donne sur nous ? D'autant que la coquine s'expliquait adroitement, pour une prude qui, un mois plus tôt, poussait les hauts cris quand je lui rendais le même service. Pourtant j'hésitais encore entre l'amitié et la lubricité :

— Allons, cessez, madame, ou... découvrez la tête ! C'est trop d'ignominie, car... secouez un peu s'il vous plaît ! Je serais un félon, si... chatouillez tout autour...

Je crus mourir de honte. Je mourus de plaisir.

— *All right!* dit-elle avec un air entendu, tout en passant sur ses belles lèvres une langue aussi gourmande que perfide.

Elle se dressa sur la pointe des pieds, me donna une tape sur la joue, et :

— *Irish kiss!* dit-elle avec un sourire mutin.

« Bah ! me dis-je, nous aviserons au retour du mari... »

Dès lors, notre liaison prit un tour coutumier. Ainsi s'acheva pour moi cette année 1792, qui devait passer à la postérité comme l'an I de la République française. Elle m'avait vu passer de l'état de soldat français engagé volontaire, à celui de secrétaire italien, espionnant l'Angleterre pour le compte de Venise.

Je n'ai jamais su exactement quelles relations mon amie entretenait avec William Pitt. La légendaire sévérité du personnage ne permet guère de soupçonner de polissonnerie. Pourtant j'appris de sa bouche la découverte, aux Tuileries, d'une armoire de fer contenant une correspondance avec l'Autrichien. Elle accablait Louis XVI et le comte de Mirabeau. On retira donc l'infernal Aixois du Panthéon où il dormait depuis qu'il était mort de la vérole. Quant au roi, on décida de le juger sous le nom de Capet. L'armée française, victorieuse, s'avançait d'un côté vers le septentrion. De l'autre, sa flotte se présentait devant Naples. À chaque nouvelle victoire, je livrais en hommage à mes compatriotes des charges héroïques sur ce mont de Vénus où les morts se relèvent et se mettent debout, et où les blessures, s'il en est, ne sont que d'amour-propre.

Nous sortions presque tous les soirs. Quelquefois nous étions au théâtre, d'autres à Covent Garden. Rowena m'avait convaincu, pour détourner les soupçons, de jouer au prétendant de miss Louisa. Je courtisais donc la demoiselle, je la conseillais sur ses toilettes, au point qu'elle finit par être, sinon jolie, du moins supportable au regard. Saint-Gillier enrageait. Je m'en amusais. Lorsque les invités s'étaient dispersés, en catimini, je retrouvais ma maîtresse.

*

Pisani avait mis pour seule borne à ma carrière que j'apprisse enfin à lire et à écrire. Il me plaça cette fois sous l'austère férule du père Signoretti.

Non content de me remplir la tête de lettres et de syllabes, ce diable de jésuite le fit d'un coup en trois langues, sans nul souci de me causer d'inflammation aux membranes du cervelet. Je dois cependant reconnaître que, pas une fois, je n'eus seulement de migraine, tant cet organe semble élastique et prompt à se remplir sans se dilater de tout le savoir que l'on veut bien verser dedans.

Je me régalai à découvrir enfin cet alphabet, qui avec guère plus de lettres que ne comptent de doigts les mains et les pieds d'un manant, arrive à composer tous les mots dont un honnête homme a besoin pour s'entretenir de philosophie.

Le premier livre que j'ouvris s'intitulait modestement : *Life and strange surprizing adventures of Robinson Crusoe of York, mariner who lived eight and twenty years all alone in an unhabited island on the coast of America near the mouth of the great river Oroonoque*[1]. Ce titre accablant, dont je ne transcris pourtant que la première partie, épuisa si bien ma bonne volonté de néophyte que je survolai quelque peu le roman, ce dont je devais me repentir par la suite.

Rowena s'amusait follement de me voir lire en suivant les lignes du doigt. Elle entreprit alors de me faire la lecture d'un poème qu'elle adorait, *The fable of the bees*, dans lequel l'auteur, un Hollandais, développait l'incroyable argument que le vice est la première condition du bien public, alors que la vertu conduit irrémédiablement les nations à la faillite. On se doute si je fus surpris ! Il n'empêche, je pris grand plaisir à cet esprit de paradoxe si cher au vicomte, mais dont les Anglais sont les champions. Bientôt je m'y exerçai avec jubilation sous l'œil surpris de mon instituteur.

Par exemple je m'avisai que certains mots des trois langues tenaient un air de famille. Le père Signoretti m'expliqua que cette singularité venait du latin, cet antique parler qui servait de matrice à tous les idiomes, comme il sied au verbe du Seigneur.

— Mon père, j'ai entendu parler de Palestine par un ancien maître, et que les disciples de Jésus s'y entendaient en hébreu.

— C'était avant que Rome où l'on prêche en latin ne devienne terre des papes…

— Je suis bien placé, mon père, étant natif d'Avignon, pour vous assurer que le vice-légat, qui parlait pour lui, le faisait souvent en patois du Ventoux.

— C'est que les drames de l'Histoire ont déplacé le siège de saint Pierre.

— S'ils le poussent en Patagonie, devrons-nous en conclure que Dieu parle patagon ?

— Non, sans doute…

---

1. Vie et aventures aussi bizarres que surprenantes de Robinson Crusoé de York, marin qui vécut vingt-huit ans absolument seul dans une île déserte sur les côtes d'Amérique près de l'embouchure du grand fleuve Orénoque.

— Le siècle varie, mon père, aussi devrions-nous retenir, malgré l'inconfort qu'il nous en coûte, l'indiscutable fait que le Christ parlait le patois de Jérusalem que seuls de nos jours entendent les Infidèles.

Le vieil homme, amusé, se racla la gorge, et :

— Il faut bien que le latin soit le parler du ciel pour qu'on l'entende dans toutes les églises !

— Peut-être, mon père, mais point certainement, car il me semble voir la conclusion précéder ici les prémisses…

— Conviendras-tu, au moins, qu'il est bon pour les fidèles de se comprendre en latin, plutôt que de s'ignorer dans les cent parlers de la tour de Babel ?

— J'y consens, mon père, mais si cette version est excellente pour le cœur et l'âme, elle ne saurait satisfaire l'esprit, qui davantage se plaît à la rigueur. Doit-on accepter et prôner sans réserve que le bon et le vrai, l'éthique et la physique doivent être confondus ?

Ainsi devisions-nous jusque tard dans la nuit, la cervelle aiguisée jusqu'au vertige. Chacun avait à cœur de pousser l'autre dans ses derniers retranchements car le jésuite aime la controverse. Pourtant, pas une fois il ne tenta de me clouer le bec en parlant d'hérésie. C'est une grâce que je dois lui rendre.

En guère plus de trois mois, sous ce maître de talent, je pouvais rédiger en trois langues des notes sommaires dont la forme se tenait. Inconscient que j'étais de tout ce que j'ignorais encore, je commençai à sentir les premières attaques de la vanité. Je mesurais l'étendue des connaissances de mon siècle à la faible lumière des miennes et me prenais pour un savant.

J'avais une maîtresse qu'un roi m'eût enviée, quelques éléments de philosophie, un état qui semblait prêt à faire ma fortune, et, du côté d'Epsom, des espérances. Je me voyais établi pour vingt ans dans ce Londres où tout me charmait, du caractère des habitants aux beautés de la ville. Je croyais toucher le terme de mes aventures. Pour marquer ce début de prospérité et fêter *Christmas* qui devait ramener lord Greesham, je m'achetai un cheval, moi qui, jusque-là, les avais volés.

IV

Je fréquentais quotidiennement le manège où je m'entraînais à ces passages obligés de l'école espagnole, sous la férule d'un officier viennois. En peu de temps, passage, pirouette et cabriole n'eurent plus de secret pour moi. Cela me valut l'estime de lord Reginald, lorsqu'il revint à Londres pour *Christmas*, comme il l'avait annoncé.

— Le dressage des chevaux s'apparente au gouvernement des hommes, mon garçon ! disait-il volontiers.

Je n'y étais pas maladroit. Que n'avais-je la moitié de ce talent pour gouverner les femmes ! Car la sienne, qui goûtait de plus en plus les plaisirs dangereux, me proposait à tout moment de furtives étreintes où je puisais en même temps le plaisir le plus vif, la pire des angoisses et le dégoût pour ma faiblesse.

Ce temps que le bon *country squire* passa à Londres au moment de Noël fut pour moi un supplice dont je ne puis, aujourd'hui encore, décider s'il fut atroce ou délicieux. La franche amitié qu'il me montrait, les judicieux conseils qu'il me prodiguait, les délectables projets qu'il formait de m'engager avec Nemrod à Newmarket, Doucaster et Ascot m'ouvraient des horizons inespérés. La liaison que j'entretenais avec sa femme les menaçait affreusement. Ne pouvant me résoudre à choisir entre l'une et les autres, je pris un moyen terme qui devait les menacer tous.

Me sachant incapable de résister aux agaceries de la belle, je me manuélisais comme un puceau quand je savais devoir la rencontrer. Hélas, il y a tant d'énergie dans le principe du foutre que je me retrouvais l'œil atone et la cuisse fléchie, ce qui n'est guère un état pour un cavalier de concours.

— Que faites-vous donc de vos nuits, jeune fou ? Il faut mettre un peu d'ordre à vos emportements ! me dit lord Greesham, un jour où je glissai de la selle comme une dame poitrinaire.

Afin de me surveiller, il voulut me faire dormir près de lui, dans la ruelle de ce lit conjugal où régnait mon succube. Je protestai. Il m'imposa silence. J'obéis. Dès lors, la gueuse, chaque soir, lui fit avaler médecine endormante qui le jetait dans des léthargies de huit heures. Nous forniquions à deux pas, quelquefois sur le même lit.

— Le bon mari ! s'écriait-elle, tandis que je m'escrimais à lui faire franchir la ligne, et comme il s'y connaît en matière de cavalier !

Le ronfleur, dérangé dans son somme par tout ce mouvement, se retournait en mâchonnant sa langue, nous découvrant ses grosses fesses poilues.

— Connaissez-vous le *toast* des cavaliers anglais ? me demandait la misérable qui s'appuyait dessus, pour s'affermir à mon éperonnage.

— Ma foi..., dis-je, indifférent, car je voyais que j'en étais au pire.

— À nos femmes ! À nos chevaux ! Et à ceux qui les montent !

Après l'Épiphanie, lord Greesham décida de rentrer chez lui. Il me fit promettre de venir le rejoindre bientôt. Je promis tout ce qu'on voulait et je poussai un soupir signalé.

À mon grand soulagement, la vie quotidienne reprit son cours, partagée entre les sorties, le manège, la lecture et les rendez-vous crapuleux. Si le lecteur bâille un peu à cette narration sans surprise, qu'il se console : « La roche Tarpéienne est près du Capitole », comme le disait fort justement le comte de Mirabeau, lequel ignorait pourtant que sa dépouille passerait en quelques mois du Panthéon à la fosse commune.

*

Un soir où j'avais prétexté une indisposition pulmonaire pour décliner une invitation au concert, on vint me dire que des amis, inquiets de ma santé, venaient me visiter et m'attendaient au salon. Je ne doutai que ce fût Rowena qui, brûlante de désir, me venait débusquer dans mes meubles.

Je m'appliquai à me parer d'un débraillé *so frenchy*, propre à laisser supposer que l'on m'avait surpris au bord du lit et souffrant parmi les médecines. Je descendis le grand escalier, me sentant à l'aise comme un chat dans son poil sous cet habit noir de secrétaire qui faisait valoir ma carrure et mon teint pâli par les brumes d'Albion.

J'eus la désagréable surprise de voir, trônant au milieu du salon, non pas les gazes fluides de ma maîtresse, mais les craquants taffetas de Mrs Hatteras. Elle était flanquée d'une autre douairière et d'un antique *clergyman.* Louisa était à ses côtés, la tête enfouie dans une capote de feutre mauve, serrée sous le menton par un gros nœud de velours grenat. La juxtaposition de ces deux couleurs avait quelque chose d'écœurant, de lacté et de vineux à la fois, qui n'était pas sans rappeler les antagonistes mélanges de saveurs auxquels se complaisent les Anglais, quand ils prétendent se mêler de cuisine.

Une sensation de danger imminent m'envahit. La grosse dame se leva avec une agilité que ne laissait pas prévoir sa corpulence. Elle se précipita vers moi les mains tendues, ses vieilles lèvres étirées sur le délabrement des mandibules.

— *Aoh! Dear... Dear friend!* s'écria la fâcheuse.

Je compris que Saint-Gillier avait perdu son titre de prétendant et que je risquais d'en hériter. Je ne m'étais pas tiré d'aventures fort scabreuses, pour venir me jeter dans le lit d'une fille laide, anglaise de surcroît. Je me raidis tandis que la vieille folle s'exclamait :

— On nous dit que vous êtes souffrant ? Louisa, *sweetheart*! Donnez donc à ce *gentleman* ce que vous avez confectionné pour lui, afin de le reconstituer...

L'autre godiche tira d'un panier un gâteau noir enveloppé d'une serviette. Il me fallut y goûter séance tenante et déclarer que c'était *absolutely delicious.* J'avalai péniblement la pesante bouchée et esquissai le geste de me retirer lorsqu'on me proposa du thé avec mille grâces. Je dus prendre place autour de la table dressée pour le *five o'clock.* Miss Louisa se précipita pour me servir une tasse. Émotion ou maladresse congénitale, elle laissa s'échapper la théière. Le pot roula jusqu'au bord de la table, perdit son couvercle et versa tout son contenu sur ma culotte. Au cruel désagrément d'avoir les couilles ébouillantées, s'ajoutait la contrariété de savoir gâté un vêtement sévère, certes, mais élégant, car taillé dans du bon drap anglais.

Tandis que je soufflais pour tenter d'oublier l'ardeur brûlant mes génitoires, la maladroite se tordait les mains de confusion.

Je me levai vivement et reculai jusqu'à la porte, ne désirant rien tant qu'une compresse froide sur si tendre partie. Sitôt dans le vestibule que j'avisai désert, écoutant la douleur avant la bienséance, je mis bas ma culotte et, cul nu, m'assis avec délices sur le banc de pierre qui terminait la balustrade. Mon soulagement fut de courte durée. À peine rafraîchi, je vis dans l'embrasure, touchant du front le chambranle, miss Louisa qui m'avait suivi pour répéter ses excuses. On jugera de mon embarras ! Je me relevai promptement, les mains sur mes breloques et, rasant les lambris de mes fesses, j'entrepris une manœuvre d'évasion.

Rouge de confusion mon assassine hulula :

— *Aoh ! Dear friend !* Est-ce bien là l'état courant de cette chose, ou l'ardeur du Darjeeling vous l'a-t-elle diminuée ?

Je pris en main l'objet piteux du calibrage et, fâché contre lui qui me déshonorait, j'entrepris de le rentrer au logis. C'est alors que surgit Mrs Hatteras qui s'inquiétait de ma santé et de l'absence de sa nièce. Me trouvant déculotté, elle poussa des hauts cris qui ameutèrent Pisani et toute la maisonnée. Lorsqu'elle fut entourée et eut pris la compagnie à témoin de mon infamie et de l'infortune de miss Louisa, elle fit mine de tomber dans les pommes, puis parla d'appeler *the guards*. Enfin, elle se résigna à fixer la date des noces, qui, vu leur évidente consommation, ne pouvait être que fort rapprochées. Je protestai de mon innocence et de la méprise, sans obtenir d'autre réponse qu'un inflexible :

— *Aoh !* Je le vois bien, monsieur, que vous avez chaud là où vous dites, mais à présent il faut réparer !

J'envisageai ma promise, épouvanté par tant d'ingratitude accumulée sur une seule personne. Par charité pour la pauvre fille, je n'évoquerai ni le cheveu rare et sec, ni le long nez plongeant, ni l'absence de menton. Cependant, le respect dû au lecteur et le souci constant que j'ai de conserver sa faveur me contraint à ne point passer sous silence sa gorge concave, ses grands et larges pieds et sa haute taille qui évoquait l'if de cimetière, bien plus que le buisson de roses. Ainsi, mesurant mes actes à l'aune du bon sens, cet honnête homme ou cette femme de goût qui ne manqueraient pas de trouver outrecuidant mon peu d'entrain à convoler avec une fille de bonne famille, fût-elle anglaise, comprendra mon désarroi.

— *Ah ! Madam !* pleurnichai-je, cet hymen est impossible !

— *Why?* glapit l'horrible femme, au comble de l'indignation.

— Je n'ai pas de fortune et l'on m'accuserait d'être un coureur de dot!

— Ces scrupules vous honorent, *dear fellow*, répliqua-t-elle, et je vous remercie de votre franchise!

Le soulagement m'inondait déjà de bien-être. Mais aussitôt elle reprit sur un ton enjoué:

— Mais rassurez-vous! Personne ne pourra vous soupçonner d'avoir épousé une fortune. Louisa n'en a aucune. Son pauvre père, mon cher frère – Dieu ait son âme! –, ne lui a pas laissé un *penny*. Il a perdu tout son bien dans le naufrage du navire sur lequel il a péri! Il vous faudra attendre, pour être riches, que le Seigneur veuille bien de moi...

J'évaluai l'épaisse membrure, l'œil vif et le teint vermillon. Elle semblait solide, la carogne, et de complexion à nous enterrer tous. Je ruisselais de sueur. Pourtant je tentai encore d'argumenter.

— Mais comment vivrons-nous, *madam*? Je n'ai aucun état sinon celui, bien précaire, que me fait l'amitié de Son Excellence...

— Ne vous inquiétez pas, reprit la marieuse, vous prendrez en charge la cure de Fulton que mon cher vieil ami, le pasteur Ambrose, a servie jusqu'à l'épuisement de ses forces.

Le vieil homme d'Église s'inclina sous l'éloge, ce qui le jeta dans une pathétique quinte de toux.

— Il y a tant de brouillard, à Fulton..., s'excusa la vieille folle sur le ton de la compassion.

Enfin, elle se tourna allègrement vers moi:

— Ayant tant d'esprit, vous serez virtuose à commenter le Livre. Louisa, pour sa part, joue honnêtement de l'harmonium. Êtes-vous bon chrétien, mon neveu?

— Hélas, *madam*, je n'ai pas été à confesse depuis dix ans et ne sais même plus si je puis prétendre à ce titre.

— Quelle humilité! s'extasia la tartufe, et qui fera la gloire d'un pasteur anglican!

Elle me prit le bras et m'entraîna dans un coin du salon. Là, elle me parla d'aménagement de l'église, de prêches, de promotions ecclésiastiques. J'étais abasourdi. En moins de temps qu'il n'en faut à la foudre pour fendre un vieux clocher, je me retrouvai quasiment marié à un laideron et, de plus, *clergyman*, autant dire curé. Aujourd'hui encore, je ne puis décider laquelle de ces deux mésaventures me rendit, sur le coup, le plus mélancolique.

*

L'affaire réjouit Rowena :

— Si je n'étais catholique, je vous prendrais pour directeur de conscience. Montrez-moi donc comment vous bénirez vos ouailles quand vous serez pasteur, raillait-elle, les joues rougies et le bleu des yeux troublé par la lubricité.

J'esquissais sur ses tétons des signes de croix à m'expédier vingt siècles en purgatoire.

— Vous n'y connaissez rien ! Vous n'avez même pas porté les doigts au bénitier !

Alors, la troussant avec onction, je découvrais, solennel comme un pape, entre les colonnes des cuisses la délectable perspective conduisant au vase sacré. Bénite ou non, l'eau n'y manquait jamais.

— Deux doigts suffiront bien à célébrer ce sacrement, conseillait-elle, toujours un peu inquiète de mes inspirations.

— Il vous faudra alors prendre l'hostie en même temps, et ne point y mettre la dent car il y a péché.

— Je m'en garderai comme de l'enfer !

— Il convient de la laisser fondre entre langue et palais et de se recueillir le temps que dure l'élévation !

— J'y consens ! Ah ! Je suis en état de grâce ! Alléluia !

Nous organisions alors le tableau de la célébration, prenant bien garde d'éviter pinçons de chair ou morsures malencontreuses qui en eussent gâché la tenue.

— Ah ! Je vois le ciel ! criait-elle. Vous êtes un grand saint !

Alors que j'eusse dû tirer la route au plus tôt pour me rendre à Birmingham et mettre toute la largeur de l'Angleterre entre ces trois femmes et moi, je lambinais à ces joutes sottement blasphématoires, attaché par la coquette et ne pouvant me résoudre à dénouer ses bras moelleux. Lord Reginald multipliait les billets pour me demander d'aller le rejoindre à Greesham Manor. Malgré mon désir de monter Nemrod, je prétextais le mauvais temps. Le remords que j'éprouvais à trahir sa confiance, au lieu de m'engager à la mieux mériter, me poussait tout au contraire à m'enivrer de bassesse avec une noire jubilation. Cependant, Mrs Hatteras apportait tant de soins aux préparatifs du mariage que l'affaire commençait à s'ébruiter d'une union entre le second secrétaire de Pisani et la prétendue riche héritière.

Un soir de la fin janvier, nous avions célébré sur le lit de Rowena trois messes basses corps présent. Elle gisait au milieu des coussins, le souffle court, les cuisses ouvertes. Appuyé sur un coude et vidé de mon foutre, car ne m'étant pas ménagé, je contemplais cette belle charnure avec perplexité. Peut-être parce que le feu ronflait dans la cheminée, l'image me vint du Malin représenté au fronton des églises, de sa fourche et de ses fourneaux, de ses cisailles à broyer les chairs. L'étrangeté qu'il y avait à singer des offices pour trouver le bonheur ! Je ne pouvais savoir que ces puériles sottises avaient déjà coûté à mon père seize années de bastilles diverses.

Les tétons blancs et le ventre de Rowena bombaient comme ceux des empoisonneuses qu'on voit servir d'autel aux messes noires, dans les illustrations des publications clandestines. Les flammes faisaient courir des ombres fauves sur sa peau de velours.

— À ces rites obscènes, ne craignez-vous point Dieu ? demandai-je d'une voix de sépulcre.

Elle ouvrit grand ses yeux, clairs et bleus comme l'aube. Avec l'air de tomber des nues, elle répondit :

— Pourquoi ? Vous serez pasteur et je suis catholique.

Le bel argument pour plaider l'extravagante cause ! Je pris le parti d'en rire. Je m'aperçus alors, non sans surprise, que je ne craignais plus pour mon compte ni le Barbu avec ses anges, ni le Gaucher avec sa queue. Comment la chose s'était-elle faite ? Je ne saurais le dire. Mais l'évidence, sans me frapper ni me poindre, se présentait à moi : le ciel et les enfers, à mon insu, s'étaient vidés de leurs locataires.

— Amen ! dis-je en me signant, pour clore le débat.

Je me rajustai, drapai ma ceinture, nouai mes cheveux en catogan, comme le faisait le vicomte. Je pris la lanterne préparée à mon intention derrière la porte d'un escalier dérobé. Ainsi pourvu, je sortis dans la rue où le froid m'emplit la poitrine comme d'un vin pur. Des flocons de neige voltigeaient dans le halo de la lampe. Une pellicule poudreuse crissait sous la semelle. Je relevai mon col pour me garder du picotement d'abeille sur mon visage et je me lançai résolument. J'avançais d'un bon pas dans l'obscurité laiteuse. Je me sentais bien sur mes jambes, rempli du sentiment que le monde n'existait que pour mes délices d'arpenteur. J'avais à faire un petit quart de lieue pour me rendre à Weeleby House. Je me représentais déjà avec volupté la quiétude douillette de ma chambre où le poêle devait ronfler. Je n'aurais que plus de plaisir à retrouver sa tiédeur après ma promenade nocturne.

Tout à coup, une voix assourdie, venue de nulle part, me mit le cœur en carillon :

— Coquin ! C'est l'heure de payer !

*

Peu porté par nature à goûter les apparitions surnaturelles, je levai la lanterne et tentai de distinguer l'auteur de cette menace. À présent la neige tombait dru. Je fis sur moi un tour complet, soulevant de ma botte la masse poudreuse. Je ne vis rien. Mon cœur se serra. L'instinct du gibier me revint d'un coup. J'abandonnai sur le sol la lanterne qui me situait alors que le chasseur était embusqué. Je m'en éloignai en courant. Je dus vite m'arrêter, les poumons brûlant de froid. La lumière de la lanterne formait, à une centaine de pas, un halo blond au ras du sol.

« Je vais marcher en cercle tout autour, me dis-je, et tenter de repérer à contre-jour l'ombre de mon assaillant. » Ce raisonnement géométrique ne tarda pas à porter ses fruits. Je vis bientôt se profiler la silhouette d'un étrange équipage. Cela ressemblait à un grandiose cheval de pierre portant un cavalier massif, immobile et casqué. À l'étrier se tenait, debout, une forme humaine. On eût dit un chevalier errant accompagné d'un écuyer. Ne sachant rien, à cette époque, de M. Poquelin ni de son Don Juan, je ne songeai pas plus au Commandeur qu'au Malin.

« Allons, qu'est-ce là ? me dis-je. Reprenons nos sens. Les statues équestres ne parlent pas ! » Je fronçai les sourcils et m'approchai du spectre à pas prudents. À mesure que l'espace se réduisait, la monture reprenait des proportions raisonnables. Son aspect fantomatique devait beaucoup aux flocons qui l'environnaient comme d'une auréole. Je ne tardai pas à reconnaître Saint-Gillier. Lui seul était capable de porter d'aussi ridicules rouleaux à sa perruque, si ridicules en vérité que je les avais pris pour le panache d'un cimier!

— Hou! Hou! Hou! Le vilain! m'écriai-je quand je fus assez près de lui.

Cela fit faire un écart au cheval. L'imbécile, embarrassé de son manteau, de son chapeau et d'une méchante épée qui lui battait le flanc, tenta de rétablir son assiette en tirant sur les rênes. Surprise, la bête se cabra. Saint-Gillier se retrouva assis dans la neige. Son valet se précipita pour l'aider, mais il glissa à son tour et lui tomba dessus. Les deux se débattaient dans les vastes plis du manteau. Le maître pestait, le domestique gémissait sous les coups maladroits. Le cheval, libéré de son cavalier, disparut paisiblement dans la nuit de neige en feutrant des sabots.

L'embuscade tournait plaisamment à la farce. J'eus la légèreté d'en rire. Je dis la légèreté, car si la position allongée lui ravissait pour l'instant l'avantage, Saint-Gillier était armé, ce qui n'était pas mon cas. Le paillasse se remit sur ses pieds et brandit son épée. Croyant me voir partout, il se mit à fendre l'air d'estoc et de taille, mais il ne pourfendait que le rien des flocons. Je me glissai en silence autour de lui, vivement excité par l'aventure.

— Faquin! Maraud! Montre-toi, si tu l'oses! s'époumonait-il.

J'eusse pu m'esquiver à l'anglaise et le laisser au ridicule d'avoir perdu sa proie. Je ne sais quel démon me souffla de m'amuser à ses dépens. Je m'approchai assez pour devenir visible et, m'agitant comme un épouvantail dans le vent, je le provoquai du manteau.

— Hé! Hé! Je suis ici! Viendras-tu?

Je disparaissais pour surgir dix pas plus loin:

— Me voilà!

Revenu derrière lui, je grimaçai:

— Es-tu aveugle?

D'un côté, puis de l'autre, je le faisais tourner:

— Ou alors es-tu sourd?

L'imbécile devenait enragé. Son valet, bon bougre malgré la bastonnade, se mêla de l'aider. Hélas! Comme il était anglais, il le fit dans sa langue, et ses *here*, ses *there*, ses *left* et ses *right* ne firent qu'aggraver la confusion du maître. Comprenant que je m'étais acquis le bénéfice du mouvement, Saint-Gillier s'arrêta de courir et de tourner. Il était à bout de souffle. Une épaisse buée s'échappait de sa bouche, ce qui rendait comme palpable le torrent d'insultes dont il me couvrait.

— Lâche ! Pleutre ! Capon ! Pitre ! Inepte !

— Parle pour toi, répondis-je. Qui donc attaqua par traîtrise et faillit par bêtise ?

Mais il n'avait que faire de mes démonstrations. La haine l'aveuglait. Ne pouvant me saisir il entreprit de me maudire, ce qui est l'ultime ressource des faibles.

— Va ! Damné ! Tu peux rire et sauter ! Dieu saura bien te trouver ! Il vous tient tous pour les assassins du roi, toi et les tiens ! Et suborner les filles qui ont du bien n'ajoutera qu'une miette de temps dans l'éternité que tu rôtiras en enfer !

C'était donc cela qu'il me fallait payer ? Le ladre ne pouvait gober l'idée que je m'en allais étouffer la dot de miss Louisa ? Il m'en réclamait la monnaie avant même que j'en tinsse un *penny* ? Sachant mieux que lui ce qu'il en était de ces livres fantômes qu'on agitait comme un anchois devant le nez d'un thon pour mieux ferrer les prétendants :

— S'il faut payer de mon salut l'hymen avec un laideron, je consens à te le donner ! Viens donc ici ! D'un seul mot je me sauve et te fais millionnaire !

Mais il ne s'arrêta point à ces promesses de sycophante.

— Et au roi, lui recolleras-tu le chef sur les épaules ?

— Quoi qu'on fasse à ton roi, benêt, je ne puis être tenu pour comptable, étant à Londres quand il est à Paris !

— N'importe ! Si ce n'est toi, ce sont tes frères qui l'ont décapité ! laissa-t-il tomber sur un ton dramatique.

Décapité ! Le roi ? Ainsi, c'était donc fait ? On en parlait de l'exécuter, ce Louis, on lui faisait procès et vexations diverses depuis l'affaire de l'armoire de fer. Mais lui couper la tête ! Personne ne pensait que la Révolution l'oserait. Surpris, je demeurai un instant immobile. Saint-Gillier fondit sur moi, tenant son épée à deux mains. Désarmé comme je l'étais, parer était impossible. Je n'avais, pour balancer la longueur de sa lame, que celle de ma jambe. Je visai son poignet et lançai un coup de pied de fripouille. Son épée lui gicla du poing. Elle décrivit une belle courbe et tourna au moins deux fois en l'air. La suite se passa si vite que je ne puis me l'expliquer.

*

Par le poids supérieur de sa garde, l'épée, comme lestée, se ficha dans une congère, pointe dardée vers le ciel noir. Entraîné par l'élan de l'assaut et déséquilibré par mon coup de pied, Saint-Gillier partit en avant. Il suivit, à la voltige près, la même trajectoire que son arme. D'abord, je ne compris rien. Lorsque je l'entendis râler : « Ah ! Je meurs... », je m'esclaffai encore. Je lui dis en haussant les épaules qu'on mourait rarement pour un poignet fêlé. Cependant, il ne se relevait point. Il restait étendu la face contre terre. Je ricanai. En battant la semelle, car le froid se faisait sentir, je le traitai de fille et de douillet. Son valet s'approcha de lui. Il le retourna et découvrit la tache rouge qui s'élargissait dans la neige.

— Peste ! dis-je au comble de l'embarras, car mes démêlés avec l'émigré avaient pris des allures d'intimité quasiment teintée d'affection.

Je m'avançai pour le secourir. Au geste que j'esquissai, le valet bondit sur ses pieds. Il s'enfuit dans la nuit en hurlant :

— *Killer ! Killer !*

— Eh non ! protestai-je en vain, je ne suis pas *killer* ! Je n'ai même pas d'épée ! Il s'est embroché tout seul...

Je m'agenouillai et je pris mon involontaire victime aux épaules. Le malheureux agonisait. La lame lui était entrée au-dessous du sternum, sous un angle fort vicieux qui la faisait sortir entre l'omoplate et l'épaule. Ayant été à la guerre, je savais qu'il avait l'artère du poumon tranchée et n'en pouvait réchapper. Une mousse rosâtre lui remplissait déjà la bouche et les narines. Il haletait.

— Pardonne-moi, lui dis-je, déconcerté, c'était maladresse, tu peux m'en croire ! Sans toi, je n'ai plus d'ennemi, ce qui va ôter du piquant à ma vie.

C'était largement préjuger des policiers anglais, mais soit ! Un gargouillis me répondit.

— Mais aussi ! m'indignai-je, qu'avais-tu besoin de venir me chercher querelle pour une fille laide et un roi que tu n'as jamais vu ! Tu es bien avancé, maintenant ! N'avais-tu pas mesuré qu'à cette gymnastique j'étais plus fort ? Tout Londres en rit encore ! Mais tant de suffisance et d'intérêts mesquins, tant de rodomontades et tant de…

Je m'arrêtai de l'admonester, m'avisant que j'étais en train de faire la morale à un mort. Son regard était fixe. Je lui fermai les yeux. « Voilà, me dis-je, un destin bien stupide ! Venir mourir pour l'argent d'une fille sans dot et un roi qui n'a plus de tête pour porter sa couronne ! » Je me levai, contrarié par l'aventure. Je repris la lanterne en main et je m'éloignai. Bientôt, arrêté par je ne sais quel scrupule, je revins sur mes pas. Je ne pouvais me résoudre à abandonner le cadavre dans la neige qui s'épaississait. Allait-on le retrouver sous ce linceul qui pouvait, aux dires des Londoniens, tenir jusqu'au printemps ? Je ne songeai pas que sa disparition était pour moi une garantie de sauvegarde, puisqu'elle me donnait le temps d'aviser. Après quelques errements dans la nuit, je retrouvai la forme roide étendue sur le sol. Une fine pellicule blanche avait déjà recouvert le visage bleui et lui donnait l'aspect d'un gisant de tombeau.

« Voilà bien la première fois, me dis-je, qu'un peu de grandeur se peint sur ces traits dérisoires… » Je m'accroupis. De la main, je chassai la neige qui poudrait la face. J'appelai le valet, lui donnant au hasard le prénom de James, assez généralement porté par ses condisciples. Le silence me répondit.

« Le coquin, pensai-je, sera rentré se mettre au lit pour éluder les complications ! » L'évocation de ma chambre douillette, sous les toits de Weeleby House, me fut à ce moment un vrai crève-cœur, car le froid et l'humidité commençaient à me prendre les pieds. « Que vais-je gagner à rester ici, sinon une fluxion de poitrine ? Ce particulier ne réclame à cet instant rien d'autre que l'oubli… »

Cependant, je restais, presque malgré moi, retenu par cet étrange respect que les trépassés nous inspirent et qui nous fait parfois entreprendre pour eux ce que nous refuserions à des vivants. Sans doute la représentation que nous avons de notre propre mort n'est-elle pas étrangère à cette conduite, qui, pour être bizarre, n'en est pas moins remarquable chez le seul genre humain. Car enfin, jamais bête ne se comporterait si sottement, sans l'espoir légitime de se repaître de la charogne !

Je me sentais pris par l'engourdissement. Après un temps infini, je vis trembler une loupiote dans les lointains d'un carrefour.

J'entendais s'approcher des pas amortis par la neige, assortis d'un ferraillement de troupe en marche et de roues mal serrées. Aussitôt, je me levai. J'appelai en agitant les bras.

— *Help ! Here ! Come on ! Please !*

Deux gardes à cheval jaillirent de la trame serrée des flocons. Je compris aussitôt ma bévue : le valet de Saint-Gillier les accompagnait. À l'instant où il m'aperçut, le gredin se mit à gesticuler et à bramer comme lors de sa fuite :

— *Killer ! Killer !*

Malgré l'invraisemblance qu'il y avait, pour un *killer*, à espérer la maréchaussée dans les parages de sa victime en l'appelant à grands cris, les deux rustres vinrent sur moi. Ils étaient grands comme des clochers, avec des bonnets d'ours et des traits rudes où pas un muscle ne bougeait. Malgré mes protestations, ils me saisirent. Après un interminable trajet que je dus parcourir à pied dans la neige, courant et trébuchant, les bras écartés, liés à des cordes fixées aux fontes des deux selles, ils me jetèrent dans un cachot sans autre forme de procès.

V

Mêlé depuis quelques mois aux excellentes manières de la *high life*, j'avais largement préjugé de la courtoisie des Anglais. Je devais apprendre à mes dépens que le flegme et l'humour sont l'apanage d'un petit nombre.

C'est à grands coups de pied au cul que l'on me fit les honneurs d'une méchante cave où quarante larrons puants ronflaient en tas sur de la paille mêlée de pisse. Un cuvier cerclé de fer, assez grand pour contenir un homme, tenait le milieu de la pièce. Des rats s'y repaissaient dans un fond de navets bouillis appelés là *turnips*, ce qui, hélas, ne change rien au fumet de cette triste légume.

J'eus tout le temps de méditer sur le respect dû aux morts, car, enfin, si j'eusse tiré ma route, abandonnant Saint-Gillier à l'éternité qui l'avait déjà pris, je me fusse trouvé à Weeleby House, résidence d'ambassadeur, c'est-à-dire inviolable, au moment de mon arrestation. J'avais pu juger, lors de ma fuite dans Paris en révolution, combien la Garde républicaine avait marqué le pas au moment de franchir le seuil de la rue Saint-Florentin. Que n'eussent fait des Anglais pétris de traditions dans la même circonstance ? Moins d'imbéciles scrupules et j'étais sauf. Par sot sentimentalisme, je m'étais plongé dans de bien cruels embarras !

Ayant déjà été en prison, j'attendais avec angoisse le réveil de mes compagnons dont ma tenue me distinguait si fort. Rien n'est conformiste comme les détenus. Le moindre écart dans l'allure, sans parler de la détestable place de dernier venu, vous expose aux pires vexations. De plus, les miséreux qui font le gibier ordinaire des pénitenciers se réjouissent, comme d'une justice, d'y voir tomber de temps en temps à leurs côtés l'un de ces fortunés dont on voit bien qu'ils s'estiment au-dessus des lois.

Pisani et lady Rowena auraient-ils le temps de me tirer de là, avant que je ne fisse durement les frais d'une telle promiscuité ? Car je ne doutais pas que mes amis se précipiteraient pour m'assister dans cette triste circonstance. Je me fis donc aussi petit que le permettaient mes cinq pieds sept pouces.

Quelques borborygmes et raclements de gorge venus du magma humain m'avertirent que les charités du sommeil s'éloignaient de mes compagnons d'infortune. Je me tassai encore un peu plus dans mon coin. Un geôlier arriva, qui fit claquer les verrous.

— *Good morning, gentlemen!* dit-il d'une voix éraillée par l'usage immodéré de la bière.

Les prisonniers répondirent par des grognements parmi lesquels je discernai plusieurs fois le mot *fuck* qui signifie indistinctement *enconner* ou *enculer*, cela diversement décliné et conjugué, car la langue anglaise dispose d'un merveilleux éventail de suffixes et de préfixes destinés à économiser le vocabulaire, sans pour autant se priver des nuances.

Deux gardiens apportèrent sur la paille un baquet de navets fumants sur lesquels nageaient quelques morceaux de couenne. Je m'attendais à la ruée. Il n'en fut rien. Le fumet, cependant, avait réveillé tout le monde. Les yeux luisaient dans l'obscurité.

Les verrous claquèrent de nouveau, me laissant seul face à un escadron de pouilleux affamés. Un géant roux se leva sans me prêter la moindre attention. Il s'approcha de la marmite et plongea dans le vilain brouet ses pattes d'étrangleur. Contre toute attente, l'homme prit dans ses doigts les morceaux de viande et les déchira pour en faire une distribution entre les malandrins. Le premier servi fut un gaillard dépenaillé qui se donnait des allures de chef. Grand et bien découplé, un pectoral de bronze, des cuisses qu'on eût vues au Colosse de Rhodes, des cheveux bruns mêlés de paille coiffés en cadenettes, les plus beaux yeux du monde sous des sourcils arqués, mais le front un peu bas…

Le deuxième à recevoir sa part fut un gros homme mou qui cependant, par les traits du visage, rappelait le premier. Je pensai à deux frères, le dernier évoquant un gâteau de miss Louisa qu'on eût démoulé trop chaud. C'était une sorte d'affaissement général de la matière, si bien qu'étant de taille à peu près égale l'un semblait grand, l'autre petit, le premier portant aux épaules ce que le second traînait autour des hanches. Je regardai avec plus d'attention le vilain frère du beau brigand, lui trouvant un air, comment dire, de déjà-vu. Une lumière subite se fit dans ma cervelle.

« Parbleu ! Pour abîmer son homme, rien ne vaut de lui couper les couilles ! » Car, sous les traits mollasses du deuxième larron, je venais de reconnaître le *signor* Daffodil.

*

Le lecteur pensera peut-être que je me jetai au col du castrat, le traitai d'assassin et de lâche, et lui demandai sans ambages où se trouvaient le nain et l'abbesse. Il se sera trompé. Ma position dans cette geôle ne valait pas la sienne. Son frère semblait y régner. Le plus urgent, pour l'heure, était de me faire discret. Mes amis devaient me chercher…

De son côté, Daffodil ne me reconnut pas. Peut-on s'en étonner, si l'on se souvient que sa mémoire était comme un bonnet après qu'une nation de mites y fut passée ? De plus, il m'avait vu six mois plus tôt à Beaune dans la touffeur de juillet attifé en sans-culotte, la tignasse mêlée de paille, portant sur moi la poussière de quinze jours du bataillon des Marseillais et puant la merde. Or, il avait devant lui, en cet hiver londonien, un élégant pommadé, vêtu avec recherche, le cheveu lisse et parfumé, la main blanche et l'ongle poli.

Lorsque tous les coquins furent servis en couenne, l'ogre interrogea son chef du regard pour savoir s'il devait m'en donner. À ma grande surprise, il obtint un assentiment. Je tendis une main leste et gobai promptement le morceau. Tandis que je me torchais du revers, le capitaine vint se poster devant moi, bras croisés, jambes ouvertes, l'air gouailleur.

— *French or italian ?* demanda-t-il.

— *Italian !* répondis-je, ne sachant si je me sauvais ou me perdais, mais choisissant au jugé le mensonge comme le font les faibles quand la peur les domine.

— *Well !* dit-il simplement.

Puis, détaillant d'un œil critique ma tenue :

— *Teacher ?*

— *Yes ! Italian teacher !*

Il posa sa main sur mon épaule et, se tournant vers les autres, lança :

— *Teach'* !

Il venait de me baptiser d'un sobriquet qui pourrait se traduire par « prof ». Devais-je comprendre que j'étais adopté par la confrérie ? J'eusse dû prendre un air bravache en rapport avec la situation. On n'a pas toujours l'inspiration qui convient.

— *I'm innocent!* bêlai-je d'une voix d'agneau forcé par une meute de loups.

Cette protestation ne troubla pas outre mesure le coquin. Il partit de rire en se renversant en arrière.

— *Everybody here is innocent! Drunker! Liar! Sinner! Killer! But in-no-cent!*

Sa grosse gaîté gagna les autres, jusqu'à ne faire qu'un seul chœur qui attira les geôliers. On frappa contre la porte à coups de crosse, on brailla de l'autre côté un *shut up* et quelques *fuck* diversement assaisonnés. Le brigand, un doigt sur la bouche, intima à ses hommes de se taire, puis, me prenant affectueusement par les épaules, il s'adressa à ses hommes sur le ton de la confidence :

— *Come on! Who wants to fuck a teacher? A fair... fat... young... innocent... teacher?*

Malgré le froid polaire, je trempai ma chemise d'un coup. Le géant, qui se balançait d'un pied sur l'autre comme un ours bien dressé, se proposait déjà comme boute-en-train. Quatre-vingts yeux salaces luisaient dans la pénombre, excités par le spectacle à venir et l'espoir d'y tenir un rôle. Je reculai pas à pas, le sang battant aux tempes, et tous mes nerfs dans un désordre ! Le mur gluant de la geôle mit vite un terme à ma retraite. Je le tâtai en aveugle de la pulpe des doigts, prêt à me couler dans la moindre fissure, ne sachant à quel saint ou démon recommander mon âme et mon fondement.

« Peste ! me dis-je, tenir si haute la dragée au vicomte pour venir se faire foutre dans une cave par quarante voleurs ! Sort-on seulement vivant de pareille avanie ? »

*

J'étais là, brûlant et grelottant tout ensemble, un carillon dans les oreilles, lorsque le verrou sauta de sa gâche. Sans me laisser le temps de pousser un soupir, lord Reginald fondit sur moi et me prit dans ses bras.

— Sacripant de Français ! On se bat en duel, et d'un seul coup, d'un seul, on perce l'adversaire ?

— Milord ! bêlai-je, des larmes plein les yeux.

Ainsi, c'était mon brave cocu, tout rempli d'amitié qui me venait sauver.

— Comment vous remercier, Milord ?

— En gagnant à Epsom, mon garçon !

Il écarta les plis de son manteau et m'y fit une place, comme un maître berger accueille un petit pâtre dans le havre de sa houppelande. Je fus ragaillardi tant par le geste que par la bonne chaleur qui régnait là-dessous. Nous sortîmes quasiment enlacés, sous le regard déçu des brigands sodomites.

Lord Greesham parlait d'abondance. Je me taisais, bourrelé de remords. En quelques mots, cet homme de décision me fit le conte de l'aventure.

— Je vous invite. Vous ne répondez pas. Je viens vous chercher. Que me dit-on ? Vous êtes en prison ! J'accours ! Je plaide ! On vous libère…

Tout cela lui paraissait fort simple. Ce gaillard était sans détours. Je frémis à l'idée qu'il eût pu arriver dans la nuit, et me trouver forniquant au lit de son épouse. Mais peut-être Rowena l'avait-elle adroitement engagé à venir me secourir ?

— La nouvelle de mon malheur vous est venue par…

— Mrs Carnavignac, la cuisinière de Pisani, qui est la bonne amie d'Harold, le valet de ce Saint-Gillier que vous avez…

Ainsi, le valet ne s'appelait pas James, et Marie-Louise, ragaillardie par nos saillies, avait repris du service ? Je m'en trouvais enchanté.

— Depuis l'aube la brave femme piétinait dans la neige, quêtant après Lady Greesham qui ne l'a pas reçue, étant alitée car fatiguée, paraît-il. Vous savez ce qu'il en est des femmes… Un rien les accable !

« Ah ! Gueuse ! C'était bien le moment d'être indisposée ! », me dis-je, révolté, oubliant la part que j'avais prise à cette lassitude.

— C'est là que j'arrivai, et trouvai la cuisinière moitié gelée devant ma porte, termina le brave homme avec un franc sourire de parfait cocu.

*

Dès que nous fûmes chez lui, le *country squire* me fit gaver de gigot bouilli par deux servantes. Pendant tout le temps que dura le repas, il me couva d'un œil mouillé de tendresse. Rowena, dans un négligé de velours vert que j'avais cent fois chiffonné, vaquait autour de la table, avec du trouble dans les yeux. Je lui voyais cet air jubilant et pervers d'une infidèle qui embrasse d'un seul regard son jeune amant au supplice et son vieil époux bafoué. Je détournai les yeux comme un bon apôtre.

— Que mange-t-on en prison ? me demanda-t-elle sur un ton mondain.

— Des *turnips*, Milady !

— Des *turnips* ! Quelle horreur !

Je lui jetai un regard lourd de ressentiment auquel elle répondit par un sourire d'ange. Elle prétendit même nous accompagner au manège.

Pendant que lord Reginald s'enquérait auprès de mon maître d'équitation des progrès que j'avais faits sur le chapitre du saut d'obstacles, la monstresse vint me frôler dans le box où j'enfilais mes bottes. Elle était tout excitée par l'idée que six heures plus tôt j'avais tué un homme.

— N'en croyez rien, Milady, il s'est tué lui-même.

— Allons ! Ne soyez pas modeste, Harold m'a tout raconté !

— Eh bien, il a menti ! Saint-Gillier est tombé comme un ballot, sur son épée !

— Son épée que vous teniez...

— Du tout. Son épée qui s'était plantée dans la neige.

Elle rit en balançant de droite à gauche sa jolie tête, comme quelqu'un qui ne vous croit pas.

— A-t-il beaucoup saigné ? demanda-t-elle encore.

— Ma foi, il faisait nuit..., répondis-je, gêné par ce que j'entrevoyais de dégoûtant dans cette soif de vilains détails.

— Et le sang dans la neige... coule-t-il, ou fait-il un trou ?

En un instant, je revis les horreurs du temps où j'étais à la guerre avec les Vauclusiens de Jourdan. Certes, j'avais tué des hommes, mais jamais par plaisir, n'aimant pas voir le sang couler. Seuls le destin et la nécessité m'avaient contraint à le verser, et je ne l'avais jamais fait que poussé par l'urgence de conserver le mien.

— Cessez, Milady, cela suffit ! dis-je, sévère, et votre sexe ne devrait s'inquiéter que de la goutte perlant au doigt par la piqûre d'une aiguille quand vous vous mêlez de broder !

J'avais lacé mes bottes. Je me levai. Je fis un pas, peu disposé à écouter d'autres méchants discours. Elle était entre la porte et moi, ferme et déterminée. Je dus m'arrêter.

— *Sorry*, Milady, votre mari m'attend...

Elle fit la sourde oreille et ne bougea pas d'un pouce. Elle voulut prendre ma main :

— Sentez comme mon cœur bat ! dit-elle.

Je voyais des rondeurs laiteuses qui, à chaque respiration, écartaient la gaze du corsage. Cependant, la fatale émotion ne se faufilait pas, cette fois, entre mes jambes. Peut-être avais-je épuisé le plaisir singulier que donne l'infamie ? À ce moment, je le jure, je ne désirais rien tant que me sortir de ce guêpier. Elle prit de force ma main et la guida vers ses blancs tétons. D'un geste vif, je la retirai :

— Cessez, madame, il ne faut plus nous voir !

— Vingt fois vous l'avez dit ! reprit-elle avec un petit rire.

— Vingt et un sera mon dernier chiffre !

— Je n'en crois rien !

— Vous avez tort ! Votre époux est un honnête homme !

— La belle affaire !

— Il m'a sauvé.

— Il a bien fait !

— Pendant que vous dormiez...

— Vous m'aviez trop baisée !

— Je ne le ferai plus !

— Pour l'amitié, renoncer à l'amour ?

— Vous l'avez dit !

— Vous abandonneriez l'huile pour l'aquarelle ?

Quel démon me tenta d'avoir le dernier mot après cette formule ? Elle était bien venue, vive, digne d'un bel esprit. Je pouvais lui en laisser l'intégral bénéfice. Mais c'est un vilain trait du tempérament français que de vouloir tuer aussi avec la langue !

— Je dois choisir : monter sa femme ou son cheval ! dis-je.

Le sang se retira de sa figure. Sous ses yeux célestes se creusèrent deux cernes violets. Ses lèvres, tantôt bombées et purpurines, n'étaient plus que deux traits d'une pâleur de marbre. Je les vis s'entrouvrir et lâcher dans un sifflement :

— Vous me quitteriez pour un quadrupède ?

Dans ce duel sentimental, je venais de commettre la faute impardonnable : tuer d'un coup l'amour en touchant l'amour-propre.

— Jamais, dit-elle en détachant les syllabes, jamais, m'entendez-vous, jamais, vous ne monterez Nemrod ! J'en fais serment !

Je voulus prendre sa main pour y déposer un baiser de repentir. Elle y planta ses ongles comme l'eût fait une panthère affamée.

— Rowena ! clamai-je, lamentable.

Alors, telle une furie, elle se jeta sur moi en hurlant, toutes griffes dehors, m'arrachant les joues et une pleine poignée de cheveux. Je vis avec stupéfaction que, tout en me lacérant, elle dégrafait son corsage, déchirait son jupon, emmêlait ses cheveux. Jamais chatte hystérique ne fut à ce point déchaînée. Attiré par les cris, lord Reginald survint, suivi du maître de manège, d'un écuyer et de plusieurs palefreniers. Elle m'abandonna alors, pantelant et défait, la joue sanglante, le torse lacéré. Tandis qu'on me ceinturait comme un forcené, elle se jeta dans les bras de son mari. Je la vis s'abattre sur la large poitrine, se mettre à sangloter avec la détresse d'une épouse vertueuse surprise par un coquin obscène.

— Jamais ! Jamais ! dit-elle encore.

Et, tandis que les témoins rassemblés entendaient ce mot comme l'horreur inspirée par mes lubriques entreprises, je compris que jamais je ne monterais Nemrod.

*

Mon retour en prison fit l'effet d'un rappel sur scène. Je n'étais pas demeuré libre le temps d'un tour d'horloge.

— *Innocent, indeed ?* s'esclaffa le chef des brigands en me voyant arriver sur le ventre et les coudes.

Le lecteur comprendra l'étendue de ma détresse, à devoir reprendre si tôt un échange qui ne se présentait guère à mon avantage. Que dire ? Que faire ? L'ogre au front bas m'adressa un sourire de crétin de village. Il abattit sur moi sa patte d'assassin et me souleva comme il l'eût fait d'une peau de mouton vidée de son locataire. Un moment, il me tint à bout de bras en me considérant d'un air lubrique et niais. Mes pieds frôlaient à peine le sol graisseux. Je me débattais comme un lapin qu'on va saigner, mais mon agitation était vaine. Le géant me secoua un peu, moitié pour me démoraliser, moitié pour amuser ses collègues. Son succès fut complet : les brigands s'esclaffèrent et je m'affaissai aussi mol qu'une chiffe. Je m'écroulai, sans nerfs, misérable. Il dégrafa sa ceinture et la tira de ses passants. Un gémissement de joie mauvaise et de luxure s'échappa de la troupe comme d'un seul corps. Avec le geste ample d'un dompteur qui s'en va flageller des lions, l'ogre fit claquer la lanière au-dessus de ma tête. Comprenant que j'allais être tourmenté en plus que sodomisé, je me rétrécis encore, et adoptai la position du germe humain dans un ventre de femme. Les brigands, avides, se resserraient autour de moi. Je voyais entre mes doigts croisés leurs pieds pourris emballés de chiffons. Une main rude se posa sur mon dos et entreprit de le palper. Je me hérissai de terreur, de honte et de dégoût.

— *Moment...*

La sale patte se retira. Un silence relatif s'établit par-dessus quelques jurons de déconvenue. Je n'osais croire à une rémission. Tremblant comme une feuille de peuplier en novembre, je glissai un regard angoissé par-dessus mon coude plié. Daffodil était devant moi, un genou à terre. Il me regardait avec attention.

— *Nobody ?* demanda-t-il, perplexe.

Dans ses yeux troubles on croyait voir s'écarter des nuages. Le matin, il ne m'avait pas reconnu derrière mon costume élégant et mon air avantageux. À présent ma position lamentable lui rappelait celle qu'il m'avait vue à Saint-Sulpice. Cela nous incline à penser, contre le sens commun, que la tonsure et la patenôtre font plus sûrement le moine que la foi. « Personne » devenait sur le sol anglais « Nobody ». Qui s'en étonnera ? Le castrat se tourna vers le capitaine :

— *This boy is a friend of lady Bézuéjouls !*

Je ne me souvenais pas que notre dernière entrevue dans les caves de l'abbaye eût été à ce point cordiale, mais je pris allègrement mon parti de la mémoire pantelante de mon nouvel ami. Tandis que je me détendais un peu, Daffodil fit le récit de notre aventure bourguignonne. De fuite, de trahison, point. J'en pris mon parti et je me glissai dans le nouveau rôle que l'on me proposait. Tandis que le géant bougonnait comme un enfant à qui on vient d'ôter une friandise, Daffodil me présenta les quarante voleurs, comme s'il se fût agi de *gentlemen* distingués. Tous portaient des sobriquets, ces *nicknames* si chers aux Anglais de toute classe, destinés à peindre les attributs, le génie ou les vices de chacun. Ainsi, le géant se nommait Biggood, quelque chose comme Bon-Gros, un bancroche Limpy, et un gaillard avec un nez luminescent d'ivrogne, Sober, le Sobre. Quant au capitaine :

— Owen Steel ! dit Daffodil avec un sourire tendre.

Je me demandai si Steel était un patronyme ou un pseudonyme car le mot *steel* sert aux Anglais à nommer l'acier, matière dont semblait pétri cet homme superbe. Pour terminer, le castrat se désigna lui-même :

— Hugh Steel !

Les deux étaient donc frères, donc le nom authentique. Quant à moi, j'acceptai de bon cœur de répondre au douteux surnom de Nobody.

Il va sans dire que, à l'inverse des aristocrates que j'avais fréquentés jusque-là, aucun des brigands, le castrat mis à part, ne connaissait un mot de français, et s'en foutait d'ailleurs royalement. Tous s'exprimaient en anglais. Cependant, la langue parlée par ces hommes était aussi éloignée de celle employée par Rowena qu'un ragoût de *turnips* peut l'être d'un sorbet aux amandes.

Nous avions du temps à ne savoir qu'en faire. Pour le tuer honnêtement, Daffodil me conta par le menu son enfance misérable avec son frère, dans le Pays Noir. Tous deux étaient descendus dans la mine sitôt sortis de leurs langes. Ils avaient traîné les pesants couffins de charbon le long de galeries obscures, avec le sentiment de passer leur jeunesse dans le trou du cul de la terre.

Lors de ma visite à Birmingham, j'étais en compagnie d'aristocrates et de savants. Je n'avais pas compris que tant de merveilles étaient le produit d'une multitude de taupes humaines qui, sous nos pieds, fouissait sans espoir de soleil les veines rouges du fer et les nerfs brillants du charbon. L'infortune de ces malheureux dépassait de loin celle que j'avais connue jadis à Malegarde, car, si mon ventre alors criait souvent famine, j'avais toujours eu le ciel sur la tête, et dans mes poumons le grand mistral du Sud! La sauvagerie du Ventoux faisait la cuisse dure, l'œil perçant et le cœur indomptable, tandis que cette poussière d'enfer salissait l'âme et le corps comme le vinaigre chimique noircit le plus pur métal. Ce n'étaient partout que bancroches, manchots, aveugles et scrofuleux. À vingt ans on crachait le sang, à trente on était un vieux, à quarante au cimetière.

Un triste jour enfin, leur mère, comme les sorcières des contes, par bassesse ou par désespoir, les vendit à des Égyptiens qui faisaient commerce d'enfants. Les deux frères, qui avaient gardé un reste de joliesse malgré les affreux traitements, furent achetés par le maître de chapelle de l'évêque de Naples. Ce prélat goûtait les notes cristallines et les jeunes gosiers qui savaient les produire. Il s'enticha des deux frères qui se ressemblaient comme les chiots d'une même portée. Cette particularité eût dû rendre à jamais semblables leurs destins. Les Steel étaient cependant aussi ressemblants de figure que différents de tempérament. Hugh aimait l'étude, Owen était un mauvais sujet. Tandis que le premier, docile et chéri de son maître, se consacrait avec passion à l'étude du solfège et de l'harmonie, le second s'encanaillait avec des garnements dans les rues crasseuses de Naples. L'injustice est maîtresse du monde : par un coup vicieux de la déesse aux yeux bandés, ces belles dispositions coûtèrent ses couilles à l'un, et son vilain caractère sauvegarda celles de l'autre. Tandis que Hugh, nommé plus gracieusement Daffodil, entrait dans la confrérie des chanteurs castrats, Owen était jeté sur la paille d'un cachot pour avoir volé à son maître un ostensoir d'orfèvrerie. Mais l'on s'évade de prison, alors que les *aliboffi* ne se recousent pas! L'un fut artiste, l'autre brigand, toutefois la tendresse fraternelle, affermie par les épreuves, résista à l'espace et au temps. Pendant que Daffodil retenait à l'opéra les mélomanes fortunés, son frère Owen les détroussait. Ainsi les frères jumeaux avaient-ils mis sur pied l'une de ces belles entreprises familiales qui font la fortune sinon l'honneur des nations.

— Me direz-vous, cher *maestro*, comment Mme de Bézuéjouls et Biscantino viennent jouer leur part dans ce bel opéra ? demandai-je.

Daffodil me confia que la confrérie, mettant à profit les désordres du carnaval de Venise, avait tenté de détrousser la belle veuve, laquelle s'était fort bien défendue avec l'aide de son bouffon. Après d'âpres négociations, elle avait renoncé à les livrer à l'Inquisition contre une partie de leur butin. Ensemble, ils entreprirent d'écumer joyeusement Venise livrée à ses passions, mais la fin du carnaval marquant celle des vaches grasses, chaos pour chaos, ils s'étaient tournés vers la France en révolution, riche de ses émigrés prêts à tout pour s'enfuir. Ici se plaçait le bref épisode de Saint-Sulpice. Les uns s'y étaient retranchés, pendant que les autres rejoignaient l'Angleterre en quête d'un bateau pour monter le bordel flottant que le lecteur n'aura pas oublié. L'arrivée des gendarmes et la capture des demoiselles avait ruiné ce beau projet. Tout ce joli monde en fuite avait passé le *Channel* et remis sur pied, à Londres, l'exploitation et la tonte des amateurs de musique. Malheureusement, une partie de la bande était tombée aux mains des gardes juste avant un concert que Daffodil devait donner chez lord Bolingbroke. Par bonheur, Biscantino et la Bézuéjouls avaient réussi à s'esquiver. Ils les feraient, il n'en doutait pas, très bientôt s'évader. Je ne partageais guère son optimisme et je le lui dis. Au lieu de se troubler, il sourit finement.

— J'ai mon assurance…, dit-il avec un clin d'œil.

Je tentai de le confesser là-dessus, mais il refusa d'en dire davantage. Ces mystères me rendirent fort pessimistes. J'y perdis en quelques jours les dernières couleurs que m'avait laissées l'hiver londonien. Pourtant, l'amitié de Daffodil ne se démentait pas. Elle me fut dans cette épreuve d'un grand réconfort.

*

Un soir, me voyant ruminer dans mon coin des projets de vengeance contre la garce qui m'avait conduit là, il posa sa main grasse sur mon épaule.

— Arrête donc de te tourner les sangs : au-dehors, on travaille pour nous. La Bézuéjouls a corrompu notre geôlier. Elle nous a fait savoir que le *Starfish* est arrivé à Liverpool. Il n'attend que nous pour appareiller. Bientôt nous voguerons vers l'Afrique. C'est une question de jours.

Comme je lui demandais quelques détails, il m'exposa que nous allions commercer fort juteusement avec les indigènes de la Côte de l'Or, en échangeant armes et liqueurs contre *black ivory*, produit du pays. Les colons des Amériques en utilisaient beaucoup à cultiver le coton et certaine canne exotique dont on tirait du sucre. Ainsi des navires marchands circulaient-ils entre les côtes des trois continents, portant à l'un ce que produisait l'autre, et tirant sur le tout un coquet bénéfice.

L'exposé de cet astucieux négoce me rendit l'espoir, n'en déplaise au lecteur moraliste, qui aura compris avant moi de quel vilain trafic il s'agissait. *Black ivory* que l'on traduirait littéralement par *ivoire noir*, se disait chez nous *bois d'ébène*. Ces exotiques métaphores pour parler de la traite des nègres disent assez que ceux qui la pratiquaient n'en étaient pas autrement fiers. Allais-je me déshonorer dans cet atroce commerce pudiquement qualifié de triangulaire ? Que ne ferait-on pas pour sortir de prison ?

Les nouvelles venant du dehors étaient bonnes. Le moment de notre évasion approchait. Une escouade de malandrins devait nous prêter main-forte au moment de notre transfert sur un bagne flottant amarré à quai sur la Tamise. Par une indiscrétion de geôlier nous savions qu'on avait besoin de notre cachot pour y mettre des prisonniers politiques, car l'Angleterre, malgré ses prétentions libérales, avait aussi les siens, comme tout pays civilisé.

Nous attendions, confiants et presque gais, que d'autres malheureux vinssent souffrir nos tourments. Je me voyais déjà voguant cheveux au vent sur la mer océane entre le foc et l'artimon, carguant les voiles et larguant les amarres dans un grand tournis de cabestan. Sans doute me serais-je lancé dans cette vilaine aventure, si la Convention, ivre de gloire fraîche et de discours piaffants, ne s'était mêlée de déclarer la guerre à l'Angleterre.

*

Brusquement, la politique me faisait passer de l'obscur statut d'émigré lubrique à celui plus intéressant d'espion français ayant tenté de se faufiler chez l'ennemi sous un vague déguisement italien.

Je pouvais devenir bouc émissaire et mon exécution, une édifiante cérémonie. On me tira donc de mon cachot paré du titre glorieux mais encombrant d'ennemi héréditaire, moi qui n'étais français que depuis deux ans ! Pour donner plus d'éclat à mon châtiment, on prit au hasard deux brigands, comme Pilate mit les larrons de part et d'autre du Christ, pour ajouter à son infamie. L'un d'eux était Sober, et l'autre Daffodil.

Au moment de quitter la geôle, poussé sans ménagement, Daffodil voulut embrasser son frère. Un garde lui sangla un coup de pied au cul qui le jeta dehors.

— *Remember ! Hamlet !* cria le castrat dans un sanglot.

« *Remember Hamlet !* pensai-je, voilà bien, dans la circonstance, qui ne pouvait manquer d'être dit ! » J'étais consterné : nous devions nous évader le soir même ! L'instant d'après, gris de mine et l'espoir en lambeaux, nous étions devant le juge.

C'est là que je regrettai de n'être pas en France ! En 1789, l'Assemblée avait mis un terme au huis clos qui faisait de la justice des rois un modèle d'iniquité. En permettant à la foule sensible et aux nouvellistes de mettre pied dans les tribunaux, elle y avait introduit l'humanité, sentiment inconnu des juges, acharnés à condamner les malheureux sans se soucier de leurs motifs ni des circonstances. Pour tempérer les avis de ces monstres sans cœur, elle avait même décrété l'assistance d'un comité composé de simples citoyens. Ah ! Si l'on m'eût laissé le loisir d'exposer mon infortune et ma bonne foi à de braves gens ! Les Anglais du petit peuple ne pouvaient être plus mauvais que les Français ! Prompts à s'électriser mais aussi à s'attendrir, les mesquins sont attentifs aux misères qu'ils partagent. C'est la fortune qui rend impitoyable. Hélas, point de scribes ni de jurés : nous étions en Angleterre. Un juge, perruqué de travers, sur un simple coup d'œil, décide s'il faut vous pendre ou vous jeter dehors. Comment forme-t-il son verdict ? On ne le saura point. Tout le conforte. Tout vous accuse. J'étais français ? J'appartenais donc à cette race arrogante et lubrique qui venait de déclarer la guerre à la vertueuse Angleterre. Cela suffisait. Je serais pendu le lendemain entre les deux brigands pour avoir offensé la pudeur d'une lady. Je m'insurgeai. M'accusait-on d'être français, espion ou débauché ? Je tentai de me défendre. On me fit taire. Je compris que j'étais perdu. Ne pouvant lui faire subir les sévices qui me vinrent à l'esprit, le moindre étant de le dépecer après l'avoir sodomisé avec un manche de pioche, j'insultai copieusement le président. Son visage demeura de marbre. On m'emmena.

Lorsque je retournai, accablé, dans ma cellule, le père Signoretti m'attendait. Je compris vite à sa mine déconfite qu'il n'était pas là pour me faire libérer, mais pour m'apporter le secours de la religion et de l'amitié. Je me retrouvai dans ses bras, pleurant comme une demoiselle.

— Ah ! Mon père... mon père..., hoquetai-je.

— Mon pauvre enfant ! Dans quel effroyable guêpier t'es-tu fourré ?

— Je suis innocent de tout ce dont on m'accuse.

— Eh ! Je le sais bien ! Et jusqu'à lord Greesham qui se voit dans le vilain rôle de Monsieur Putiphar ! Mais que veux-tu ? La femme de César ne doit pas être soupçonnée...

L'idée que le bon *country squire* ne m'avait pas retiré son estime me fut un mince réconfort.

— Si cela peut te consoler, sache que lord Reginald a emmené sur-le-champ ton accusatrice à Greesham Manor d'où elle ne sortira pas de si tôt !

— Quelle importance ? J'aimerais mieux me sentir libre que la savoir enfermée !

— Pour ton malheur, nous n'y pouvons rien. Si seulement nous étions à Venise... Mais ici, Pisani n'est même pas ministre résident. Il a remué ciel et terre en pure perte pour te tirer de là. Il craint même d'avoir, par son insistance, monté encore plus haut la colère de tes juges, ce qui le met au désespoir.

— Qu'il se console, mon père, ils ne me pendront pas deux fois ! Ah ! Si j'avais su...

— On ne sait jamais, mon enfant, avant que les foudres du ciel ne s'abattent sur nous. Vois-tu, à présent, combien saint Paul était bien inspiré lorsqu'il recommandait la continence aux chrétiens ? Les femmes trop souvent nous rendent venin pour caresse...

Je me gardai d'objecter que la grosse Marie-Louise m'avait, elle, pour les mêmes raisons, sauvé une première fois. Mais à quoi bon discutailler encore du bon, du bien, du vrai et autres fariboles ?

— Au moins, te repens-tu ? Regrettes-tu tes péchés ?

— Hélas, mon père ! Je regrette surtout de ne pas avoir le temps d'en commettre d'autres…

Le brave moine se signa :

— Il ne m'appartient pas de juger. C'est à Lui que tu rendras compte. Qui peut prétendre, sur cette terre, pénétrer ses desseins ?

— Sacrebleu ! m'écriai-je, tout à coup indigné. C'est trop de bons sans provision tirés sur l'au-delà ! Pourquoi donner toujours quittance à l'injustice, sous prétexte que les voies du Seigneur sont impénétrables ? Assez de grimaces et de tisanes endormantes ! Sur le bord du tombeau, une fois au moins, parlons vrai, mon père !

Le brave homme se troubla. Pourtant, au lieu d'évoquer, face à mon blasphème, les flammes d'un enfer imminent, il écarta les mains en signe d'impuissance :

— Eh, *polon*, je fais mon métier ! Que devrais-je te dire ?

— Mon père, dites-moi que… que vous m'aurez aimé !

Deux grosses larmes roulèrent sur les joues burinées. Il ouvrit les bras. Je m'y jetai.

*

Nous nous trouvâmes en vue du gibet avant même d'avoir clapé du bec. Un geôlier avait noué autour de ma taille une ceinture tricolore à franges d'or, comme en portaient alors les commis de la République, de l'accusateur public au moindre percepteur. Ainsi, me désignait-il à la vindicte publique.

Nous étions là, tous trois, plutôt mal en point, encore à l'abri derrière les barreaux, et considérant avec mélancolie l'échafaud où se balançaient nos trois cordes. Tenue en respect par les gardes, une foule grondante nous montrait le poing.

— Peste ! dis-je, je vois mal comment nous allons nous sortir de là !

Sober hochait la tête sans rien dire. Daffodil, que j'eusse imaginé s'effondrant comme lavette en cette circonstance, montrait une belle fermeté. Toutefois, nous nous tenions aussi loin que possible de la porte grillée qui nous séparait de la place.

— Puisqu'il nous faut mourir, mourons donc bravement, dit le castrat. Donnons à ces gens le noble spectacle de notre courage.

Son compère lui jeta un regard teigneux :

— Eh ! Regarde mieux, imbécile ! La scène est un échafaud. Les acteurs ne se relèveront pas à la fin du tableau.

— Qu'importe, reprit le chanteur, je veux qu'on parle encore dans cent ans de la noble mort du *signor* Daffodil !

Sober, cette fois, haussa les épaules.

— Joli spectacle, en vérité, que la pendaison d'un larron en guenilles !

Daffodil baissa des yeux désolés sur ses haillons pouilleux. Puis il glissa un regard d'envie vers ma taillole dont le bleu-blanc-rouge souligné d'or avait, dans le décor grisâtre, le chatoiement factice d'un accessoire d'opéra.

J'ai quelque honte à avouer ce qui va suivre. J'eusse dû avoir à cœur de mourir en portant sur moi les couleurs de mon pays et de la liberté. Cependant, outre que je n'étais pas français depuis bien longtemps, la proximité de la mort vous biaise un peu les sentiments, et notamment le sentiment patriotique. À cet instant, je ne voyais guère l'urgence de périr pour la France. Je sentais seulement l'infinie tristesse de devoir quitter la vie à la suite de circonstances aussi fortuites que dérisoires. Banderais-je seulement une dernière fois, comme on assure qu'il arrive aux pendus ? Le pauvre Daffodil, lui, était certain de ne pas connaître cet ultime bonheur. Au moment suprême de ma vie, le pauvre castrat était mon dernier et mon meilleur ami. Je détachai ma ceinture. Je la lui tendis. Son visage chagrin s'illumina.

— Merci, ami ! Merci ! dit-il avec flamme. Maintenant, je peux mourir sans honte et presque sans chagrin, puisque mon frère Owen sera libre demain.

Sa naïveté était touchante, et la tendresse qu'il portait à son frère, au point de se réjouir de le savoir sauvé quand lui-même marchait vers la mort.

— Es-tu certain, au moins, que la Bézuéjouls ne l'abandonnera pas dans sa geôle ?

— Oh ! Cela, me dit-il, j'en suis certain comme de l'arc-en-ciel après la pluie !

— Découvre-moi les raisons de ton optimisme.

— C'est que la dame attend de moi ce manuscrit que ton ami avait porté à Saint-Sulpice.

— Tu l'as donc conservé ? Allons, parle ! Où nous allons, il n'est plus de secret qui tienne !

— Hélas ! dit-il, je l'ai perdu…

— Où ? Comment ?

— Sitôt que je l'eus pris ! Alors que nous fuyions dans les caves de Saint-Sulpice…

— Et la Bézuéjouls n'en sait rien ?

— Je craignais sa colère. Je me suis tu d'abord par faiblesse, puis lorsque j'ai compris que son désir me donnait du pouvoir. Tu es le seul dépositaire de mon triste secret. Même mon frère n'en sait rien…

Je soupirai, désolé par tant d'absurdités. Dans les histoires bien gothiques et riches en rebondissements, le héros malheureux se voit toujours confier aux portes de la mort la solution de l'énigme, et où se trouve la princesse ou bien la carte du trésor. Ainsi, le lecteur, qui, par l'épaisseur du livre qu'il lui reste à feuilleter, se doute bien que le coquin va en réchapper, peut-il reprendre souffle pour affronter d'un cœur léger la suite du récit. Ici, rien de semblable. Au moment de passer, j'apprenais par hasard que le rouleau – dont à vrai dire je me souciais peu – avait dû tomber dans les mains des gendarmes, et sans doute avait fini sa carrière dans les Hospices de Beaune, enfilé sur un bâton au fond des cabinets de commodité.

Daffodil écarta ses bras dans un geste de résignation. Avec le satin tricolore, il composa sur son ventre une ganse magnifique qu'il fit bouffer artistement.

C'est alors que s'ouvrit la porte de la geôle.

*

De la pointe de son mousquet, un garde nous poussa dehors. Nous étions fin février. Une bruine glacée imbibait l'air. Cela n'avait pas découragé les Londoniens, habitués à leur climat consternant. Avertis de la pendaison d'un Français et de ses complices par des placets imprimés et des appels de corne, ils se pressaient sur la place.

Daffodil, superbe dans son dernier rôle, marqua le pas, remplit ses poumons de brume, puis s'avança dans la lumière sale du petit matin, la jambe ferme et le menton haut. Sober et moi le suivions, avec l'air grognon de qui préférerait de beaucoup être ailleurs. Comme il l'escomptait, le castrat fit un triomphe. Le sourire aux lèvres, l'œil fier, il marchait lentement sous les huées vers sa mort de théâtre, avec une noblesse qui parlait pour la France et pour la Liberté. Le courage devant la mort en impose toujours aux foules sensibles. Parmi les grondements hostiles, je crus discerner quelques infimes :

— *Vive le répioublique !*

Déjà nous étions sur l'échafaud. On nous lia les mains. Un huissier à perruque tira de sa jaquette un feuillet scellé d'un ruban. Il en fit la lecture. Je n'en compris pas un mot. Il faut dire que la langue anglaise m'inspirait à ce moment fort peu de sympathie, et que mes oreilles s'y étaient fermées en même temps que mon cœur.

Il y eut un moment de silence à la fin du *speech*. Daffodil fut alors posté entre Sober et moi. Au moment de nous passer la corde au cou, on me poussa d'une bourrade dans les reins pour me forcer à changer de côté :

— *Left !* glapit le bourreau.

« Droite ou gauche... quelle importance ? me dis-je. Faut-il toujours mettre les choses en ordre et, au moment de mourir, doit-on obéir encore à des imbéciles ? » Je fis mine de résister. Le monstre me donna alors un coup de genou dans les couilles qui me fit chanceler.

— *Left !* répéta-t-il.

J'obéis et me plaçai où il voulait. Daffodil protestait en constatant que l'échafaud, haut de huit pieds, était de ceux qui avalent les corps des suppliciés après l'exécution, et les dissimulent à la foule dans leurs fondations.

« Pauvre théâtreux, pensai-je, il aimerait que son cadavre eût encore des spectateurs ! » La corde au cou, je regardais, dans les planches rustiques, les rainures de la trappe qui allait se dérober sous mes pieds. La sinistre machine coulissait sur deux charnières parfaitement graissées. Point d'espoir de ce côté-là ! De l'autre, la corde était épaisse et le nœud huit fois contourné.

« Est-ce bête, me dis-je encore, finir là... si tôt... et pour rien ! » Je me sentais la cuisse molle et cependant le col aussi sec qu'un tronc d'arbre. Je revis les blonds peupliers du bord de la Nerte, là-bas sous le Ventoux. J'entendis ce claquement de cuir neuf que font leurs feuilles quand le mistral se lève. Au moment de mourir dans cette brume d'un pays étranger, je n'avais rien dans la tête, aucune femme, aucun parent, aucun ami, rien d'autre que le grand vent bleu de mon enfance, et le tournoiement fatal d'une buse là-haut, dans le ciel de lumière. « Vicomte ! pensai-je à l'instant ultime, c'est donc cela que tu appelais *dérision* ? »

Le sol me manqua. Je reçus un coup sur la nuque. Ce fut la nuit.

VI

Comme on peut s'en douter, je me réveillai mort et j'en fus attristé. Ma position cependant n'était pas si terrible qu'on eût pu le craindre après tant d'infamies couronnées par un ultime blasphème. En toute équité, je ne méritais qu'un fourneau, une fourche et des cornes. Or j'étais allongé sur un nuage blanc d'un moelleux infini. Au-dessus de ma tête flottait toute une théorie d'angelots poupins qui portaient sur leurs boucles des couronnes de fleurs. « Il faut donc que je sois monté en paradis ! Le vice et la vertu seraient-ils autres qu'on nous le dit sur terre ? Ou l'injustice finale que l'Anglais m'a faite aurait-elle racheté la lourdeur de mes fautes ? »

Mon supplice, du coup, me revint à l'esprit, et le nœud coulant qu'on m'avait mis au cou. Je portai la main à ma gorge. Je sentis une vive douleur sous la pomme d'Adam. Mais on avait passé là une pommade qui n'entrait pas dans les usages que l'on prête à l'autre monde. Un doute fort plaisant s'insinuait en moi. Je tâtai le nuage qui me portait. Il semblait fait de dentelles plutôt que de vapeurs. Quant au dôme céleste rempli de séraphins, il était bordé de frises dorées qui ressemblaient diablement à ces corniches de bois sculpté dont on souligne le plafond des boudoirs élégants.

« Foutre ! La Fortune aurait-elle écarté la Camarde ? Serais-je encore au monde ? » Je pris gaillardement mon parti de l'aubaine. Je me mis debout. La douceur d'un tapis de Chine accueillit mes pieds nus. On m'avait pansé, lavé, parfumé. Je ne portais rien d'autre sur le dos qu'un pet-en-l'air de satin cramoisi, retenu autour de la taille par un cordon de soie.

Une portière se souleva dans le fond de la chambre. Une servante entra, ingrate de visage et médiocre de taille, avec des yeux trop clairs à fleur de tête et l'air nigaud. Molle et blanche comme un veau engraissé à l'étable, elle portait sur un plateau un repas odorant qui me la fit aimer.

— *Good afternoon, signor Daffodil! Sir Bolingbroke will be glad to see you. He'll be here tonight...*

Je maîtrisai ma surprise. Ainsi, c'était le *gentleman* mélomane qui m'avait tiré d'affaire, en espérant sauver le chanteur? Les Anglais sont d'une extravagance! Au lieu de se chercher des appuis comme l'avait fait, en bon latin, mon cher Pisani, le lord musicien, pragmatique, avait soudoyé le bourreau pour qu'il pende mal le castrat. La corde, de son côté, serait affaiblie, mal nouée, ou trop longue, ou que sais-je?

En lui donnant ma ceinture dans un accès de générosité, j'avais désigné le malheureux comme étant le Français. Il avait pris ma place et moi la sienne. Quelle affreuse méprise pour lui, mais quelle chance pour moi! Les trois couleurs de la République, que j'avais reniées sans le moindre scrupule tandis que l'infortuné les portait en gloire, l'avaient condamné à périr en me sauvant la vie! Je crus entendre rire le vicomte:

« Dérision, bâtard! Souviens-t'en: dérision... »

Ma situation n'en était pas moins aléatoire. Qu'adviendrait-il quand Bolingbroke s'aviserait de sa bévue? Serait-il *fair play*? Il n'y fallait pas trop compter. N'avais-je pas, après avoir méprisé ses avances, tenté de violer une femme de ses amies? Il me fallait sortir de là avant sa venue. Je devais circonvenir la servante et obtenir d'elle d'autres vêtements que cette tunique de sybarite fort peu adaptée à l'hiver londonien.

Je parai au plus pressé en dévorant le repas que la fille avait apporté. Après un mois de soupe de rave, le *porridge* me parut délicieux, et je trouvai même quelque charme au thé. Ragaillardi par ces vitamines, je rassemblai mes arguments. Lorsque je voulus les exprimer, un misérable couac s'échappa de ma gorge molestée. Si elle n'avait pas été assez solide pour m'ôter la vie, la corde l'avait été de reste pour me couper la voix. La servante, du coup, par un réflexe de courante sottise, se mit à me parler par gestes, comme si devenir muet m'avait aussi rendu sourd. Comme je fronçai le sourcil, elle entreprit une étrange pantomime en rougissant un peu. L'émoi de la dame, plus que son talent de comédienne, m'ouvrit l'esprit: en faisant ma toilette alors que j'étais inconscient, elle avait surpris dans mon anatomie un détail bouleversant tout ce qu'elle croyait savoir des castrats. Que faire ? Tout à coup, une de ces idées contournées que n'eût pas reniée le vicomte prit forme dans mon esprit. La coquine était-elle vraiment aussi sotte qu'elle en avait l'air ? C'était une chance à courir…

D'un geste brusque j'ouvris la robe de chambre et considérai mon vit avec l'air stupéfait de qui observe des ailes sur le dos d'un mouton. Puis, je portai mes deux mains à ma gorge, et, ouvrant ma bouche comme un évent de cor de chasse, je fis mine de vouloir chanter. Plusieurs fois, je répétai l'exercice, avant de me laisser tomber sur le lit avec toutes les marques du désespoir. Entre mes cheveux épars, j'observai en tapinois ses réactions. Son visage terne n'exprimait rien. Avait-elle seulement saisi ce que je prétendais lui faire entendre, à savoir que la perte de ma voix avait occasionné la repousse concomitante de mes attributs ? La ficelle était un peu épaisse, mais le goût du merveilleux si fort ancré dans l'esprit des femmes… Le sourcil froncé par l'effort de compréhension, elle murmura :

— *Like a lizard tail?*

Ravi, je hochai la tête en signe d'assentiment. Je me disais, au bord du rire, que quelquefois les lézards mutilés voient leur queue repousser double.

— *Wonderful indeed!* dit-elle encore, avant de glisser une main dévote vers l'appendice miraculé.

Ce fidèle compagnon ne se fit pas prier pour lui rendre la politesse et la salua civilement. J'avais perdu ma voix, donc retrouvé mes génitoires, quoi de plus naturel ? L'opération était donc réversible ! Elle avait réponse à sa question mimée. En élève appliquée, elle s'assura de la bonne tenue de l'ensemble avec des doigts plus déliés que ne semblaient l'être les cartilages de son cervelet. La belle meurtrissure bleue que je devais au genou du bourreau accréditait l'intensité de la révolution organique. Pour se convaincre que les couilles tenaient bien au vit, elle voulut en voir les bords et le dessous, les mania avec, ma foi, certaine adresse, et les soupesa plusieurs fois. Tout en goûtant l'intermède, je ne perdais pas de vue qu'il me fallait un costume. Cependant, la coquine s'alanguissait, intéressée par les rebondissements imprévus de l'affaire.

Je me levai alors d'un bond, singeant le plus vif affolement et le comble du désespoir. Je me prenais la tête, je me tordais les mains. Bonne fille, elle me proposa par gestes une paire de ciseaux pour retrouver mon état premier. La conclusion de son raisonnement n'était pas celle que j'espérais. Je me démenai alors comme un diable afin de lui donner à voir qu'il me fallait un habit pour m'en aller consulter un médecin spécialisé dans ce genre de dommage, avant le retour de Bolingbroke. Ce ne fut pas facile. Finalement, elle s'éclipsa et revint avec une livrée de cocher, le haut chapeau, les grandes bottes et le fort manteau qui vont avec.

J'enfilai à la hâte le costume de droguet, puis je pris la main qu'elle me proposait pour me guider. Ainsi je parcourus à longues enjambées une infinité de couloirs crasseux et glacés qui ressemblaient fort peu aux appartements douillets que je venais de quitter. « C'est donc dans ces cloaques, me dis-je, que végètent les domestiques, si près de leurs maîtres qui pètent dans la soie ? » Rien n'est bien différent en France et en Angleterre. Comment ai-je pu si vite oublier mon ancien état et me laisser charmer par un décor ?

Bientôt nous fûmes à une porte qui donnait sur la rue. Au moment où j'allais m'élancer sans même songer à la remercier, elle me retint par la manche et fourra dans ma paume quelque chose de froid. J'ouvris la main. J'y découvris trois guinées d'argent, trois pièces usées, où l'effigie du roi s'était presque effacée. Peut-être était-ce le fruit de plus d'un an d'épargne ? Avant que j'eusse trouvé un mot, elle dit :

— *Farewell*, monsieur français !

La porte claqua, me laissant seul et stupide sur le pavé mouillé.

J'avais tant fréquenté l'hôtel de Bolingbroke du temps que j'étais l'amant de lady Greesham ! Cette servante avait peut-être pris vingt fois mon chapeau et ma canne sans que mon regard de fat ne tombât sur sa mesquinerie. Voit-on les domestiques quand on fréquente leurs maîtres ? Et voilà qu'au lieu de se venger de mon mépris elle venait de me secourir en prenant le risque de fâcher son maître ! Quelle belle âme ! Et quel chien j'étais ! Ainsi, au lieu de me réjouir d'être dru sur mes pieds, vêtu de chaud et pourvu d'un viatique, je cheminais morose sous le ciel spongieux. Une voix se mit à tourner dans ma tête, une voix qui ressemblait foutrement à celle du vicomte ! « Eh ! Cette femme t'a obligé, mais elle a eu salaire, d'abord un coup de vit de bonne qualité, et puis, être pris pour un sot par un imbécile est un plaisir de fin gourmet »…

*

Je me rendis au premier poste de diligence où je payai mon voyage jusqu'à Liverpool. La Bézuéjouls avait-elle tenu sa promesse de faire évader Owen et ses compagnons ? Je fis en voiture, au gros de l'hiver, le voyage que j'avais entrepris à cheval avec Pisani, l'automne précédent. La campagne était ensevelie sous la neige. Une lumière diffuse gommait les ombres et dessinait l'ocre des branches dépouillées. Des fumées toutes droites montaient des cheminées. On sentait en passant de mystérieuses intimités rassemblées autour de l'âtre, et comme un vague désir de s'y faire accueillir. Noyés dans tout ce blanc, les Midlands me firent aussi bel effet que sous les ors de l'automne. Quant à Birmingham, avec ses vacarmes et ses rougeoiements, il ne m'en parut que plus terrible, comme un abcès enflammé sur le corps d'une belle endormie.

Je ne restai que peu de jours à Liverpool qui ressemble à tous les ports du monde par le charroi, le tumulte et les mœurs. Il me faut cependant parler d'une chose que je découvris là pour la première fois de ma vie et qui me laissa sans voix.

Que ceux qui connaissent Marseille s'imaginent que l'eau du Vieux-Port vienne à se retirer chaque jour jusque derrière le château d'If et les deux îles du Frioul ! Qu'ils se représentent la profondeur du bassin vidé de son élément, l'affreux désordre des bateaux couchés sur le flanc, les mâts enchevêtrés, les restes découverts des villes englouties, sans parler des poissons, des crabes et des monstres marins échoués dans la vase. C'est pourtant ce qui arrive à Liverpool, et, comme je le sus par la suite, dans maint port de cette mer océane qu'on appelle Atlantique. Ce formidable sabbat de la géographie porte le nom de marée, et il a pour artisan la lune, avide comme on sait de tant d'humeurs subtiles, allant du caractère des femmes à la repousse des cheveux, en passant par le principe vital de l'œuf de poule et du haricot.

Heureusement, l'ingénieuse industrie de l'Anglais a trouvé remède à cette humeur versatile de l'océan. Quand la mer se retire, d'épaisses murailles régies par des portes de fer retiennent à flot les navires de haut bord.

Dans l'un de ces bassins je vis un brick superbe, gréé avec art, sur la coque duquel je pus lire *Starfish*. Le fameux bâtiment était à quai, et sa passerelle encombrée de portefaix qui allaient et venaient. Je m'installai sur un rouleau de cordage pour contempler le charroi qui me rappelait celui de la Joliette. On entassait au fond des soutes un véritable magasin, des pièces de drap, du velours d'Utrecht, du coutil, du gingas, de la poudre à canon, des chapeaux, des lingots de fer, des fusils, des barriques de rhum, des pistolets, des parasols, des sabres et diverses clincailleries, sans parler d'un grand nombre de caisses de cauris, ces coquillages guère plus gros qu'un ongle que les nègres utilisent pour monnaie. Mais de Bézuéjouls, point.

À la tombée de la nuit, je me retirai à l'auberge. Le lendemain je retournai assister au chargement fastidieux. Je me délassais en admirant dans le bassin voisin un autre bâtiment, le *Vanguard*, qui s'était présenté dans le courant de la journée. C'était un navire de guerre, un vaisseau de ligne de troisième rang, avec trois mâts, deux ponts et soixante-dix canons à bord. Je m'émerveillais de l'agilité des gabiers grimpant comme des écureuils grâce aux enfléchures frappées sur les gros cordages qui haubanaient les mâts. D'autres se tenaient en équilibre sur les marchepieds placés sous chaque vergue. La manœuvre des voiles, au moins trente, toutes différentes, se faisait grâce à trois énormes cabestans.

Il est bien difficile de ne pas rêver d'aventures devant de telles splendeurs ! C'est ce que je fis tout au long du jour, malgré le vent cinglant qui venait de la mer, si bien que je ressentis un peu moins le désappointement de ne pas voir le bout du nez de cette coquine d'abbesse. Comme la lueur du jour s'éteignait lentement, je me résignai derechef à partir lorsqu'un appel me fit sursauter :

— *Nobody !*

*

Je fis volte-face et je me trouvai face à Owen, vêtu sans recherche mais confortablement d'un paletot de drap bleu et d'une casquette de tweed qui lui tombait sur l'oreille.

— Je suis bien aise de te voir, dit-il, et point trop surpris de cette aubaine, après les incroyables aventures que tu nous as contées en prison. Ton étoile semble briller si fort qu'il doit faire bon t'avoir pour compagnon. Où sont le vieux Sober et mon frère Hugh ?

— Hélas ! dis-je, ils sont six pieds sous terre. Mon étoile, comme tu dis, n'a pas brillé pour eux. La corde a mis un terme à leur destin.

Je lui contai quelle incroyable circonstance avait conduit Daffodil à me sauver la vie en condamnant la sienne. Le brigand versa des larmes amères. Pleurer deux fois un parent est une rude épreuve. Pour mettre un peu de baume sur son cœur brisé, je lui fis un mensonge de charité :

— Il est mort comme il a vécu : sous les applaudissements du public, dis-je, ému moi-même par la belle scène que je venais d'inventer.

Après cela, j'entraînai Owen vers une taverne pour l'aider à noyer son chagrin dans la bière et dans le tafia. L'endroit était sale et puant, mais il y faisait chaud. En vidant de conserve force pintes culottées par cent gueules baveuses, nous consolidâmes cette amitié des ivrognes qui porte aux confidences.

— Ainsi donc, dis-je hochant la tête, la Bézuéjouls a tenu sa promesse et t'a tiré de la prison ! Tu m'en vois ébahi, car je n'eusse pas joué trois *pennies* sur sa loyauté.

— Hé ! Hé ! dit Owen, c'est que nous avions notre assurance...

— Veux-tu parler de ce manuscrit qu'il lui faisait désirer ?

Il haussa ses larges épaules.

— Je parle du code !

— Quel code ?

— Le code de huit chiffres qui ouvre la troisième serrure du coffre, pardi !

— De quoi parles-tu ? Du diable si j'entends goutte à ce galimatias !

— C'est pourtant simple. Nous avons au Royal Exchange une armoire forte munie de trois verrous. L'abbesse a le secret de l'un, Biscantino de l'autre. Mon frère avait celui du dernier.

— Les brigands anglais ont donc des banquiers ? dis-je, émerveillé de constater que, jusque dans le crime, les usages des insulaires étaient fort en avance sur ceux du continent.

— Crois-tu encore à ces fariboles de trésors en écus et en rubis entassés dans des coffres tout au fond de cavernes défendues par des monstres ou des chansons magiques ? De nos jours, les brigands placent leur argent dans le commerce et les manufactures. Par le truchement d'un papier fourni par un notaire, ils deviennent négociants, et se mesurent aux politiques !

— Quelle audace ! Et comme nous avons encore à apprendre dans nos contrées méridionales ! m'écriai-je.

— Tiens, vois ! dit-il, et il tira de son pourpoint une feuille qu'il déplia devant moi.

Je vis consigné là-dessus que le *Starfish* était la propriété d'Owen Steel.

— De leur côté, ils gardaient le secret de l'armoire, ne pouvant l'ouvrir qu'ils ne fussent les trois ensemble.

— Hé ! Je vois à quel point la confiance régnait entre vous !

Il eut une mimique d'excuse, puis :

— Tu as devant toi un honnête armateur, payant à la Couronne l'écot qui le fait le plus droitement du monde négociant de l'Empire dans la *Company of Merchants Trading to Africa.* Cet établissement me rendra riche, et n'ayant plus à craindre de voir fondre sur moi les gendarmes. À ce commerce de guinéailleries on peut, dit-on, doubler son pécule en deux ans. Cela me console un peu, car Hugh a emporté son chiffre dans la tombe. On vous a si vite emmenés qu'il n'a pas eu le temps de me le communiquer…

Les circonstances de notre enlèvement me revinrent, ainsi que les derniers mots de Daffodil : *« Remember Hamlet ! »* Pouvait-on rien imaginer de plus ridicule ! Faire référence à Shakespeare quand son frère attendait un code secret ! Fallait-il que le malheureux fût intoxiqué par le théâtre !

— Le magot est donc perdu pour tout le monde ?

— Hélas ! Il m'aura du moins tiré de prison. La Bézuéjouls m'y eût certainement laissé croupir si elle n'avait cru faire évader avec moi mon frère et son secret !

— La gueuse a dû en faire une tête en ne le trouvant pas !

— De trois empans de long. Mais j'étais déjà libre, et le navire était à moi. Depuis, elle craint si fort que je lui fausse compagnie qu'elle ne quitte plus le bord.

— Elle est donc sur le *Starfish* avec son gnome ?

— Elle prétend superviser le chargement de la cargaison.
Tout à coup, il me considéra avec attention.
— Dis-moi, te sens-tu toujours du goût pour la navigation ?
M'embarquer avec la Bézuéjouls ne me chantait guère, mais l'opportunité de quitter l'Angleterre était tentante. Je topai dans la main qu'il me tendait. Nous bûmes cul sec pintes sur pintes pour bien sceller notre alliance. Nous sortîmes du bouge fin soûls, titubants, nous tenant enlacés pour tenir l'équilibre, car le quai, sous nos pieds, tanguait comme un pont de bateau.
— À moi la mer ! La terre m'abandonne ! bramait Owen.
Il s'allongea sur le quai et tenta d'attraper un peu d'eau dans la coiffe de sa casquette. Craignant qu'il ne tombe et se noie, je me précipitai. J'avais surestimé mon propre équilibre : je m'affalai sur lui, me cognant les coudes et le menton. Cela nous fit rire aux larmes. C'est alors qu'un détachement de *press-gangs* nous tomba sur le dos.
Ces sections de matelots armés et de *Royal Marines* rôdaient dans les rues à la recherche de recrues pour la flotte de Sa Majesté. Depuis que la France avait déclaré la guerre, les capitaines s'affairaient à pourvoir les navires en mousses et en matelots. Le recrutement était expéditif : une arrestation suivie du choix entre la corde et l'embarquement. Nous voyant emmêlés à terre, les coquins nous traitèrent de pochards et de sodomites. Nous fûmes assez sots pour leur rendre leurs injures. Quelques coups de gourdins sur le crâne nous rappelèrent le respect dû à plus fort que soi.
Lorsque, au petit matin, nous ouvrîmes un œil injecté par notre soûlerie, nous vîmes le *Starfish* quitter le bassin voisin sous toute sa voilure, passer les portes de l'écluse dès leur ouverture et cingler droit sur le cap de Holyhead. Nous étions à cinquante toises de haut, sur le pont supérieur du *H.M.S. Vanguard.* Notre ivrognerie et la traîtrise de la Bézuéjouls nous avaient fait passer en un clin d'œil de la Marine marchande à la Royal Navy.

*

Je pris mieux mon parti de la mésaventure que ne le fit Owen. Le lecteur le comprendra sans peine : il s'était vu la veille armateur et promis à une rapide fortune. Devenir simple matelot n'était pas une promotion. Pour ma part, rien ne pouvait me sembler pire que le sort de pendu. Tant qu'à naviguer, autant le faire sur le *Vanguard* que sur le *Starfish*…

Je m'initiai donc à la manœuvre des voiles et des cabestans avec cette curiosité naturelle qui, tout au long de ma vie, me fut une sauvegarde. Owen ruminait sa rancœur et tirait au flanc, ce qui lui valut quelques volées de *cat-o' nine-tail*, cette étrivière à neuf lanières qui est le sceptre des capitaines anglais. Cela ne fit que renforcer son aversion pour la marine. En revanche, je conçus une admiration véritable pour le magnifique vaisseau dont je briquais quotidiennement le pont avec une chamotte appelée *holly stone* pour sa taille évoquant une bible.

Le *Her Majesty Service Vanguard* était l'un des plus beaux bâtiments de la flotte britannique. Il devait maintes fois, par la suite, au cours de célèbres engagements, servir de navire amiral au célèbre vicomte Nelson. À ce moment, le grand homme n'était que lieutenant et possédait encore tous ses yeux et ses bras. Médiocre de taille, presque malingre, il portait en lui une flamme qui lui faisait éclipser les colosses. Il avait déjà montré aux Amériques, en affrontant le marquis de La Fayette, ses qualités de grand capitaine. Ses hommes lui portaient une tendresse qui confinait à la dévotion. Malgré l'intérêt que le particulier m'inspirait, je me tenais prudemment à distance, craignant que mon accent ne trahît ma qualité de français. Car Nelson tenait mes compatriotes dans une détestation qui laissait loin derrière elle la répulsion naturelle qu'inspirent à chacun les rats et les araignées. Je me fis donc petit derrière cette identité d'Hugh Steel, consignée sur les rôles de navigation. Pour tous, j'étais le jeune frère d'Owen.

N'étant qu'un matelot sans spécialité, dernier échelon avant les mousses, pauvres orphelins de dix ou douze ans qui subissaient les humeurs de tous, je passais le plus clair de mon temps aux poulaines. Elles n'étaient qu'au nombre de six pour huit cent cinquante hommes. Aussi devaient-elles être constamment baignées, et je dus me résigner à cette peu glorieuse besogne. La plus extrême propreté était de règle sur le *Vanguard*, car les fermentations organiques produisent dans les mondes clos des scrofules suintantes. Le chirurgien, qui logeait à l'avant de la batterie supérieure, ne badinait pas avec les humeurs malignes. Il veillait sur la santé des matelots, ne leur plaignant ni compresse ni médecine. Le pire mal, et le plus courant, était la consomption foudroyante, car nous dormions entre les canons à même le plancher, ou dans des hamacs suspendus contre le plat-bord, presque en surplomb sur l'eau.

La discipline était terrible car si l'on peut haïr un capitaine injuste, on méprise toujours un capitaine faible. Pour le vol d'un mouchoir on pouvait être pendu. Pour le quotidien, nous étions bien pourvus en nourriture et en boisson. Nous ne manquions ni de porridge, ni de ragoût. Biscuit, fromage et viande salée étaient arrosés d'une demi-pinte de rhum. Ce régime finit par avoir raison de la méchante humeur des recrues, pour la plupart pauvres hères ou coquins patentés. Le *Vanguard* avait fait escale à Liverpool dans le seul but de compléter son équipage, car ce port fut toujours riche en brutes et en arsouilles. Seule sa voisine Manchester peut sur ce point lui porter concurrence. Il fallait donc séduire ces fripouilles, et faire des marins avec des canailles. La solde annuelle de seize livres sterling n'était pas un pactole, et la promesse de pillage en cas de prise en mer faisait figure de serment filandreux. Mais le cœur des miséreux est plus tendre qu'il n'y paraît. Le lieutenant Nelson acquit une surprenante popularité, en faisant distribuer des oranges aux recrues. Il s'agissait moins de flatter leur gourmandise que de les garantir du scorbut, une terrible maladie qui sévit sur les navires, fait tomber les dents et même mourir tout à fait. Cette pomme exotique réservée à l'époque aux tables des aristocrates produisit sur ces pauvres bougres une formidable impression.

Grâce à ces traitements sévères mais honnêtes, lorsque nous quittâmes Liverpool pour nous rendre à Portsmouth, la place de guerre qui abritait la flotte anglaise, il n'y avait plus à bord du *Vanguard* une bande d'escarpes et de misérables recrutés par la force, mais un véritable équipage disposé à courir sus à l'ennemi comme un seul homme. Pour mon malheur l'ennemi était la France, et j'étais français.

TROISIÈME PARTIE

I

Le *Vanguard*, sous pavillon de l'amiral Hood, quitta Portsmouth au mois de juin. Il mit voile plein sud pour rejoindre l'escadre espagnole qui croisait en Méditerranée. Cernée par mer et par terre, la jeune république filait un mauvais coton.

Non contente d'avoir déclaré la guerre à l'Anglais, la Convention se mêla de provoquer aussi le roi d'Espagne. Effrayés, les petits souverains de l'Empire s'unirent alors à la Prusse et à l'Autriche. Ils furent suivis de près par les princes italiens, toujours prompts à se chercher de puissants protecteurs. Jusqu'au tsar de la lointaine Russie qui fit alliance avec la Couronne pour mettre un terme à trop d'insolence. Seuls dans toute l'Europe, restaient encore neutres Gênes la bavarde, Venise la sinueuse, le prudent Danemark et la Suisse, jamais point trop pressée. Ce que l'on a appelé la première Coalition faisait une quasi-unanimité.

Pour tenir tant de fronts contre tant d'ennemis, on décréta une levée en masse de conscrits, à ce moment des semailles où la terre exigeante réclame tous ses bras. Les candidats à la gloire ne se bousculèrent pas. Pour stimuler un peu ces volontaires qui traînaient les pieds, les autorités demandèrent aux édiles d' « utiliser la force si le cas le requiert ». Je sais bien que ce n'est pas ainsi que l'on a, par la suite, parlé des soldats de l'an II. C'est cependant l'exacte vérité. Au lieu de s'engager sous les armes, la France paysanne ronchonnait. Les Girondins tenaient à leurs électeurs de province. Ils parlèrent pour eux. Jugés traîtres à la patrie, ils furent condamnés. L'affaire se solda par la chute sur l'échafaud de vingt-neuf têtes de députés venus de toute de la France, parmi lesquels Danton qui était fort populaire. Le pays se souleva d'un coup. D'abord ce fut la Vendée qui gardait du sentiment pour les rois, puis la Bretagne et la Normandie, l'Aquitaine avec Bordeaux, la Bourgogne autour de Lyon, jusqu'à la Provence derrière Nîmes, Montpellier, Avignon, Toulon et même Marseille, dont on a pu juger pourtant de l'ardeur à renverser le roi un an plus tôt.

Hors de Paris, tout semblait perdu pour la République. La province n'en voulait plus. Pourtant un miracle s'accomplit. Une à une les villes rebelles furent reprises dans d'effroyables bouillons de sang. Marseille tomba à la fin du mois d'août. Pour consommer sa déchéance, un décret de la Convention la renomma « Ville sans nom », ce qui était bien cruel pour un pays où le verbe est roi. La guillotine, montée sur la ci-devant place Royale, raccourcit aussitôt plus de cent Marseillais. Leurs voisins toulonnais, pour échapper à si terrible saignée, ouvrirent deux jours plus tard leur port aux vaisseaux étrangers. C'est dans ces conditions délicates que Toulon se livra aux Anglais. Le *Vanguard* entra dans la darse Vauban sans tirer un coup de canon. Mais Toulon n'était pas, comme Marseille, une place de commerce ; c'était une place de guerre. Dans sa rade se tenait une bonne moitié de la flotte française, qui, de ce fait, tomba aux mains de l'ennemi. Cela affaiblit durablement la force navale de la République qui jamais ne le lui pardonna.

*

Qui dira le bonheur de retrouver la langue de son berceau après avoir été tympanisé par tant d'idiomes étrangers ? Mis à part certain chuintement qui fleure l'Italie, le provençal de la mer ressemble à celui du Vaucluse. J'y baignai vite comme un poisson dans l'eau. Cette facilité que j'avais pour m'entendre avec les naturels du coin me valut un traitement de faveur dans la marine anglaise qui menait raide ses matelots. L'Anglais, toujours pragmatique, choisit de mettre à profit ce talent plutôt qu'à m'en demander les raisons. Je me retrouvai donc truchement, et pourvu de tous les avantages qui s'attachent à cette fonction, le premier étant la liberté de circuler à ma guise. Je négociais porridge contre fougasse, huile d'olive contre thé, prélevant sur le marché de quoi arrondir mon pécule. Ce petit vice ne portait ombrage à personne et servait même les deux parties qui, ainsi, commerçaient sans heurt. Mr Mandeville, l'auteur de *La Fable des abeilles*, eût été content de moi.

Toulon craquait dans ses remparts pour contenir, en plus de sa population et des dix-sept mille marins français, quelque quatre mille Espagnols, deux mille Sardes, six mille Napolitains et quinze cents Britanniques, qui, pour être les moins nombreux, n'en tenaient pas moins le haut du pavé. Les alliés du Sud campaient sous des tentes de fortune montées sur les places, les esplanades et jusque dans les rues. Cette soldatesque entassée, désœuvrée, haillonneuse, était une fameuse aubaine pour les putains et les mercantis. Des fortunes se firent en quelques mois. Comme il arrive souvent, Toulon s'enrichit de sa trahison.

Mesquine de taille, la ville est superbement située, adossée à deux fortes montagnes couronnées de forteresses, qu'on appelle monts Faron et Coudon. Entre deux caps fortifiés, le port étale la plus belle rade du monde et la plus compliquée, toute remplie d'îlots, de presqu'îles, d'isthmes, de chenaux, creusée de darses, de cales, de bassins, protégée de jetées, de pontons, de butoirs, tous armés de canons. Au centre de cet appareil militaire se trouve le fort de l'Éguillette qui tient sous son feu le passage obligé de la petite à la grande rade, et le bagne flottant qui servit de matrice à tant de bons ministres.

Rencognés derrière les fortifications de moellons appareillés que leur fit M. Vauban, les Toulonnais riaient entre la montagne et la mer, se proclamant invincibles. Je compris vite que cette gaîté n'était pas la tranquille allégresse des nations prospères, mais plutôt la féroce exultation qui prend les peuples lorsqu'ils se savent perdus. Depuis la chute de Marseille, les bleus reprenaient du mordant. Tandis que les Vendéens en déroute passaient la Loire, Bordeaux, puis Lyon revenaient à la République. Toulon n'était plus qu'un bubon, le dernier, sur le corps d'une convalescente, et sans la présence dans ses remparts de l'ennemi héréditaire il fût tombé depuis longtemps. Mais que pouvait-on espérer de l'Anglais qui montrait son mépris et payait en livres sonnantes ce qui passe pour n'avoir pas de prix ? On sentait qu'au moindre revers il abandonnerait la ville sans honneur. Toulon vivait donc dans le mépris de soi, la soif de l'or et la frénésie charnelle de qui sait sa fin prochaine. Le canon tonnait dans les lointains. Des fumées montaient qui charriaient cette odeur de poudre et de mort qui exaspère les sens. On mangeait, on buvait, on foutait avec une rage voisine de l'égarement. Je ne vis jamais tant de désespoir sous tant de rire, tant de feinte allégresse, sauf peut-être à Venise dans les derniers temps de sa république.

L'information vint de la mort de Marie-Antoinette. On attendit pour cette horreur que les foudres du ciel s'abattissent sur la France. Rien ne vint. L'automne mûrissait comme par-devant ses figues et ses raisins. Et la mitraille crépitait, là-bas dans les faubourgs, où les bleus se frottaient à l'Anglais et à l'Espagnol.

Des bruits circulaient, colportés par les transfuges de Sans-Nom. On disait que la Convention avait remplacé les mois de l'année par des calendes qui portaient des noms ridicules, que les semaines comptaient dix jours, que les toises, les pieds, les pouces, les livres et les onces étaient bannis, que l'on avait installé à leur place des mètres et des grammes, que rien n'échappait à cette fureur de nouveauté, qu'il faudrait dorénavant parler français comme les Parisiens.

On faisait mine de s'en moquer comme d'une bouffonnerie, et on allait s'étourdir au cabaret et au théâtre. Là, on donnait chaque soir, à guichet fermé, une comédie de Pelabon, un menuisier du pays. Elle avait été interdite à Sans-Nom étant écrite en langue de Besagne, quartier populaire de Toulon. Le même imbécile décret avait aussi interdit *Le Mariage de Figaro*, car les acteurs devaient y porter « des costumes justement proscrits ». Ainsi, ce diable de Beaumarchais, après avoir été suspecté sous le roi, se voyait-il poursuivi par la République pour une affaire de chiffons.

Lou groulié bel esprit, histoire simplette d'un cordonnier cupide qui refusait sa fille à un matelot sans le sou, devint un symbole de lutte contre la France jacobine et sa fureur à vouloir extirper les patois de province. Le succès fut immense, et moins qu'à moitié justifié par la qualité du morceau, une assez ridicule pantalonnade. Je prétends en parler savamment, puisque c'est dans cette pièce que je fis mes premiers pas d'acteur.

*

Dans le rôle de Maroto, la servante délurée, sévissait Mme Bayle, la femme du directeur. Quant à l'auteur, il jouait Maniclo, le savetier avaricieux, avec tout le brio d'un menuisier. Qu'importe ! Il croulait sous les applaudissements lorsqu'il chantait :

Déspei la liberta
Iou ai fouasso gagna
Ren qu'émé moun aléno
Mai l'a de gens que viou
Qu'an gagna mai que iou
Senso aguer tant de pèno[1].

Je me liai d'amitié avec le drôle qui jouait Tribor, le galant matelot suborneur de Suzeto. Le bougre, à la ville, était rien moins qu'amateur de filles. Natif de Saint-Mandrier, village de pêcheurs établi au bout de la presqu'île, il se livrait, dès le rideau rouge tombé, à un fort juteux commerce d'oursins, dont les commodores anglais se montraient friands. Nous échangions des sacs de jute hérissés de piquants contre des guinées bien lisses, à l'effigie du roi George.

Quelquefois, nous jouions en duo, après boire, à redonner sa partie dans les estaminets du port. Je jouais Suzeto en prenant des poses et une voix pointue, ce qui faisait s'esclaffer la galerie. Un soir où, d'avoir trop baisé un camarade anglais, Tribor tremblait des genoux, je le remplaçai au pied levé sur la scène du théâtre. *Moussu* Bayle, le directeur, me remercia chaudement de leur avoir sauvé la mise en leur permettant de ne pas annuler la représentation. Dès lors, je devins une sorte de doublure du bougre, suppléant à ses défaillances d'acteur. J'improvisais le texte que je connaissais mal, je rajoutais des tirades et des contorsions de mon cru. Le public m'adorait, je m'amusais follement. La compagnie des acteurs est la plus plaisante du monde. Les hommes sont pleins d'esprit et de ressources, les femmes belles, gaies et délurées.

*

Pendant que je prenais du bon temps, Owen s'en allait dans la mélancolie. Le malheureux ne pouvait gober le travers qu'il devait

1. Depuis la liberté / Moi j'ai pas mal gagné / Rien qu'avec mon alène / Mais certains que je vois / Ont gagné plus que moi / En prenant moins de peine.

à la Bézuéjouls. Pour un oui pour un non, il tirait de son maillot l'acte de propriété du *Starfish*, et pleurait dessus des larmes qui commençaient à l'effacer.

— Vas-tu cesser avec ces pleurnicheries, lui dis-je un soir où, rempli de vin de la Crau, il voulait se jeter dans le port.

Je pris alors le maudit acte qui lui gâtait la vie et le fourrai dans ma vareuse. Je me désolais de voir ce fier gaillard s'abîmer dans la mélancolie pour une sotte affaire de capital qui tant va et vient et n'a jamais fait le bonheur de personne. Lui toujours si joyeux du temps qu'il était en prison! Après le théâtre, je l'entraînais, en compagnie de Suzeto et de Tribor, dans les tavernes de la basse ville. Suzeto, qui eut aussitôt le béguin pour le bel Anglais aux yeux tristes, le baisotait et le mignotait avec un art qui eût fait bondir un barbon. Le pauvre garçon y prenait peu de joie, la morosité étant mauvaise conseillère de la bandaison.

— Laisse-toi un peu gamahucher par cette demoiselle qui te dévore des yeux, lui conseillai-je. Sais-tu bien ce qu'il en est du tempérament des Provençales, et que cette Suzeto est plus chaude qu'une fougasse sortie du four?

Mais rien ne parvenait à le roidir. De son côté, Tribor, qui bandait pour deux, lui tenait les pieds chauds. Le bougre, un soir de bamboche, finit par l'arranger de belle façon. Les trois coquins roulaient depuis un moment sur le quai de la Sinse, Owen bien serré entre les deux lubriques qui se disputaient ses faveurs. À force de se bousculer, ils finirent par s'écrouler sur un tas de filets qui sentaient fort la moule. Owen pleurnichait toujours, tandis que les deux sournois s'associaient pour monter une stratégie. Éperonné de tous côtés, tant devant que derrière par trop d'attentions délicieuses, l'Anglais parvint enfin à retrouver assez d'allant pour remplir le devoir que Suzeto attendait de lui.

— *D'aqeù Tribor! M'auras per fin poutounado*[1] *!* conclut la lubrique à l'adresse du comédien sodomite, qui s'escrimait dans le cul du voleur.

— *Per délégacioun*, répondit le fripon, *per délégacioun*[2] *!*

— *My God!* bramait Owen dans son patois personnel.

1. Tu m'auras enfin baisée!
2. Par délégation!

De ce jour, les trois, qui avaient découvert une géométrie à leur convenance, devinrent inséparables et formèrent l'un de ces beaux trios qui font la gloire des théâtres. Malgré l'invite pressante à les rejoindre dans leurs débordements, je préférai me consoler dans les bras de *Misè* Bayle qui jouait dans la pièce le rôle de la servante au franc-parler.

C'était une brune au teint clair, délicieusement molle de charnure, avec un visage rond, des yeux pensifs et de belles joues. Pour monter sur les tréteaux, elle badigeonnait ses pâleurs de vermillon, et aussitôt se changeait, sous nos regards incrédules, en une paysanne rougeaude, hardie et polissonne. La belle pouvait avoir dix ans de plus que moi et autant de moins que son mari. Elle en était à ce moment critique où les femmes honnêtes que leur légitime n'a pas rendues mères partent dans les langueurs, ou se cherchent un étalon auxiliaire pour répondre à l'exigence de la biologie. Sur ce champ de manœuvre favorable, je disposai mes batteries.

*

C'était compter sans la bigoterie de la dame. Elle qui, sur les planches, campait avec brio la verve et le franc-parler, était à la ville une prude. Il me fallut déployer tous mes talents pour venir à bout de sa vertu. Ma jolie figure ne servait de rien : chez les femmes, le nerf de la lubricité ne passe pas par l'œil mais par le tympan. Je l'entrepris donc en français, en anglais, en italien et en provençal. Je lui contai mes aventures, y ajoutai quelques menteries, ornai le tout de quatrains. Tantôt sombre, tantôt philosophe, affichant certain ennui de la vie, je jouais de cette humeur mélancolique qui devait faire fortune au siècle suivant. Estimant que je n'avançais guère, je me prétendis frappé de contagion par sa foi et lui confiai mon salut éternel. Elle consentit à m'accueillir comme compagnon d'oraisons. Je débitai avec ferveur des neuvaines de *Pater* et d'*Ave*, un œil sur le chapelet, l'autre sur son corsage. Un jour je baisai ses mains jointes. Le lendemain je montai aux poignets. Quand j'en fus à la saignée du coude, elle se lança dans l'opéra :

— Malheureuse que je suis ! Faut-il que la chair soit faible ! Ah ! Je me damne !

— Vous vous sauvez, ma mie, car vous sauvez une âme…

Je me risquai jusqu'à frôler ses belles joues. La sentant faiblir et prête à m'accorder ses lèvres, je me jetai à ses genoux. Prostré, la tête dans mes mains, comme frappé de stupeur par l'horreur que j'allais commettre, je faisais mine de sangloter. Elle tentait de me relever, me consolait, caressait mon front et ses doigts s'aventuraient dans mes cheveux…

— Ah ! Je nous sauverai tous les deux ! gémissait-elle en me serrant contre son sein.

— Je n'en doute pas un instant…

Nous en fûmes bientôt à ce point délicieux où elle avait rendu les armes, et où c'était moi qui la faisais languir. En émule zélé de M. de Laclos, qui guerroyait alors sur les bords du Quiévrain, je torturais délicatement ma bégueule. Mes trois amis, dans la pièce à côté, forniquaient à l'enseigne de Sodome et Gomorrhe.

Cependant, des rougeoiements de canons animaient le ciel de décembre : les armées de la République, sous un artilleur de talent, mûrissaient leur assaut. Cela fondit sur nous juste avant la Noël.

*

Il pleuvait depuis trois jours comme vache qui pisse. La ville somnolait dans cette fièvre inquiète des malades à leur extrémité.

Nous étions au fond d'un estaminet à comparer la fine et le marc du pays. Tribor me demandait où j'en étais de mes travaux d'approche auprès de ma bégueule. C'est dire que nous ne prêtions guère attention à ces tirs de mortier auxquels nous nous étions faits depuis plus de trois mois. La rumeur cependant monta si fort que nous sortîmes dans la rue. Un échange d'artillerie se faisait par-dessus nos têtes, entre les batteries du mont Faron et les vaisseaux anglais qui mouillaient dans la rade. Cela était d'autant plus surprenant que les forts étaient tenus par ces mêmes Anglais.

— Peste ! dis-je, voilà les Britanniques qui s'étripent entre eux ? Quel démon leur aura bousculé les cervelles ?

Ce démon, on le sait, avait nom Bonaparte. Mesquin officier d'artillerie, il avait intrigué pour remplacer le capitaine Dommartin, blessé à l'épaule au cours d'un engagement.

Depuis septembre, les bleus se heurtaient aux fortifications. Ils tiraient vainement sur les murs, puis refluaient sous le feu nourri des assiégés. Bonaparte, lui, avait un autre système, qui devait par la suite assurer sa fortune : arriver quand et où on ne l'attendait pas, puis, dans le désarroi causé par la surprise, exécuter une marche tournante, encercler l'adversaire et le prendre à revers. Restait à choisir le moment et le lieu. Quand ? Par une nuit sans lune, bien glacée, noyée de pluie et de brouillard. Où ? Par la muraille à pic du mont Faron, qui surplombe les gorges du défilé d'Ollioules, car on avait toujours négligé de placer là des batteries, assuré qu'on était de ses défenses naturelles.

Par des sentiers abrupts où trébuchent les chèvres, Bonaparte fit monter ses hommes, assurant avec des cordes les mulets et les ânes chargés de munitions. Le crépitement continu de l'averse couvrit le bruit de ce charroi. Qui fut surpris ? Ce fut l'Anglais ! Les bleus prirent fort et canons en une heure d'horloge. De là ils eurent sous leurs pieds, livrées et à merci, les deux flottes amarrées ou ancrées dans les rades. Ils commencèrent à les bombarder. Mettant à profit le désordre causé par la stupéfaction, Bonaparte mit en œuvre la deuxième partie de son plan. Alors qu'Anglais et Espagnols se ruaient vers la montagne pour reprendre le mont Faron, il lança une attaque foudroyante vers l'Éguillette, fort qui tenait les passes. Les navires étaient pris en tenaille. Le succès fut complet. Les boulets ramés, qui tournoyaient au bout de leurs chaînes, faisaient un ravage dans les mâts et les vergues. Les boulets chauffés enflammaient les ponts, ceux chargés à mitraille criblaient les voiles et les Royal Marines.

Il ne fallait guère que dix minutes au *Vanguard* pour se parer au combat. Sans doute eût-il combattu si Toulon eût été anglaise ? Mais devait-on sacrifier tant de beaux vaisseaux à une cité étrangère ? L'escadre appareilla. L'Anglais y laissa quelques plumes, mais le gros de la flotte fut sauf.

Ainsi, puis-je aujourd'hui analyser un peu ce qui se passa dans cette nuit du 16 décembre où, pour la première fois, et sans seulement se connaître, Bonaparte et Nelson s'affrontèrent, à l'avantage du premier.

Sur le moment, je ne vis que l'épouvante des Toulonnais qui couraient en tous sens les deux mains à la tête, ployant sous le poids de fardeaux ficelés en hâte. On les voyait se ruer vers le port dans le crépitement de la mitraille, le rougeoiement des explosions. Certains s'entassaient en bramant dans des barcasses qui ne tenaient pas l'eau. D'autres affrétaient de mesquins pointus qui chaviraient dans la mer où flottaient des noyés, des planches, des paquets, des barques retournées. On entendait des hurlements de femmes, des pleurs d'enfants, des prières, des supplications. Lorsqu'une embarcation abordait un Anglais ou un Espagnol, elle était repoussée avec des rames ou des gaffes, abandonnée au feu des bleus, au noir de la nuit et à l'indignité. Les fugitifs coulaient en tenant embrassés les trésors acquis au prix de leur honneur. Parfois, trempés, vaincus, ils retournaient à la côte où déjà les bleus les attendaient, l'arme au poing pour les fusiller.

Pour ma part, ne sachant sur qui tirer et d'ailleurs n'ayant pas sur moi le moindre pistolet, je me rencognai avec mes amis chez Suzeto, dans une chambrette grande comme un mouchoir, sous les toits du Petit Cours. À peine la porte se fut-elle refermée sur nous que les trois coquins, énervés par l'odeur de la poudre et le bruit du canon, s'enlacèrent et, sans plus se soucier de moi, se jetèrent dans une de ces combinaisons anatomiques qu'on n'ose expérimenter que dans les cas désespérés. Je dus me plaquer contre le mur pour leur laisser la place. S'avisant de ma présence à ce que son front heurta mon genou, Suzeto mit à profit un instant où sa bouche était libre :

— *Veni ! Quand n'ia per dous, n'ia tant ben per très ! Qu soou mounté saren déman*[1] *?* Mais, ce soir-là, mes réflexions étaient moroses. La bandaison n'y trouvait pas son compte. Je comprenais qu'une nouvelle fois, dans cette nuit glacée d'embruns, les fusils changeaient de mains. Pour mon malheur je passais pour Anglais, aussi piteux état en cet instant fatal que prélat ou aristocrate. Qui serais-je demain si je voulais survivre ? Et devrais-je toujours changer de nom, de carrière et de philosophie ?

Cependant, Suzeto scandait en se claquant les fesses :

— *Au cùou ! Au cùou ! Au cùou*[2] *!*

---

1. Viens ! Quand y en a pour deux, y en a pour trois ! Qui sait où nous serons demain ?
2. Au cul !

« Voilà bien l'humaine condition, soupirai-je à part moi, et quelle hauteur de visée qu'un trou du cul en un moment pareil ! » J'en étais à ce point de mes tristes réflexions, lorsque je vis entrer en coup de vent ma bigote, rouge et échevelée. Elle se jeta dans mes bras :

— Vous êtes sauf ! Dieu soit loué !

Elle n'eut pas un regard pour l'horrible bête hérissée de membres formée par Owen, Suzeto et Tribor qui forniquaient en tas. Il me fallait la prendre là, tout debout, cependant que les trois, dans leurs ébats désordonnés, nous rouaient de coups de coude et de coups de talon. Je crains bien, ce soir-là, n'avoir pas été admirable. Comme il arrive souvent en pareil cas, je tentai de justifier la faiblesse du vit par la vigueur de la morale :

— Ma mie ! Votre époux dont vous faisiez grand cas...

— Il est sorti sous la mitraille ! C'est bien du diable s'il en réchappe !

— Peut-être est-il blessé, se traînant...

— Il est mort, j'en réponds !

— Votre deuil, dans ce cas...

— ... m'exempte du péché !

Il me fallut, malgré que j'en eusse, souscrire à cette éthique d'un nouveau genre, et l'honorer tant bien que mal contre le mur de l'escalier.

« Foutre ! me disais-je, bandant mou, s'il faut à présent brûler des villes pour sauver de l'enfer les femmes infidèles... »

Sans doute *moussu* Bayle ne l'avait-il pas accoutumée à d'ardentes saillies, car elle se trouva bien de ma médiocre prestation, ce dont je m'excuse auprès du lecteur averti. Que ce gentil complice me fasse l'amitié de se mettre un peu à ma place, et il comprendra ma déroute : depuis tantôt deux mois, je m'appliquais aux raffinements de la séduction, espérant savourer ma victoire sous un arc de triomphe tressé de roses ! En lieu et place de quoi, il me fallait foutre tambour battant une drôlesse en rut, entre deux sodomites et une possédée qui bramait des horreurs en patois. Aujourd'hui encore je ne puis comprendre que ces débordements, contés avec une vilaine complaisance et force détails scabreux, aient pu assurer aussi durablement la gloire de mon père !

L'aube vint, grise et sale, sur une ville défaite. Çà et là fumaient encore les incendies de la nuit mal éteints par la pluie. La rade était déserte. Les vaisseaux avaient fui. Le silence régnait, à peine troublé par la respiration de la mer le long des quais. Deux jours pleins, Toulon atterré attendit son vainqueur qui le laissait trembler.

*

Le 19 décembre, les Carmagnoles firent leur entrée sous un pâle soleil, musique en tête, derrière le drapeau. On sortit des maisons pour applaudir ceux qui, deux jours plus tôt, étaient désignés comme des monstres. Bonaparte ne fit pas dresser la guillotine. Chacun croyait déjà à la clémence.

Cependant, circula par la ville l'ordre donné aux citoyens mâles de se rendre aux fortifications de la porte d'Italie. Hors les murs, il y avait un parc à moutons. Avec ce goût antique qui sévissait alors, nos vainqueurs l'avaient renommé Champ-de-Mars. On s'y rendit rempli d'espoir, attendant l'un de ces beaux discours civiques dont les conventionnels n'étaient pas avares.

On nous fit aligner le long des clôtures. Des soldats entreprirent de nous compter. Mes voisins, Tribor et Owen, pensaient à la conscription forcée, car cette armée, qui était sur tous les fronts, réclamait toujours plus de têtes et de bras ! Pour ma part, je craignais bien pire, et c'est le pire qui arriva.

Bonaparte n'était pas homme à faire couper des têtes comme un boucher. C'était un militaire depuis toujours entiché de Rome, de sa grandeur implacable et des lauriers de César. Il appliqua à Toulon une coutume propre aux légions romaines. Cela s'appelle décimer. Il s'agit de mettre à mort un homme sur dix, sans autre forme de procès qu'un décompte précis. La méchante aventure que de servir d'exercice à ce système décimal que l'on voulait appliquer aux poids et aux mesures !

Bonaparte nous donna l'explication du procédé avec cette tranquille assurance de qui ne connaît pas le doute. Ah ! Le monstre ! Et qui sut cependant de ce jour faire germer à son profit tant de belles passions ! Il était petit, maigre, le teint verdâtre. De vilains cheveux lui tombaient sur le col. De l'éloquence pourtant, malgré un accent bizarre, et le funeste talent de faire trembler avec des mots. Sec et nerveux sur son cheval qui piaffait, il glaçait le sang.

Un détachement de soldats passa la revue. L'un comptait, les autres tiraient les malchanceux du rang, puis les groupaient à quelques pas. « La vilaine loterie, pensai-je, et dont l'immoralité dépasse de loin ces innocents jeux de foire que Robespierre prétend abolir au nom de la Vertu ! » Jamais de ma vie je ne comptai plus vite jusqu'à dix. L'arithmétique me fit ainsi comprendre, avec neuf coups d'avance, que j'avais toutes les chances de gagner un gros lot. Un cabaretier venait de grossir le peloton des condamnés à dix places de moi.

— Un ! compta le soldat, en pointant de l'index son voisin soulagé.

— Deux ! dit-il pour un gaillard tanné à tête de pêcheur.

— Trois ! fut la sauvegarde d'un vieillard rabougri.

— Quatre ! tira d'affaire un jeunot qui tremblait sur ses pieds.

— Cinq ! sauva un bourgeois.

— Six ! un homme d'Église.

— Sept ! préserva la vie d'un gamin qui pleurait.

— Huit ! mit hors concours notre auteur Pelabon.

— Neuf ! exempta Tribor.

Le dix était pour moi...

*

« Allons ! me dis-je, résigné, cette fois c'est la male mort ! Celle-là, au moins, tu ne l'as pas volée ! A-t-on idée de se mettre marin anglais quand on est né sur les bords du Rhône ? » Trois mois plus tôt les Anglais voulaient me pendre parce que j'étais français. Ce soir des Français allaient me fusiller parce que j'étais aux Anglais ! Voulant braver une dernière fois la Camarde et mourir à mon avantage, je levai hardiment la tête et regardai mon assassin dans les yeux. Ils étaient larges, bleus, écartés, pétillants mais sans haine, et je crus même y voir un instant vaciller quelque chose qui pouvait ressembler à de l'amitié. Avant même que j'eusse le temps de murmurer le nom qui eût causé ma perte et peut-être même la sienne :

— Neuf! répéta Pastan, le citoyen poète, en frappant ma poitrine où mon cœur s'était arrêté.

Je fermai les yeux. Je sentis couler dans mes veines un baume de félicité.

— Dix! fut le lot d'Owen qui partit à ma place, comme six mois plus tôt son frère l'avait fait.

Il ne protesta point: il ne comptait pas plus loin que le cinq en français…

On rassembla les malheureux. Un peloton de bleus les mit en joue. Un feu nourri les déquilla comme à l'exercice. Ils tombèrent en tas les uns sur les autres. Les soldats mirent l'arme au pied.

— Que ceux qui ne sont que blessés se relèvent, dit Bonaparte. La République leur fait grâce!

Du tas de cadavres se dégagèrent quelques pauvres bougres sanglants. Ils enjambèrent les morts, vinrent vers nous en titubant comme des ivrognes. Ce qui se passa alors dépasse en horreur tout ce qu'on peut imaginer. Une deuxième ligne de soldats mit en joue et fit feu, les descendant jusqu'au dernier. Un colosse barbu en chemise blanche, percé de vingt coups, ruisselant de sang, continua d'avancer sur les genoux jusqu'au cheval de Bonaparte. Il le regarda, leva le poing et lança dans un râle:

— *Tu… crébaras… soulet*[1] *!*

Il s'écroula, la face contre terre, dans une flaque rouge. Un terrible silence régnait sur le Champ-de-Mars. Près de moi, un homme tomba, évanoui. Je regardai, suffoqué par les caprices de la Fortune, le charnier dans lequel Owen s'était fondu. « Foutre! me dis-je, les frères Steel se fussent mieux trouvés de ne jamais me rencontrer! »

1. Toi, tu crèveras seul!

II

Rien n'est laid comme un peuple qui se met à flatter son vainqueur. Dès le 20 décembre, il n'était plus un Toulonnais qui ne fût ardent républicain. Chacun clamait son bonheur de voir enfin triompher la Nation. Avait-on souffert de l'Anglais et de la trahison des édiles qui leur avaient livré la cité! Certains se sentirent si ardemment patriotes qu'ils allèrent dénoncer leurs voisins pour avoir montré de l'amitié aux marins étrangers, des filles qui avaient couché avec des Espagnols ou leur avaient vendu les figues de leur jardin. Ce bel assaut de vertu montait vers Bonaparte, impassible. Sans ciller, il adressa aux commissaires de la Convention ce billet laconique :

« Citoyens représentants, c'est du champ de gloire, marchant dans le sang des traîtres, que je vous annonce avec joie que vos ordres ont été exécutés, et que la France est vengée. Ni l'âge ni le sexe n'ont été épargnés. Ceux qui n'ont été que blessés par le canon républicain ont été dépêchés par le glaive de la liberté et par la baïonnette de l'égalité. Salut et admiration. Signé, Brutus Bonaparte, citoyen sans-culotte. »

Il faut comprendre qu'à ce moment le futur maître du monde n'était rien. Il devait, pour s'élever, fouler aux pieds son immense orgueil, se placer à son avantage, se faire voir aux puissances, servir, pour l'heure, le pouvoir qu'il convoitait.

L'autorité politique était aux mains d'un gredin chamarré qui caracolait par la ville sur un cheval de prince, le ci-devant vicomte Barras de Fox-Amphoux. Ce particulier fut un moment le maître de la France. La postérité n'a retenu de lui que ses intrigues et ses vilaines mœurs, plus décisives que ses vertus, il faut bien l'avouer. Il fit apposer sur les murs de la ville une affiche où il réclamait douze mille maçons pour la détruire. Cela ne se fit pas. On commença par abattre quelques maisons près de l'arsenal, puis l'indolence naturelle des indigènes eut raison de l'édit. On se mit à jouer aux boules dans les décombres. Toulon ne serait pas Carthage. Pourtant l'effroi était là, d'être tombé sous la férule d'un tyran sanguinaire.

Paul Barras, dépouillé de son titre et de son encombrante particule, était l'une de ces canailles superbes comme en produisit tant ce département nommé Var, du nom d'un fleuve souvent à sec qui le sépare de l'Italie. Grand, bel homme, rempli d'esprit, dépourvu de scrupules, aimant l'or et le vin, les arts et la cruauté, les garçons et les filles, il avait l'âme florentine. Captivant comme un parfum corrompu, moitié jasmin moitié tripaille, opportuniste, arbitraire, rapace, sensuel, violent, doucereux, ce despote contourné fit régner la terreur dans la ville affolée. Du coup, les rigueurs de Bonaparte passèrent pour de la bonté. C'est donc sous sa bannière que tentèrent de se ranger les plus avisés des Toulonnais, dont notre directeur *moussu* Bayle, qui s'était tiré de la terrible nuit ni mort ni même blessé, mais seulement cocu.

Un soir, quelques jours après l'épisode du Champ-de-Mars, il vint chez Suzeto où nous tenions conseil. Il portait sous le bras une liasse de brochures qu'il jeta sur le lit défait.

— Voilà, je crois, dit-il, de quoi nous tirer d'embarras.

Je saisis l'un des opuscules. Sur la couverture sans apprêt, je lus le nom de Marc Aurel, imprimeur de l'armée, accompagné d'un simple titre : *Le Souper de Beaucaire.*

— Qu'est-ce donc ? demandai-je.

— Une saynète que les Carmagnoles distribuent au cours de leur marche, et dont Bonaparte serait l'auteur...

Je me plongeai dans la lecture du morceau. Il s'agissait d'une conversation entre quatre personnages réunis à une table d'auberge par les hasards du voyage. Le thème en était la révolte des villes du Midi contre la Convention. Un Marseillais, un Nîmois et un fabricant de Montpellier développaient les arguments des rebelles, cependant qu'un militaire de l'armée de Carteaux, avec une belle logique en tout point digne d'un artilleur, réduisait à néant leurs pâles démonstrations.

— Tu seras parfait dans la partie du militaire, me dit le père Bayle. Tribor fera le Marseillais, Pelabon le Nîmois et je prendrai l'accent de Montpellier.

— Et moi ? s'inquiéta Suzeto, craignant d'être évincée.
— Tu seras la servante, et tu nous porteras à manger et à boire.
La coquine se rembrunit.
— Si je n'ai rien à dire, qui me remarquera ?
— Ceux qui savent apprécier un corsage bien rebondi.
— C'est donc à cette enseigne que vous jugez de mon talent ? ronchonna la cabotine.
— Tu annonceras les plats si tu veux…, concéda l'adroit homme.
— Et Mme Bayle, que fera-t-elle ? s'enquit l'obstinée, car elle souffrait mal sa rivale.
— Mme Bayle tiendra la caisse, si tu te tiens tranquille, conclut le directeur. Peux-tu à présent cesser tes criailleries et laisser parler un peu tes partenaires ?
— L'idée n'est pas sotte, dis-je. Cette pièce nous sera un fameux sauf-conduit !
— D'ici quelques jours, je nous vois partis sur les routes avec pour viatique la bénédiction des bleus ! ajouta Tribor.
Obtenir un laissez-passer de comédiens ambulants fut un jeu d'enfant avec un tel morceau au programme. J'y allais de bon cœur pour déclamer : « Ne sentez-vous pas que c'est un combat à mort que celui des patriotes et des despotes ? » J'avais cependant assez vécu pour savoir que l'on peut être l'un et l'autre…
C'est ainsi que, devenu comédien sous le pseudonyme d'Hugues Style, je me retrouvai capitaine des Carmagnoles, pourvu d'un bel uniforme et d'une argumentation qui n'était pas le fait du premier venu ! Les femmes m'aimèrent donc de cette passion qu'elles portent aux guerriers et aux tribuns, sans que je fusse le moins du monde l'un ou l'autre. C'est là le privilège des acteurs.

*

Nous étions dans cette saison des pastorales, si chères aux Provençaux. Notre morceau bravache remplaça cette année-là le *Mystère de la Nativité*. Nous allions de village en village, jouant tantôt dans une grange, tantôt dans une église et tantôt en plein air, mangeant du poulet farci à l'auberge ou trois olives sur un bout de pain, selon que le public était nombreux ou clairsemé. Cette vie sans entraves me plut.

Pour ce qui est du succès de la pièce, je dois avouer qu'il fut médiocre jusqu'à ce que Suzeto, ulcérée par la minceur de son rôle, se mêlât d'improviser. Stimulée par les applaudissements et les rires, elle rajouta chaque soir un morceau de son cru, nous chatouilla le menton, renversa plats et pots, tomba sur scène les jupes relevées, mérita et reçut la fessée, si bien qu'en un rien de temps *Le Souper de Beaucaire* changea de registre pour devenir une farce en tout point digne de la *commedia dell'arte.* La partie que je tenais de ce capitaine sentencieux devint dans ce contexte du dernier comique. Bonaparte en eût été surpris. En tout cas, il fit bien de se chercher une autre carrière que celle d'auteur dramatique...

À la mi-mai, nous nous trouvâmes à Saint-Maximin. C'est là que je vis pour la première fois l'affreuse machine qui fut l'emblème de la Révolution. Je veux parler de la guillotine. Nous étions à la fin du printemps de 1794. À Paris, Robespierre régnait en despote. N'avait-il pas inventé un Être suprême dont il se prétendait le pape ? À ce nouveau culte de la Raison, Moloch des temps nouveaux, il fallait des sacrifices humains, toujours plus de victimes, toujours plus innocentes. Ne venait-on pas d'exécuter le grand chimiste Lavoisier après lui avoir dit, au cours d'un procès où l'ignoble le disputait au ridicule, que « la République n'avait pas besoin de savants » ! On décapitait des musiciens, des peintres, des poètes. Condorcet, cette belle âme, était mort en prison. La Révolution qui avait fait naître tant d'espoirs se noyait dans le sang et l'horreur. Les guillotines s'étaient multipliées jusqu'au fond des provinces. Des gabelous d'un nouveau genre jugeaient sans faiblesse de l'égalité de tous, qu'on mesurait désormais en centimètres. Pour un mot un peu long, on pouvait se trouver raccourci. On jugera de mon inquiétude, lorsque je vis qu'il nous faudrait dresser nos tréteaux sur le parvis d'une église, à côté de cette atroce machine à débiter de la chair humaine.

L'engin n'était pas si grand qu'on l'imagine. La formidable hauteur que lui prêtent les cœurs navrés est le fruit de la juste horreur qu'il inspire. Les deux poutres verticales au long desquelles coulissait le rasoir ne faisaient guère que quatre ou cinq pieds de haut. Il y avait d'ailleurs un surcroît d'atrocité dans l'extrême simplicité du mécanisme, conçu et fabriqué au plus juste et au moins coûteux pour expédier vivement le plus de patients possible *ad patres.*

Le soleil couchant dessinait l'ombre de cette horreur sur la façade raboteuse de la basilique consacrée à Marie Madeleine, la pécheresse qui essuya les pieds du Christ de ses beaux cheveux. À l'intérieur du bâtiment, juste au revers de la rustique muraille, se trouvait le plus bel ensemble d'orgues qui se puisse imaginer, tant par la taille et le nombre fantastique des tuyaux que par la magnifique décoration du tablier.

Depuis la tombée du jour, le peuple se massait et s'échauffait sur la place. Mon inquiétude s'accrut encore lorsqu'on vint me dire que le fameux Barras et le propre frère de Bonaparte, qui courtisait une fille du coin, assisteraient à la représentation depuis un balcon. Je tançai Suzeto, la suppliant de ne point ajouter de fantaisies à sa partie. Je nous voyais pâtir cruellement par sa faute, et devoir payer d'une partie capitale de notre anatomie tout manquement de respect au texte d'origine.

J'avais le gosier sec comme pierre à briquet lorsque je lançai la première phrase. Tribor me donna la réplique avec une voix de fausset, tant il avait le clapet serré. Suzeto, bien assagie, fût passée par le trou d'une aiguille. Pelabon récitait et Bayle bégayait. Jamais, de tout le temps de notre compagnonnage, nous ne fûmes aussi mauvais. À Paris, on nous eût couverts de quolibets. Par bonheur, le public de province n'a pas de ces exigences. Ravi de voir des comédiens, il ne nous ménagea point ses encouragements. On commentait la moindre repartie, on soulignait d'ovations nourries les passages les plus civiques. Peu à peu, nous prîmes de l'assurance, si bien que la fin nous vit portés en triomphe sur la place au milieu des flambeaux, puis dans la basilique, qu'avec un bel enthousiasme le bon peuple voulut brûler afin de terminer la soirée en beauté.

Il n'y avait point d'autre matériau combustible entre ces murs de pierre que les stalles de noyer sculptées du narthex, et le tablier d'orgue dont j'ai parlé tantôt. Déjà, sans égards pour les sculptures et le temps qu'elles avaient coûté aux ébénistes, les torches s'inclinaient vers les bois précieux. Les colombes ciselées, les angelots polis commençaient à noircir avant de s'enflammer.

À ce moment, un souffle grave s'échappa des gros tuyaux d'orgue, et remplit comme une haleine le vaste poumon de la nef. La foule étonnée marqua le pas. On leva la tête. Alors, aussi violente et magistrale qu'un fleuve en crue, déferla sur nous la plus formidable *Marseillaise* que j'entendisse jamais. Aucun instrument ne se peut comparer à l'orgue pour la puissance et l'harmonie. Aucune corde, aucune peau tendue, aucun tambour de bronze n'égalera jamais ses accords, en richesse, en volume et en intensité. C'était comme si l'air tout entier entrait dans une vibration cardiaque. Nos corps se sentaient soudain pénétrés de musique. Nous étions abasourdis, soulevés, emportés dans un courant violent, si bien que la réaction à tant de force et de beauté fut primitive : le peuple tomba à genoux.

Je vis alors, perché au clavier de l'instrument, minuscule par le rapport de taille, mais magnifique par son insolence, le citoyen Barras, ci-devant vicomte, représentant de la Convention, député du Var. Il était tout empanaché de tricolore. À la fin du morceau, il leva le bras à la manière de Brutus. La foule lui fit une ovation. Elle en oublia son désir d'incendie. Barras laissait tomber sur la masse, passée en un instant de la profanation à l'idolâtrie, un regard où se mêlaient triomphe, amusement et mépris. J'eus à cet instant l'envie d'approcher cet homme détestable qui venait, par un reliquat d'humanisme ou par extravagance, de sauver un joyau de la barbarie.

*

Après le spectacle, nous fûmes conviés à souper avec les autorités. C'est une constante de tous les régimes que l'argent, l'art et le pouvoir se frottent par-dessus la plèbe. Ainsi, à peine formulé, mon désir de rencontrer Barras se trouva-t-il exaucé.

On nous fit passer à l'insu de tous dans le ci-devant cloître du couvent royal. Là, était servi sur des nappes garnies de tricolore un festin digne de la Rome antique. On nous présenta des perdrix farcies aux prunes de Brignoles, des compotes de figues, du civet de sanglier, des truites en gelée, du lièvre truffé, sans parler d'une formidable quantité d'écrevisses à la nage et d'amandes sucrées. Il faut dire que Lucien Bonaparte était fiancé à la fille de l'aubergiste. Son ambition, cependant, visait déjà plus haut.

Parmi les convives, outre Barras et le frère du futur empereur, se trouvaient des filles décolletées, nombre de coquins empanachés, plusieurs notables du cru qui avaient pris le vent et un curé jureur plaidant avec éloquence pour le mariage des prêtres. Tout ce joli monde s'en donnait aussi joyeusement que sous l'Ancien Régime. La proximité de la guillotine ajoutait aux plaisirs de l'esprit, de la luxure et de la bonne chère, la puissante émotion que procure le sang versé.

Il y avait chez Barras une affectation particulière à se faire appeler « citoyen ». On sentait bien, à la nonchalance du geste, à l'infinie lassitude du regard, que l'homme était taillé à la mesure des « Monseigneur ». Comment ce bubon perdu au bord du monde qu'est le hameau de Fox-Amphoux avait-il pu produire ce fauve lascif et redoutable, aristocrate jusqu'à la moelle des os, cynique au point de se mépriser lui-même avec jubilation ? Écroulé plus qu'assis dans un fauteuil à l'antique, l'homme s'éventait mollement d'une longue main blanche où l'absence de bagues brillait comme une coquetterie.

— Ainsi, me dit-il en croquant une amande sucrée d'un bref coup de dent, tu étais au siège de Toulon, citoyen ?

— J'y étais, répondis-je sans m'engager davantage, car ne sachant où je mettais les pieds.

— Tu as donc pu juger de la fermeté avec laquelle nous avons traité la réaction ?

— En effet, citoyen, j'étais au Champ-de-Mars.

— On t'a décompté avec les traîtres à la Nation ?

— On m'a décompté avec ceux qui étaient là, répondis-je, m'enhardissant.

— Foutre ! dit-il, avec un sourire charmeur, louée soit la Fortune qui a su épargner ces beaux yeux...

Il me tendit une grosse amande nappée de sucre rose que je tentai de saisir entre deux doigts. Il me la refusa, et me fit comprendre qu'il voulait me la mettre en bouche. J'en avais trop entendu sur ses mœurs pour ne pas me douter où conduisait son système. Bonaparte, qui ne goûtait guère les inversions, ne dirait-il pas un jour de lui qu'il était l'homme de toutes les femmes, et la femme de tous les hommes ? J'ai déjà dit, je crois, qu'il avait de l'allure, et qu'il m'arriva quelquefois d'être un peu ému par des garçons. Mais l'inclination ne se commande pas : cette invite non déguisée me jeta un frisson dans les vertèbres. Comment me tirer d'affaire sans encourir les foudres de ce tigre ? J'avais remarqué qu'il ne manquait pas d'esprit. Je tentai une pirouette.

— Je te rends grâce, citoyen représentant, mais je crains les amandes. Je m'y ébréchai autrefois une dent. Je puis cependant t'affirmer que mon camarade Tribor en est friand. Quant à Suzeto, elle en est enragée. On ne saurait dire lequel gagnerait un concours de gloutonnerie sur le thème, sauf peut-être les deux ensemble.

Barras eut un fin sourire qui plissa le coin de ses yeux. Ils étaient, ma foi, assez beaux, noirs et brillants comme des olives, mais avec quelque chose de leur principe huileux.

— Tu as de l'esprit, citoyen ! Tu devrais te mettre auteur dramatique, car tu joues la comédie aussi mal, ma foi, qu'un cochon !

— C'est que ce n'est pas mon métier, citoyen représentant, et seul le hasard…

Les yeux bruns s'allumèrent. Je me mordis la langue d'avoir parlé trop vite.

— Quel est donc ton métier ?

— Mon métier ? répondis-je, répétant sa question comme tous les imbéciles qui cherchent à se gagner le temps de la réflexion.

Que pouvais-je répondre sans me mettre en péril ? Pouvais-je avouer que j'avais été marin anglais, espion de Venise, cavalier de concours, fédéré marseillais, marchand, escroc, domestique et voleur ? Je pensais cependant que cette bizarre carrière l'eût ravi, comme semblait le ravir tout ce qui sentait l'étrangeté.

— Truchement, citoyen représentant ! Avant que d'être acteur, j'étais truchement…, répondis-je précipitamment.

— Truchement ? Tu parles donc plusieurs langues ? dit-il avec un ravissement quelque peu moqueur.

— L'anglais et l'italien, en plus du français et du provençal…, dis-je encore, ne sachant si je me gagnais un moment de paix, ou si je me jetais derechef dans les embarras.

— L'anglais et l'italien ! Foutre !

Il se tourna tout d'une pièce vers Lucien Bonaparte.

— Citoyen Bonaparte ! cria-t-il, je tiens un drôle qui parle l'italien ! Voilà bien ce dont nous avons besoin pour négocier avec ces coquins de Génois !

Bonaparte s'approcha de nous :

— Tu parles l'italien ?

— L'italien de Venise, citoyen !

— Bah! Tous ces patois se ressemblent, dit Barras en haussant les épaules, et le corse, même…

Bonaparte le foudroya du regard.

— Viens donc me voir demain matin à l'auberge, reprit-il, je te donnerai un laissez-passer pour Paris.

— Pour Paris? m'écriai-je, ébahi.

— Pardi! Crois-tu que les affaires se traitent ailleurs? Avant de partir pour l'Italie, il te faut rencontrer la citoyenne générale Beauharnais qui te donnera toute explication sur les transactions.

— La citoyenne générale? dis-je, surpris de découvrir des niveaux au titre sans grade de « citoyen ».

— L'épouse du général Beauharnais… Une citoyenne qui ne crache pas sur les amandes! reprit-il en pouffant.

De ce moment, il me vira le cul, accordant toute son attention à Tribor et à Suzeto qui buvaient du petit-lait. Je ne sais comment se conclut leur affaire et ne saurais en préjuger. On peut seulement avancer que, connaissant les goûts des uns et des autres, il est permis de tout supposer.

*

J'allai me coucher avec un fort mal de tête, ayant trop bu de vin. Mme Bayle m'attendait près de ma roulotte avec cet air pincé des ménagères qui voient leur légitime revenir fin soûl au milieu de la nuit.

— Ah, coquin! grinça-t-elle. Pour retourner si tard et fait comme une grive, tu as dû en gamahucher de ces femmes sans mœurs qui se frottent aux puissants!

— Tu te trompes, mon cœur, car je n'aime que toi! dis-je distraitement et en bâillant bien fort, car je n'espérais rien tant que me retrouver seul pour dormir un moment.

— Les serments ne te coûtent rien! Les preuves te sont moins coutumières! reprit-elle avec aigreur.

Je voyais venir la méchante querelle. J'eusse donné deux jours de ma vie pour l'éviter, tant mon crâne me faisait mal.

— Ne suis-je pas ardent? demandai-je, et trouves-tu que je ménage mes forces pour te montrer mon attachement?

— Pardi non! cria-t-elle, mais tu y trouves aussi ton compte! T'arrive-t-il seulement de songer que par ta faute je vis dans le péché?

Sur ce chapitre, la prude était intarissable. Ainsi en est-il souvent des bourgeoises que l'on séduit et qui prétendent vous faire payer leur faiblesse au prix des larmes et des lamentations.

— Le destin a réparti les rôles : ton mari a sur moi l'avantage d'être passé le premier ! Qu'y pouvons-nous, ma douce ?

— Si seulement tu le voulais, nous y pourrions bien quelque chose...

La coquine mûrissait-elle quelque projet de fuite à deux sur le dos d'un cheval volé ? Les trois sueurs m'en vinrent au front. Craignant de la voir développer cet argument, je crus bon de dire sur le ton de la plaisanterie :

— Ma foi... à part étrangler ton mari dans son lit...

Sa réaction ne fut pas celle que j'attendais. L'œil froid, la bouche pincée, un pli au milieu du front, elle reprit :

— L'étrangler c'est beaucoup, mais... un simple billet sans signature, et...

Elle termina sa phrase par un geste vif de l'index glissant contre son cou comme le fil d'un rasoir.

— Songe à la belle vie que nous aurions ! Plus besoin d'attendre l'aumône du vieux pingre pour manger des ortolans...

J'étais atterré. Ainsi parlait donc la vertu par ces lèvres dévotes ? Non content de cocufier ce brave homme de *moussu* Bayle, j'eusse dû, pour garantir le salut éternel et le confort de l'infidèle, expédier le malheureux à la guillotine ? La belle statue d'honnête femme ! Il lui fallait le vit du galant, mais aussi les deniers du barbon. Comme je ne répondais rien, elle étaya son argumentation, la tête penchée et les yeux mouillés de tendresse.

— Et puis, songe à ces beaux enfants que nous verrions bientôt courir dans nos jambes...

« Des enfants ! Quelle horreur ! », pensai-je.

— Laisse-moi y penser, Mamour, nous en reparlerons demain...

Ravie de ma complaisance, elle me quitta sur un petit baiser. De cet instant, et malgré la migraine qui me tympanisait, je ne pus trouver le sommeil. Je me tournai et retournai sur ma paillasse, en proie aux pires tourments.

Tribor et Suzeto qui partageaient ma roulotte ne rentrèrent qu'au petit matin, persuadés que leur nuit de débauche leur ouvrirait grand les théâtres de la capitale. Comme on s'en doute un peu, il n'en fut rien. Le futur directeur les lâcha aussi vite qu'il les avait pris. Jusqu'à la fin de leurs jours, ils jouèrent entre Avignon et Toulon *Lou groulié bel esprit*, et ce, bien au-delà de la Révolution, de l'Empire, et même de la Restauration.

Je me levai dès que je les entendis ronfler. Sans faire de bruit, je rassemblai quelques affaires, je les fourrai dans un sac de toile qui me restait du temps que j'étais marin. L'ayant d'un coup de rein chargé sur mon épaule, je me rendis à l'ancien couvent royal où logeait Barras.

Ainsi, pour échapper aux vilaines intrigues d'une bigote, je m'allai fourrer dans une effroyable galère : Paris en proie à la Grande Terreur.

*

On me remit un ordre de mission illustré d'une dame en toge portant francisque, faisceau et bonnet phrygien planté sur une pique. D'un côté on pouvait lire « République », de l'autre « Une et indivisible », et au-dessous « Mort aux tyrans ». Pour compléter ce bel écu, on avait imprimé tout autour en gros caractères « Liberté, égalité et fraternité », et au-dessous « Département du Var, district de Saint-Maximin, bureau de la guerre ». Je devenais officiellement Hugues Style puisque Barras en personne le certifiait en apposant son paraphe au bas du feuillet.

— Style ! Voici un patronyme qui sent la comédie, me dit-il avec un sourire moqueur. Je ne jurerais pas qu'il s'agisse là de ton nom véritable…

— Il va avec ce 12 prairial de l'an II, citoyen député, dis-je hardiment.

— Tu l'as dit, coquin ! répondit-il en riant.

Il ne m'en demanda pas davantage. Là-dessus on me fournit une ceinture tricolore et un cheval. Je partis aussitôt, portant dans les fontes de ma selle un gentil pécule amassé du temps où je commerçais dans Toulon pour le compte de l'Anglais.

Je compris la puissance de Barras à ce que les villes s'ouvraient devant moi comme devant un prince. À Aix, on me logea dans un palais. En Avignon, on me promena par la cité sous escorte de militaires, pour me montrer que les particuliers ne bougeaient plus ni pied ni tête, et que la cité pâtissait de sa rébellion contre la Nation. Le soir, on me fit asseoir près de Carteaux sur une estrade placée face à la guillotine pour m'offrir le spectacle édifiant de quelques exécutions.

Je retrouvai ma ville aussi énervée que du temps des brigands de l'armée de Vaucluse. L'atroce mécanique était dressée devant le palais des Papes. Les deux tours en poivrière qui surmontent l'ogive de l'entrée lui faisaient un puissant décor. On avait dû débiter là, depuis l'aube, pas mal de citoyens, car les planches de l'échafaud étaient nappées de sang caillé. On passa au rasoir quelques quidams sans importance qui tentèrent de se débattre ou de lancer un dernier mot. Tout se perdit dans des flots sanglants et le meuglement de la foule. Le clou de la séance, cependant, restait à venir.

Un charreton à bras se fraya un passage dans la masse compacte des spectateurs. Un homme court sur pattes, petit, puissant, trapu, les mains liées, y était juché. Il nous tournait le dos. Jambes écartées, il accusait les cahots des roues ferrées sur le pavé et luttait pour son équilibre. Le col de la chemise grossièrement découpé aux ciseaux dégageait une nuque épaisse surmontée d'un épouvantail de cheveux filasse.

— *Gros pouar*[1] *! Putanas!* Assassin ! *Mouré brut*[2] *!* bramait la populace.

L'homme se retourna et cracha dans la foule. C'était Jourdan, égal dans l'infamie à ce qu'il avait été dans la gloire : ignoble et magnifique.

— Crois-tu, citoyen, me dit Carteaux, que ce coquin a voulu monter par ici une république autonome ?

— Cela est-il possible? dis-je, saisi à la fois de surprise et d'admiration pour la canaille dont j'avais été tour à tour l'ami et la victime.

— Ce tyran sanguinaire va payer une liste de méfaits qui donnent le frisson ! N'a-t-il pas fait entasser dans une tour au moins dix mille morts ?

— Dix mille ! m'écriai-je, amusé malgré la circonstance par l'exagération d'un massacre auquel j'avais par malheur assisté et par bonheur échappé.

— C'est comme je te le dis, citoyen ! Au moins dix mille !

---

1. Gros cochon !
2. Sale gueule !

— La tour dont tu me parles doit être gigantesque !

— C'est celle que tu vois là !

Il me montra du doigt l'énorme donjon qui, contre la Métropole, dépasse de toute sa hauteur crénelée la masse compacte du palais des Papes.

Le couperet tomba. Le chef de « Coupe-Tête » roula dans la sciure. Du cou tranché gicla une gerbe de sang vermeil. La masse mugissante se jeta en avant. Des mains se tendirent qu'on voulut tremper dans l'affreux liquide. On se signa avec. On se marqua de rouge le front et la poitrine. On en jeta par-dessus les têtes comme de l'eau bénite. Certains, je le crains bien, y portèrent la langue. Une nausée me tordit l'estomac.

— Tu as le cœur sensible, citoyen, me dit Carteaux, qui me voyait prêt à tourner de l'œil.

— Ce n'est pas mon cœur mais mon ventre qui parle, citoyen ! Il nous faudra trouver un bien grand poète pour justifier cela…

Le bourreau saisit la tête de Jourdan par les cheveux. Il la montra au peuple, comme Samson l'avait fait pour Louis XVI, et lui-même pour Launay, gouverneur de la Bastille, ce 14 juillet 1789 qui devait passer à la postérité comme le premier jour de la liberté.

Ainsi mourut Jordan dit « Coupe-Tête », écrasé par la terrible machine qu'il avait lui-même ébranlée.

III

J'entrai dans Paris le 20 prairial de l'an II. Cela ne dira pas grand-chose au lecteur, car cette façon de nommer les calendes ne dura guère. Bien vite, avec la raison revint l'ancien usage. À ce moment, la Raison portait un R majuscule et rien, justement, n'était moins raisonnable !

Comme j'arrivai dans la capitale, je voulus me rendre rue Chantereine, chez la citoyenne générale Beauharnais. Je compris que la manœuvre ne serait pas facile. Du côté de la Chaussée-d'Antin, il n'était pas une colonne, pas une pile de pont qui ne fût ornée de rameaux de chêne entrelacés de rubans et de fleurs.

« Peste ! me dis-je, on a dû raser une forêt pour amasser tant de verdure ! Mais mieux vaut couper des arbres que des têtes. On pourra du moins se chauffer cet hiver avec ce qui restera des troncs… » Pour l'heure, nous étions en été. Sur les toits de Paris, le ciel avait ce bleu tendre modelé de vapeurs qui lui est si particulier, et qu'on ne trouve nulle part ailleurs dans le monde. L'air était léger, pimpant, vif et doux à la fois. Je me laissai aller à flâner sans but, mais avec grand plaisir, sur les bords de la Seine. Le fleuve lui-même semblait s'être alangui. Entre ses berges en pente, il allait doucement, portant sur son bras bleu une flottille de barques chargées de fleurs.

Il pouvait être neuf heures du matin. Je m'approchai des Tuileries, laissant derrière moi les tours de Notre-Dame. Je vis venir alors d'étranges cortèges. C'étaient les sections, qui, de tous les quartiers de Paris, se dirigeaient, comme deux ans plus tôt, vers ce nœud cardiaque de la cité. Qui avait vu ces furieux armés de piques avec leurs yeux rouges, et considérait à présent cette angélique procession, ne pouvait croire qu'il pût s'agir des mêmes citoyens. Les femmes étaient en blanc, drapées de la nuque aux talons dans des tuniques à la grecque. Cela faisait valoir le délié des jouvencelles, mais portait un peu à rire sur les fessiers charnus des matrones. Elles étaient précédées par des enfants qui portaient, comme les chérubins de Trianon, des corbeilles de fleurs, et suivies par des hommes encombrés de rameaux de chêne.

« Bigre, pensai-je, tout cela m'a furieusement l'air d'une procession pour le mois de Marie ! Les Parisiens seraient-ils retournés, sans que j'en susse rien, dans l'adoration de la Vierge et des saints ? » Ces gens paraissaient bénins et pacifiques. Je les suivis. Je me trouvai bientôt dans ce même jardin des Tuileries où j'avais vu quelques mois plus tôt une mégère, peut-être l'une de ces vestales, découper aux ciseaux les couilles d'un garde suisse.

Bientôt, parut sur une scène drapée de satin blanc et enguirlandée de roses, un particulier vêtu d'un costume bleu pâle. Sa coiffure poudrée avec des rouleaux sur les tempes, ses escarpins à boucles, tout évoquait le courtisan d'Ancien Régime, et je fus plus que surpris lorsque j'entendis murmurer près de moi :

— Robespierre ! C'est Robespierre...

Ainsi, c'était là le grand homme, cet Incorruptible fameux, ce maître de la Nation au nom de qui on faisait tomber les têtes comme les épis de blé en juillet ? La chose me paraissait incroyable. Il avait l'air timide, doux, quelque peu démodé. D'une voix nasillarde, il fit un maigre discours qui avait tout d'un sermon, et où revenait sans cesse, comme un refrain, le mot « raison ». Quand il eut terminé, les chœurs de l'opéra entonnèrent un hymne, *Père de l'univers, suprême intelligence...* dans lequel ne se retrouvaient ni la piquante fantaisie de Mozart, ni l'énergie farouche de *La Marseillaise.* C'était long, pesant et ennuyeux.

Après les chants et les discours, on se rendit en procession au Champ-de-Mars. Là, on fit longuement et gravement le tour d'un mamelon de sable orné de rochers en carton, qui figurait une montagne symbolique. Quand cela fut accompli avec le sérieux d'enfants se livrant à leurs jeux hermétiques, on s'embrassa comme du bon pain après la communion. Je me trouvai ainsi pressé dans les bras d'inconnus remplis d'affection mais sentant fort la sueur car on avait passé l'heure de la méridienne, et le soleil échauffait les humeurs. Toute la cérémonie avait quelque chose de solennel et d'un peu niais qui eût porté au rire, si on n'eût pressenti ses adeptes totalement inaccessibles à ce que les Anglais appellent *humour*.

« Il faut que ce Robespierre soit une manière de mage, pour avoir ainsi subjugué ces forcenés. Les voici, dans ce nouveau culte de l'Être suprême, devenus aussi doux que des agneaux, après avoir été plus sanguinaires que les loups des forêts ! » Je me promis d'en faire la réflexion à la citoyenne générale Beauharnais. Je me dirigeai vers l'endroit où elle tenait ses pénates.

*

La maison était un charmant hôtel construit en rotonde à l'antique, et entouré d'un petit parc. On me fit attendre dans un boudoir décoré avec grâce. La fenêtre s'ouvrait sur la fraîcheur du jardin, et j'entendais monter la rumeur d'une réception qui devait se tenir dans un salon voisin. Bientôt, je vis sortir sur le perron un groupe volatil composé de femmes et d'hommes vêtus avec recherche, et même préciosité. Ils s'égaillèrent entre les massifs fleuris, allègres et sautillants, tout en adressant du bout des doigts des baisers d'adieux à l'hôtesse. Tout cela avait un air délicieux de grâce et de légèreté. L'instant d'après, la générale était devant moi. Je lui tendis l'ordre de mission que Barras m'avait donné à son intention et, afin de me donner l'air à la mode, je dis :

— Quel bonheur, citoyenne, de voir Paris revenu à son naturel !

— Que veux-tu dire ? demanda-t-elle, arquant son beau sourcil.

— Que j'ai vu dans la rue une gentille fête, et chez vous des gens qui paraissaient en tout point contents…

— Pauvre sot ! s'écria-t-elle, il faut que tu arrives de ta campagne pour ne rien sentir de la capitale ! Les Parisiens sont abrutis d'angoisse et de douleur ! La peur et la famine sont partout…

— Vos amis, cependant…

— Talma et mes amis savent feindre mieux que personne, étant acteurs de leur état !

Je me fis petit sous l'avoinée. Je laissai passer ce vent contraire, charmé que j'étais par cette générale, fort différente de ce que j'avais imaginé. C'était un petit corps d'une grâce infinie, à qui sa méchante humeur donnait la vivacité d'un farfadet. Brune avec de grands yeux, un teint de Saxe qui tenait de la pêche à la hauteur des joues, une gorge superbe, des bras potelés, deux mains comme des ailes et le pied petit. On sait qu'elle était née dans les îles Tascher de la Pagerie. Elle avait rapporté de là-bas un je-ne-sais-quoi d'exotique et de flexible dans la démarche, un roucoulement de gorge qui sentait les tropiques. Hélas, rien n'est parfait, et cette fleur de paradis portait un grain de rouille à son pétale blanc. Peut-être avait-elle abusé du temps de son enfance de ce miel végétal produit par les cannes de son pays, car ses dents du devant étaient navrées, ce qui lui gâtait un peu le sourire. Aussi, n'en abusait-elle pas, affectant la plupart du temps, derrière l'éventail, un air mélancolique qui lui allait fort bien.

— J'ai vu, citoyenne, tentai-je de plaider, un rassemblement qui m'a paru joli, comparé à celui que je rencontrai au même endroit, voici moins de deux ans : des arceaux de verdure, des guirlandes de fleurs, des estrades pomponnées de rubans, le tout arrangé avec goût…

— Eh ! Je crois bien qu'il a du goût, ce coquin de David ! Et autant de constance qu'une girouette ! Voilà un bougre qui sait prendre le vent ! Hier, il eût recouvert le monde entier de cygnes et de fleurs de lys. Aujourd'hui, il est maître de cérémonie de cet Être suprême et dessine des feuilles de chêne et des colombes partout ! Demain, pour va savoir quel autre despote il peindra avec autant d'énergie des lauriers ou même des mouches à miel !

— Il n'empêche, citoyenne, ces braves gens m'avaient l'air pacifiques, et…

— Des imbéciles ! cria-t-elle en me donnant sur le nez un coup d'éventail qui me mit les larmes aux yeux. Sais-tu bien que l'on t'a montré là le devant de la scène ? Que dans les parvis se joue un drame affreux ? Qu'il n'y a plus de bornes à la folie du tyran ? Que cette foule stupide se laisse travailler comme une pâte molle ? Que Robespierre se prend pour un nouveau Messie ? Qu'il a même trouvé une folle, fort bien nommée Théot, pour l'annoncer ? Qu'il n'entend plus la Convention, ni même le Comité de salut public ? Qu'il prétend recevoir ses ordres d'en haut ? Qu'il veut faire juger tout le monde ? Qu'avec ce coquin de Couthon il a étendu encore les listes du Tribunal révolutionnaire ? Qu'il accélère la procédure ? Qu'on est décapité avant même que d'être entendu ? Qu'il a osé faire arrêter le général mon époux, et même... et même... Térésa Cabarrus !

À l'énoncé de ce dernier nom que j'entendais pour la première fois de ma vie, elle se laissa tomber, accablée, sur l'un de ces canapés asymétriques, qu'elle devait immortaliser par la suite dans ses portraits, grâce à ce même David. Ne sachant quelle contenance adopter, je m'approchai du meuble et y posai la pointe d'une fesse.

— Citoyenne, pardonne-moi. J'arrive de ma province où Barras...

— Ah ! Barras ! Le fripon ! cria-t-elle. Qu'a-t-il donc à faire de si pressé chez les sauvages, alors qu'on va ici nous assassiner ! Ne sait-il pas qu'on a besoin de lui, nous autres malheureuses femmes ? Ah ! Térésa ! Ma pauvre Térésa ! Ma chère Térésa ! Ma douce Térésa...

Ce disant, dans un joli transport de désespoir qui sentait un peu le théâtre, elle se lacérait délicatement les joues de la pulpe des doigts, faisait mine de s'arracher de menues boucles de cheveux. Je m'émerveillai de tant d'adresse à feindre la souffrance et je m'en fusse franchement amusé si la scène n'eût pris un tour qui réclamât d'un coup toute mon attention.

— Peux-tu imaginer, citoyen, ma tête séparée de mon corps ? dit-elle en nouant ses deux mains autour de son cou gracile où brillaient trois émeraudes serties de brillants.

— Avec peine, citoyenne..., concédai-je, ému par la perspective.

— Et la tienne, citoyen ? La vois-tu rouler dans la sciure ? ajouta-t-elle, portant cette fois son étreinte sur moi.

— Pas davantage, citoyenne..., articulai-je péniblement, le gosier serré tant par l'effort d'imagination que par le contact étroit de ses jolis doigts blancs.

— Ô dieux ! Est-ce possible ? Ah ! Robespierre ! Monstre affreux ! Tigre sans cœur ! Despote sanguinaire ! Mourir si jeunes ! Et n'avoir rien connu ! Ô temps funestes ! Et funeste destin ! déclama-t-elle avec des accents pathétiques, les yeux levés au plafond, ses deux mains toujours nouées autour de mon cou où s'affolait la pomme du péché.

Brusquement, alors que je cherchais désespérément dans mon cervelet ralenti une réplique digne de l'envolée, elle se dressa à genoux sur le brocart du siège, et m'embrassa sur la bouche avec rage.

J'en avais connu, des gueuses, mais point encore d'aussi gueuses que cette gueuse-là ! Je n'eus pas à remuer le vit, ni même le petit doigt ! Sans seulement lâcher mes lèvres qu'elle baisotait sans arrêt, mordillait avec art, titillait de la langue, elle me dévêtit juste à point ce qu'il faut pour tirer un bon coup sans trop perdre de temps. Elle ne portait pas beaucoup d'entraves sous sa robe de mousseline. En tout cas je ne surpris rien qui, dentelle ou ruban, pût me proposer la moindre escarmouche. Elle m'enfourcha et me chevaucha avec une hardiesse de Walkyrie, sans cesser de me mordre à la bouche et de m'étrangler à moitié. Cette composition d'exercices formait un système dont je ne connus pas d'autre exemple. Je puis affirmer cependant que la bandaison y trouvait son compte, et que la crise qui s'ensuivit me fit voir la terre comme ouverte en deux.

— Encore ! Encore, citoyen ! criait-elle. Ne nous ménageons pas ! C'est peut-être notre dernier coup !

Fort heureusement pour elle et pour moi, ce ne le fut pas. Le souvenir est encore vivace dans ma mémoire de cette femelle chaude, musquée, et fort étroite pour une personne de son âge et qui avait eu deux enfants. À ces détails anatomiques, se mêle un brin de vanité, dont je ne saurais m'enorgueillir trop longtemps sans être joliment ridicule : c'est d'avoir baisé Joséphine. Car depuis je me suis laissé dire que, mis à part son futur époux, tout Paris alors l'avait plus ou moins baisée...

En un instant elle retrouva ses esprits et ce fin sourire des lèvres closes qui faisait tant pour son charme.

— Il faudra te rendre rue du Petit-Pont chez le citoyen Morenasse qui est fournisseur des armées, et nous faire un mémoire sur ce dont on aurait besoin pour cette expédition d'Italie...

« Morenasse... Cabarrus... Voilà du nouveau, me dis-je. Que me réservent ces gens, et d'abord qui sont-ils ? »

*

— Une catin ! me répondit le citoyen Le Scouarnec, aubergiste de son état, jacobin enragé et membre de la section des Piques, lorsque je lui parlai de Térésa, l'amie de la Beauharnais.

— Une catin dont Tallien s'est entiché..., ajouta la Maryvonne, son épouse, avec un air d'en savoir long.

— Celui qui écrit « l'Ami des Citoyens » ne fréquenterait pas une putain ! reprit l'autre buté.

— Bah ! Tallien est un homme comme les autres..., continua la tenancière.

— D'où tiens-tu ces ragots ?

— De ma cousine qui est blanchisseuse et amidonne les cravates de ces messieurs !

— Les commères seraient mieux informées que les sectionnaires ?

— On en apprend davantage en lavant des culottes qu'en écoutant des discours !

L'aubergiste, d'une bourrade, la renvoya vers son fourneau :

— Tais-toi donc, peste, et retourne dans ta cuisine ! Il ferait beau voir que les femelles s'en viennent tripoter dans les affaires de la Nation ! C'en est fini des rois et de leurs putains qui changeaient les ministres ! La République est la cause des mâles !

La femme eut une moue dubitative, mais elle obéit.

— Dans mon pays, en Provence, un proverbe dit : « Bois en long et femme en travers régiraient l'univers », dis-je pour apporter mon soutien à la dame.

Le Scouarnec haussa les épaules. La Maryvonne m'adressa un bref sourire, dont l'éclat me picota le cœur.

« La mâtine a de jolis restes », me dis-je en regardant s'éloigner la silhouette qui, malgré les années de besogne, n'avait pas tout perdu de ses robustes charmes et de sa blondeur atlantique. Je ne m'en trouvai pas réconforté par l'échange, sinon du plaisir d'avoir obligé une bonne personne.

Ma position dans Paris était délicate. Je n'étais point tant surpris par la collusion de la putasserie et de la politique qui, de tout temps, firent bon ménage, que par ce que je devinais de factions dans les parages du pouvoir. Ne sachant rien des intrigues de la capitale, je risquais d'y faire un fatal faux pas. Les faux pas, en cette saison, ne coûtaient pas une cheville, mais la tête du premier coup. Pauvre de moi ! J'arrivais de la province, recommandé à la Beauharnais par Barras qui faisait là-bas figure de robespierriste forcené. Or, l'amie de mon protecteur venait de m'apprendre que ce même Robespierre avait fait arrêter son mari. Ces gens que nous pensions unis se déchiraient donc entre eux…

Je pris sagement le parti de me tenir éloigné de la rue Chantereine jusqu'à temps que Barras retourne dans la capitale. Je remis à plus tard ma visite au citoyen Morenasse. Je m'installai avec mes effets dans une chambre rustique mais proprette chez les Le Scouarnec à l'auberge des Trois Piques, ci-devant des Trois Cœurs. La cuisine de la Maryvonne était bonne, car elle mettait tout son talent de Bretonne à vous accommoder les rebuts de ces temps faméliques. Les pauvres savent faire du gouleyant avec du presque rien, mais cuit, recuit, mijoté, gratiné, assaisonné de bonnes herbes qui ne coûtent rien. La brave femme vous les servait avec le sourire et l'air de se délecter de votre appétit. Depuis que j'avais pris son parti contre le mari obtus, elle ne manquait jamais de glisser le plus fin morceau dans mon assiette.

Le reste du temps, je vaquai dans Paris à ma fantaisie, avec le confort de mon petit pécule. Je me trouvai fort bien d'avoir quelques pièces d'argent. Les cabaretiers ne voulaient plus entendre parler des assignats tant on avait forcé sur la planche à billets. Le montant de la monnaie de singe avoisinait les six millions, et chacun se doutait qu'on allait, un beau jour, devoir l'utiliser pour se torcher à la garde-robe.

Le peuple était partagé de sentiment pour Robespierre. On lui reprochait la faillite du commerce, mais on le louait pour les victoires remportées par les bleus. Ainsi va toute nation, oscillant entre rêve de gloire et espoir de fortune. Les pauvres gens, qui attendaient en rang l'opportunité de quatre navets creux devant la porte d'un regrattier, commentaient les journaux que des galopins criaient dans les rues. Ils devisaient entre eux de Fleurus et de Charleroi, de Jourdan et de son armée qu'on appelait désormais Sambre-et-Meuse. Cela leur adoucissait un peu les tiraillements d'estomac. Un autre détail leur calmait aussi l'esprit critique, c'était la mode des suspects. On devenait suspect pour un mot, un regard ou un pet de travers. Cela vous conduisait aussitôt en prison où on croupissait peu : le Tribunal révolutionnaire vous expédiait en cinq sec à la guillotine.

N'ayant rien à faire de mes journées, je flânais dans Paris. J'évitais soigneusement la place de la Révolution où l'on débitait du ci-devant et du citoyen comme fayards des forêts. La générale Beauharnais n'avait pas menti : je n'avais vu qu'un côté du décor. L'horrible spectacle était devenu coutumier, récréatif. On apportait au pied de l'échafaud des sièges de fortune pour ne point trop fatiguer des jambes pendant les exécutions. Des femmes y tricotaient, y menaient leurs poupons comme au jardin d'enfants. Les commentaires allaient leur train sur la tenue des condamnés qui lâchaient de bons mots, ou sur la mauvaise grâce de ceux qui prenaient mal l'aventure et meuglaient comme des bœufs aux portes de l'abattoir. On applaudissait les uns, on conspuait les autres, aussi tranquillement que des Romains aux arènes.

« Ces gens sont devenus fous, me disais-je, pour se faire ainsi de l'horreur un tableau familier qui ne trouble personne ! » L'air de Paris avait perdu sa grâce. Le vulgaire y tenait le haut du pavé. Il fallait lui ressembler ou se faire petit. La mode était à la grossièreté, on se faisait une gloire d'être obscène. Il y avait une affectation à se montrer le plus rustre possible, à parler gras, à marcher les genoux pliés et les coudes en dehors, à jouer du menton, à jurer, à montrer le poing. Il fallait avoir l'ongle noir, la main velue et le cheveu filasse. Tout ce qui montrait un peu de finesse était déclaré suspect. Après avoir rayé au poinçon le cou de Louis XVI sur les écus d'or et d'argent, on faisait sauter au burin sur les frontons des monuments les ornements de pierre qui pouvaient rappeler l'Ancien Régime. À la place des angelots, des roses et des rubans, on badigeonnait sur le marbre, en rouge et noir, des bonnets phrygiens, des francisques, des faisceaux, des piques et même des guillotines !

« Ah ! me disais-je, le peuple a tant de belles qualités ! Est-ce bien l'honorer que mettre en gloire ce qu'il a de pire ? Ne vaudrait-il pas mieux l'élever plutôt que d'écraser tout ce qui le dépasse ? »

*

Un matin, dans la rue Neuve-des-Mathurins, au hasard de mes promenades, je crus reconnaître la maison devant laquelle, deux ans plus tôt, Constance m'avait si gentiment réveillé. Les volets étaient clos. Agité de sentiments divers, j'y retournai sur le soir. Je les trouvai de même. Dans ma tête, tournaient les mots amers prononcés par cet homme qui passait pour mon père :

Fasse que la liberté n'enferme pas plus que la tyrannie... La cruelle prophétie s'était réalisée. Paris n'était plus qu'une immense prison.

Une femme en coiffe qui charriait de l'eau dans des seaux de bois me héla sans façons :

— Tu cherches quelqu'un, citoyen ? Je te vois passer et repasser par ici depuis l'aube...

Je me troublai, elle reprit :

— Si c'est la gueuse qui logeait là-haut, elle a déménagé à la cloche de bois, quand on a arrêté son barbon !

— On a arrêté son barbon ? Où l'a-t-on mené ?

— À la prison des Madelonnettes, il y a plus de six mois. Je te donne mon billet qu'à cette heure on l'aura raccourci !

— C'était donc un ennemi du peuple ? demandai-je, surpris.

— De la pire espèce, citoyen ! Un noble acharné à contrefaire le patriote, sans duper personne, allez donc ! Fallait voir cette morgue et cet air suffisant ! Louis Sade, qu'il se faisait appeler ! T'en foutrais, moi, du Louis Sade ! J'ai vu de mes yeux un coursier lui remettre un pli adressé à de Lacoste. DE ... tu m'entends ? Ce saligaud était au moins comte, peut-être duc, du temps du père Capet !

Lacoste ! Mon dernier doute s'envolait : j'avais bien croisé mon père deux ans plus tôt. La femme ne sentit pas l'émotion qui m'étreignait. Elle s'avança et murmura derrière sa main, l'œil allumé par la confidence :

— Et de plus, vicieux comme un cochon ! Empoisonneur de filles, enculeur de garçons...

Puis, l'air soupçonneux, tout à coup :

— Mais peut-être es-tu un parent de ce foutu bougre ?

— Moi ? Jamais de la vie ! m'écriai-je.

— Alors, pourquoi demandes-tu après un aristo ?

Je balbutiai :

— Parce que... parce que... il me devait de l'argent !

Je sentis monter à mon front le rouge de la honte. Cependant, j'avais eu, sans le savoir, le mensonge judicieux. La femme partit de rire.

— Voilà une bonne raison, citoyen ! C'est qu'on tirait pas mal le diable par la queue, à tant prétendre écrire des poèmes, plutôt qu'à se salir les mains au travail ! Allons, tu peux l'inscrire sur la liste des deniers de mon cul, ta créance…

— Eh bien ! Tant pis pour moi, citoyenne ! dis-je, prenant aussitôt le large.

Bien campée au milieu de la rue, la coiffe en bataille, les mains sur les hanches entre ses deux seaux d'eau, elle me regarda m'éloigner avec un air soupçonneux. Quelle méchante mouche me piqua ? J'ai dit que je n'avais rien à faire et les poches garnies. L'oisiveté est mère de bien des sottises. Je m'enquis de la prison des Madelonnettes. Je m'y rendis.

*

Malgré son nom chantant, l'endroit était un ancien couvent. Du temps de l'Ancien Régime, on y enfermait les filles perdues, moitié pour les rédimer, moitié pour garder leurs clients de la vérole. Je me présentai au guichet et je demandai après Louis Sade, un coquin qui me devait des sous.

— Louis Sade, dis-tu ?

Le portier prit un paquet de feuillets cornés. Il se mit à lire laborieusement des noms en suivant la colonne d'un gros ongle écaillé :

— Sabariaut, Sabatier, Sabourin, Sade, j'y suis, Louis Sade ! Il a été transféré à la prison des Carmes, rue de Vaugirard. Mais si tu veux mon avis, tu peux inscrire ta créance…

— … sur la liste des deniers de mon cul ?

— Hé ! Hé ! Hé ! Tu as le mot pour rire, citoyen ! grasseya le drôle tandis que je prenais le large, à la fois soulagé et déçu.

Je ne saurais dire ce que je cherchais. J'avais cependant commencé une étrange quête qu'il me fallait poursuivre pour quelque raison obscure et irrésistible. Je persistai. La rue de Vaugirard est la plus longue de Paris. J'avais les os des cuisses qui m'entraient dans les hanches lorsque je me trouvai devant la prison des Carmes. J'en vis sortir sur des brancards deux cadavres verdâtres qui n'avaient pas attendu le rasoir national pour passer de vie à trépas. C'est qu'on enfermait là, loin de la médecine, les malades et les scrofuleux, ceux qui crachaient leurs poumons, qui suintaient le pus, ou qui pissaient du sang.

— Sade… Sade…, chercha le geôlier, indifférent à tant de misère. Sade ! Voilà ! Il a été emmené à Saint-Lazare.

Je m'y rendis le jour suivant. Cette ancienne léproserie avait le riant aspect que l'on pouvait en attendre. Les murs autant que les grilles semblaient atteints du fatal fléau. Avant que d'en faire une prison nationale, on l'avait convertie en hôpital, puis en maison de correction, sans pour autant laisser tomber une once de chaux sur ses façades lézardées.

— Louis Sade ? On l'a conduit à la maison de Picpus…

C'était là encore une geôle, mais à l'autre bout de Paris. Je sentis le découragement autant que la fatigue me scier les poumons. Quand je serai à Picpus, m'enverrait-on au Temple, et après à la Conciergerie ? Combien de temps devrais-je encore rechercher un homme dont je savais si peu de choses, toutes, d'ailleurs, abominables ? Et si je venais à le retrouver, que lui dirais-je ? « Il se peut que je sois votre fils, et ce livre qu'on vous a pris a été perdu par un chanteur castrat entre Beaune et l'Angleterre » ? Quelle dérision ! Une mauvaise farce dans un décor de tragédie ! Cette ville si belle n'était donc plus qu'un pénitencier ? Dans ce chaos savait-on encore où se trouvaient les enfermés après tant de transferts ? Tenait-on toujours les comptes des morts de maladie, de mélancolie, et des guillotinés ? Ce diable de Robespierre voulait-il exterminer la race des Français ? Faire du pays tout entier un désert brûlé, vide d'humanité, où régnerait enfin, par la force des choses, ce qu'il appelait la Vertu et n'était que la Mort ? Ah ! Reviennent comme une délivrance les vices délicieux qui accompagnent le grouillement de la vie !

Je rentrai la tête basse et le cœur navré à l'auberge des Trois Piques. Comme je passais par la porte Saint-Antoine, je me trouvai sur cette place où cinq ans plus tôt se dressait encore la Bastille. On l'avait grossièrement démolie et des malins avaient vendu ses plus belles pierres comme porte-bonheur. Ici et là, se dressaient encore des tas de moellons sur lesquels poussaient le chiendent et la folle avoine.

J'avisai un attroupement qui se tenait dans les décombres. Je m'approchai. Une foule clairsemée entourait un groupe de musiciens et de chanteurs vêtus à l'antique. Un maestro énervé brandissait comme un fouet une baguette de chef d'orchestre. Il s'adressa à un officiel bardé de tricolore, qui semblait s'ennuyer ferme :

— Attendrons-nous encore longtemps Robespierre ? demanda-t-il, inquiet.

— Robespierre ne viendra pas. Il est au Tribunal révolutionnaire et je le remplace, lui répondit le député.

— Citoyen Chénier ! Robespierre a-t-il oublié que nous sommes le 26 messidor ? s'indigna le musicien.

Je me penchai vers mon voisin, un gaillard aux manches troussées sur des avant-bras poilus de travailleur de force.

— Le 26 messidor ? murmurai-je sur le ton de l'interrogation.

— Le 14 juillet ! me répondit-il dans un souffle.

— Foutre ! dis-je, il y a donc cinq ans aujourd'hui qu'on a pris la Bastille ?

— Cinq ans et j'y étais…, dit l'homme fièrement.

— Vas-y donc de ta complainte et finissons-en, citoyen Méhul, laissa tomber le député avec un geste las.

L'ensemble était mesquin, presque pitoyable, de la maigre chorale et du public clairsemé, rassemblé là pour commémorer cet événement dont on n'aurait pas fini de débattre dans des siècles. Robespierre, son héritier, n'avait pas daigné se déplacer. Pour célébrer ce cinquième anniversaire, on n'avait réuni qu'un orphéon de village. Le musicien, déçu, fit claquer sa baguette sur le pupitre. Enfin, il la leva. Les bouches des chanteurs s'ouvrirent en même temps :

La République nous appelle
Sachons vaincre, ou sachons périr !
Un Français doit vivre pour elle
Pour elle, un Français doit mourir…

Aussitôt s'opéra sur les assistants ce même bouleversement que j'avais observé quelques mois plus tôt dans la basilique de Saint-Maximin, lorsque Barras y avait joué *La Marseillaise* aux grandes orgues. Les épaules se redressèrent, les mentons s'affermirent, les yeux se mirent à flamboyer. Lorsqu'on en revint au refrain, c'est un chœur vibrant de patriotes qui le donna de toute son âme et à pleins poumons.

« Voilà, pensai-je, ce qu'il en est de la force des notes et des mots ! Avec un ronflant poème fermement soutenu de musique, on ferait, et qu'importe la cause, grimper les hommes aux murs, et même marcher sur l'eau ! » Ce soir-là, je m'endormis avec peine. Le lendemain, je m'éveillai d'un coup. On frappait à ma porte avec cette fureur que seuls y mettent les gendarmes.

IV

Je lançai un regard éperdu vers la fenêtre garnie de barreaux. Ils étaient si rapprochés, qu'on ne pouvait songer à s'enfuir. Je n'eus que le temps de fourrer mon pécule sous la paillasse. Déjà la porte sautait de ses gonds et s'abattait dans la chambre. Deux brutes portant des cocardes à leur bicorne s'en firent un pont pour se jeter sur moi :

— Tu es décrété d'arrestation, citoyen !

— Moi ? m'écriai-je, les mains déjà liées. Que me reproche-t-on ?

— Intelligence avec un ennemi de la patrie !

— De qui pourrait-il s'agir ? Je suis provençal ! Ici, je ne connais personne !

— Louis Sade, ci-devant noble et comte, homme de lettres et officier de cavalerie, prévenu de conspiration contre la République !

— Il y a erreur, citoyen, je ne connais pas ce particulier !

— Et pourquoi donc, alors, le cherches-tu depuis ton arrivée dans Paris ?

Je n'avais pas de réponse à cela. En courant après cette ombre, je m'étais si bien conduit en suspect que je ne pouvais pas me disculper. Accablé je me laissai emmener.

— Eh ! Citoyens gendarmes ! Qui me payera son gîte et son couvert, si vous l'emmenez ? cria Le Scouarnec en me voyant passer entre les pandores.

L'un des deux se tourna vers lui, menaçant :

— Tu tentes de plaider sa cause ? Serais-tu son complice ?

— Point ! se lamenta le cabaretier d'une voix tremblante. Je dis simplement qu'il me doit des sous !

— Tu es donc en affaires avec un ennemi de la patrie ?

— Pas le moins du monde ! Mais il loge chez moi depuis presque dix jours, et…

— Tu accueilles chez toi des suspects ?
— Hé ! J'accueille qui se présente ! Je suis aubergiste !
— Tu ferais mieux à surveiller tes pratiques !
— Je ne suis point gendarme, et celui-là avait bonne façon…
— Tous les citoyens sont gendarmes quand la patrie est en danger ! Quant aux bonnes façons, comme tu dis, ce sont celles des aristos ! Aimerais-tu les aristos ? reprit le chamarré, soupçonneux.

L'aubergiste suait de toute sa couenne. Il ne savait plus quelles raisons donner pour étayer son esprit civique :
— Je suis de la section des Piques, bégaya-t-il. J'en ai même donné le nom à mon auberge !

La Maryvonne sortit de sa cuisine, torchant ses mains rouges à son devantail de coutil.
— Il m'a réglé son écot hier au soir. Il ne nous doit plus rien. Laisse-les donc aller, pépère ! Ils peuvent bien l'emmener à Picpus, aux Madelonettes, ou au diable à l'envers si ça les chante !
— À Saint-Lazare à l'endroit ! répondit un gendarme, riant de cette médiocre saillie. Pour le reliquat, tu te payeras sur ses effets ! Je doute qu'il en ait encore besoin avec les charges qui pèsent contre lui !

Je sortis dans la rue, acquitté de mes dettes mais bien abattu, les mains liées, poussé aux fesses par le piquant d'une baïonnette, la grosse gaîté des brutes et les regards circonspects des passants.
— Salut, citoyen bailleur des deniers de mon cul ! me lança joyeusement le portier lorsque je franchis, entre les deux gardes, la porte crasseuse de Saint-Lazare.

*

Il fallait bien que je connusse les cachots révolutionnaires ! J'en fis même en peu de temps une visite accélérée, et je pourrais en dresser catalogue. Saint-Lazare n'était pas pire que les autres, bien qu'il soit difficile d'imaginer plus affreux endroit. J'ai déjà dit qu'il s'agissait d'une ancienne léproserie, et ce nom, déjà, fait frémir. Ce mouroir comportait une succession de cellules voûtées, pauvrement éclairées par des soupiraux garnis de barreaux. Elles donnaient sur d'interminables corridors où claquaient grilles et verrous.

Je me retrouvai en compagnie d'une vingtaine de malheureux, hommes et femmes, qui croupissaient sur de la paille. On attendait tout le jour le funèbre appel du matin. Dans un coin vrombissant de mouches, se trouvaient trois seaux qui servaient de tinettes. Si grande était la négligence des gardiens, qu'ils débordaient souvent de merde, répandant alentour une odeur infecte. Les prisonniers, et particulièrement les femmes, avaient beaucoup de mal à conserver un peu d'intimité dans l'exercice de leur fonction naturelle. C'était pitié de les voir se faire tour à tour un rempart de leur corps pour satisfaire aux exigences de la nature.

La nuit, les murs aveugles résonnaient de pleurs, de gémissements, de hurlements d'angoisse, de cris de femmes forcées. Au petit jour, tout se taisait. On entendait le silence s'épaissir jusqu'à l'arrivée des gardes qui portaient la liste de Fouquier-Tinville. Le bruit des bottes sur les dalles des couloirs allait croissant. On sentait se dresser les cheveux sur sa tête. Quand on entendait grincer la serrure d'une cellule voisine, on tendait l'oreille à l'appel des noms. On redoutait d'entendre le sien, puis on connaissait la honte de se réjouir du départ des autres pour l'échafaud. Un jour... un autre jour à vivre... enfin... à ne pas mourir !

Je me trouvai dans cette sorte d'hébétude si particulière aux prisonniers, encore aggravée par le sentiment de l'absurde circonstance qui m'avait conduit là. Tous mes compagnons étaient, comme moi, victimes de l'arbitraire et de l'imbécillité du temps. Tel était accusé d'avoir mal parlé de Robespierre, tel autre, d'avoir vendu trop cher une douzaine d'œufs. Une femme avait été servante d'une ci-devant émigrée, une autre avait conservé dans sa chambre un crucifix qui lui venait de sa mère. Pour ces sottises on vous déclarait suspect, puis on vous coupait le cou. Tous criaient à l'injustice. On allait forcément, sous peu, les tirer de là. À les entendre, chacun avait un conventionnel dans sa manche. J'étais le seul à n'attendre de secours de personne.

Le troisième jour de ma détention, après une nuit de sueurs, à l'heure atroce de l'appel, le geôlier fit cliqueter sa baïonnette tout le long des barreaux, comme un enfant qui joue avec un bout de fer sur les grilles d'un parc.

— Citoyen Style !

Mon cœur glacé s'arrêta de battre et me tomba dans les talons. Je me sentis comme rivé au sol par deux clous forgés plantés à coup de masse. Je ne bougeai ni pied ni patte. Le geôlier brama plus fort :

— Citoyen Style ! Tu as de la visite !

Je n'en croyais pas mes oreilles. Qui donc pouvait venir me visiter dans ce trou où personne ne savait que j'étais tombé ? Dans un éclair de sottise ou de naïveté, je songeai à la citoyenne Beauharnais et même à Barras. Je m'approchai et, prenant un barreau dans chaque main, je me tordis le cou vers la Providence. Du fond du couloir, je vis venir la grosse jupe rayée et la coiffe à volant de mon ancienne tenancière, la citoyenne Le Scouarnec. Elle portait un panier recouvert d'un torchon à la pliure du bras. L'air gauche mais content, elle essuya ses mains sur les côtés de sa jupe.

— Té, dit-elle, v'là une chemise propre, du pain, du fromage et une pinte de *gwin ruz*.

Je me sentis plus sot que nature. Ne sachant que dire, je pris à travers les barreaux ses deux mains calleuses et je les baisai avec flamme. Cela la fit rougir.

— Hier, en pliant tes effets pour faire place à un marchand de tripes – qué puait par ma foué comme un cercueil ouvert –, j'avons trouvé ton pécule sous le matelas : il y en avait ben plus qué tu ne nous devais…

— La vertu dont on nous rebat tant les oreilles existe donc ? m'écriai-je, charmé.

— Parlons point dé vertu ! reprit la femme avec un bon sourire, prends-y donc, et n'en parlons pus !

Je me rappelai alors qu'elle avait fort astucieusement tiré aux gendarmes le nom de la prison où ils m'emmenaient.

Comme le geôlier s'approchait de nous, elle se pencha vers moi et me dit à l'oreille :

— Tiens bon la barre, matelot. Robespierre est foutu ! C'est une question de jours. Les geôliers aiment l'or : j'allons employer ton pécule à té faire transférer…

— Transférer ? Mais pourquoi ? Je pourrais avoir pires compagnons de cellule…

— Pose point tant d'questions et laisse-toué gouverner. Le transfert est la sauvegarde ces temps-ci. L'a tant dé prisonniers qu'en tiennent pus le compte. En les prom'nant, on perd l'administration qué savons pus où les trouver…

Pouvais-je discuter davantage et songer à économiser des écus qui risquaient de ne plus servir ? Je me remis donc entre les mains de cet ange en sabots.

— Merci pour la chemise, les vivres, et l'espoir, citoyenne ! dis-je tandis qu'elle s'éloignait.

Lorsqu'elle fut partie, le geôlier considéra le pain, le fromage et la fiasque de vin. Il tendit la main entre les barreaux, palpa entre pouce et index le tissu de la chemise fraîche.

— Mazette ! dit-il, c'est du fin ! Puis, avec l'air de changer de sujet : Tu n'es guère à ta place ici, citoyen !

— Tu l'as dit, l'ami, car je suis innocent comme cabri à la mamelle ! m'écriai-je.

— Ton innocence n'est pas de mon ressort. En revanche… je peux améliorer ton sort !

Son œil chafouin brillait comme celui d'une pie qui convoite quelque dorure. Ainsi, même au fond des prisons révolutionnaires, il y avait des pauvres, des riches et des geôliers qui s'engraissaient ? Je brisai en deux le morceau de fromage. Je lui en tendis la plus grosse moitié. Il fourra la portion dans sa poche sans un merci. Il me regarda, l'air de me trouver du dernier drôle :

— Voilà de quoi amorcer l'amitié, dit-il. Puis, sans vergogne, il me tendit sa main ouverte.

Je balançai un instant. N'allais-je pas l'engager à me détrousser en lui découvrant que j'avais de l'argent sur moi ? Je me tâtai donc par tout le corps, me composant un visage inquiet :

— C'est que… il faudra demander à la citoyenne Le Scouarnec ! Je n'ai guère ici que quelques sous d'argent…, dis-je, tirant une pièce de la poche de mon gilet.

— Elle fera l'affaire, dit-il, la raflant prestement.

Aussitôt, il empoigna son trousseau de clefs, fit jouer les verrous, et m'entraîna dans le couloir au grand dam de mes compagnons de misère qui comptaient bien profiter du panier de l'aubergiste. Nous ne fûmes pas loin, à peine quelques mètres. Il ouvrit une porte :

— Citoyen poète, voilà galante compagnie ! cria-t-il.

*

Cette cellule était moins sale et moins bondée. Parmi des suspects de qualité qui sentaient la particule, se trouvaient deux jeunes hommes aussi peu faits que possible pour ces lieux rustiques. Je ne restai là qu'un jour ou deux mais, durant tout ce temps, je vis l'un d'eux écrire des vers sur du papier fin. Il les faisait passer dehors avec son linge, grâce à la complicité vénale du même geôlier. Certaine froideur naturelle au drôle décourageait toute familiarité. Je tentai de pénétrer sa réserve, mais je m'y heurtai comme au poli d'un galet :

— Me diras-tu ce qui t'a conduit ici, citoyen poète ?

— L'amour de la liberté !

— Mais encore ?

— La haine des tyrans !

Je n'étais pas avancé pour les détails. Cela ne m'aidait guère à passer le temps. Par bonheur, son compagnon était plus loquace. Tandis que le rimeur couvrait fébrilement d'alexandrins ses feuillets, l'autre me dit que, dans le *Journal de Paris*, l'imprudent avait traité les jacobins de « bourreaux barbouilleurs de lois », et même qu'il avait osé y défendre Charlotte Corday après qu'elle eut assassiné Marat.

— Ainsi, ton ami est un partisan de l'Ancien Régime ?

— Du tout ! Son frère siège à la Convention.

— Il saura bien le tirer de là...

— Le Ciel t'entende, citoyen !

— Ces temps-ci, entre le Ciel et la République, il faut choisir son protecteur. Les deux ne font pas bon ménage...

Sans daigner noter mon trait, le jeune homme reprit avec flamme :

— Mon ami a tant de chefs-d'œuvre dans sa tête ! La vouloir faire tomber est un crime ! On parlera dans cent ans de ce poème d'amour qu'il construit.

« Sait-on de quoi on parlera seulement demain ? » pensai-je, morose.

— Au moins, es-tu, toi aussi, un adversaire du dictateur ? reprit le thuriféraire.

— Autant que possible ! répondis-je. Comment ne serait-on pas ennemi de qui vous enferme pour rien ?

— Pour rien ? mais encore...

— Pour la seule raison que je recherchais de prison en prison un ci-devant, homme de plume qui a été arrêté…

— De qui s'agit-il ? Je le connais peut-être ? Le Paris des lettres est petit…

— Sade. Louis Sade… ci-devant comte, dit-on.

À ces mots, le clair visage se ferma :

— Tu es l'ami de ce coquin ?

— Il me devait de l'argent ! dis-je précipitamment.

Le soulagement détendit son visage.

— Il m'avait semblé reconnaître quelque chose de provençal dans ton accent, dit-il. C'est pour recouvrer ta créance que tu es venu à Paris ?

— Non, dis-je trop vite et sans réfléchir. C'est Barras qui m'y a envoyé…

La plus vive réprobation, cette fois, se peignit sur ses traits :

— Tu es un complice de Barras ?

— Complice ! C'est vite dit…

Malgré tous les efforts que je fis pour reconquérir son estime, je ne pus arriver à rien. J'en fus attristé. Je venais de me reconnaître deux connaissances qu'il ne goûtait guère et qui, visiblement, me classaient pour lui parmi les gens peu fréquentables. Je passai la nuit à fourbir les arguments qui me permettraient, au matin, de le convaincre de ma droiture et de mes bonnes mœurs. Le bruit du verrou me réveilla, après une triste nuit.

Ce n'étaient pas encore les corbeaux de Fouquier-Tinville, mais notre coquin de geôlier.

— Citoyen Style ! Transféré à la prison du Luxembourg !

Déconcerté, je regardai autour de moi. Je n'avais pas d'autres effets que le panier d'osier de ma bonne aubergiste. Je le pris au bras et quittai Saint-Lazare avec l'air de quelqu'un qui s'en va aux cerises. Comme je lambinais, tentant d'arracher un semblant d'adieu à mes compagnons, le gardien me souffla dans l'oreille :

— Si tu traînes trop longtemps tes guêtres, tu vas les accompagner.

Je quittai donc précipitamment le poète et son compagnon sur cette sotte fâcherie. Nous n'avions pas marché vingt pas dans le couloir qu'un chambard se fit derrière nous, de grilles, de verrous et de bottes ferrées. C'étaient les corbeaux de Fouquier-Tinville. Le geôlier me poussa le nez contre un recoin de pilastre qui sentait la pisse de rat. D'un pas traînant, il s'en retourna vers le cachot d'où il m'avait tiré. Je me collai au mur comme une toile d'araignée. Je fusse passé derrière un placard sans le décoller. Je ne pus cependant fermer mes oreilles à l'appel des malheureux qui, après un passage éclair devant le Tribunal révolutionnaire, seraient emmenés à la guillotine tantôt :

— Roucher, Pierre !

— Présent !

— Chénier, André-Marie !

— Présent !

Les deux voix étaient fermes. Je me sentis attristé de n'avoir su éveiller la sympathie de ces grands cœurs. Mais aussitôt après :

— Style, Hugues !

— Transféré à la prison du Luxembourg…, répondit le geôlier sur un ton de feinte indifférence.

Je me sentis comme piqué par tout le corps par cent millions d'abeilles. Avouerai-je que, malgré l'estime que m'inspiraient les deux hommes, je n'eusse pas échangé leur place pour la mienne ?

« Peste ! me dis-je, cette fois encore la Camarde n'est pas passée loin ! »

*

Je fus peu de temps à la prison du Luxembourg qui était, après le Temple et la Conciergerie, l'une des mieux fréquentées de Paris. On tenait là sous séquestre les personnes d'importance : on ne m'y garda que deux jours. Les rumeurs les plus extravagantes circulaient, à propos des mouvements qui agitaient la Convention et les comités. Je n'osai trop y prêter foi, mais je sentais renaître l'espoir.

Le 9, vers sept heures du soir, un vacarme né sur le quai des Orfèvres vint rouler et s'enfler encore, jusqu'à remplir les couloirs de la maison d'arrêt. Comme nous tendions l'oreille pour tenter de saisir quelque information, un geôlier vint me chercher comme son confrère l'avait déjà fait deux jours plus tôt à Saint-Lazare :

— Citoyen Style ! Transféré à Picpus !

En habitué, je pris mon panier d'osier et je le suivis dans le couloir. Nous dûmes nous effacer pour céder le passage à un détachement qui escortait un singulier pèlerin. N'en croyant pas mes yeux, je frottai mes paupières. L'homme n'était pas un de mes familiers et je ne l'avais vu qu'une fois, mais cette tête était de celles que l'on n'oublie pas. Le visage émacié au teint blême, les yeux brûlants cernés de mauve, les lèvres en coup de rasoir, le front immense dégagé par la perruque poudrée à l'ancienne...

— Robespierre ! C'est Robespierre qu'ils amènent !

La rumeur se propageait plus vite que n'avançait le corps de l'Incorruptible sur ses jambes mal assurées. Le nom vingt fois répété résonnait sous les voûtes sonores.

Nous passions la porte qui donnait sur la rue quand un particulier, qui semblait modelé dans ce suif malsain dont on fait les cierges, s'approcha de nous. Il se coula près de mon geôlier, lui fit passer une bourse sous le manteau et amorça le geste d'entrer dans la prison. D'une main, le portier le retint par la manche. De l'autre, il soupesa la bourse. Avec un méchant rire, il la lui rendit.

— Eh ! Sais-tu bien, coquin, que c'est Robespierre ?

L'homme cligna ses yeux chassieux :

— C'est bien pour cela, citoyen...

— Apprends pour ta gouverne qu'il t'en faudra trois fois autant...

— Où les prendrais-je ?

— Où tu voudras ! Et maintenant, tire de route !

L'homme s'en fut, rasant les murs, cependant que je m'étonnais :

— Peste ! Donner des sous pour sortir d'ici, je le conçois, mais pour y entrer ?

— C'est que le bougre s'est pris de passion pour les condamnés.

— Voilà la marque d'une belle âme ! Compatir aux souffrances d'autrui...

— Façon de voir les choses ! Celui-là paye fort cher une place sous l'échafaud.

— Sans doute pour y prier ?

— Du tout ! C'est pour s'y branler jusqu'au sang, arrosé de celui des autres !

Ayant énoncé avec le plus grand calme les détails de cette affreuse passion, le coquin me poussa en avant. Il me remit à un détachement qui me conduisit à Picpus. On m'y jeta dans le cachot le plus extravagant que je connusse jamais.

On avait enfermé là, tous ensemble, avec un vieux critique qui, dans le temps, les avait fait trembler, les comédiens du Théâtre-Français. Ces gens ont l'esprit d'estrambord. En un moment, j'en devins la coqueluche par la nouvelle que j'apportais :

— On a arrêté Robespierre ! Je l'ai vu de mes yeux entrer sous bonne garde à la prison du Luxembourg.

Comme la gloire du messager se nourrit du message qu'il porte, le mérite de cette belle action retomba tout entier sur moi. Je fus fêté, embrassé, mignoté, comme si j'eusse procédé moi-même à l'arrestation :

— Ah ! Dis-nous ! Comment était-il ?

— Entre le gris et le vert.

Des ricanements énervés accueillirent ce jugement coloré. Les demoiselles qui, sous leurs dehors délicats, dissimulent souvent certain goût pour le détail cruel, voulaient en savoir davantage :

— Mais encore ?

— L'air de quelqu'un qui vient de tomber d'un âne !

Les comédiens aimèrent cette saillie. Elle les fit rire aux larmes.

— Aura-t-il enfin compris que l'on n'enferme pas tant d'innocents au nom de la liberté !

— Qu'avions-nous fait, sinon déclamé de beaux vers et donné du bonheur au peuple ?

La cellule devint une volière où chacun prenait son essor. En l'absence de fards, les demoiselles mordaient leurs lèvres et pinçaient leurs joues pour se redonner des couleurs, les hommes défroissaient leurs manchettes en s'asseyant dessus, bombaient le torse et se peignaient avec les doigts. Et chacun de commenter la délicieuse nouvelle. Seul, le vieux critique ne participait pas à la liesse générale. Il récitait des patenôtres dans un coin.

— Citoyen Laharpe ! / As-tu entendu ? / Dans Paris on s'écharpe ! Robespierre est foutu ! lança un garçon joufflu qui devait jouer les valets de comédie, mais se sentait pousser des ailes d'auteur dramatique.

— Que votre volonté soit faite, mon fils ! répondit l'autre en se signant.

Tous de rire tandis que le vieux retournait à ses oraisons. Un changement se produisit dans l'attitude des geôliers : les brutaux devinrent tendres, les distants, fraternels, les taciturnes, loquaces. Ainsi, dans tous les pays du monde, en va-t-il des gardes-chiourme, quand les mousquets changent de main. D'autres informations nous parvinrent grâce à leur subite amitié :

— On a arrêté le tyran, avec son coquin de frère, et ce chien enragé de Saint-Just !

— Il paraît qu'il n'a pas pu dire trois mots de suite à la Convention !

— Le sang de Danton l'étouffe !

— Les comités l'ont fait taire !

— Langue de vipère !

— Hyène assoiffée de sang !

Les envolées lyriques ne manquaient pas pour parler de la tyrannie chez ces fripons qui connaissaient leurs classiques. Ah ! Méfiez-vous d'une actrice qui, les yeux mi-clos, gémit de souffrance ou se pâme d'amour ! Entre ses cils, elle guette les bravos quand vous la croyez brisée de douleur ou de plaisir... La nuit était à peine tombée qu'un autre écho vint rafraîchir ce bel optimisme. Dans le silence qui le suivit, la nouvelle se propagea comme ces flammèches qui, en un souffle, embrasent les futaies.

— Ils l'ont libéré !

— Ils l'emmènent en triomphe à l'Hôtel de Ville !

— Les sections s'y réunissent !

— La Commune est en insurrection.

— On se bat dans Paris !

*

L'angoisse renaissait. On ne jouait plus la comédie. Qui étaient ces « ils », ces « on » qui s'échauffaient et s'affrontaient dans cette nuit d'été brûlante et chaotique qui rendrait immortel le nom de thermidor ?

D'un côté, autour de Tallien, Barras, Carnot et Fouché, se tenaient la plupart des conventionnels qui, depuis l'exécution de Danton, craignaient pour leur tête. Les nations coalisées vaincues, la patrie n'était plus en danger. Rien ne justifiait le maintien des tribunaux d'exception et de la Terreur. Tous aspiraient à retrouver les douceurs de la République. Après une séance houleuse à la Convention, ils avaient fait conduire l'Incorruptible à la prison du Luxembourg.

Cependant, à l'Hôtel de Ville, siège de la Commune, Robespierre avait encore des partisans, soit qu'ils fussent sanguinaires par nature, soit qu'ils trouvassent quelque intérêt à voir se prolonger un régime autoritaire qui les favorisait. Ceux-là partirent chercher leur maître pour le poster en sécurité dans les murs de ce palais qui fut si souvent le siège de forcenés. Couthon, le maire de Paris, en appelait de là aux sectionnaires sans-culottes, prêts à massacrer les conventionnels comme ils l'avaient fait des gardes suisses deux ans plus tôt. Il fallait que l'un ou l'autre des deux partis fût défait.

Une fois encore, le peuple de Paris se dressait contre les représentants de la Nation. L'affrontement était inévitable entre les sections en armes et les troupes demeurées fidèles à la Convention, commandées par Barras.

La Providence, qui se plaît si souvent à souffler sur les braises pour ranimer les incendies, se piqua ce soir-là de modération. Dès minuit, une pluie d'octobre se mit à tomber sur ce mois de juillet. Ce n'était pas un franc et bel orage d'été, mais un de ces caprices incompréhensibles de la nature, qui vous font douter du calendrier, fût-il révolutionnaire. Les sans-culottes, que les fleuves de sang n'effrayaient pas, furent mis en déroute par quelques flaques d'eau. Robespierre hésitait trop à leur goût à donner le signal de l'insurrection, les laissant bêtement sous la pluie. Finalement, trempés, gelés, ils se dispersèrent. Les révolutions, comme les grandes batailles, s'accommodent mal des intempéries. Alors que l'Incorruptible et ses proches se retrouvaient dans le palais déserté, la Convention les déclarait hors la loi et signifiait à Barras de se mettre en marche pour les arrêter.

À ce moment se situe l'épisode fameux du gendarme Merda qui, d'un coup de poing, fracassa la mâchoire de Robespierre au moment où il s'apprêtait à signer, bien tardivement, l'appel aux armes. Cela contraignit le vaniteux à marcher vers la mort non pas glorieux et le menton haut, mais la tête prise dans un mouchoir, comme un pauvre bougre qui a une rage de dents.

Robespierre fut exécuté le lendemain avec vingt et un de ses amis. Le jour suivant, on en guillotina près d'une centaine. Aussitôt après, la Convention se mit en devoir de bâtir une théorie de lois prudentes destinées à garder le pays des entreprises d'un autre dictateur. Elle le fit avec cette sagacité et ce remarquable discernement qui devaient livrer bientôt le pays à Bonaparte…

Exécutif comme législatif et judiciaire, tous les pouvoirs furent disséqués, morcelés, partagés en groupes, réunions, comités, eux-mêmes divisés en commissions, services, bureaux, directions, sous-directions bi voire tricéphales, si bien qu'on ne put plus prendre la moindre décision sans en référer à une escouade de contrôleurs et intermédiaires qui virent là, comme de juste, une belle opportunité pour s'engraisser. Ainsi en va-t-il trop souvent des régimes politiques, qui, se précipitant d'un excès dans l'autre, retournent en un clin d'œil à leur point de départ. Après le terrifiant règne de la Vertu, s'ouvrit celui, pernicieux, de la Corruption. C'est seulement alors que l'on songea à ouvrir les prisons.

Ce fut, par ma foi, une belle journée ! On nous sortit du cachot avec faste et fracas, en même temps que cinq cents autres détenus. Sans doute avait-on pensé que l'on pouvait compter sur les acteurs pour donner à l'événement tout le lustre qu'il méritait, et servir ainsi la réputation des nouveaux comités. Cela eut toutes les apparences d'une magnifique improvisation. Il fallait voir les cabotins cligner des yeux avec effet en regardant le soleil bien en face, tituber les bras levés vers le ciel, tomber à genoux en déclamant des vers, déchirer leurs oripeaux pour les jeter dans la foule sensible ! On écouta des discours, on chanta, on rit un peu, on pleura beaucoup, ce qui est infiniment plus capiteux pour l'âme. Promenés en triomphe par ce public vibrant qui les eût aussi bien portés à la guillotine, les comédiens tenaient enfin le rôle de leur vie. Les Sganarelle se voyaient le front ceint de la couronne d'Ajax, les Pauline et les Suzon sentaient battre sous leurs rubans froissés le cœur de Phèdre ou d'Andromaque. Ce fut émouvant comme du Racine, sublime autant que du Corneille, presque aussi drôle que du Molière.

À la fin, il fallut bien rentrer chez soi. Nous échangeâmes, les larmes aux yeux, de ces serments d'éternelle amitié qui durent le temps d'un soupir : rien n'est volatil comme les sentiments d'un acteur ! Sur le coup de huit heures du soir, je me trouvai devant l'auberge des Trois Piques.

*

Dans la salle ouverte sur la rue, cinq ou six particuliers, lourdement accoudés, torchaient d'un croûton leurs écuelles vides. La Maryvonne était à ses fourneaux.

— Le bonjour, citoyen ! me dit-elle avec son sourire de brave femme.

Comme je me précipitai pour l'embrasser sur les deux joues, elle eut un recul d'une charmante coquetterie.

— Vois-tu point, citoyen, que j'cuisons des galettes ? Me voilà à c't'heure tout enfumée de graillon !

— C'est-y point l'gras qui donne son goût au beignet ? dis-je en imitant son accent.

Elle rit, et poussa devant moi une assiette.

— Croque donc ce rogaton, et dis-moi s'il est à ton goût !

J'avalai d'un trait cette crête croustillante qui se forme sur le bord de la poêle et qu'on offre aux enfants.

— Je ne vois point le citoyen Le Scouarnec, dis-je, la bouche pleine.

— C'est qu'à tant faire son jacobin, le drôle s'en est allé remplacer les ci-devant à Saint-Lazare !

— Le malheureux ! Veut-on lui couper la tête ? m'inquiétai-je malgré la médiocre sympathie que m'inspirait le bonhomme.

— Quelle tête ? L'en a point ! dit-elle en haussant les épaules. Et pis, la mode est passée ! Me l'renverront ben assez tôt, allez !

Là-dessus, elle poussa dehors les dîneurs attardés, et vint s'asseoir face à moi.

— J'avons ben écorné ton pécule, citoyen !

— Tu m'as sauvé la vie ! Te demanderais-je des comptes, quand je ne sais comment je peux te remercier ?

— Pfff ! dit-elle sur ce ton bourru qu'affectent les gens de cœur pour excuser leurs belles actions, c'est point tant moi, c'est la Camarde qué voulait point d'toué !

— Je n'en crois rien, dis-je en lui prenant les mains. Je sais ce que je te dois.

Elle rougit encore et tenta de m'échapper en faisant glisser ses mains sur le bois de la table. J'affermis ma prise et ne lâchai pas un pouce, car l'idée m'était venue d'une coquine façon d'amoindrir, sinon de régler une si forte dette. Sous mon regard sucré, une plus rouée se fût prise à minauder. Mais la Bretonne était sans détours. Comprenant où je voulais en venir, elle s'écria :

— Hé ! Citoyen ! Je t'avons point tiré de prison pour te placer entre mes cuisses ! Ce serait rien plaisant pour le regard et la morale, un gentil muguet sur une vieille souillon !

— Je ne vois pas ici de vieille souillon.

— Tiens ! dit-elle en mettant sous mon nez ses fortes mains rougies par les vaisselles, crois-tu que les dames et les fillettes ont de ces battoirs ?

— Je me soucie bien de m'agacer les dents sur des fruits verts ou fardés quand se présente à moi une belle pomme bien mûre, juteuse et sucrée !

La Maryvonne n'était guère préparée à entendre un galant de vingt ans lui débiter de ces sornettes. Lui avait-on seulement, un jour, fait la cour ? Je la sentis faiblir à ce médiocre madrigal. Elle détourna les yeux :

— Allons ! Tu déparles, citoyen ! C'est point chrétien de se moquer ainsi d'une pauv' vieille femme.

Son trouble était si grand qu'elle mêlait les citoyens aux vestiges de la religion. J'en fus ému plus que de raison et je la laissai filer entre mes mains, à la fois soulagé et déçu.

Cette affaire manquée me tint éveillé une partie de la nuit. Je me disais que la Maryvonne ne devait pas dormir mieux que moi. Je me détestais d'être la cause de son tourment quand je ne désirais que son bonheur. « Quel goujat tu as été ! me disais-je, et comme ta romance était vulgaire, comparée à la délicatesse de cette femme ! » N'y tenant plus, je me levai. Je décidai d'aller, sur mes pieds nus, quémander le pardon de ma bienfaitrice.

*

Lorsque je fus au bord du lit de l'aubergiste, il me parut qu'elle dormait. « Vaniteux, me dis-je, crois-tu que toutes les femmes du monde n'ont d'autre désir que de tomber dans tes bras ? As-tu donc oublié ce qu'il en est de la fatigue après une journée de labeur ? » Cependant que je me tançais, je m'avisai que la scène offerte à son insu par la Maryvonne ne manquait pas d'agréments. Nous étions au gros de l'été. Il faisait chaud. Dans son sommeil, elle avait repoussé les draps et soulevé sa camisole. Si grossier que fut le lin dont ils étaient faits, ils n'en découvraient pas moins, avec une touchante impudeur, un corps de blonde bien charpenté et d'une blancheur extrême. Sans doute la lune, qui donnait de son plein sur cette belle charnure et soulignait d'ombres les reliefs, n'y était-elle pas pour rien ? Toujours est-il que je contemplai avec un début d'émotion la cuisse solide repliée sous le corps, la cheville nerveuse, le mollet bien tourné, les bras pulpeux, l'épaule ronde et les seins lourds qu'on devinait dans l'échancrure du laçage défait, mêlé à de fortes tresses d'un blond cendré qui eût fait honneur à une marquise.

« Eh ! me dis-je, aussi prompt à me louer qu'à m'abominer, l'idée n'était pas si inconvenante... » Plutôt qu'à m'embourber dans des discours pesants et hasardeux, je décidai de me faire aussi léger que silencieux pour me glisser dans son sommeil. Jusqu'à quel point la dame fut-elle dupe de mon stratagème, je n'en déciderai point. Elle eut le bon goût de n'en rien dire, et m'offrit en échange de mes caresses la subtile épice d'un doute éternel.

Certains libertins ont trop bavassé sur la volupté que l'on trouve à débrider une pucelle. Que dire de l'infinie délectation que d'autres, plus raffinés, ont rencontrée en rendant à Éros une honnête femme qui, sa vie durant, a partagé la couche d'un butor ? Torsader un roseau tout neuf que le vent seul a fait vibrer ne demande qu'un peu d'adresse, mais rendre souplesse et verdeur à un scion tordu par un mauvais vannier et qu'une courbure vicieuse a contraint, requiert à la fois science et inspiration. Ah ! Les vilains cocus qui tant méritent leur honte ! Ne s'imaginent-ils pas que la taille et la raideur du vit suffisent à rendre une épouse heureuse ? Que son intimité se ramone comme une cheminée ? Que peut faire une femme confrontée à de tels goujats, sinon se démener des reins et donner de la voix pour activer le mouvement et plus tôt en avoir terminé ? C'est à cette précipitation et à ces grimaces si nuisibles à la volupté que je dus d'abord donner l'assaut. Ainsi, lorsqu'elle se crut quitte d'un coup qui n'avait duré que le temps d'un soupir, je me remis à l'ouvrage non plus du vit mais de la main, et avec une lenteur de chat qui foule un velours. Je la sentis surprise et presque fâchée. Par bonheur, mon foutre suppléant au sien que l'époux, par balourdise, avait tari, je pus mener là, sans la froisser, maintes et maintes caresses qui bientôt la firent onduler aussi fort que la houle de son fier océan.

Lorsque je regagnai mon lit, la laissant défaite sur le sien, j'étais assuré qu'elle avait oublié depuis longtemps que cela s'appelait l'amour, à supposer qu'elle l'eût jamais su. La journée du lendemain fut un délice de sourires contraints, de regards dérobés, de confusion et de perplexité. Quelle surprise nous apporterait la prochaine nuit ? Ce fut le citoyen Le Scouarnec, parfaitement guéri de son jacobinisme. Le retour du cocu avait résolu le dilemme. Il s'étonna vaguement de me trouver là, s'attabla devant une platée de fricot et ne tarda pas à monter se coucher. Bientôt ses ronflements remplirent la maison. J'en conclus que sa bergère lui avait moins manqué que sa paillasse.

Ma carrière d'aubergiste suppléant avait été brève. Le titulaire était rentré dans ses foyers. Je décidai qu'il était temps de rendre visite à ce citoyen Morenasse dont la Beauharnais m'avait parlé. Je me levai dès le point du jour. Dans le plus grand silence, je revêtis mes meilleurs effets. Comme je m'apprêtais à sortir, j'entendis un froissement dans le corridor. La Maryvonne était là, pieds nus, dans sa camisole un peu froissée.

— Tu t'en vas par la porte, citoyen ? me demanda-t-elle.

— Par où m'en irais-je ? répondis-je, surpris.

— Par la gouttière, pardi, comme les matous qui s'enfuient...

J'eus un sourire contraint à cette finesse aigre-douce.

— J'ai à faire rue du Petit-Pont. Je reviendrai tantôt...

L'aube blanchissait le passage, éclairant de sa lumière sans fard cette femme que j'avais aimée dans le noir de la nuit. Sous la cruelle clarté du matin, je voyais bien qu'elle était vieille. La sensation du temps qui s'écoule sans hâte mais sans relâche, qui sépare les corps, les cœurs et les âmes qui auraient pu s'aimer, abîme les plus beaux souvenirs, me fut une souffrance imprévue. La pauvre femme grelottait dans la lumière grise du couloir. Avec elle, je sentais s'éloigner, transies car déjà à demi oubliés, les spectres de tant d'amitiés et d'amours perdues, de désirs avortés, de déceptions et de bonheurs affectés, que je sentis peser sur mes épaules la fatigue du vieillard que je serais un jour. Ne sachant comment exprimer cette lassitude absurde pour un garçon de mon âge, je dis une chose qui dut la blesser bien cruellement :

— Songe que j'ai à peine vingt ans...

Elle se raidit imperceptiblement, puis me tendit la sacoche qui contenait le reste de mon pécule et mes quelques papiers, parmi lesquels l'acte de propriété du *Starfish* et l'ordre de mission de Barras. Je voulus la refuser, alléguant que le soir même je serais de retour. Elle insista :

— Allons ! dit-elle, avec un sourire triste, tu sais bien que tu ne reviendras pas !

V

Paris avait bien changé depuis le 9 thermidor ! Quelques jours plus tôt, on ne croisait, au milieu des rues, que tricoteuses mafflues et frustes partisans roulant des épaules. Où étaient passés tous ces gens ? Ils devaient à présent se terrer dans les caves. Le haut du pavé était tenu par des godelurettes à moitié dévêtues et des avantageux portant canne et plumet. Avec ma jaquette de drap et ma culotte puce, je faisais l'effet d'un clerc de notaire. On arborait partout, tant à la veste qu'au gilet, les couleurs les plus extravagantes, du jaune canari au rose dragée, en passant par tous les tons de vert, jeune pomme et herbe tendre. Tout cela était décliné dans des étoffes vaporeuses ou miroitantes, rehaussé de passementeries, de dentelles, de soutaches, de plumes et de rubans, comme jamais marquis de Versailles n'osa en porter sous le règne du Bien-Aimé.

Cette mode nouvelle était fort réjouissante sur les demoiselles qui portaient de coquins corsages décolletés avec ardeur, si fort bridés à la hauteur des seins qu'ils les faisaient bondir jusque sous le menton. Les courtes manches bouffantes laissaient les bras tout nus. Des jupes de gaze furieusement entravées mais fendues jusqu'à mi-cuisses pour permettre la marche, d'incroyables chapeaux à coiffe minuscule et à visière d'un pied de haut, composaient des silhouettes bizarres et fort intéressantes par ce qu'elles ne ressemblaient à rien de ce qu'on croyait savoir d'un corps féminin.

Depuis un moment, j'errais dans les rues, ne trouvant pas mon chemin. Je m'adressai à un joyeux trio qui circulait en riant le long des berges. Les garçons pouvaient avoir un peu plus que mon âge. Ils s'agitaient beaucoup avec des gestes affectés et des éclats de voix assortis de gloussements.

— Pardon, citoyens, pouvez-vous m'indiquer la rue du Petit-Pont ? demandai-je, civilement.

Un rire en cascade, précieux, un peu sot, mais sans méchanceté, accueillit cette question dont je concevais mal l'effet comique :

— Vous voulez di'e que vous che'chez la 'ue du Petit-Pont ?

Surpris par cet accent étranger, je me rétractai vivement.

— Pardonnez-moi, citoyens ! Je vous pensais parisiens...

Les rires redoublèrent :

— Aoh ! C'est inc'oyable ! Mais nous sommes pa'isiens ! Pe'sonne n'est plus pa'isien que nous, monsieur !

Je notai qu'on ne disait plus citoyen mais monsieur. Je m'en accommodai :

— Eh bien, dites-moi donc, messieurs, où se trouve la rue du Petit-Pont !

— Elle se t'ouve à l'ext'émité de la 'ue Saint-Jacques !

Comme je les remerciai, ils décidèrent de m'accompagner, et me prirent en brassette :

— Nous n'avons 'ien à fai'e ! Cette petite p'omenade se'a me'veilleuse !

Je me souciais peu de convoyer cette volière de perruches. Je me dégageai un peu vivement à leur goût. Les trois prirent la mouche. Ils levèrent leurs cannes et prétendirent me bastonner tout en m'insultant :

— Ah ! Le g'ossier ! Comme il est vulgai'e ! Quelle ho'eu' ! Quelle ho'eu' !

Par bonheur, ils n'étaient pas plus adroits que vigoureux et je n'eus guère de peine à me dégager. Je m'éloignai, perplexe.

« Peste, me dis-je, les Parisiens sont de drôles de pèlerins ! Voici moins d'un mois, ils se baignaient dans des fleuves de sang en hurlant de plaisir, et les voilà qui se tapotent comme des pucelles, en trouvant même les *r* trop durs pour leurs gosiers ! »

La rue du Petit-Pont doit son nom à une arche de pierre qui relie la rive gauche de la Seine à l'île de la Cité, un peu en avant de la cathédrale de Notre-Dame. Je n'eus pas de mal à y trouver la maison du citoyen Morenasse. C'était un bâtiment de taille moyenne, trapu, haut de trois étages, conforté par des soutènements de moellons élargis à la base. La façade principale, par-delà une placette ombragée d'un marronnier, faisait face à une petite église rustique, presque une chapelle de village, que la Révolution avait transformée en grenier à sel, et que des manœuvres s'affairaient à nettoyer pour la rendre à sa destination première. Boutiquiers, camelots, ambulants de toute sorte hélaient le passant, vantaient leur industrie ou leurs marchandises avec une fantaisie de mots et de tournures que leur eussent enviée les poissonnières du Vieux-Port de Marseille.

Je frappai à la porte, un lourd battant de bois sombre clouté, enfoncé dans une voûte d'une incroyable épaisseur. Je dus attendre un moment avant qu'elle ne s'ouvrît sur un énergumène souriant et fardé, ressemblant comme une sœur aux trois muscadins qui m'avaient renseigné.

— J'ai un ordre de mission du citoyen représentant Barras et un mot de la générale Beauharnais pour le citoyen Morenasse, dis-je en lui tendant les deux feuillets dépliés.

Il y jeta un coup d'œil, puis :

— La veuve Beauha'nais ?

— Sans doute ! répondis-je, apprenant sans beaucoup d'émotion la mort d'un général que je n'avais pas connu.

— Je vais p'éveni' mon maît'e de vot'e a'ivée..., dit le garçon en faisant voler ses mains sinueuses, puis il s'éloigna en agitant les feuillets avec l'air de marcher sur des œufs.

J'eus un peu de temps pour détailler le décor de l'antichambre, une pièce tout en longueur, subtil mélange de raffinement et de rusticité. Le plafond était agencé en voûte d'arête, comme celui d'une cave. Le jour y entrait par toute une série de soupiraux pointus garnis de vitraux superbement coloriés. Les murs et le sol étaient en dalles brutes, jointoyées au mortier de chaux. Sur ces grossiers appareils, on avait jeté des tapis de Chine, suspendu des tentures de soie, accroché de précieuses miniatures et des tableaux italiens encadrés de vieil or.

Un double pas se fit entendre dans le couloir. Je compris que le citoyen Morenasse accompagnait son domestique. Au mépris des usages, il venait à moi, plutôt que de me faire introduire dans son cabinet : « ... sans doute afin de m'expédier plus vite ! », me dis-je. La mission que Barras m'avait confiée n'était sans doute plus de saison après tant de bouleversements. Le pas, cependant, était autrement assuré que celui, chuintant, du portier androgyne. On y sentait du talon fait à la botte et à l'éperon.

« … ce fournisseur aux armées doit être un ancien militaire », pensai-je encore, en un éclair, juste avant de voir une haute silhouette noire s'encadrer dans le passage et s'y fixer.

*

Était-ce la taille, la cambrure, l'assurance, la densité particulière au personnage, ou le bandeau noir qui masquait l'œil droit ? Le titre si souvent prononcé en guise de prénom ne pouvait se former dans ma bouche. Ma langue paralysée, mes lèvres et mon gosier arides se refusaient absolument à le former. Cependant, je ne pouvais ignorer que le bougre était aussi surpris que moi, et qu'il ne pouvait pas davantage articuler mon nom que je ne pouvais prononcer le sien. Nous étions là, debout, cloués, nous faisant face, émus au point de ne pouvoir envisager d'issue que dans les larmes ou le rire.

— Monsieu' est le t'uchement que vous 'ecommande Mme de Beauha'nais ! minauda le valet qui ne comprenait rien à notre étonnement.

Cette comique intervention nous fut une planche de salut sur laquelle nous nous jetâmes en même temps.

— Le t'uchement ! hurla le vicomte, exagérant un rire qui sonnait diablement faux.

— Le t'uchement ! repris-je en essuyant de ma manche les larmes d'émotion qui me brouillaient la vue.

Il se jeta sur moi, me prit sous les bras, me souleva et me fit tourner autour de lui, aussi facilement que si j'eusse été une demoiselle. « Peste ! me dis-je en sentant sa formidable carcasse contre moi, le coquin n'a guère souffert de la disette ! Il a bien pris vingt livres ! L'escogriffe est devenu un colosse ! » Il dut cependant se faire la réflexion inverse, car, lorsqu'il me posa à terre, il me dit en fronçant les sourcils :

— Par les couilles de saint Joseph qui furent molles et pendantes, tu es maigre comme un buisson d'argelas ! Où as-tu donc passé ces derniers temps ?

— À la prison du Luxembourg…

— Foutre ! dit-il, c'est tout toi ! N'allons pas plus avant ! Il faut d'abord t'empâter un peu.

Se tournant vers le garçon qui était bouche bée, il dit :

— Branle-bas aux cuisines, Anicet, je veux un festin pour mon ami… mon ami… ?

Il reprit les deux lettres, en secoua les plis, les compara, les lut avec attention, puis termina sa phrase :

— Pour mon ami Hugues Style ! claironna-t-il.

Puis se tournant vers moi tout rempli de gaîté :

— Ainsi tu t'appelles Hugues, comme le grand-père de feu le citoyen Capet, et tu parles italien ?

— Italien et anglais ! Je les parle, je les lis et, même, je les écris ! dis-je fièrement.

— Ainsi, en deux ans, tu es devenu savant ? reprit-il avec un sourire d'enfant rempli d'admiration.

Comme je me rengorgeai, il laissa tomber froidement :

— Savant et maigre !

Il me prit aux épaules et m'entraîna dans le couloir, forçant mon pas à s'allonger pour le suivre.

— Moi, vois-tu, si mon nom est moins beau, je suis de nouveau riche ! Il ne me manquait qu'un ami pour partager ma fortune. Te voilà : mon bonheur est complet !

Brusquement il m'enlaça et se mit à m'embrasser les joues avec flamme. Je le repoussai de toutes mes forces, sentant d'ailleurs qu'elles ne seraient pas suffisantes si la fantaisie lui prenait d'abuser des siennes.

— Pardon ! s'écria-t-il rempli de bonne humeur en se frappant le front du plat de la main, j'oubliais que tu ne manges pas de ce pain-là !

Ainsi, la partie reprenait où nous l'avions laissée, mi-duo mi-duel, et furieusement excitante. Je me laissai emporter comme ces proies à demi résignées qui espèrent et craignent tout à la fois une distraction de leur bourreau qui les contraindrait à s'évader. Plongé dans une confusion extrême d'impatience, de curiosité, de ressentiment, de crainte, de joie et déjà de tourment, je me dis avec désespoir qu'aucune passion, jamais, ne saurait égaler en puissance et en intensité celles conçues dans l'enfance.

*

Chez le vicomte, comme on peut s'en douter, l'ordinaire l'était fort peu. Le festin qui me fut servi méritait bien son nom. Je n'en avais pas goûté de semblable depuis que j'avais quitté la maison de Pisani à Londres, un an et demi plus tôt. À ce moment où dans les faubourgs on se nourrissait d'un oignon et d'une croûte de pain, on ne me servit pas moins de trois plats de viandes rôties, des sauces, des pâtés et des friandises sucrées. Sachant à quel point la misère régnait partout en France, je ne manquai pas de m'étonner d'une telle opulence.

— Eh ! Ne le sais-tu point encore ? Sous toutes les latitudes et dans tous les siècles, seuls les imbéciles crèvent de faim, me répondit-il avec son cynisme coutumier.

Comme j'ouvrais la bouche pour m'indigner, il me cloua le bec d'un ricanement de tendresse et malice mêlées :

— Quel bonheur de te voir toujours semblable à toi-même, prêchant le jeûne et t'empiffrant avec une égale ardeur ! Tu as manqué par légèreté une jolie carrière de curé !

Je me demandai par quelle bizarrerie de mes cervelles je me faisais le défenseur convaincu de ses méchantes thèses lorsqu'il n'était pas là, et leur adversaire acharné dès qu'il les développait devant moi. Je m'étais suffisamment frotté aux puissants depuis que je l'avais quitté, pour savoir que son système se tenait. Cette belle Révolution, qui prétendait libérer le peuple et donner du pain aux malheureux, n'avait jamais quitté les mains d'aristocrates fous comme Robespierre, ou dépravés comme Mirabeau et Barras. Les pauvres bougres, gavés de discours, crevaient de faim aussi sûrement que sous l'Ancien Régime. Mais n'avait-elle pas rempli au moins une partie de sa mission, puisque d'un maître et d'un valet elle avait fait deux frères ?

Il me regardait avec tendresse torcher les plats. Craignant de le voir devenir caressant, je pris un air de maquignon :

— Me diras-tu, à présent, à quelle négociation ou industrie tu comptes m'employer comme truchement d'italien ?

Il haussa les épaules :

— Ma foi… à rien ! D'ailleurs je parle assez bien l'italien…

— À rien ? Barras me dépêche depuis le fond du Var auprès de toi pour une mission de la dernière importance, et tu prétends que ce n'est rien ?

— Foutre, dit-il, subitement colère, c'était il y a trois mois! Tu t'es donné du bon temps... Tu as trop lambiné... L'affaire est foutue...

— Je me fusse bien dispensé du bon temps que je pris en prison, répondis-je, acide.

— Ce n'est pas moi qui t'y expédiai! répliqua-t-il aussi vertement.

La cause me revint de mon enfermement. Pour rien au monde je n'eusse voulu qu'il découvrît l'intérêt que je portais à celui qui passait pour mon père. J'en revins donc au principal de l'affaire, insistant si fort qu'il finit par dire, après maintes hésitations:

— Il s'agissait d'une mission secrète...

— En Italie?

— À Gênes...

— Diplomatique ou militaire?

— Disons plutôt... commerciale!

— Eh! Vas-tu cesser de te faire tirer les limaçons du nez? Si tu veux parler, parle, et si tu veux te taire, tais-toi!

Ma méchante humeur le fit rire.

— Bon, dit-il, j'avais besoin d'un particulier parlant l'italien pour seconder dans sa mission certain général aussi aimable qu'un porc-épic contrarié: Buonaparte...

— Et l'affaire, depuis, se sera donc réglée sans moi? demandai-je d'un air détaché.

— Avant terme et fort mal! Figure-toi que ce militaire qui en tenait pour Robespierre a fait, après thermidor, un séjour en prison, et qu'il est, depuis, tombé en disgrâce. Je crois, pour ma part, sa carrière finie, et c'est grand dommage, car il avait un tempérament à mettre le feu à la terre entière! Barras en faisait grand cas, pour l'avoir vu monter avec talent le siège de Toulon. De plus, il projetait certaine campagne en Italie qui eût pour le moins doublé mon pécule! C'est que, vois-tu, ces foudres de guerre sont la providence des gens comme nous...

— Bah! Je crois connaître ce particulier! Si c'est du même dont tu parles, il pourra toujours se mettre auteur dramatique! J'ai joué pendant six mois une pièce qu'il avait écrite, et qui n'était pas mal venue...

— Tu as donc été comédien? s'exclama-t-il avec une admiration non feinte, cette fois.

— Comédien, marin, cavalier, espion, et j'en passe..., répondis-je avec un brin de suffisance, tout en me disant : « Marchand de canons, voilà qui manquait encore à ma carrière... »

Mais comment, diable, le vicomte se trouvait-il dans cette position, affublé de ce nom bizarre ?

*

Il ne me découvrit pas plus le mystère de sa nouvelle identité que je ne lui expliquai le secret de la mienne. N'avions-nous pas déjà emprunté l'identité de deux contrôleurs aux visites des douanes, pour nous faire voleurs entre Avignon et Marseille ? Quant aux péripéties que nous avions connues l'un et l'autre depuis l'affaire de l'abbaye, nous les passâmes aussi sous silence. Malgré ces petits et grands secrets, nous reprîmes avec entrain nos joutes aussi piquantes qu'inutiles sur des points d'éthique et de philosophie. Il y tenait le rôle du cynique, je m'illustrais dans la partie de l'idéaliste, mais nous eussions aussi bien pu inverser les emplois tant chacun connaissait les arguments de l'autre.

Après quelques jours passés à débattre, à me constituer une garde-robe élégante et à me remettre en bouche le goût des sauces compliquées, l'ennui se fit sentir.

— Montre-moi donc ton nouveau négoce, je sais vendre et acheter et je me fais fort d'augmenter encore tes bénéfices !

— J'en doute ! Mais ma foi... si tu y tiens..., laissa-t-il tomber à regret car il s'accommodait fort bien de l'oisiveté.

Il m'accompagna jusqu'à une officine composée d'un étage de bureaux établis sur des magasins. Je ne saurais dire combien de pâles commis y grattaient du papier dans l'un et de portefaix s'agitaient dans l'autre. Les dossiers s'empilaient sur des rayonnages jusqu'au bord du plafond.

— Tiens ! dit-il en entrant, voici le royaume que tu convoites. La couronne en est un bonnet de feutre, et, avec les gages d'un an, tu pourras peut-être changer la jaquette de soie que tu portes et que je t'ai donnée pour rien...

Je ne me laissai pas troubler par ses sarcasmes.

— Laisse-moi, lui dis-je. Je connais mon affaire...

Il me quitta avec l'air de me trouver parfaitement ridicule. Sans m'en offusquer, je demandai au chef de bureau, un chafouin obséquieux, de me faire porter les rôles. Il me prit pour un contrôleur des douanes et s'empressa de me satisfaire, multipliant les courbettes et les flatteries.

Je compris vite qu'un fournisseur aux armées n'est pas un marchand de canons. La corporation était née des imprudents discours de l'Assemblée, laquelle proclamait vouloir libérer tous les peuples asservis. Du coup, l'armée ne pouvait plus vivre sur les pays envahis. Vole-t-on ses amis ? Il convenait donc de se fournir par l'arrière. Cela, comme de juste, ne dura qu'un temps, le temps d'enrichir quelques politiques et marchands avisés.

Une armée constitue une société et a les mêmes besoins qu'une société ordinaire. Avant de songer à la pourvoir en fusils, il faut la vêtir, la nourrir, la soigner. Le transport à lui seul requiert une incroyable quantité de chaînes, courroies, longes, sangles, palonniers et buffleteries de toute sorte, sans parler des instruments des maréchaux-ferrants, fers, clous, masses et marteaux, cuirs et soufflets, jusqu'au charbon des forges. Cette industrie suffirait à vous enrichir et cependant cela n'est rien, comparé à la quantité de drap, de chapeaux, de boutons, de souliers, de lacets, qu'il faut pour habiller tant d'hommes, sans parler du feutre des chapeaux, de la soie des galons, des plumes à panaches, du cuir pour baudriers, peaux de tambour et baguettes, gaines de sabre, étuis de pistolets, que sais-je encore ? À cela on ajoutera autant de biscuit, de viande salée, de mauvais vin, de gnôle, de tabac et l'on comprendra comment des fortunes s'étaient faites depuis que l'Assemblée avait déclaré la patrie en danger. Aucun commerce ne se prêtait mieux aux maltôtes, car chaque corps de métier, du chapelier au maître de forge en passant par le tanneur et le caviste, devait graisser la patte d'un politique pour emporter le marché. Les caractères des articles fournis n'entraient pour rien dans l'adjudication ; seul comptait le montant de la commission versée aux décisionnaires. Pour rentrer dans leurs frais, les fournisseurs majoraient le coût de leurs produits, et ratagassaient sur le nombre et la qualité. Le ministère de la Guerre payait le prix fort et les associés se partageaient les bénéfices.

Je devais rapidement découvrir qui étaient ces coquins engraissés aux frais de la nation et sur le dos des soldats auxquels ils fournissaient du lard rance, du pain moisi et des semelles de carton. C'étaient les représentants eux-mêmes, les Fouché, les Fréron, les Barras, les Talleyrand, qui d'une main montraient aux troupes l'ennemi à vaincre, et, de l'autre, empochaient les écus que la guerre leur rapportait. Corrompus, les thermidoriens l'étaient jusqu'à la moelle. Il n'était pas de délégué, de conseiller, et jusqu'au plus obscur secrétaire qui n'eût une affaire en cours. Même les femmes mettaient à profit des renseignements et des adresses glanés sur l'oreiller pour se constituer une rente. Dans les salons, entre deux danses, deux flacons de champagne, deux parties de whist ou de canasta, on discutait boucles de ceinturon et boutons de guêtre. Ainsi faisait la Beauharnais qui m'avait adressé à Bernard Morenasse. Celui-là, courtier général d'une belle envergure, était au croisement névralgique de toutes ces tractations. Par la belle créole qui avait l'oreille de Barras, il fournissait tel ou tel régiment, rassemblait les produits manufacturés, puis les acheminait, prélevant des deux mains son propre écot. Comment le vicomte avait-il pu enfiler les bottes de ce filou, dont le moindre souci était le sort des soldats ? Le lui demander c'était m'exposer à devoir raconter mon histoire en compagnie des deux frères complices de la Bézuéjouls, et on comprendra que je n'y tenais pas.

Comment, enfin, expliquer que cette armée de gueux, mal vêtue, mal chaussée, mal nourrie, armée de bric et de broc, pût tenir en respect la coalition de tous les vieux rois d'Europe, malgré les malversations, les volte-face, les trahisons ? C'est qu'au cœur des intrigues se forgeaient des âmes fermes et fortes qui avaient un indestructible credo : liberté, égalité, fraternité. Bientôt, elles l'offriraient à un petit général corse mal embouché qui le leur confisquerait, celui-là même dont le vicomte jugeait un peu hâtivement la carrière terminée...

*

Quel vilain esprit régnait en France ces années-là ! Alors que le peuple crevait de faim, les puissants, dont il faut bien l'avouer je partageais le sort enviable, affichaient le luxe le plus insolent.

Lorsque je n'étais pas dans l'officine de la rue Saint-Jacques, je me trouvais souvent, en compagnie du vicomte, dans le salon de la

Chaumière, chez celle que le citoyen Le Scouarnec avait assez bien nommée une catin, mais qu'il eût pu mieux nommer encore, une maquerelle. Térésa Cabarrus était toujours entre deux vits, celui de Tallien qu'elle avait fini par épouser, et celui de Barras que chacun nommait en aparté « le roi de la République ».

Le vicomte de Fox-Amphoux régnait avec superbe sur ce monde vicié. Comme je l'ai déjà dit, il était bel homme. Il portait avec une souveraine élégance la tenue chamarrée de conventionnel. Autour de lui, se bousculait en caquetant une volière d'aventuriers à la jolie figure. Si l'on ajoute à ces opportunistes, un cortège d'invertis, de danseuses, de femmes du monde et même de bas-bleus, car rien ne rebutait ce fouteur enragé, on comprendra que la veuve Beauharnais, cette ancienne maîtresse criblée de dettes, dont la fraîcheur se mortifiait, commençait à lui peser. Il s'était donc mis en tête de la marier à un homme riche, et Notre-Dame de Thermidor, leur amie commune, lui prêtait la main.

Personne en ce temps-là n'était plus riche que les fournisseurs aux armées. Le vicomte avait pour lui, en sus de sa fortune, une belle carrure, ce qui plaida en sa faveur car la créole aimait le cul à la folie ! C'est donc sur lui que tomba la mal parée. Il nous fallut donc chercher le salut dans la fuite, ne plus mettre les pieds Cours-la-Reine, sous peine d'être mariés de force. Le vicomte ne répondit pas aux innombrables lettres que lui écrivit sa « fiancée » et commençaient par des : *Vous ne venez plus voir une amie qui vous aime...* et se terminaient sur des : *J'ai besoin de vous voir, et de causer avec vous sur vos intérêts.*

La République était tombée aux mains de nobliaux avides qui, jadis, devaient se faire petits à la cour. Dans les antichambres et les boudoirs, ils lui préparaient une nouvelle constitution qui la mit pour toujours à leur merci. Il leur fallut un temps infini et pas moins de 377 articles pour limiter le droit de vote aux citoyens disposant d'au moins 30 000 livres de rente. Multipliant à l'envi le nombre des représentants, ils décidèrent qu'au moins les deux tiers d'entre eux devraient être d'anciens conventionnels, c'est-à-dire eux-mêmes. Ainsi leur fortune serait définitivement établie.

Cette année-là, un hiver épouvantable tomba sur la France. Les loups entrèrent dans Paris. Ils dévorèrent les derniers troupeaux. On fit donc passer les matous à la casserole. Les rats pullulèrent.

On mangea les rats. Tenaillé par la faim, le peuple se souleva par deux fois. Il réclamait « du pain et la constitution de 93 ». Boissy d'Anglas, président de la Convention, réprima sans pitié les émeutes de germinal de l'an III. Aux misérables qui demandaient la justice, il répondit par de la mitraille et un discours hautain que Marie-Antoinette n'eût pas désavoué : « Un pays où les non-propriétaires gouvernent est dans l'état de barbarie… »

En ville, régnait la terreur blanche. Des muscadins armés de gourdins arpentaient les rues dès la nuit tombée. Non contents de rosser tout ce qui, de près ou de loin, pouvait ressembler à un sans-culotte, ils allaient jusqu'à forcer les portes des prisons où étaient enfermés les derniers jacobins. Ces carnages devinrent coutumiers et bénéficièrent de l'indulgence des autorités. Sans mesurer le danger royaliste, elles virent là une manière commode de résoudre le problème de la surpopulation carcérale.

Pour ce qui est des mœurs, les thermidoriens en remontraient aux débordements de l'Ancien Régime. Dans les bordels où ils donnaient leurs parties, on pouvait boire et manger comme un porc dans sa soue, foutre à s'en dessécher la moelle tant filles que garçons, par-devant, par-derrière, en nombre pair, impair, et même en collections ! J'ai vu des députés tomber le nez dans leurs vomissures, d'autres danser la gigue aussi nus que des œufs, et rien, à mon avis, n'est triste et ridicule comme un vit qui tressaute en cadence au-dessus de deux couilles poilues. On me dira fort justement que si je l'ai vu c'est que je m'y trouvais. Une fois, seulement, une seule, et entraîné traîtreusement par le vicomte. Je passai la nuit à le chercher dans l'enchevêtrement puant de corps nus en sueur au visage masqué. Au retour, dans la voiture, je compris, à ses explications embrouillées, qu'il en avait fait autant.

— Pourquoi nous en aller chercher ailleurs ce que nous avons à la maison ? dit-il en posant une main caressante sur ma cuisse.

Le ventre retourné, je me retirai vivement.

— Si tu recommences à me patouiller, je t'étrangle !

— Excellente idée, dit-il, cela fait bander !

Sur cet échange malsain, nous rentrâmes en silence, chacun collé dans un coin de la voiture avec de la place pour quatre entre nous.

Pour oublier ces pitoyables mascarades, je me donnai avec passion à mon nouveau métier. Je mis un point d'honneur à contrôler les convois de fournitures. Je renvoyai aux fabricants du biscuit moisi, du vin aigre et des bottes mal cousues. La surprise des fripons qui les avaient envoyés me régala. Ils tentèrent de protester, je les menaçai de trouver de nouveaux fournisseurs. Ils durent livrer d'autres marchandises, mais par habitude des concussions, pour rentrer en grâce auprès de ce courtier intraitable, ils doublèrent le montant des commissions. Un soir je rentrai rue du Petit-Pont et, jubilant, je vidai sur le lit du vicomte un gros sac de francs flambant neufs.

— Tu aimes donc l'or ? me dit-il, un peu méprisant.

— Eh ! Comment vivrais-tu, imbécile, si tu n'en avais pas ?

— Il restera toujours, vois-tu, une différence entre le bourgeois et l'aristocrate, reprit-il avec hauteur : l'un tolère que l'or lui enchaîne l'esprit. Pour l'autre, il ne sert qu'à le libérer...

Je le laissai mariner dans ses systèmes d'un autre temps. J'étais tout au bonheur de me sentir un peu l'artisan des victoires que remportaient nos soldats. J'eus en même temps le sentiment d'entrer dans Amsterdam avec Pichegru, et celui de conquérir la Catalogne espagnole. Lorsque la France et la Prusse signèrent le traité de Bâle, j'annexai avec jubilation le duché de Clèves. Penché sur mes registres, ou surveillant sous une pluie battante le chargement des convois, j'étais presque heureux.

*

Le 1er vendémiaire de l'an IV, les résultats du référendum furent connus. Pour un million de « oui », on dénombrait 50 000 « non » et cinq millions d'abstentions.

— Que penses-tu de cela ? demandai-je au vicomte.

— Que dans un pays où la majorité bouffe des rats, il reste une jolie minorité de six millions et cinquante mille coquins qui ont trente mille livres de rente, et dont les trois quarts, du coup, se foutent de la République.

Le calcul arithmétique autant que l'analyse étaient sans faille. Malgré ce piteux résultat, la constitution fut adoptée par l'Assemblée.

Les royalistes, enhardis par le peu d'intérêt que les citoyens avaient montré pour les urnes, crurent leur heure arrivée. Ils s'infiltrèrent dans les sections. Bientôt ils formèrent une troupe de

30 000 hommes, organisée, bien armée, commandée par des émigrés. Pour les conforter, un bataillon anglais débarqua à l'île d'Yeu. Le 13 vendémiaire, de tous les quartiers de Paris, les royalistes se dirigèrent vers le palais où siégeaient les députés. L'Assemblée aveulie, somnolente, disposant à peine de 8 000 soldats pour la défendre, résisterait-elle à la marée de l'insurrection blanche ? Déjà, le général Menou parlait de négocier avec les insurgés.

Peu soucieux d'attendre les gendarmes qui viendraient m'arrêter comme ami des thermidoriens, je choisis une bonne sacoche, y plaçai quelques espèces et des effets bien pliés.

— Vicomte, c'en est fini des vaches grasses. Je m'en vais ! Tu ferais bien d'en faire autant de ton côté.

Il me répondit avec hauteur :

— Le vent tourne bien pour moi. Aurais-tu oublié que je suis né *de* Saint-Roman ?

Je ricanai :

— Hé ! Hé ! Depuis trois ans, sous le nom de Morenasse, tu tripatouilles avec la Convention ! Je te vois mal parti pour expliquer l'affaire à tes anciens collègues et reprendre ton nom et tes apanages !

— Es-tu naïf ! Quand le temps change, il suffit de changer de costume pour se garder des intempéries. Crois-tu que des coquins comme Fouché et Talleyrand vont s'en aller planter des navets en province ?

— Ce n'est pas mon affaire ! Plutôt que de méditer sur le sujet en prison, je m'en vais !

— Peut-on savoir où tu comptes aller ?

— Je rentre chez nous en Provence.

— Eh bien, moi je reste !

Je haussai les épaules, je chargeai le sac sur mon dos, puis je me rendis à l'écurie. Là, je sellai un cheval, l'enfourchai, et remontai au trot la rue Saint-Jacques, croisant des groupes armés qui la descendaient.

C'était faire un peu vite, et compter sans ce diable de Barras qui s'y connaissait en hommes, sans doute pour en avoir foutu autant que de femmes. De surcroît, il était des régicides, et se doutait que les royalistes vainqueurs ne lui feraient pas de quartier. Enfin, c'est au moins une justice à lui rendre, ce violent, ce cupide, ce débauché était aussi un homme d'État. Il savait se montrer à l'occasion ferme, prompt et opportun. Resté seul lucide au milieu des conventionnels qui bêlaient de détresse, il s'était souvenu de ce petit général d'artillerie qui lui en avait imposé au siège de Toulon.

Au milieu de la confusion générale, Bonaparte fut en un clin d'œil investi du commandement. Il fit saisir les canons qui dormaient dans la plaine des Sablons. Il les disposa au débouché des avenues qui menaient à la Convention. Il ne restait qu'à attendre et à posséder assez de sang-froid pour commander aux canonniers d'ouvrir le feu sur la foule lorsqu'elle se présenterait. De sang-froid, Bonaparte et Barras n'en manquaient pas. Ils se disputèrent l'honneur d'ordonner le massacre. La mitraille fit un hachis des royalistes. En moins de deux heures, l'insurrection était matée. Pour avoir osé ce que Louis XVI avait hésité à faire, c'est-à-dire tirer au canon sur des piétons, les deux compères avaient sauvé la République. Mais quelle République, et pour combien de temps ?

Je n'avais pas atteint la porte d'Italie que j'appris par des passants la déroute des royalistes. Je tournai bride et rentrai chez nous. Je trouvai le vicomte en train de seller son cheval.

— Si tu viens me catéchiser, tu perds ton temps. Je me rends ! Je t'accompagne ! dit-il en bouclant la sous-ventrière.

— Trop tard ! La guerre est finie ! Je rentre au logis ! répondis-je.

— Excellente nouvelle ! Allons trinquer à la République et à nos amours ! lança-t-il en me claquant la main à la volée.

Je ris au lieu de m'indigner et nous quittâmes l'écurie raccommodés en nous tenant par les épaules.

Le pouvoir exécutif fut confié collectivement à cinq directeurs élus pour cinq ans. Le 9 brumaire, choisi le premier sur la liste des cinquante noms proposés par les Cinq-Cents, Barras se vit confier la charge de l'Intérieur, ce qui était bien la moindre des choses vu la fermeté qu'il avait montrée à maintenir l'ordre. Il se fit alors confectionner un magnifique costume qui, n'était le large feutre noir frappé de la cocarde, ressemblait à s'y méprendre à celui des ambassadeurs de Venise. On le vit faire voler sa cape rouge dans toutes les alcôves de Paris.

Cependant, dans l'orbite de cet astre à son zénith qui ne pouvait que décliner, une nouvelle étoile était née, dont l'éclat éclipserait bientôt toutes les autres. On l'appelait le « général Vendémiaire ».

VI

Bonaparte fit son apparition dans les salons où se jouait la comédie du pouvoir. C'est peu dire qu'il y éveilla de l'intérêt. Tant au physique qu'au moral, l'homme manquait de rondeurs. Mais il avait une assurance ! Ses façons abruptes tranchaient sur les manières du temps qui singeaient celles de l'Ancien Régime. Petit, maigre, austère, il se frayait un chemin au milieu des rubans d'un pas de militaire. Les femmes en étaient folles. Cette auréole de sauveur dont Vendémiaire l'avait paré lui ouvrait grand ces cœurs si sensibles à la fermeté. La Beauharnais, conseillée par Barras et Mme Tallien ci-devant Cabarrus, jeta sur lui son dévolu. La différence d'âge n'y fit rien : il avait vingt-cinq ans, elle en avait passé trente. L'experte putain eut raison de ce grand puceau républicain. Avant la fin de l'hiver, on apprenait en même temps leur mariage et la nomination de Bonaparte comme commandant en chef de l'armée d'Italie. Je ne sais lequel des deux fut la dupe de l'autre, de la femme déclinante qui se cherchait un mari présentable, ou de l'ambitieux en quête de relations. Chacun d'eux fut exaucé par la suite, au-delà de ses espérances…

Barras expédia derrière les Alpes cet homme magnétique qui pouvait devenir un rival. De son côté, Bonaparte espérait sortir de ce rôle étriqué de policier que le Directoire lui avait fait jouer l'automne précédent. Son vaste esprit et son ambition démesurée avaient besoin de grands espaces. Déjà, par-delà l'étendue de la plaine du Pô, il rêvait de réduire les empereurs, le pape et même l'Anglais, ce qui lui prendrait du temps. Ce temps, où son mari dormirait dans son manteau parmi ses soldats, la générale Bonaparte se proposait de le passer agréablement à Paris en compagnie de son petit chien et de ces blondins ridicules mais bien membrés dont elle raffolait.

Ainsi, pour satisfaire une intrigue de salon, fut montée la plus étonnante expédition militaire que la France connût jamais. Ainsi, par ces manœuvres, marchandages et prévarications qui faisaient les délices du vicomte, la maison Morenasse se vit-elle confier l'adjudication d'une moitié des fournitures de l'armée d'Italie.

*

Tout le temps que dura dans Paris mon contrat avec le vicomte, je n'eus pas à me plaindre de lui. Comme toujours il était courtois, drôle et rempli d'esprit. De plus, il se montrait d'une extrême générosité. Il m'offrait sans arrêt des babioles de prix et d'un goût excellent. Je ne comprenais pas qu'il me faisait adroitement sa cour. Peu à peu, je baissai la garde. Il s'établit entre nous une sorte de complicité. Si certaine méfiance subsistait, nous savions nous comprendre sans mots, d'un simple geste ou même d'un regard.

De mon côté, je me passionnais pour les rouages de la maison Morenasse. Je pris un tel ascendant sur ses affaires que bientôt il ne put plus décider de rien sans me demander mon avis. J'espérais un peu le voir enrager, mais j'en fus pour mes frais. Il me laissait mener la maison à ma guise. Une sorte de mélancolie semblait l'avoir pris à la suite de Vendémiaire. Cette nature extravagante avait-elle vraiment espéré ce que la raison ne pouvait que faire redouter : nous jeter ensemble aux grands chemins, sans ressources et dans les périls, comme cinq ans plus tôt lors de notre évasion du palais des Papes ?

Nous ne sortions plus ensemble que pour nos affaires. Lorsque je m'en allais seul, le dépit que je lui sentais n'était-il pas aussi excitant que le plaisir promis par des rencontres de fortune ? Je renonçai vite à ces parties à vingt dont j'ai parlé plus haut. Ces confuses échauffourées ne sont pas, quoi qu'on en pense en province, un florilège de raffinements. Dussé-je passer pour prude, je ne craindrai pas d'affirmer que l'on ne fait bien l'amour qu'à deux ou trois. D'abord, je me promenais beaucoup dans Paris, des beaux quartiers aux faubourgs et jusque dans les campagnes environnantes. La mauvaise saison me ramena rue du Petit-Pont. J'y passais des soirées entières à lire.

Aussitôt, le vicomte renonça lui aussi à ses sorties. Il se mit à rôder autour de moi, allant jusqu'à s'inquiéter de mes lectures. Cet intérêt excessif qu'il me portait, au point de négliger les innombrables débauches que la grande ville lui proposait, me fit craindre un retour d'affection de sa part. Je ne lisais plus que d'un œil les aventures point si nouvelles d'Héloïse, guignant de l'autre ses cent pas énervés. Un soir finalement, n'y tenant plus, il arracha le livre que je tenais et le jeta par la fenêtre.

— Foutredieu ! s'écria-t-il, en auras-tu bientôt fini de lire des fadaises et vas-tu me faire vivre encore longtemps comme un chapon ?

La vague de satisfaction qui me submergea me fit comprendre que j'espérais plus que je ne craignais cette sortie. Toutefois, je jouai l'exaspération.

— Chapon qui le veut bien ! Tu peux t'en aller seul le soir si cela te chante ! Nous ne sommes pas mariés ! La ville est remplie de culs qui se disputent l'honneur d'être foutus par ton beau vit ! Pendant ce temps pourquoi ne pourrais-je pas lire ?

— Je ne te paye pas pour que tu lises des romans !

— Ah ! Le ladre ! Je me doutais qu'un jour il y viendrait à me faire sentir que je suis son valet ! Va-t-il me contraindre à la corvée comme un serf d'avant 1789 ? Me faire travailler attaché à ma table, sans boire ni manger ?

Cette feinte colère à laquelle je prenais le plus vif plaisir n'eut pas les effets escomptés. Au lieu de prendre ses grands airs, il me tendit une feuille de papier couverte de fines écritures. Je le laissai un moment le bras tendu. Il agita plusieurs fois la page pour m'engager à la saisir. De mauvaise grâce, je la pris en main. Je n'en crus pas mes yeux. Il s'agissait d'un acte où ne manquait que mon paraphe, par lequel il me faisait son associé, me donnant sans contrepartie une moitié de sa fortune. Je me grattai la tête ne sachant que conclure de ces libéralités.

— Alors ? dit-il, qu'en penses-tu ?

— Que tu n'es pas plus Morenasse que je ne suis Style. Ce papier ne vaut rien !

— Ah ! Le chien ! Le rapace ! Le cupide ! Le lésineur ! Chipoter sur des mots quand je lui donne tout !

— Des mots qui ont leur importance, puisque de tout ils peuvent faire rien !

Il fit mine de s'adoucir :

— Nous y mettrons si tu veux Siffrein de Saint-Roman et Vincent Lacoste.

— La belle idée ! On recherche l'un pour assassinat et l'autre est sur la liste des émigrés ! Rengaine ton papier de carnaval et laisse-moi lire en paix !

— Cependant, dit-il en se mordant les lèvres, il y aurait bien un moyen…

— Je serais curieux de te l'entendre développer !

— Hors de France, j'ai des intérêts…

— Ah ! m'écriai-je, dépité, je me disais bien que tu me cachais le principal de tes affaires !

— Pour le repos de ton esprit, seulement ! Fais-moi l'amitié de le croire !

— Autant croire un caïman qui vous veut faire traverser la rivière !

Il se fit pressant :

— Laisse ces préventions ! Accorde-moi ta confiance ! Quittons la France ! Qu'y ferons-nous de plus ? À nous deux, en con ou en cul, nous avons foutu tout Paris !

— C'est très exagéré ! dis-je, sévère. Si, plutôt, tu me disais tout ?

Il fit mine d'hésiter, puis :

— C'est que, vois-tu, je me suis toujours méfié de ces mouvements de populace que rien ne contrôle. J'ai un autre établissement dans un pays où les pauvres se font petits…

— Nom de Dieu ! Tu perds la tête ! Tu te prends vraiment pour Bernard Morenasse ! Eh ! Réveille-toi ! Tu es Saint-Roman ! Siffrein de Saint-Roman, le saligaud qui a démoli Rambuteau et m'a fait porter le chapeau ! Sans toi, je serais…

— … probablement crevé dans la boue, alors que tu pètes dans la soie ! acheva-t-il froidement.

J'avais le souffle court et les yeux injectés tant j'étais en colère. Je ne pouvais nier ma présente fortune, mais je l'avais payée du prix d'Analys. Toutes les recherches que j'avais entreprises à son insu depuis que je disposais de moyens étaient demeurées vaines.

— Bon ! Reprenons ! dit-il le plus calmement du monde. Je disais que j'ai du bien dans les îles...

— Tu es de ces foutus marchands de coton ?

— Plutôt de sucre...

— Tu aurais donc des plantations à Saint-Domingue ! m'écriai-je, stupéfait.

— Qui te parle de Saint-Domingue ?

— Tu as dit : les îles...

— Il est d'autres îles dans l'océan Indien...

Foutre ! Où cela pouvait-il se trouver ? Sans penser que j'ignorais tout de ces archipels lointains, il poursuivit :

— Un bateau, qui doit passer par l'Italie pour y être caréné, pourrait nous y porter. Voudrais-tu, avant les Mascareignes, connaître un peu Venise ?

— Venise..., murmurai-je, revoyant en un éclair Pisani, le père Signoretti et leur chaude amitié, ce qui éclipsa le nom mystérieux de Mascareignes. Et puis le marquis ne m'avait-il pas dit, jadis, qu'il avait de la famille là-bas ? Peut-être Analys s'était-elle réfugiée dans la Sérénissime ? Aussitôt je pris le coche en marche, sans pour autant lui découvrir le fond de ma pensée.

— Venise ? Voilà une fameuse occasion de voir ce qu'il advient des convois que nous expédions à Bonaparte ! répliquai-je fermement.

— À la bonne heure ! dit-il. Quand partons-nous ?

— Demain si tu veux..., répondis-je avec la tranquille assurance de qui croit sottement être maître du jeu.

*

Anicet mit à préparer nos bagages cette fièvre qui prend les domestiques au départ de leurs maîtres, quand ils se proposent de mettre leur absence à profit. Nul doute que la maison du Petit-Pont, livrée à sa discrétion, deviendrait bientôt un nid douillet pour les plus jolis muscadins de la capitale. Il fit partir avant nous une voiture chargée de nos effets et des registres que j'avais tenu à emporter malgré les sarcasmes du vicomte.

Ce 20 messidor de l'an IV, alors que les troupes françaises entraient dans les légations pontificales, nous étions sur le départ dans cette antichambre gothique où il m'avait reçu un an plus tôt. Harnachés, fin prêts à enfourcher nos montures qui piaffaient devant la porte, nous nous faisions face. Anicet allait de l'un à l'autre, tout vibrant d'impatience.

— Es-tu certain de ne rien oublier? me demanda le vicomte, l'œil brillant de malice.

— Ma foi..., répondis-je, vérifiant en hâte mon équipement.

— Les routes sont peu sûres et les compagnies du Soleil passent pour ravager le pays au-delà de la Loire, dit Anicet qui tenait à montrer tout l'intérêt qu'il prenait à notre sécurité.

— Je nous crois parés, assurai-je, flattant les deux pistolets qu'il m'avait offerts la veille, des armes superbes à crosse de malachite qui avaient appartenu à un officier moscovite.

Le domestique leur jeta un regard rempli d'admiration et d'effroi. Le vicomte sourit avec indulgence à ces tortillements, puis, se tournant vers moi :

— Et cela? dit-il, tenant droits dans ses poings serrés deux sabres sortis je ne sais d'où. Je reconnus les lames de Daffodil, celles-là mêmes qui nous avaient sauvé la mise dans l'abbaye de Saint-Sulpice et que je lui avais abandonnées au moment de notre lapidation.

Je maîtrisai ma surprise.

— Toi qui te flattes de faire table rase du passé, tu conserves les reliques de l'ancien temps?

Il ne releva point la pique et me jeta l'un des deux sabres. Par réflexe, je m'en saisis.

— Il ne me souvient pas, dit-il, que nous eussions jamais croisé le fer...

En un éclair, je me repassai nos aventures. Je dus convenir que, si nous avions échangé force coups de poing, de couteau, de pistolet, et même des coups de hache, nous ne nous étions jamais mesurés sabre au poing. La Fortune nous avait toujours placés alors côte à côte, face à des ennemis communs.

— Crois-tu que le moment soit bien choisi, dis-je avec un soupir.

Sans m'écouter, il esquissa sur le côté un mouvement souple et tournant.

— Monsieur a raison, monsieur ! crut bon de dire Anicet, qui voyait s'éloigner le temps de sa délivrance.

— Pour ma part, je n'en vois pas de meilleur ! dit le vicomte en ricanant.

Son œil étincelait. Par deux fois, il fouetta l'air de sa lame.

— Allons ! En garde ! dit-il encore.

Je ne pouvais me résoudre à engager l'assaut. La colère, la haine ou la peur, qui sont les moteurs des combats, me faisaient cruellement défaut. Je le laissai tourner autour de moi. Souple, félin, lèvres troussées sur ses dents de loup, il me narguait.

De la pointe de son sabre, il fit voler la ganse de ma cravate. Je ne bronchai point. Il fit un pas de plus dans l'insolence et se prit à déranger le reste de mon costume sans seulement couper un fil de soie. Froissé, picoté, bousculé, je ne bougeai ni pied ni patte et m'abandonnai, agacé, à cette farce un peu macabre, espérant que mon peu d'entrain allait le décourager.

— Que monsieur laisse donc monsieur ! minauda Anicet. Monsieur voit bien que monsieur ne veut pas se battre !

Monsieur demeura sourd à cette prière. Il reprit ses moulinets et ses agaceries. Le domestique se mordait les doigts en poussant de petits cris. Finalement, le vicomte se tourna vers lui et, d'une pointe mutine, il lui piqua la fesse. Le malheureux s'enfuit en couinant, la main crispée sur si chère partie. Alors, il se campa devant moi, jambes écartées et, avec un rictus de mépris :

— Je vois bien que dormait en toi une âme de bourgeois ! Aucune folie ! Aucun panache ! Quelle erreur fut la mienne de te venir chercher à Beaune ! Ton destin était d'cnconncr ma sœur et d'engendrer avec elle une tripotée de petits républicains morveux que vous eussiez gavés de soupe !

Jamais de ma vie je ne sentis la rage m'envahir avec autant de force et de soudaineté. Ma main se crispa sur le pommeau. Je bondis en avant. Je donnai férocement de taille un coup tournant à la volée, pour le moins destiné à lui couper la tête. Plus souple qu'un matou, le coquin se baissa et je fouettai le vent.

— À la bonne heure ! s'écria-t-il.

Déjà il s'était relevé et sautait sur ses jambes. Il bondissait de-ci, de-là, tournait, grimpait sur un siège, passait sous une table, glissait, cabriolait, avec tant de naturel et de légèreté que je ne pus trouver une seule fois le fil de sa lame sous le tranchant de la mienne. J'avançais pas à pas, menaçant et farouche, le sabre levé. De sa pointe, il jetait entre nous, sur le sol, les menus bibelots qui encombraient les cabinets en s'exclamant gaîment au bris des porcelaines. D'une pirouette, il évita un autre coup que je donnai du plat.

— Doucement ! conseillait-il en multipliant les acrobaties. Doucement ! Tu te désunis ! Redresse ta garde ! Fends-toi moins bas ! Baisse l'épaule et lève le poignet ! De la grâce, que diable, du... style !

Ces conseils éclairés exaspéraient ma colère. Enragé, je me ruais comme un gueux à l'attaque. Hélas ! Je combattais un courant d'air. Comble d'humiliation, il ne daignait pas porter la moindre attaque contre moi. Il se contentait d'esquiver. Folâtre, insaisissable, virevoltant, il me fit parcourir dix fois l'antichambre sur toute sa longueur. Les dents serrées, la jambe lourde, les coudes écartés, suant et soufflant comme un bœuf, vainement, dans ce clair-obscur que la lumière des vitraux rayait de rouge et de bleu, je poursuivais un farfadet qui changeait de couleur. Finalement je crus l'avoir acculé contre la porte. Au lieu de m'affronter, il s'y écartela comme un Christ italien, avec des grâces de bardache. Sans hésiter, je donnai un violent coup d'estoc en avant, certain de l'embrocher. Le battant céda. La lumière du dehors me frappa au visage. Je me retrouvai ébloui, déséquilibré, la pointe fichée entre deux pavés. J'avais les cheveux dans les yeux, le gosier comme de l'étoupe, une forge au fond des poumons. Il était à cheval, les étriers chaussés à fond, la cuisse ferme, les rênes bien en main :

— Allons ! En selle ! dit-il.

— Descends un peu que je t'embroche ! haletai-je.

— Non ! C'est assez pour aujourd'hui ! répliqua-t-il avec grâce.

D'un coup sec, il tira sur le mors. Son cheval, surpris, tenta de tourner court, mais, maîtrisé, il se dressa en hennissant. J'évitai de justesse les antérieurs qui battaient l'air.

— Où m'emmènes-tu ? hurlai-je cette fois, en lui montrant le poing.

— Au fond de toi-même ! répondit-il en se forgeant une voix de sépulcre.

Comme je restai stupide, il partit d'un grand rire à mi-chemin entre la farce et la diablerie. Il tourna bride et piqua des deux. Que pouvais-je faire, sinon enfourcher ma monture et le suivre sur ce chemin scabreux ?

*

Ce fut une surprenante chevauchée. J'en garde au fond de moi un souvenir partagé.

Nous laissions derrière nous, sans beaucoup de regrets, la générale Bonaparte. La gueuse se drapait dans la pourpre qu'elle devait à la bravoure de son lointain mari. Elle ne s'y roulait pas seule et y conviait, avec une belle équité, les messagers que le triomphateur lui expédiait pour lui annoncer ses victoires. Ainsi, chaque succès militaire ajoutait une branche à ses lauriers et une plus grande encore à ses cornes. On appelait l'infidèle « Notre-Dame des Victoires », comme on avait appelé Térésa Cabarrus, « Notre-Dame de Thermidor ». On donnait volontiers, en ce temps-là, le nom de la Vierge à des catins. Et ce général glorieux que cent mille hommes de bien aimaient à la folie était ridiculisé par une femme de peu et cocu comme un boulanger.

Depuis notre départ, j'étais fort occupé par les émotions contraires qui m'agitaient. Je comprenais que j'avais jugé un peu vite, en estimant le vicomte à ma merci. Malgré notre feinte amitié, nous demeurions de deux races. Cela tenait moins à notre sang du même vermillon qu'au lait bu dans nos langes, blanc et crémeux pour lui, maigre et clairet pour moi. Dès le berceau, j'avais connu la faim et le froid. Cela m'inclinait à convoiter avant toute chose pitance loyale et bon feu assuré. N'avais-je pas été souvent tenté de m'endormir dans la quiétude que me proposait la Fortune ? Le vicomte, lui, gavé dès son jeune âge jusqu'au dégoût du lait, ne recherchait que le plaisir. Le frisson était sa grande affaire. Combien de fois l'avais-je vu jouer à pile ou face sa vie avec désinvolture, pour jouir d'un aussi dérisoire qu'absurde, mais ô combien délicieux, tressaillement de volupté !

Ainsi, pour redonner du piquant à notre amitié qui s'endormait dans une eau tiède, il n'avait pas craint de sortir du puits les vieux cadavres oubliés.

— Me diras-tu, enfin, un jour, la part que tu as prise dans la disparition d'Analys ? lui demandai-je, alors qu'au petit trot nous approchions de Beaune et que l'affection semblait un moment restaurée entre nous.

— Celle que je t'ai dite : aucune !

— Est-ce la vérité ?

— Je le jure !

— Autant faire confiance à un Égyptien !

— Qu'y puis-je ? Tu es méfiant comme tous les croquants !

— Toi, tu varies sans cesse !

— Cela met du piment dans la vie, de retourner les perspectives.

— J'aime autant tenir à ma parole.

— C'est bien triste pour toi, puisque vois-tu, finalement, je l'accepte !

— Que veux-tu dire ?

— Que malgré que j'en aie, je respecte tes arrêts.

— Quels arrêts ?

— Par exemple, celui d'être mon associé plutôt que mon amant.

— Je t'en remercie.

— Tu ne connaîtras donc jamais qu'une seule moitié du monde…

— … et je m'en contente aisément !

Ainsi nous devisions en cheminant d'un sujet fort sensible. J'eusse pu à tout moment tourner à droite ou à gauche à une croisée de chemins, m'éloigner de lui pour mettre un terme à ces échanges malsains, et briser net un compagnonnage qui, chaque jour, s'alourdissait. Hélas, la singularité de cet homme me bloquait les rouages de l'esprit. Je me sentais devenir imbécile, uniquement occupé de ses machinations et de ses fumées. Je le regardais se mouvoir comme on admire, fasciné, les mouvements d'un chat, pour le seul plaisir de voir les muscles rouler sous la soie du pelage. Tous ses gestes étaient amples, justes, sans retenue ni excès et l'on eût dit, à sa façon de marcher, que le monde avait été créé pour soutenir ses pieds.

Quand il chevauchait devant moi, j'enviais la façon qu'il avait de se tenir en selle. Ses épaules étaient larges, ses reins souples, ses cuisses longues et puissantes. Il ondulait à l'amble, comme pétri d'une même chair que sa bête. « Tout de même, quelle allure ! », me disais-je, me redressant, un peu honteux, sur mes étriers, non que je fusse mauvais cavalier, mais parce que j'apportais à cette pratique l'application d'un bon élève, plutôt que l'aisance désinvolte d'un maître.

Sous l'effet de la chevauchée, ses cheveux noirs qu'il portait longs s'évadaient par mèches du lien qui prétendait les tenir attachés. Ils retombaient en masse sur le visage sombre, dessiné à grands traits heurtés. Tout au long du jour, ils s'épaississaient de poussière, de poudre et de fétus de paille. Le soir, à l'étape, quand à une table d'auberge, l'air fourbu et content, il s'asseyait face à moi, le bizarre désir me venait de tendre la main pour l'en débarrasser. Il mangeait sans hâte, sans maladresse ni affectation, débattait de tout en se léchant les doigts, faisait voler ses mains pour orner ses discours. Même quand il rotait, il avait de l'esprit.

Alors que, depuis le berceau, on me rebattait les oreilles de ma jolie figure, de mes boucles d'or et de mes yeux si bleus, jamais je n'entendis personne avancer qu'il fût beau. Le front était trop haut, le nez trop grand, les cheveux trop noirs. L'œil solitaire, la bouche ironique et le menton hautain, ne sucraient guère le portrait. Mais quand il était là, tout se noyait dans l'ombre : on ne voyait que lui.

L'air calme et satisfait d'un courtier en tournée, il grimpait sur toutes les servantes qui avaient un peu d'apanage et m'engageait à en faire autant. Je ne m'en privai pas. Mais ces exercices m'ennuyaient chaque jour davantage. Je m'en acquittais comme d'un pensum.

Tout ces grands claquements de buffleterie, ces ferraillements de mors, de chaînes, d'éperons, d'étriers, cette violente odeur de bête qui s'attachent à la cavalerie, m'énervaient prodigieusement. Lorsqu'il m'arrivait, ayant vidé la selle dont le cuir poli m'enflammait les fesses, de frotter un moment mon cul mortifié, je voyais son regard se détourner et, sur ses lèvres, se dessiner un sourire.

Ainsi, nous épiant sous des dehors d'affection virile et de cordialité, rivés l'un à l'autre par ces chaînes qui lient ensemble victimes et bourreaux, nous piquant et nous congratulant avec un égal plaisir, nous arrivâmes sous le col du Grand Saint-Bernard.

VII

Avant de dévaler vers l'Italie, la route grimpe sur les Alpes françaises. En maints tours et contours, elle dessine d'innombrables lacets au flanc de monts pelés. Des quartiers de rocs, arrachés aux pierriers des cimes, lui font une haie de géants. Pas un arbre. L'herbe est rase, brûlée par les neiges d'hiver. Des gravats éclatés, coupants comme des lames, sonnent et roulent sous les pieds des chevaux. De-ci de-là, de maigres suintements dessinent des traînées noires. Le paysage est rien moins que riant. J'en faisais la réflexion au vicomte, quand un coup de feu claqua au-dessus de nos têtes.

— Peste ! dit-il, les compagnies…

D'un même mouvement, nous vidâmes les étriers. En trois bonds, nous fûmes derrière un amas de blocs. Déjà le vicomte s'affairait à charger ses pistolets. J'en fis autant. Malgré leur folle élégance, mes armes étaient de forts calibres finement usinés. Je sentis, à leur maniement, un frisson de plaisir. Le vicomte me regardait opérer, un fin sourire au coin des lèvres.

— J'espère, dit-il en un souffle, que tu es meilleur tireur que fine lame…

Je me contentai de hausser les épaules. Lorsqu'il fut assuré que j'étais paré, il leva le bras et tira un coup en l'air. Une salve nourrie lui répondit, qui fit gicler des esquilles de roc près de nos têtes.

— Imbécile, dis-je, pourquoi gâcher des balles ?

— Imbécile toi-même ! Ce coup m'a dit où, qui et combien ils sont…

Je le regardai, stupéfait.

— Ils ont des fusils de chasse : ce sont des paysans. Cinq tireurs. Juste au-dessus de nous. Placés en éventail. Une petite demi-douzaine de croquants sans stratégie. C'est à notre mesure…

De la surprise, je passai à l'admiration :

— Ah ! dis-je, tu es…

— … capitaine de cavalerie. La guerre, mon jeune ami, cela s'apprend !

Je me le tins pour dit et me rangeai, sans objecter, sous sa bannière.

— À présent, dit-il, nous devons les amener à se déplacer…

Je risquai un œil prudent par une brèche. La montagne était vide. Partout, le silence. Le ciel étendait là-dessus son voile d'un bleu strident. Seuls nos chevaux, abandonnés au milieu de la draille, secouaient leur tête en soufflant.

Alors, ce diable de vicomte fit une chose étrange. Allongé de son long dans la pierraille, tenant ses armes à bout de bras, il se mit à tirer sur eux. Les balles ricochèrent autour des jambes fines, soulevant des gerbes de graviers. Affolées, les deux bêtes poussèrent un hennissement de détresse et partirent à fond de train dans la pente.

— Ouvre bien tes oreilles, dit-il, c'est le moment !

Une minute ne s'était pas écoulée qu'un infime bruit d'éboulis, comme d'un coq qui marche sur des œufs, froissa le silence. C'était sur notre gauche, à moins de cinquante pas. Un autre, un peu plus loin, à droite cette fois, vint le doubler en un écho ténu. Je tendais l'oreille comme un lièvre à l'affût. Trois… quatre… cinq… enfin ! Tous refluaient vers le fond du vallon où avaient disparu nos chevaux.

C'était le but de l'embuscade : s'emparer de nos montures et des effets contenus dans les fontes pour les aller vendre au marché. Quant aux deux cavaliers, ils s'en souciaient bien ! Sans vivres, sans bivouacs, à pied dans la montagne, les loups sauraient s'en charger…

Bientôt, les malandrins qui s'étaient éparpillés en tirailleurs furent passés ensemble. On entendait le bruit de leurs pas décroître du même côté. Depuis un moment je n'entendais plus rien : « Il a raison, le satané bougre ! Cinq tireurs… pas plus… », me dis-je.

Le vicomte posa une main légère sur mon bras.

— C'est bon ! dit-il. La balle a changé de camp. Le chasseur est devenu gibier !

Courbés en deux, nous sortîmes de la cache. Ayant passé le rocher qui nous abritait, les imprudents descendaient maintenant à découvert, persuadés que deux voyageurs assez couards et maladroits pour tirer en l'air ou dans les jambes de leurs bêtes n'auraient jamais l'audace de riposter, encore moins de les attaquer. Il leur fallut déchanter. Ce fut moi qui, d'une balle nette, déquillai le premier.

— *Madonna!* cria l'homme en faisant une pirouette de pantin désarticulé.

Il s'écroula.

— Tiens ? Un Italien ? dit le vicomte, en guise d'oraison.

Les quatre bandits, surpris par la décharge, couraient maintenant comme des lapins. Ils roulaient, glissaient dans les éboulis qui se dérobaient sous leurs pieds.

— Peste ! maugréa le vicomte, ils vont se tuer tout seuls ! Du calme, messieurs ! cria-t-il à leur adresse.

Debout, son pistolet appuyé sur le bras, il en descendit deux, tout comme à l'exercice. Le premier, frappé sans bavure, s'abattit en avant. L'autre, touché plus bas, courut un moment encore puis, vacillant sur ses pieds, il tourna sur lui-même et tomba en désordre. Les deux rescapés, peu soucieux de nous servir de cible, se rencognèrent derrière une moraine que les crues avaient traînée là. Embusqués sous une dalle en pente, nous guettions la contre-offensive. Elle ne tarda pas. Cette fusillade, mes amis ! Le plomb des pétoires grésillait sur la pente, nos balles sifflaient, un vrai feu d'enfer ! Chacun se dressait pour vider son arme, puis s'aplatissait pour la recharger. Cela alternait d'un côté et de l'autre, si bien qu'on eût dit une danse, réglée par quelque maître de ballet.

— Bast ! dit le vicomte. Il faut en finir. Nous n'allons pas passer la Noël dans ces déserts !

Je m'attendais à le voir courir sus aux coquins en une charge héroïque. Quelle ne fut pas ma surprise de le voir ôter ses bottes. Il les fourra l'une dans l'autre pour leur donner du nerf, puis enfonça par-dessus son tricorne. C'est seulement alors que je compris la ruse.

— Me voilà paré, lui dis-je. Envoie l'épouvantail !

Dès que le chapeau noir dépassa la muraille, l'une des deux fripouilles parut pour l'aligner. Je mis en joue, tirai, et frappai en plein front.

— Deux à deux ! clama le vicomte, ravi, en tapant dans ma main.

Restait le dernier des cinq. Peut-être le pire. Peut-être le meilleur ? Pour l'heure, assagi par la grêle de feu, ou accablé par la triste fin de ses collègues, il semblait n'en mener pas large. Mais comment en venir à bout ? Nous nous interrogions. C'est alors qu'apparut, plus ou moins ficelé au canon d'un fusil, un vieux bout de chiffon qui eût pu être blanc s'il n'avait été gris.

— C'est fait, claironna le vicomte ! Il se rend. La farce est jouée !

— Voire ! dis-je, sans bouger d'un pouce, le pistolet calé dans une brèche, l'œil fixe sur la visée. Celui-là, j'en fais mon affaire !

— Arrête, cela ne se fait pas !

Passant une jambe sous lui, il amorça le geste de se lever. D'un coup de pied véloce, je l'étendis dans la pierraille. Bien lui en prit. Deux coups partirent presque en même temps. L'un siffla sur nos têtes, l'autre étendit le coquin pour le compte. Le canon de mon pistolet laissait s'échapper comme un peu de fumée. Le leurre de chiffon, coincé entre deux pierres, flottait toujours, là-bas, au-dessus du clapier.

— Foutre ! dit le vicomte, assis sur son cul, les trois sueurs au front, je te dois…

— … rien du tout, mais vois-tu, si tu connais la guerre, je connais les croquants pour les avoir fréquentés dans l'armée de Vaucluse !

Nous fîmes le tour de nos victimes, prenant chacun de leurs fusils en main :

— Bah ! dis-je, cela ne vaut rien ! La plupart ont besoin de radoub…

Comme je m'apprêtais à les abandonner, il les désarma un à un, leur ôtant le silex. Puis il confisqua la poudre, les bourres et les gargousses.

— Règle numéro un : ne jamais laisser de fusil, même vieux, dans son dos ! dit-il à mon intention, sur le ton d'un maître d'école.

Nous arrivions à ce moment devant le pierrier sur lequel flottait le chiffon. Je le saisis, le pliai soigneusement, puis le glissant sous le col de son manteau :

— Règle numéro deux : ne jamais prendre un croquant pour un aristocrate !

— Si fait ! dit-il, bon prince. Je retiens la leçon…

Nous trouvâmes nos chevaux un peu plus bas, s'abreuvant dans une conque de pierre où frémissait une eau glacée. J'y plongeai les mains pour me baigner la figure. La fantaisie soudaine me prit d'en asperger mon compagnon. Il se vengea en versant sur ma tête le contenu de son chapeau. Bientôt trempés de la tête aux pieds, malgré le froid piquant, nous nous poursuivions dans les moraines, riant comme des chenapans.

— Ah ! dit-il pour finir, c'est foutrement bon, l'aventure ! Quatre pistolets… deux sabres… deux chevaux… un ami…

Puis, l'air grave, tout à coup :

— Écoute-moi ! Partons ! Laissons cela ! Paris… Venise… Les Mascareignes… Bonaparte… l'armée d'Italie… tous ces papiers… ces actes… ces contrats… cet or, même…

Je n'en croyais pas mes oreilles.

— Partir ? répondis-je. Où donc veux-tu aller ?

— Ailleurs…

— Ailleurs ? Ma foi, c'est un peu vague…

— Toi et moi, c'est n'importe où !

Au lieu de me gagner, son exaltation glaçait mon bref accès de tendresse.

— Tout doux, vicomte, tu t'égares ! Mettons un peu d'ordre à ces emportements. Nous sommes partis ensemble pour Venise, et sans raison nous quitterions la route ? Terminons le voyage ! Après, nous verrons bien…

— Et si, après, comme tu dis, il était trop tard ?

— Vicomte, tu me fatigues ! Te voilà reparti dans tes fantasmagories !

Déjà il n'écoutait plus. Il mit le pied à l'étrier, sauta en selle et partit sur le sentier d'un petit trot enlevé.

— Allons, dit-il, c'était pour rire !

Pourtant, il ne riait pas.

*

Rien ne vaut un petit voyage pour vous faire aimer le pays. Le regard que l'on pose sur sa patrie dès qu'on a dépassé les frontières n'est plus celui du bougon casanier. Rencogné dans ses foyers, on n'en finit pas de murmurer contre la hargne des collecteurs d'impôt, l'iniquité des lois, la rusticité des chemins, le prix du pain et du sel. Mais, dès qu'on s'est éloigné de ces tracasseries coutumières, on regarde cela comme des étrangers. Brusquement, nous vîmes la France par les yeux des Italiens.

L'Italie, depuis fort longtemps, était tenue par l'Autrichien qui faisait sentir sa puissance et tentait d'imposer ses mœurs. Or, rien n'est différent d'un cœur autrichien comme un cœur italien. L'un est confit de rigueur, l'autre nage dans les passions.

Le souvenir restait vivace des princes de la Renaissance qui avaient fait briller la péninsule au firmament des puissances et des arts. Leurs fils virent dans Bonaparte une incarnation nouvelle des Médicis, des Sforza, des Borgia. Lorsqu'il entra dans Milan et ce, malgré l'incroyable indemnité de quinze millions qu'il exigea, le pillage des musées qu'il organisa sur l'heure, il fut accueilli en triomphe. Ses soldats furent portés par une formidable vague d'enthousiasme : volaient-ils une poule, on leur en donnait trois, une poignée de riz, on leur offrait le sac. Si la France était misérable, l'Italie d'alors était riche et nos efflanqués firent ripaille.

La Révolution jouissait partout d'un prestige extraordinaire. Pas une ville, pas un village qui n'eût son club de sympathisants. Ainsi, les Italiens nous montrèrent ce que nous n'avions pas vu, le nez collé sur les vilaines intrigues du pouvoir. Pendant que les Barras et les Fouché se passaient sous le manteau des bourses bien garnies, les habits noirs de l'ancien tiers état créaient des écoles pour filles et garçons, restauraient la liberté de culte, abolissaient l'esclavage, réformaient une justice inique et faisaient adopter cent autres lois nouvelles et fort justes qui plaidaient pour la République. Les Italiens, séduits, désiraient la leur, et ils attendaient des Français qu'ils la leur donnassent.

On nous recevait, on nous fêtait, on buvait nos paroles. On espérait de nous une légende merveilleuse comme un conte de fées. Pouvais-je dire que Barras entassait des millions, que Joséphine était une putain, que Bonaparte était cocu ? Je mentis donc pour faire rayonner la gloire de la France. De l'un je fis un humaniste, de l'autre une mère la vertu et du troisième un Hannibal, ce qui n'était pas encore vrai mais ne pouvait manquer d'advenir.

— Je vois là, disait le vicomte ironique, se mettre en place une mécanique qui fera merveille dans les siècles à venir : le pieux mensonge au nom de grands principes.

*

Depuis notre départ, un mois plus tôt, rien n'allait plus pour les convois. N'étant plus soumis à mes sévères contrôles, les fournisseurs expédiaient n'importe quoi. Nos commis, je le comprenais, s'étaient laissé séduire. J'enrageais. Pourtant à Lonato, à Castiglione, à Roveredo, à Bassano, les Français, débraillés, hirsutes, affamés, souvent pieds nus, se trouvèrent face aux soldats autrichiens, tous jolis et semblables, dans leurs costumes blancs, à des figurines de plomb. Ils se battirent à un contre trois. Ils furent victorieux. Malgré les intrigues, les pots-de-vin, les maltôtes, Bonaparte allait de victoire en victoire. Le vol de l'Aigle avait commencé.

Partout, l'Autrichien reculait. À Modène, une assemblée de patriotes proclama la République cispadane. Elle l'offrit au général en chef. Il était à présent maître de l'Italie du Nord. Mais rien ne contente de ce qui s'offre trop vite. Ce que désirait ce fou d'Orient, c'était réduire là-bas, au fond de sa lagune, la ville dédaigneuse et compliquée, trop lasse de ses mille ans d'histoire pour se mesurer ou s'allier aux barbares français.

L'Europe entière s'était coalisée contre la France. Venise n'avait pas bougé. Sans se dire son amie, ce qui l'eût contrainte à la guerre, elle demeurait neutre, vaguement bienveillante, inaccessible et un peu lâche. Et Bonaparte, qui parlait presque la même langue, ne pouvait que siffler entre ses dents « *Saro un Atila per Venezia* ». Mais il ne pouvait pas l'investir. La République de San Marco, raffinée, débauchée, sinueuse, représentait tout ce qu'il détestait. Bouillonnant de fureur impuissante, l'Aigle n'attendait qu'un prétexte pour fondre sur le vieux lion fourbu et le dépecer. En attendant cette curée, il régnait en campagne comme un roi guerrier, entouré d'une cour volante qu'il faisait vivre sur un mode spartiate.

Un jour, du côté de Vérone, nous fûmes conviés par un colonel fourrier de notre réseau à partager avec le grand homme, ses généraux et les notables du coin, un affreux repas de bouilli qui nous laissa des fils entre les dents. De Bonaparte, nous ne vîmes qu'un homme pressé, qui mangeait vite et sans parler. Brusquement il se leva, bousculant la table de campagne, une simple planche posée sur des tréteaux. Il jetait sur nous des regards farouches.

Une estafette venait de lui servir un mets odorant: de fines tranches de foie de veau posées sur un lit d'oignons rissolés, le fameux et si délectable *figa' a la venexiana*... Le général repoussa son assiette, comme si elle eût contenu quelque toxique pernicieux:

— Je vois là les mœurs d'un peuple décadent, dit-il d'une voix brève. Manger le bœuf dans son enfance, c'est « couper le blé en herbe et porter un coup fatal à l'avenir ».

Là-dessus, il sortit, laissant derrière lui la plus grande consternation. Nous étions placés en bout de table, à côté d'une personne prénommée Lucrezia, fort accorte pour la veuve d'un robin. Sa déception faisait peine à voir.

— Voilà pour toi, qui te prétends l'avocat de la France, une occasion de restaurer son prestige! me souffla le vicomte.

Piqué par le défi, je m'attelai à la besogne. Je fis tant que la dame, charmée par mon éloquence, nous invita dans sa maison pour partager un pot de chocolat.

*

Nous fûmes bientôt, loin des rudesses militaires, installés fort à l'aise sur des canapés. Notre hôtesse riait à toutes nos balivernes, avec cette franchise et cette bonne humeur que mettent à toute chose les Italiennes. Nous faisions assaut de drôleries et de bons mots, chacun acharné à remporter la place pour faire enrager son compère.

— Ah! Messieurs! Combien j'aime la France! s'exclama Lucrezia en pressant à deux mains sa belle gorge que les spasmes du rire autant que les lacets bridés faisaient saillir plaisamment. Vous m'avez convertie. Aucune nation ne saurait égaler la vôtre pour ce qui est de l'esprit, et sans doute la Corse n'a-t-elle point encore infusé le temps qu'il faut dans vos subtiles essences pour en bien prendre le goût! Une seule question, à cette heure, me pose problème...

Nous nous précipitâmes et, d'une même voix:

— Laquelle, madame?

La rouée nous dévisagea tour à tour, puis:

— C'est que m'ayant découvert l'un et l'autre votre naissance, vous me plongez dans la perplexité. Si j'eusse été française, vers lequel des deux camps mon cœur eût-il penché ? Eussé-je choisi d'aimer les aristocrates ou bien les sans-culottes ? Fort heureusement, je ne suis qu'italienne. Étant incapable de trancher si cruel dilemme, je ne peux que vous remercier de votre bonne visite et...

Ainsi la coquine, ayant allumé tant de feux, nous allait mettre à la rue l'un et l'autre. Déjà je m'en amusais, lorsque le vicomte, mettant un genou à terre, déclama avec sentiment :

— Fi donc, madame ! Qui veut vous forcer à choisir ? Décider entre deux joies ou deux tourments est bien la plus rude épreuve qui attend la créature en ce monde ! Loin de nous la cruauté de prétendre vous l'infliger ! Comment se déterminer sans rien savoir des plaisirs ou des maux que nous promet la loterie ? Il faut goûter à chacun des termes proposés par la comparaison, y revenir sans cesse et bien peser les cas, sans quoi le bonheur sera gâché par l'illusion d'un autre peut-être plus grand, de même que la douleur sera multipliée par la chimère d'une fort amoindrie...

À cette belle démonstration, la dame ne se troubla que ce qu'il faut. Elle se tourna vers moi, pour voir si j'étais dans les mêmes généreuses dispositions de partage. C'est seulement alors qu'elle baissa les yeux et consentit à rougir un peu.

— Messieurs... je ne sais...

Elle eut un de ces gestes effarouchés qui n'ont d'autre dessein que d'être comprimés. Au lieu de nous repousser, elle nous prit les mains et baissa le front. Le bougre, avec un bel aplomb, guida les doigts de la lubrique vers une partie de son anatomie que cette déclaration avait mise d'humeur joueuse. La coquine esquissa vers moi, et sans que j'eusse à le lui proposer, le même geste libertin. Par-dessus sa tête penchée, le regard du vicomte m'enveloppait comme d'une soie noire.

— Songez, dit-il sans me quitter des yeux, à l'avantage de cet arrangement.

J'en mesurais, en effet, l'adresse signalée. Encore me fallait-il, par quelque trait d'esprit, le replacer sur les voies de la désinvolture :

— C'est connaître bibliquement, en un instant et sans préjudice aucun, l'ancien et le nouveau régime !

Je vis se dessiner sur la bouche du vicomte, qui était fort rapprochée de moi, un sourire si fin, si subtil, quasi volatil, que je ne pus y résister. Je me sentis porté en avant, comme un benêt qui se laisse captiver par le reflet de la lune au fond d'un puits et finit par tomber dedans. J'effleurai à peine et comme par mégarde les longues lèvres sinueuses, denses et presque closes. Malgré moi, croyant pouvoir me reculer encore, je m'y appesantis peu à peu. Leur goût d'épices me pénétra jusqu'aux moelles.

La dame, toujours courbée, s'affairait des deux mains, et avec une *maestria* à faire honneur à l'Italie, à nous tenir sur l'extrême bord de l'extase. Cependant, au bout d'un moment, la géométrie du tableau n'évoluant pas sensiblement, elle dut se douter qu'il se passait, au-dessus de sa tête, quelque chose qui la dépassait quelque peu. Elle se dressa sur sa taille. Sa nuque heurta nos têtes jointes et nous sépara dans un choc douloureux. Nous étions là, face à face, égarés, comme ivres, habités par l'unique désir de reprendre ce bouche-à-bouche. À peine eut-elle appuyé ses vertèbres au dos du canapé, que, faisant fi de notre facile conquête, nous opérâmes de conserve un plongeon l'un vers l'autre, nous crochant cette fois de la langue et des dents avec une fureur qui la laissa pantoise. On imagine la stupéfaction de la belle qui se promettait de lubriques délices en compagnie de deux lurons bien montés, et les voyait, oublieux même de sa présence, s'embrasser avec rage, pour ainsi dire sur ses genoux.

— Hé ! Messieurs ! dit-elle, reprenez vos esprits ! J'eusse pu attendre d'Anglais ces surprenantes méthodes ! Mais des Français peuvent-ils...

Cela nous dégrisa d'un coup. Nous faire traiter d'Anglais ! Et par une Italienne ! Le vicomte à l'instant se leva, dépouilla sa jaquette et la jeta au loin. J'en fis autant. Les chausses suivirent et, gardant sur nous seulement nos chemises et nos bottes, nous nous attachâmes à restaurer sur-le-champ l'honneur de la Nation.

Rondelette, mais courte de taille, la dame ne pesait rien entre nos quatre mains. Sa beauté callipyge nous inspira en même temps. Pour éviter la confusion, il nous fallut disposer les armées. Une fois la place investie par les deux portes opposées, nous nous livrâmes dans ses murs à un plaisant duel d'escarmouche. Lucrezia poussait les hauts cris et nous encourageait à soutenir l'assaut. Ce fut un jouet dont nous fîmes vibrer à deux tous les ressorts secrets. On ne dira jamais assez le prestige des canapés pour soutenir ces joyeux exercices. Le dossier, les coussins, les pieds, les accoudoirs, tout peut être utilisé avec quelque profit pour soutenir, plier, cambrer, serrer ou tordre, à l'inverse des lits d'où suintera toujours une infinie mélancolie.

— *Madona!* Je n'y comprends plus rien! criait Lucrezia, troussée et investie de tous côtés et avec vigueur par deux gaillards qu'elle avait vus l'instant d'avant se gamahucher entre eux comme des sodomites.

— Qu'importe, répondit le vicomte. Ce n'est pas dans le cervelet que se passent ces choses!

Le lecteur le moins libertin, même s'il n'a jamais goûté aux joutes plurielles, se doute un peu, s'il n'est pas sot, que, dans la confusion de ces ébats, les porteurs de couilles font un peu plus que se serrer la main. Aussi je ne saurais dire avec honnêteté si la décharge finale qui me fit rendre les armes fut le résultat des œuvres du vicomte ou de celles de l'Italienne. Toujours est-il que nous nous retrouvâmes assis côte à côte, troussés jusqu'à la taille sur le canapé mis à mal, suant, soufflant et riant comme trois galopins qui ont bien mérité la fessée. Sans doute son robin de mari ne lui avait-il jamais fait voir autant de pays, car, sitôt qu'elle eut repris la maîtrise de son poumon, la coquine nous dit:

— Je vous veux laisser un souvenir, messieurs! Vous m'avez dit tantôt que vous alliez jusqu'à Venise pour y parapher une charte qui doit vous faire associés. Personne plus que moi ne sait combien vous vous aimez et jusqu'à quel point vos talents sont complémentaires. Ici, bien qu'en *terra firma*, nous sommes dans la Sérénissime. J'ai conservé dans le veuvage les sceaux par lesquels mon époux liait entre eux les marchands de Venise. Vous plairait-il de conclure ce pacte par-devant moi?

— Ma foi..., dit le vicomte, par-devant ou par-derrière, j'ai promis! Cochon qui s'en dédit!

*

Lucrezia se mit à l'écritoire:

— Il me faut tout d'abord noter vos états et vos identités.

— Bernard Morenasse, négociant, dit mon compère avec aplomb.

La tabellionne jeta un œil perplexe sur le grand pendard qui annonçait ce patronyme populaire, alors que son compagnon lui donnait du « vicomte » gros comme le bras. Après un bref moment d'hésitation, elle se tourna vers moi.

— Hugues Style, dis-je.

— Ici, tu n'es point tenu à Style, dit le vicomte. Lacoste, si tu préfères…

— Mon père n'a pas jugé bon de me donner son nom, je ne le prendrai pas. Style je suis, et Style je resterai !

Lucrezia n'en revenait pas. Sans doute avait-elle vu ses pratiques discuter âprement des termes d'un contrat, mais point encore de leurs noms de famille. Ces Français, décidément, ne faisaient rien comme les autres…

Je martelai avec conviction :

— Hugues Style, armateur.

Le vicomte partit d'un rire à faire voler en éclats les carreaux :

— Hé ! Imbécile ! Armateur ne signifie pas « fournisseur aux armées », mais « affréteur de bateau » !

Mortifié, je me braquai sur le terme ambigu qui, par une trompeuse euphonie, m'avait séduit :

— Et si je veux, moi, dire « armateur » ?

Le vicomte haussa les épaules :

— Après tout… à tes souhaits !

Lucrezia écrivit donc docilement, mais avec l'air de n'en rien croire : Hugues Style, armateur. Et le lion de Saint-Marc s'en vint sceller dans la cire chaude notre mariage de déraison.

QUATRIÈME PARTIE

I

Rien ne peut se comparer à l'éblouissement qui fut le mien lorsque je contemplai Venise pour la première fois.

Ayant dépassé Mestre, ses étendues de saules et de roseaux mouvants, nous arrivâmes vers le soir à un relais de poste. Je comptais changer contre un plus frais le cheval fourbu que j'avais éperonné depuis Vicenza. Je choisis un fringant alezan, car je caressais le projet de visiter Pisani et de me présenter à mon avantage.

Le vicomte se tenait à l'écart dans le chambranle d'une porte ouverte. Campé sur ses deux jambes, il me tournait le dos, le regard porté vers un horizon que les murs de l'écurie me dérobaient. Comme je le hélai de loin, l'engageant à faire son choix, il me dit :

— Cesse donc de t'inquiéter d'une bête. La maison qui nous attend n'est pas pourvue en écurie.

On se doute si je fus étonné ! Je connaissais mon vicomte par cœur, et le plaisir qu'il avait à chevaucher trois pieds au-dessus des manants. Se sentait-il pris subitement d'humilité ? Je m'approchai pour lui en demander la raison. C'est alors que je vis dans la lumière mauve du couchant cette ville admirable, avec ses campaniles rouges estompés par la brume, ses tuiles d'ocre pâle et de rose doré, précieuse comme un diadème posé sur un miroir.

Le vicomte se retourna d'un bloc, ayant déjà eu raison de la crise de poésie qui ne peut manquer d'ébranler n'importe quel particulier, fût-il le pire croquant, à la vue d'une telle merveille. Sans daigner commenter ma stupeur et mon ravissement, fût-ce pour les tourner en ridicule, il dit abruptement :

— Tu vois bien qu'il s'agit d'une île : nous prendrons un bateau !

Une *peota*, chargée de tout ce qui peut faire nécessité dans une île, nous porta jusqu'à San Marco. C'était, à bord, un incroyable chambard de bois à brûler, de poutres à charpenter, de caisses, de sacs, de ballots, de grognements de porcs, de piaillements de volailles encagées. Depuis les rives de la *terra firma*, se faisait vers la ville un incessant charroi de ces gabarres à fond plat. Elles empruntaient des chenaux compliqués, bordés de loin en loin par les ducs d'Albe, faisceaux de pieux attachés entre eux et coiffés d'une lanterne. C'est qu'autour de Venise la mer est peu profonde. Sans ces chemins d'eau, l'on pourrait s'y échouer vingt fois. Cette faible profondeur donne à l'eau de la lagune ce vert inimitable, auquel le maître Véronèse, enfant du pays, a attaché son nom.

Le Grand Canal que la *peota* emprunta dessinait un grand « S » liquide, traversée en son milieu par un pont de marbre blanc d'une grâce infinie. Tout le temps que dura la traversée, je demeurai bouche bée comme un nigaud. Qu'on s'imagine un boulevard aquatique bordé de palais ciselés comme pièces d'orfèvrerie, florilège de tous les marbres précieux du monde. Partout des colonnades torsadées, tressées, des vitraux embrassés d'arcs mauresques ou gothiques, des pinacles portant écus de mosaïque, idoles dévêtues, dragons écumants, lions en majesté, des entrelacs garnis d'ivoire, de céramiques, d'émaux, de bronze et même d'or pur. Le sentiment vous venait d'être passé au travers d'un miroir magique pour aborder une cité de conte habitée par des fées. Car les façades de ces demeures étaient d'une facture si riche, si complexe, si délicate et somptueuse à la fois, que l'ensemble, par son entassement et sa diversité, devenait inquiétant et vous plongeait dans un trouble profond.

Des bataillons de longues badines décorées en spirale et coiffées de bonnets dorés étaient plantés dans la mer tout le long des maisons. On y voyait amarrée une flottille de barques de cinq ou six toises de long, à demi pontées, certaines recouvertes d'un tau carré, destiné sans doute à protéger les passagers des intempéries. Une sorte de rame ou de gaffe, peut-être bien de godille, était enquillée à l'oblique dans une dame de nage contournée, placée d'un seul côté, vers l'arrière de l'embarcation. Toutes les navettes me parurent semblables, car identiques de forme et de couleur, effilées, d'un noir brillant, avec une proue découpée en cimier de casque barbare. Cependant, si rien ne les différenciait entre elles, un fort extraordinaire détail les distinguait des embarcations de mer ou de rivière que j'avais vues jusque-là. En effet, elles n'étaient point taillées en symétrie de la proue à la poupe comme tous les bateaux du monde, mais un peu cambrées sur le côté, comme trop sensuelles ou jalouses, et un nautonier distrait eût certainement, là-dessus, navigué en rond.

Le vicomte, pressé par la foule qui s'entassait sur le pont, vint s'accouder près de moi. Son bras pesait contre le mien. J'en sentais la chaleur à travers l'étoffe.

— Voilà les chevaux de Venise, dit-il. On les appelle des *gondole.*

— A-t-on idée de fabriquer des bateaux tordus ?

Il eut un rire malicieux :

— Il faudra t'y faire. À Venise, rien n'est droit. Même les clochers penchent…

Je ne répondis pas, captivé par le mol balancement des barques noires qui semblaient respirer la mer. Je voyais les proues dentelées se soulever, puis s'abaisser sur la houle, comme des têtes de chevaux, qui, sur un hippodrome liquide, eussent disputé leur course au ralenti. Je m'engourdissais dans ce mouvement hypnotique, malgré le froid qui montait de l'eau. Je m'aperçus alors que je n'étais glacé que d'un côté. Le vicomte s'était si étroitement rapproché de moi que toute une moitié de mon corps se régalait de sa fièvre interne. Je m'éloignai vivement. Il sourcilla :

— Te voilà revenu dans tes grimaces ?

— Eh quoi, tu te colles à moi, comme une patelle sur un rocher !

— Quelle horreur, en vérité ! Hier, sur les genoux de Lucrezia, tu ne t'en plaignais pas…

— Hier, c'était hier !

— Il va donc me falloir chaque jour inventer une scène pour te réduire une heure ou deux ? Je vais m'y pressurer les méninges et les sécher comme tourteaux d'olive !

— Rassure-toi, elles ont autant de ressources que tes couilles, et l'étiage ne les menace pas !

— Je te retournerai le compliment, dit-il, amusé. De plus, tu embrasses divinement !

— Moi ? m'écriai-je furieux, car ce baiser tendre que je lui avais donné m'embarrassait infiniment plus que l'impudique corps à corps qui s'était ensuivi, et où nous avions emmêlé autrement plus que nos deux souffles.

— Nieras-tu que tu m'as donné un baiser sans y être forcé ?

— Peut-être…

— Peut-être ! Comment oses-tu ? Je t'ai senti mourir contre mes lèvres !

— Ma foi… à cette heure, je me sens bien vivant !

— Foutredieu ! s'écria-t-il, me prenant au collet, vas-tu me contraindre à te baiser encore longtemps par le truchement d'une femelle ?

Il avait, en fort peu de mots, éclairci une situation que j'obscurcissais à loisir. J'eusse aussi bien pu analyser tout seul la délicate position qui était la mienne. À baiser des filles de rencontre, je n'avais qu'un mince bonheur. Je ne parvenais d'ailleurs à les honorer dignement qu'en me représentant que je les lui volais. Je ne retrouvais mon entrain et l'étincelle du plaisir que lorsqu'il était mon compère et que nous chevauchions à deux une même monture. Pourquoi, dès lors, refuser avec un tel acharnement d'évincer les corps accessoires pour m'en tenir au principal ? Quel fumeux argument avais-je à lui opposer, puisque je ne craignais plus les foudres de l'enfer ? Comme il arrive souvent dans les cas extrêmes de confusion, le verbe, pour ainsi dire détaché des membranes cérébrales qui le secrètent, vint presque malgré moi dénouer l'écheveau de mes désirs incohérents.

— Comment peux-tu si vite décider lequel de nous deux baise l'autre ?

— Hé ! dit-il, exaspéré, il en est de Sodome comme de Venise. Tu n'en connaîtras point les paysages sans y être allé voir de près. On ne voyage pas calé dans un fauteuil !

*

La maison se trouvait dans le quartier de San Marco, au bord du rio San Maurizio. Elle était tout près de La Fenice, un théâtre au moins aussi intéressant que le Globe de Londres et, lui aussi, régulièrement la proie des incendies, ce qui lui avait valu son nom. À deux pas, le palazzo Pisani dressait ses hauts murs lombards sur le Campo Santo Stefano : Venise est une petite ville.

Comme la plupart des demeures vénitiennes qui ne prétendent pas au titre de palais, notre habitation était construite en briques rouges. Modeste par la taille, elle était furieusement compliquée dans la disposition de ses appartements. D'un côté, par une porte basse, on tombait dans une ruelle à peine plus large qu'un corridor. De l'autre, au-dessous d'une loggia ajourée surmontée d'entrelacs de pierre, on arrivait sur un porche d'eau où étaient amarrées des gondoles. Une terrasse en bois appelée *altana* couronnait la toiture de tuiles roses.

Le décor intérieur des maisons vénitiennes est d'une effarante richesse. Partout, jusque sur les meubles, s'étale un rouge laqué rapporté de Chine par le capitaine Marco Polo, en même temps que ces cordons de pâte farinée à la saveur incomparable. Mille ans de commerce soutenu avec l'Orient ont donné aux Vénitiens un goût immodéré pour les brocarts, les pierreries, les incrustations, les ciselures. À la rutilance des matières, vient s'ajouter la bizarrerie des motifs. Jamais je ne vis autant de grotesques et de monstres mêlés. Au lieu d'exalter comme chez nous les beautés de la nature en mêlant fleurs, oiseaux et enfantelets, les artistes vénitiens semblent trouver plaisir à dresser un catalogue des cruautés ou des erreurs du Créateur. Bossus, pieds-bots, becs-de-lièvre, manchots, femmes à barbe, culs-de-jatte, hydrocéphales, montrent partout leurs faces hilares ou grimaçantes.

Chez nous, des plafonds aux lambris, de frénétiques bacchanales de gnomes difformes étaient sculptées dans l'ivoire, l'agate ou le bois de santal, martelées dans le cuivre, modelées dans le plâtre ou moulées dans le bronze. Parfois elles étaient exécutées en simple carton, mais si magnifiquement recouvertes de dorures, constellées de corail ou de simples bouts de verre, qu'on ne pouvait faire le tri entre le joyau et le rebut, la pacotille et l'orfèvrerie. On l'appelait la Casa ai Nani.

Le vicomte y trouva aussitôt sa place. Il choisit une chambre fort sombre dont le lit à colonnes s'ornait de tentures en velours grenat. Les pesantes draperies dévalaient d'un motif qu'on eût pu prendre à première vue pour un soleil de bois doré, mais où un examen plus attentif révélait une frise de nains cornus qui s'enculaient en couronne. Cet endroit obscur où l'on respirait un parfum corrompu de luxure allait avec la méchante humeur qu'il affichait depuis notre querelle sur la *peota*. Aussi entêté que lui, je refusai avec fermeté d'y entrer.

Sitôt installé, j'éprouvai le désagrément de ne jamais savoir où il était. Une déplorable coutume vénitienne commandait de porter masque et gants blancs, tricorne et manteau noir, dès la nuit tombée. Comment reconnaître sa silhouette ? Toutes les créatures, hommes et femmes, se confondaient sous un même uniforme…

Je tentai de résister à cette rage d'anonymat. Mais peut-on prétendre engager un fleuve à remonter vers sa source ? Sans plus chercher à me convaincre, le vicomte sortit seul. Peut-être rendait-il visite à ces parents sur lesquels j'avais fondé mon dernier espoir de retrouver Analys ? Comment savoir sans le lui demander, et, du coup, lui découvrir mes desseins secrets ?

Seul, je me morfondais entre mes quatre murs, acharné à lire des poèmes italiens auxquels je ne comprenais rien. S'il lui arrivait de me croiser dans le *portego*, ce vaste salon de l'étage noble, il me foudroyait d'un regard plein de hargne, ou me bousculait violemment. Je prenais plein la poitrine de cruels poussons qui m'envoyaient danser contre les murs. Fâché de ces vexations, je m'affermis dans mes quartiers et lui rendis coup pour coup. De l'épaule, du front et du genou, je résistai à ces algarades, bloquant ses élans dans des ébranlements à nous rompre les os.

Il ne rentrait jamais avant l'aube, roulant d'un mur à l'autre, souvent ivre. Tandis qu'il remplissait la maison d'un méchant vacarme de talons et de vociférations diverses à l'adresse des domestiques, je tendais l'oreille, enragé sur ma couche. J'étais partagé entre le désir de courir lui demander raison à coups de poing pour ces absurdités, et celui de le laisser crever dans sa bauge si cela lui chantait. Il se laissait tomber tout habillé sur son lit, quelquefois l'épée au côté et le tricorne sur la tête. Il y dormait les bras en croix jusqu'au crépuscule suivant.

Je l'avais suffisamment fréquenté pour savoir qu'il ne crachait pas sur les liqueurs. Cependant, je ne l'avais jamais vu perdre ainsi sa contenance, ni la maîtrise de cette funeste passion. Plus d'une fois, je dus aider Adriano à lui ôter sa jaquette et ses souliers crottés. Sa grande carcasse pesait le poids d'un cheval mort. Sa tête partait en arrière, ses jambes et ses bras semblaient bourrés de son. Rien ne pouvait le réveiller, lui eût-on versé sur le ventre un plein muid d'eau glacée.

Un soir où il pleuvait, Adriano vint tambouriner à la porte de ma chambre. Il avait le regard affolé, les mains couvertes de sang. Je dévalai l'étroit escalier sur ses talons, et trouvai le vicomte assis sur le porche d'eau, le bras ouvert d'une estafilade. Il fallut quérir un chirurgien pour le recoudre. Soûl comme un Moscovite, il débitait des horreurs à l'adresse de chacun, nous menaçant tous et jusqu'au médecin des derniers outrages.

— Votre frère file un mauvais coton, *cavaliere*, me dit le brave homme avant de nous quitter. Aurait-il point gobé sans savoir quelque philtre d'amour ?

— Plutôt du vin, oui, et pas du meilleur ! grondai-je en reniflant les relents de vinasse qui montaient de son habit en lambeaux. Pour le reste, ce coquin n'aimera jamais personne que lui-même, et encore !

— Ce n'est pas le portrait qu'il me donne...

Je passai le reste de la nuit assis au bord du lit, à le regarder se battre avec ses fantômes. Quel méchant frère je m'étais fait ! Fallait-il que le disciple d'Esculape fût sot pour mettre sur le compte de l'amour un abrutissement qui devait tout au vice ! Je me demandais, sans trouver l'amorce d'une réponse, ce que nous étions venus faire là...

Le lendemain, vers les dix heures du soir, restauré dans toute sa superbe, il se drapait dans son manteau noir et repartait vers ses beuveries, mais pâli chaque jour davantage.

*

À ce moment, Bonaparte, qui attendait l'arrivée de Bernadotte près d'Ancône, avait réclamé au Directoire un renfort de cavalerie qu'il se proposait de monter sur place. L'importance en était considérable. Par l'entremise de ce colonel fourrier qui nous avait reçus à Vérone et nous savait à Venise, la maison Morenasse fut pressentie pour les fournitures annexes, à débattre dans le détail avec le ministre résident, Jean-Baptiste Lallement. Il me fut impossible d'intéresser si peu que ce fût le vicomte à l'affaire.

— À présent, nous sommes à parts égales, maugréa-t-il, la voix éraillée par les vapeurs d'alcool. Débrouille-toi ! Partage en deux, ou pose-moi zéro et retiens-toi le tout ! À ta guise...

— Jamais je n'ai mené de négociations ! C'était ton rôle…

— Il faut un début à tout ! Moi, je me sens rendu !

Il se laissa tomber à plat ventre sur son lit. Son tricorne roula sous une table. Je le secouai comme un amandier :

— Vas-tu te remuer ? Pochard ! Ivrogne ! *Frajon ! Spendi spandi !* Tu finiras sur un tas de fumier, comme Job !

— Je vois que tu t'es mis au vénitien… Mets-toi donc aux affaires !

Je ne pus rien obtenir de plus. Je dus me rendre seul au rendez-vous que l'on nous avait donné hors du palais Surian-Belloto où se tenait l'ambassade, dans une *locanda* discrète du *campiello* dei Mori. J'avais bien compris que « débattre sur le détail » recouvrait pudiquement une négociation sur le montant de la commission, et je m'attendais à devoir graisser généreusement les pattes. Je ne m'étais pas trompé. Jean-Baptiste Lallement, l'ambassadeur de France, ne vint pas au rendez-vous, mais un obscur secrétaire nommé Villetard. Il me dit que Son Excellence était souffrante, ayant pris froid. L'homme m'assura qu'il avait toute la confiance de son supérieur. Nous pouvions négocier, voire conclure. En plus d'aimer l'or à la folie, ce Villetard portait un intérêt passionné aux palabres. Embrouiller ses contemporains semblait être l'affaire de sa vie. Il vous eût fait croire qu'il fallait tondre les œufs pour les rendre polis. Je m'en retournai chez nous, ne sachant pas, malgré les prébendes distribuées, si l'affaire était enlevée ou ajournée.

Peu de jours après, un courrier m'apporta les bordereaux signés par Barras. Ainsi les fonds alloués à la négociation avaient été répartis en parts proportionnelles entre le fourrier, le secrétaire d'ambassade et le directeur, sans oublier la générale Bonaparte qui n'avait rien abandonné de ses vénales pratiques depuis son mariage. Chacun y ayant trouvé son avantage, l'acheminement pouvait commencer. Je compris que je m'étais suffisamment aguerri pour faire cavalier seul. Cela eût dû m'enchanter. Cela me désola.

Le matin, lorsque j'avais ouvert les dépêches qui arrivaient de Paris, expédié ce qu'il fallait d'ordres et de consignes à la maison de commerce, vérifié les comptes des banquiers, les reçus des fournisseurs, il me restait une journée entière à tuer. Alors, j'allais sans but, livré à mes pensées moroses par cette ville peu faite pour la solitude. Je traversais les canaux sur ces ponts sans parapet qui vous invitent si bien à la noyade.

Vingt fois je m'en allai rôder sur la place Santo Stefano, n'osant franchir le porche du palais Pisani. Un jour, finalement, je me présentai au portier. Je lui exposai le motif de ma visite, à savoir que je désirais rencontrer Son Excellence. L'homme jeta sur moi l'œil indigné d'un sacristain à qui un mendiant vient demander sur le parvis d'une église un entretien avec le bon Dieu.

— Si vous désirez rencontrer N. H. Pisani, il faut écrire une supplique, *cavaliere*...

— Une supplique ? m'étonnai-je.

— Croyez-vous que le procurateur reçoit n'importe qui ?

Pouvais-je, malgré l'élégance de ma mise et les ducats qui remplissaient mes poches, me donner le ridicule de me prétendre quelqu'un, plutôt que n'importe qui ? Je m'éloignai donc, mortifié, me faisant toutes sortes d'amères réflexions sur les grands de ce monde. Je sentais cette ville sans rempart aussi bien défendue contre les intrus qu'une forteresse.

Il faut dire qu'à ce moment les Français dont j'étais y jouaient une partie ambiguë. Cela n'incitait guère les Vénitiens à la confiance. Le comte de Provence, frère du roi, avait établi pendant de longs mois ses quartiers à Vérone. Tout ce que l'aristocratie comptait encore de fats et de courtisans l'avait suivi. Autour du comte d'Antraigues qui se flattait d'intelligence avec l'Autriche, s'agitait une volière d'inutiles, prétentieux et cassants.

Les républicains, de leur côté, ne se conduisaient guère mieux. Un jour que je me trouvais dans la Merceria pour y faire l'emplette de mouchoirs et de parfums, tant le vicomte en usait dans le désordre de ses débauches, je vis un gredin encocardé se conduire d'ignoble façon.

*

L'homme venait de choisir un collet de femme travaillé à l'aiguille, une de ces merveilles de délicatesse que fabriquent, au péril de leurs yeux, les dentellières de Burano. L'affaire était faite et le coût annoncé. Cependant, au moment de payer, le coquin se ravisa :

— Je n'en donnerai que la moitié! dit-il, rempochant sa monnaie.

— C'est pourtant le juste prix, lieutenant, et nous en étions convenus…

— Aujourd'hui, le client fait la cote! En France, c'est l'usage…

— Point encore à Venise…, répondit le marchand, indigné.

Alors, le coquin se fâcha tout rouge :

— Attendez, attendez, bougres! Le moment viendra aussi pour ici!

Il jeta trois pièces sur le comptoir, puis sortit en claquant la porte.

Après cet esclandre, je jugeai opportun de me faire petit. Le marchand en profita pour récupérer en mouchoirs ce qu'il avait perdu en dentelle. Bien qu'ils fussent de simple lin, il me les fit payer au prix de la silésienne.

Une autre fois, un tailleur de la Calle dei Fuseri, pressenti pour réparer un habit que le vicomte avait déchiré, avisant la robuste cocarde qui frappait mon chapeau, me proposa sous le manteau une remplaçante de soie. Aucun ouvrier n'égala jamais en talent un tisserand vénitien. Cet objet patriotique, dont le principal charme fut toujours la rusticité, revêtait là une grâce sans pareille, fort éloignée de son usage premier.

— Je vous l'offrirai, *cavaliere*, pour l'honneur que vous me faites en venant dans ma maison.

— L'honneur est pour moi, maître Adami, d'avoir trouvé dans Venise un aussi fin tailleur…

— … qui aime la France!

— Elle le mérite bien, allez! répondis-je, point si certain de ce que j'avançais.

— N'allez pas cependant ébruiter ma passion, car ce gouvernement séquestre les cocardes, reprit l'homme à mi-voix. Vous en trouverez cependant chez moi, autant que vous en voudrez. Toujours les Français les auront pour rien.

Je comprenais là que Venise était partagée en deux, ce qui la ferait souffrir quelle que fût l'issue du drame. J'emportai le charmant ruban tuyauté avec tout l'art du monde. Après maintes hésitations, je le déposai sur le chevet du vicomte qui dormait comme un ours en hiver. Le lendemain, je le trouvai au même endroit, mais enfoncé dans un verre d'asti *spumante* qui l'avait décoloré.

À quelques jours de là, une matinée, ne sachant où traîner mes pas, je franchis le seuil d'une boutique de barbier dans la Calle dell'Ovo. Je requis les services du patron pour m'y faire raser de près. Dès que je fus assis, je me trouvai plongé dans cette *ciacola* qui fait l'un des charmes de la cité. Le Vénitien est bavard. Rien ne l'enchante comme les plaisirs de la conversation. Il serait faux, cependant, de le comparer au Romain ou au Napolitain qui s'exalte volontiers, compte pour rien injures et blasphèmes et parle avec ses mains. Ce qui fait les délices de ce fin palabreur, c'est le goût de l'argumentation et du paradoxe, l'art accompli du débat.

Assis à deux coudées de moi, tout enveloppé de lin blanc, se tenait un particulier à qui le garçon barbier donnait du monsieur le comte, gros comme le bras. Je m'étonnai à part moi qu'un aussi noble personnage ne se fît pas raser chez lui. Le ton du dialogue entre les deux hommes apporta une réponse à ma question :

— As-tu entendu les nouvelles de Bergame et de Brescia ? demanda le patricien.

— Par force..., répondit le garçon.

— Bientôt, tu entendras aussi celles de Venise, et alors tu seras content !

— Moi ? Content ? Pour quelle raison ? Je suis content du régime actuel et de ma façon de vivre.

— Tu verras ce qu'est une autre façon de vivre et un autre régime, quand tu gagneras le double que tu gagnes maintenant. Tu ne seras pas soumis à autant de taxes, exposé à autant de rigueur et de cruauté...

— Je ne souhaite pas de nouveautés, monsieur le comte. Moi, je suis mon chemin sans me faire d'idées...

— La liberté rayonnera, Giacomino, et tout le monde en jouira dans l'harmonie... comme en France !

— Eh ! Monsieur le comte, je suis né sous ce gouvernement sérénissime. Je ne demande rien d'autre qu'y mourir de même. Quant à la France...

— Peut-on être ignorant et servile à ce point ? s'exclama le comte.

Prenant la mouche, il se leva d'un bond, se nettoya le visage avec humeur du pan de sa chape. Voyant le tour que prenait la conférence, le patron, qui avait compris à mon accent que j'étais français, se mit à papillonner autour de moi pour faire diversion.

— Ah! *Cavaliere*, s'écria-t-il, faisant bouffer ma tignasse entre ses mains agiles, vos cheveux ont naturellement cette couleur que nos élégantes vont chercher en haut de l'*altana*! Croyez que je disputerais au perruquier de notre doge en personne l'honneur de vous coiffer à la vénitienne...

— À la vénitienne?

De ses deux mains ouvertes, il me désigna le patricien qui pestait:

— Comme le comte Sicuro! Exactement!

Je portai mes regards sur le noble qui, s'avisant de ma nationalité, s'intéressa du coup passionnément à ma personne. Il pouvait avoir un peu plus de trente ans. C'était une belle figure d'Italien, point trop grand mais bien bâti, avec des yeux sombres, un menton superbe et un grand nez busqué de *condottiere*. Sa coiffure ne ressemblait à rien de ce qui se portait alors en France où le négligé faisait florès. Courte et bouclée serré, car soutenue par cette frisure naturelle aux Méditerranéens, elle s'enroulait en mèches longues sur la nuque, comme on le voit à ces statues d'athlètes grecs dispersées dans toute l'Italie.

Oubliant aussitôt la querelle qui, l'instant d'avant, l'avait opposé au garçon barbier, le comte s'approcha de moi. Prenant la mesure de la folle friche que j'avais sur la tête, il proposa au patron avec force gestes volants d'élaguer par-ci et par-là, pour me faire une figure acceptable.

— *Si! Si!* dit-il. À la *venexiana*! Coupez! Coupez! Maître Comparon!

Ne sachant que dire, je m'abandonnai à tant de conviction. L'artiste n'était pas maladroit. En un rien de temps, je vis le parterre jonché des débris de ma tignasse mise à mal par le soleil et la pluie de toute la France et d'une bonne moitié de l'Italie. Ayant sacrifié les mèches brûlées à grands coups de ciseaux, maître Comparon me versa sur la tête un plein flacon d'huiles balsamiques. Il se mit alors à frotter comme un furieux mon crâne entre deux touailles blanches.

— Pitié, maître! m'écriai-je, à moitié étouffé. Faut-il déployer tant *de force et vigueur* pour frisotter quatre vilains poils?

À ces mots, le comte Sicuro fronça les sourcils. Quant au perruquier, il faisait son métier de flatteur patenté :

— Pas si vilains, *cavaliere* ! Plus d'une fille s'en contenterait ! Regardez…

Le miroir me renvoya une image qui me déplut parfaitement.

— *Com'è bello !* s'écria le figaro en joignant ses mains avec un rien de flagornerie.

Ma modestie naturelle dût-elle en souffrir, je fus forcé de reconnaître qu'il n'avait pas tort. J'avais en ce temps-là une de ces figures régulières qui, non contentes de tirer l'œil, le retiennent sans peine un bon moment. Cela, souvent, me mettait au supplice, car rien n'est déplaisant, pour un homme, comme d'être distingué pour sa grâce. Combien de fois, alors que je m'acharnais à argumenter, n'avais-je pas senti au flottement peint sur le visage de mon vis-à-vis que l'on avait cessé de m'écouter pour simplement me regarder ? Eh ! Je le savais bien que j'étais beau ! Et cela me compliquait diablement la vie ! Je me levai, agacé par les louanges des trois hommes.

— Alessandro Sicuro ! affirma le patricien en me tendant une main grande ouverte avec un sourire assorti.

— Hugues Style ! répondis-je, saisissant sa dextre dans la mienne.

Jamais je ne reçus si bizarre poignée de main, à la fois franche et virile, et cependant agitée de curieux soubresauts que je rendis à l'identique, ne sachant trop que faire, mais pensant qu'il s'agissait d'une coutume vénitienne.

— Quel honneur de rencontrer un frère français !

« Foutre ! me dis-je, *un frère*… comme il y va ! Tout le monde est frère à Venise ! Le chirurgien… le perruquier… le vicomte… »

Sans noter ma surprise, il poursuivit :

— Venez quand il vous plaira à la maison de café de l'Albero d'Oro sous les Anciennes Procuraties. Nous y tenons conseil le mardi soir.

Là-dessus, après une autre curieuse poignée de main et un sourire engageant, il me planta sur place. J'étais perplexe. Pourquoi diable l'homme m'avait-il appelé son *frère* ?

*

Je m'en retournai à la Casa ai Nani, fort contrarié par les promeneurs qui se retournaient sur mon passage et me suivaient des yeux.

« Peste ! me dis-je, avec cette coiffure grecque, je vais passer un vilain moment sous les sarcasmes du vicomte ! »

J'en fus pour mes frais. Le bougre était déjà sorti malgré sa soûlerie de la veille qui l'avait tenu au lit toute la journée.

Je me couchai de bonne heure avec un livre de l'Arétin que j'avais trouvé sur un cabinet. Le grimoire portait l'interminable titre de *Piacevole ragionamento del Zoppin, fatto frate, e de Lodovico putaniere, dove contenesi la vita e la genealogia di tutte le cortegiane di Roma*[1]. Malgré les leçons du père Signoretti, j'avais encore du mal à lire l'italien, aussi m'y appliquais-je, comme un bon élève. Cette rage d'apprendre assortie de l'absence de maître me composa, au fil des ans et du hasard, un savoir bizarre rempli de bosses et de trous, dont les bienheureux pensionnaires des collèges, à qui on distille la science avec méthode, ne peuvent avoir aucune idée.

Tandis que je cherchais le sens de mots burlesques ou coquins n'ayant pas cours chez les jésuites, un remue-ménage se fit du côté du canal. Deux gondoliers nous ramenaient le vicomte ivre mort et trempé comme un chien tombé dans une mare. Ils le firent rouler sur le quai du porche d'eau. Là, il demeura étendu, blanc comme un cierge et tout aussi frétillant qu'un cadavre.

— *Il Francese è loco !* dit l'un des deux en se frappant le front.

Son compère, d'un lent mouvement de son aviron, faisait déjà virer la gondole dans le Grand Canal.

Ce fut toute une affaire pour traîner la carcasse sur deux étages et la faire basculer dans le lit. Adriano dut aller chercher le renfort d'une lingère et d'un gâte-sauce, car le bougre, sur toute la longueur de ses cinq pieds sept pouces, engrangeait pour le moins cent soixante livres de viande et d'os. Après l'avoir déshabillé, séché et roulé dans une couverture avec l'aide du valet, j'allai me coucher en pestant. Je décidai de tirer ma route dès le lendemain pour m'en retourner à Paris.

---

1. Divertissant discours du Petit Boiteux fait moine, et de Lodovico le débauché, où l'on trouvera la biographie et la généalogie de toutes les putains de Rome.

Au petit matin, Adriano vint me réveiller en plein milieu d'un cauchemar. La bouche amère, je le suivis jusqu'à la chambre du vicomte. Le pochard avait roulé à bas de son lit. Il gisait en chien de fusil sur le tapis de Chine. Cela n'était guère pire qu'à l'accoutumée, à cela près que sa figure avait ce rouge ardent que donne une méchante fièvre. Je tâtai sa main et son front : ils brûlaient. J'expédiai derechef notre valet quérir ce chirurgien qui, quelques jours plus tôt, lui avait recousu le bras.

— Je ne saurais dire s'il s'agit de l'*influenza* ou d'une congestion, dit l'homme après qu'il l'eut tâté par tout le corps et fait sonner les organes creux qui sont derrière les côtes. Dans les deux cas, il faut pratiquer la saignée.

Ainsi fut fait. Le praticien examina le bol de sang épais et noir qu'il venait de tirer de la veine. Il le huma, le fit rouler sur la porcelaine pour juger de sa subtilité. Avant de s'en aller, il posa une main sur mon épaule et me dit :

— Si nous le tirons de cette crise, ce qui n'est pas assuré, votre frère tombera demain dans une autre peut-être pire ! C'est la racine du mal qu'il faudrait soigner. Comprenez-vous ?

Sur ces paroles alarmantes, il me laissa seul au chevet du malade. Avec son sang, il avait perdu sa couleur rubiconde et semblait dormir sur les coussins. Un râle pénible lui sortait des narines, comme si un tampon d'étoupe se fût tassé à l'embouchure de son poumon. Penché sur lui, je m'étonnai de lui trouver, dans le sommeil, un visage inconnu. Comme j'avais ôté, pour la commodité du lit, ce bandeau noir qui lui donnait un air de pirate, le visage nu avait repris sa complexion de nature. Les deux paupières baissées de façon symétrique dissimulaient à ce moment qu'il fut borgne. Ses traits étaient ceux d'un jeune homme, malgré les traces que trop de passions y avaient imprimées. Ainsi cette balafre qu'il s'était faite en sautant de cheval dans son adolescence, et cette autre, symétrique, qu'il me devait. À peine pouvait-il avoir cinq ou six ans de plus que moi ? Jamais je n'avais pu contempler à loisir cette face mieux défendue par l'éclair de l'œil noir que par une batterie de canons. Là, au bord du lit où il semblait agoniser, je scrutais les grandes lignes heurtées de cette belle figure noyée dans la masse des cheveux noirs. Des doigts écartés, je voulus ordonner les mèches emmêlées. La douceur de cette chevelure de nuit me surprit. Vivement je retirai ma main. La tristesse dans mon cœur remplaçait la colère. Mais pourquoi l'imbécile voulait-il donc crever ?

D'un temps infini, je ne quittai pas son chevet. Je m'acharnai à lui faire gober les médecines fournies par l'apothicaire. J'avais toutes les peines du monde à le soulever pour lui donner à boire. On lui fit sur le dos des emplâtres bouillants de graines de lin et de moutarde. On le frictionna au camphre, à l'huile de cade, au baume d'eucalyptus. Malgré tous les soins, il demeurait plongé dans une léthargie délirante qui lui faisait balbutier des mots sans suite. Ses membres avaient perdu toute rigueur. Ils retombaient sur sa couche, baignés de sueur au moindre mouvement.

Je fis préparer dans les cuisines ces mets fortifiants par lesquels on m'avait reconstitué dans le temps, bouillon de coq gras ou lait de poule. J'y ajoutai force suc de ces oranges douces qui sont une folie à Venise. Épouvanté à l'idée de le voir passer, je ne m'occupais plus guère que de lui. Je baignais son front brûlant et ses lèvres sèches. Je laissais à l'abandon les affaires de la maison Morenasse. Le courrier qui nous venait de Paris s'amoncelait sur les cabinets.

C'est alors que j'aperçus, parmi les messages que je négligeais d'ouvrir, plusieurs lettres qui lui étaient personnellement adressées. Celles-là différaient par leur forme des épais pochons de carton gris provenant de la maison de commerce. Elles étaient plus délicates, quelquefois parfumées, couvertes de fines écritures, souvent enrichies de sceaux armoriés. Je résistai un jour ou deux, retournant les messages dans mes mains, puis, n'y tenant plus, je brisai un cachet.

*

Dirai-je que c'était une femme ? Hélas, c'était bien pire ! Je ne pus plus, dès lors, feindre d'ignorer que le monstre disait bien la vérité, lorsqu'il affirmait tenir à une parfaite équité entre les sexes en matière d'amour ! Combien étaient-ils, filles ou garçons, à pleurer l'exil absurde du libertin ? Ah ! Il en avait laissé des regrets derrière lui, le bougre ! Et il n'était pas seulement question d'âmes dolentes et de cœurs déchirés ! On voyait bien que les pires blessures étaient ailleurs. Quelle affreuse litanie d'infamies avais-je sous les yeux ! Quel atroce monument de lubricités ! Certains artistes poussaient l'ignominie jusqu'à enluminer leurs projets de débauches d'abominables croquis, où la fantasmagorie le disputait à l'obscénité.

Je laisserai au lecteur le soin d'imaginer à quel point ce type de lecture peut être énervant… On comprenait, aux litanies de reproches, qu'il ne répondait à personne, ce qui exaspérait les ardeurs et mettait les coquins des deux sexes au désespoir. Mes yeux incrédules allaient de ces lignes brûlantes au gisant impavide qui les avait inspirées. N'était-il pas, comme tout un chacun, fabriqué de chair et d'humeurs ? Ses artères contenaient pourtant un sang ordinaire que la fièvre la plus commune pouvait enflammer ! Je me demandais si je pourrais quelque jour pénétrer le mystère de cet homme. À quel atome pernicieux tenait son empire sur les autres ?

Dix fois je relus ces lettres. Parfois, pris de dégoût, j'en chiffonnais une et la jetais au loin. L'instant d'après, je l'allais chercher. Je la défroissais entre mes mains, avec l'affreuse jouissance du blessé qui arrache ses croûtes et regarde le sang couler. De cette litanie d'obscénités se détachait une évidence : les étreintes du vicomte ne souffraient pas de repentir : la première était la dernière.

Alors, il me revint à l'esprit ce que m'avait dit le chirurgien, au sujet de la mélancolie dont il le croyait atteint. Voilà pourquoi il avait fui Paris ! Quel porteur de couilles ou de tétons qui n'écrivait pas pouvait inspirer cette passion démesurée ? Quel être d'exception avait su enchaîner cet homme sans cœur ? Je ne savais pas alors que dans cet échange impitoyable qu'on appelle l'amour, l'objet de la flamme compte pour presque rien. L'essence en est tout entière contenue dans celui qui est la proie de ce funeste transport. Le vicomte avait, une fois pour toutes, fait de l'excès sa mesure. Amoureux, il tutoyait la Camarde, là où le commun se fût contenté de perdre un peu l'appétit. La créature à laquelle il se sacrifiait ne valait peut-être pas plus que la Beauharnais pour qui Bonaparte brûlait d'une passion à sa propre taille.

À bout de médecines, le docteur Botta fit fabriquer, par un apothicaire du Ghetto qui donnait un peu dans l'alchimie, certaine potion composée de cédrat, de miel et de bave d'escargot. Cela n'eut guère plus d'effet que les sangsues ou les ventouses. Je voyais venir le moment où je devrais me mettre en quête d'un carré de friche pour l'y faire porter en terre. La belle aventure que de s'en venir mourir à Venise !

Deux heures après minuit, à ce moment immobile où l'âme tourmentée se prend à douter du retour de l'aube, ivre de chagrin et d'épuisement, je prenais dans les miennes sa main amollie par la fièvre. Paume contre paume, doigts enlacés, je la baisais et la baignais de larmes.

*

Un soir que je rentrais en cavalcade d'une course dans la Merceria, craignant qu'il eût choisi de crever pendant mon absence pour me faire damner, je le vis calé dans ses coussins, en conversation amicale avec le docteur. Au bandeau qui avait retrouvé sa place et aux cheveux noués avec soin, je compris que l'ennemi s'était affermi dans ses positions. La guerre pouvait reprendre où nous l'avions laissée. Comment donner une idée du bonheur qui redonna de l'allant au sang ralenti dont je m'empoisonnais ?

— Vous pouvez remercier votre frère pour tous les soins qu'il vous a prodigués ! dit le brave docteur. Sans son concours, je n'eusse point réussi à vous tirer d'affaire...

Le monstre leva sur moi un œil indifférent :

— Ce n'est pas mon frère ! dit-il pour tout remerciement.

— Son dévouement n'en est que plus louable !

— Du tout ! C'est sa rédemption ! Depuis qu'il m'a arraché un œil, l'imbécile passe son temps à me sauver la vie !

Me voyant rire à cette horreur, le médecin dut se dire qu'il n'avait pas tout entendu de notre parentèle. Il prit congé après avoir conseillé plus de tempérance au convalescent. Je l'accompagnai jusqu'au porche d'eau où l'attendait une gondole. Avant de monter à bord, il me tapota l'épaule :

— La racine, dit-il, songez à soigner la racine, *cavaliere* !

— Au moins cette alerte qui lui a fait perdre dix bonnes livres lui aura-t-elle un peu calmé la paillardise ! m'écriai-je.

— N'y comptez pas, mon pauvre ami, les attaques de poumon sont un puissant excitant de la lubricité.

On se doute que ce diagnostic n'était pas pour me rassurer...

II

Pendant quelques jours, le vicomte établit ses quartiers dans son lit. Il y dévorait comme un ogre, jetait à la volée peaux d'oranges, os de poulets, noyaux d'olives, coquilles d'huîtres, arêtes de poissons. Malgré les soins d'Adriano, l'endroit prit bientôt des allures de porcherie. Il y régnait comme un parfait despote, terrorisait la valetaille des cuisinières aux souillons, hurlait qu'il avait mal, faim, soif, chaud et froid en même temps. Je chiquais à l'indigné, mais je me réjouissais en secret de tant d'énergie si vite retrouvée. Malgré les avis pessimistes du médecin, j'espérais que la leçon aurait été entendue, et qu'il renoncerait à ses funestes excès. On jugera de ma déconvenue lorsque je le vis moins d'une semaine plus tard, vêtu de velours et de dentelles, enfiler sur sa tête le capuchon de la *baùtta.*

— Où vas-tu ? m'écriai-je, prêt à l'assommer.

— Au bal ! répondit-il, balayant d'un geste insolent son magnifique costume brodé dans la manière du *cinquecento.*

— Au bal ? Si peu de temps après ta pneumonie ?

— Ma carcasse est à moi ! J'en fais ce que je veux !

— As-tu donc décidé de crever ?

— C'est mon affaire !

Voyant qu'il ne raisonnait plus, je me mis en travers de la porte, les bras écartés pour interdire le passage.

— Il te faudra me passer sur le corps !

— Quand tu voudras ! répondit-il sans ralentir son pas de charge.

Je tentai de le retenir par la manche, il se dégagea, je courus après lui :

— Abruti !

— Pisse-menu !

— Insensé !

— Rabat-joie !

— Inepte !
— Voyez vous ce fâcheux qui prétend me faire la morale !
— Je ne vois que ton bien !
— C'est toujours pour le bien d'autrui qu'on l'empoisonne !
Déjà il avait passé la porte qui donnait sur le porche d'eau. Je compris que rien ne le retiendrait, et qu'on me le ramènerait un soir étranglé, percé d'un poignard ou crachant du sang.
— Alors, je t'accompagne !
Il fit volte-face :
— Plaît-il ?
Voyant que je mordais ma langue d'avoir parlé trop vite, il me prit par le bras, me tira dans la gondole où je tombai sur les genoux :
— *Avanti !* dit-il.

*

Sans masque, sans manteau, et de plus attifé comme un clerc de notaire, je m'exposais, tel le Petit Chaperon rouge de monsieur Perrault, à me faire dévorer par cette Venise qui s'éveillait quand j'allais me coucher.

Je ne proposerais pas à un ami l'épreuve qui fut la mienne ce soir-là, dans ce bal costumé. Jamais je ne me sentis aussi nu, désarmé, livré à la merci de toutes les entreprises, de tous les quolibets. Je ne savais même pas si les bras qui me prenaient la taille appartenaient à des filles ou à des garçons, tant les danseurs se plaisaient à la confusion. Seul mon visage se reflétait parmi les masques, dans ces miroirs sertis de verre que les Vénitiens ont la rage de placer partout. Cette chair rose au milieu des velours, des dentelles, des plumes et des ors, avait tout d'une obscénité. Les travestis me frôlaient, me bousculaient, me glissaient à l'oreille des polissonneries. Puis ils s'évadaient en riant pour se fondre dans le pavois des brocarts froissés par les étreintes de la danse.

J'avais appris à danser comme à lire, c'est-à-dire trop vite et trop tard. Je m'en tirais en y mettant de l'application, mais je ne savais guère qu'ânonner les figures. Il en allait autrement du vicomte. Ce costume précieux qu'il portait lui donnait une allure superbe. Le pourpoint ajusté faisait valoir la cambrure, l'affectation de la fraise tuyautée et des pendants d'oreilles, la largeur des épaules.

Il avait une tournure indolente de prince débauché, d'une ambiguïté furieusement troublante. Sa taille lui faisait dépasser la mêlée et son brio l'en distinguait, car il dansait comme il montait à cheval et tirait l'épée, nonchalant, désinvolte, presque ennuyé. Jamais je ne vis tant d'élégance et de grâce virile dans la courbette et l'entrechat.

Il va sans dire que ce talent était remarqué. Les dominos se disputaient la grâce d'être enlacés quelques secondes par ce bras distrait qu'aucune ballerine ne parvenait à fixer. Cela me remit en tête les mots brûlants que ses amants et ses maîtresses lui adressaient, et au ventre, l'inconcevable chambardement qui allait avec.

Pour me donner une contenance, je fis mine de m'intéresser aux musiciens. Parmi eux, se trouvait un jeune homme diaphane, long et mince, presque un enfant, qui tirait de son violon des gammes en cascade d'une folle virtuosité. À ce moment, le vicomte s'arrêta près de moi, je le saisis par la manche :

— Allons-nous-en, suppliai-je à mi-voix.

Aussitôt, il se récria avec préciosité, assez fort pour être entendu à la ronde :

— Nous en aller quand la musique s'approche de ces rives où n'abordent jamais que le vin et l'amour ?

On rit autour de nous, on apprécia le trait.

— Tu en parles savamment, étant ivrogne et dépravé, répondis-je, acide.

Des visages s'étaient tournés vers nous. On nous observait derrière les masques. On échangeait quelques mots chuchotés. On pouffait de rire. Le vicomte me fixa un moment, puis :

— Ne sais-tu pas qu'il est moins impudique de montrer son cul plutôt qu'une tête pareille ?

— Qu'a-t-elle donc ma tête ? demandai-je, stupéfait.

— Que ne t'ai-je cassé les dents au lieu de te couper un doigt..., dit-il enfin dans un soupir.

M'abandonnant à ma perplexité, il se fraya un passage au milieu des danseurs. Je le vis s'approcher de l'orchestre. Il échangea quelques mots avec le musicien, qui, sa flexible silhouette penchée, esquissa un sourire. Puis il redressa la tête, scruta la foule jusqu'à ce qu'il eût croisé mon regard. Alors, il me salua de son archet, puis se jeta dans un caprice étourdissant. Les danseurs, incapables de suivre avec leurs pieds un tel délire musical, s'arrêtèrent d'un coup.

Une créature terrestre pouvait-elle tirer pareille diablerie de quatre cordes et d'un morceau de bois ? Cette fantaisie se jouait de toutes les passions, de tous les jugements du monde. Elle les effleurait, les caressait, les tressait ensemble, les liait en gerbe, en couronne, en bouquet, pour les lancer d'un geste, aux quatre vents, éparpillés. Le cœur vous manquait à ces escalades terminées sur l'à-pic d'une note dissonante, vibrante jusqu'au cri. Des élans coupés net vous laissaient au bord de la crise. Dix fois répétés, avec à chaque reprise une infime variation vous tenant hors d'haleine par l'attente jamais assouvie de quelque apothéose, ils vous empoignaient encore, pour vous livrer pantelant au harcèlement des *pizzicati* qui vous pelaient à vif les nerfs de tout le corps. Alors, des torrents d'harmonie vous entraînaient dans un tourbillon de remous qui vous fouillaient au ventre jusqu'à la suffocation et à l'extase.

Le vicomte était revenu se placer près de moi. Il avait passé son bras autour de mes épaules, ce dont je ne songeai pas à me défendre, tant j'étais captivé. Lorsque le morceau se termina sur une furieuse sarabande qui semblait vouloir couper en deux d'abord le violon et puis le globe de la terre, il porta sa bouche près de mon oreille, et murmura :

— Pour m'avoir une fois encore sauvé la vie, je t'offre cet impromptu…

Il baissa la voix jusqu'au souffle, et reprit :

— … je t'offre cet impromptu… mon… frère !

Il m'avait davantage habitué à l'injure qu'à la délicatesse. Ne sachant quel maintien adopter et craignant d'y aller d'une larme, je me dirigeai vers le musicien. Jouant les mélomanes, je lui demandai, du haut de mon ignorance, d'où il venait, qui il était, et même quel était son âge, tant était sidérante sa virtuosité.

— *Sono genovese, cavaliere. Ho quindici anni. Mi chiamo Niccolò Paganini…*

Lorsque je revins auprès de lui, le vicomte montrait déjà des signes d'impatience. Les frivolités du bal lui parurent une charge suffisante pour qu'il décidât de nous y soustraire. Comme il ne souffrait pas l'ennui, nous fûmes aussitôt sur la Riva del Carbon où des couples et des groupes se faisaient et se défaisaient. La lueur mouvante des flambeaux tirait un moment de l'ombre les porches d'eau, puis s'éparpillait en copeaux de métal sur l'eau noire du

Canal Grande. Le passage furtif d'une gondole venait y ouvrir une blessure d'ombre. Des sanglots de violon, des arpèges de mandoline, des gammes égrenées au clavecin arrivaient par bouffées avec la fumée des torches. Assourdies par la brume, des voix appelaient à des rendez-vous.

Lorsque nous fûmes installés sous la *felze*, minuit n'était guère passé. Je me laissai aller à un mouvement de jubilation.

— Je suis bien aise de te voir revenu à la raison !

Le vicomte ne répondit pas. Il se contenta d'étirer ses longues jambes sur les coussins en vis-à-vis. Hélas ! L'embarcation ne vira pas pour entrer dans le rio San Maurizio ! Elle poursuivit sa navigation vers San Marco. Après avoir longé les belles coupoles de la Salute, elle doubla la pointe de la Dogana de Mar, se dirigea tout droit vers l'île de la Giudecca.

— Peste ! m'écriai-je, où allons-nous à cette heure avancée de la nuit ?

Le vicomte eut un rire moqueur.

— Il fallait bien que tu vinsses à Venise pour te coucher aussi tôt que les poules ! De ma vie je n'ai rencontré semblable fâcheux !

Je tentai de plaider :

— Depuis ta maladie, les nuits blanches ne sont plus de saison.

— Eh bien, justement ! dit-il. Si mes jours et mes nuits sont comptés, autant les bien remplir, plutôt que les gaspiller en ronflant sous des couvertures !

*

Nous abordâmes sur la Fondamenta della Croce, et fûmes bientôt dans l'un de ces tripots gourmés qu'on appelait *casini.* Là se rencontraient, autour de jeux de cartes, nobles patriciens, bourgeois fortunés, musiciens, peintres, poètes et courtisanes en quête de riches protecteurs. Autour de la pièce centrale encombrée de tables où l'on jouait à la *basseta* et au pharaon, s'ouvraient les portes discrètes des cabinets particuliers.

Une femme d'un âge certain, conservée dans les fards et soutenue par un embonpoint excessif, nous fit les honneurs de l'endroit. Le vicomte m'assura qu'elle était la veuve d'un célèbre procurateur, et louait l'endroit à l'un des trois inquisiteurs d'État.

— Que veux-tu, à Venise s'est livrée et perdue la bataille de la vertu..., fit-il mine de déplorer.

Ce disant, il vaquait autour des tables, m'y guidait d'une main légère posée au creux du dos. Abrité derrière son masque, il promenait un regard de maquignon sur les épaules et les gorges dénudées. Partout brillaient des bijoux byzantins, si rutilants qu'on n'osait croire à l'authenticité des pierres. Trois dames jouaient au pharaon. Elles exhibaient comme un étal d'orfèvre six tétons de nacre, palpitant à l'émotion de la levée. Les loups de plume constellés de brillants ne dissimulaient que le haut des visages. Les lèvres pulpeuses, violemment carminées, en disaient plus long sur leurs péchés que trois heures de confession. Le vicomte s'avança de la table en pérorant :

— Dénicher une vierge dans ces ruelles relève du fait d'armes. On y trouverait plus aisément un curé fleurant la Cologne qu'un pucelage neuf !

Ayant remarqué que les joueuses tendaient l'oreille, je lui conseillai de baisser le ton. L'indiscret n'en fit rien. Il s'approcha encore des fringants dominos et poursuivit son insolent discours :

— Comment une femme ayant un peu d'esprit consentirait-elle à s'ensevelir dans la fidélité, puisque afficher un seul amant fait encore d'elle un parangon de vertu ? Cette sotte pruderie ne ferait qu'amener la cité à douter de ses charmes...

Au lieu de s'indigner, les trois gredines commencèrent à pouffer derrière leurs éventails.

— Les maris sont si bien pourvus de maîtresses qu'ils tiennent sagement les yeux fermés. Ils ne commencent à s'inquiéter que si le nombre des galants excède le compte des dix doigts.

Il se pencha alors par-dessus les joueuses. Tirant sans façon une carte des mains de l'une d'elles, il la jeta sur la table, ce qui la fit monter au jeu.

— Ah ! Monsieur, dit-elle, vous avez de ces inspirations...

Elle leva vers lui une main chargée de bagues qu'il baisa distraitement. Déjà il en était à guider sa voisine qui le remercia d'un coquin frôlement d'éventail sur le bras.

— Serez-vous assez cruel, monsieur, pour me priver de vos conseils ? minauda la troisième, qui de loin était la plus délicieuse, car la plus charnue.

On ne pouvait détacher les yeux de la mouche de taffetas posée sur son téton gauche.

— Un peu de patience, que diable ! s'exclama le gredin, je vous gardais, *contessa*, pour la bonne bouche !

Alors, effectuant une courbette en avant, il glissa ses deux bras sous les bras de la belle. Les seins blancs faillirent jaillir du décolleté et la mouche s'envoler. Lui prenant les cartes des mains, il se mit à jouer à sa place. La coquine partit d'un rire chatouillé et renversa son cou potelé sur l'épaule du libertin. Sans cesser de disputer la levée et de former les plis, il chuchotait à son oreille des mots inaudibles. Leurs yeux pétillant d'indécence étaient fixés sur moi qui ne savais où poser mes bras.

À ce moment, un escogriffe qui portait un masque de carême pleurant des larmes de sang, se dressa vivement au bout de la table. Il porta la main à son épée.

— Ah çà ! dit-il, joue-t-on ici aux cartes ou à main chaude ? Faut-il embrocher cet insolent, madame, pour lui apprendre le respect ?

— Taisez-vous, imbécile, dit la comtesse. Il tire mieux que vous !

Le mot eut son succès. On rit. Le vicomte se remit debout. Il fit bouffer les crevés de ses manches que l'étreinte avait un peu froissés.

— Monsieur, dit-il avec lassitude, si vous tenez à mourir, je suis votre homme ! Cela se fera où et quand vous voudrez…

Lorsque nous fûmes de nouveau sur la *fondamenta*, je lui secouai le bras avec fureur :

— Tu ne vas tout de même pas te battre parce que…

— On ne se bat pas parce que, dit-il, m'interrompant. On se bat pour se battre. C'est tout…

— Il n'empêche que les maris vénitiens sont moins complaisants que tu le prétendais !

— Ce n'est pas le mari, reprit-il, haussant les épaules.

— Ce sera donc l'amant ?

— Du tout. C'est le sigisbée, une sorte d'amoureux platonique que l'on promène en laisse comme un petit chien et que l'on va faire pisser le soir sur la Piazza. De plus, il est français ! Et même un peu espion…

*

À une heure du matin, nous avions déjà un duel sur les bras. Fallait-il s'arrêter en si bon chemin ? Alors il m'entraîna dans une *malvasie* sur les Fondamente Nuove, et y retrouva trois gredins en *tabarro* qui semblaient fort bien le connaître. Les fiasques ne faisaient pas long feu entre ces mains hardies. Le jeu consistait à aligner des ribambelles de gros verres remplis ras bord de mauvais vin grec. Après quoi il convenait de s'en envoyer le plus grand nombre possible par le gosier sans reprendre son souffle.

— Faut-il que tu trouves au vin une saveur céleste pour te livrer à de telles folies ! m'écriai-je, arrêtant son coude qu'il venait de lever pour la cinquième fois en moins d'une minute.

Le verre lui échappa des mains. Il se brisa sur la table, nous aspergeant de pourpre. Cela fit rire aux larmes les compagnons déjà lourdement éméchés. Le vicomte n'avait pas cillé.

— Tu n'y entends rien, dit-il. Ce n'est pas le vin qui a du goût, c'est l'ivresse...

Il paya sans barguigner au tenancier de quoi tuer les trois pochards. Tandis qu'ils nous oubliaient, il me poussa vers l'étage dans un escalier raide.

Bientôt nous fûmes dans une chambre au plafond bas, mal éclairée par des chandelles de suif plantées dans des flacons. L'endroit était rempli de masques affairés à jouer au *camuffo*, jeu de fripouilles interdit par les lois de la Sérénissime. La plupart des coquins avaient tiré le masque blanc sur leur nuque. C'était une chose étrange, dans la fumée du tabac et les vapeurs de vin, que ces multiples têtes à deux visages, l'un rouge et convulsé, les yeux braqués sur la table, l'autre livide et impassible regardant au loin. Le vicomte prit place à une table, comme un prince dans une cour des miracles. Il fit sauter les cartes dans ses mains ailées. En un rien de temps, il gagna un incroyable tas de ducats. Je compris vite qu'il trichait. Les têtes des autres joueurs se rejoignaient presque au-dessus du tapis, si intense était l'effort d'attention pour parvenir à le démasquer. Brusquement, une grosse patte velue enserra son poignet et aplatit sa longue main sur la table. Dans le mouvement, un sept de pique se retourna.

— *Ladrone !*

— *Cocco !*

Une lame jaillit, je la parai du bras, elle m'ouvrit la manche. Un peu de sang coula.

Estimant sans doute que cette vexation m'avait mis hors du jeu, les coquins se fixèrent sur le vicomte. Trois l'ayant ceinturé, un quatrième se mit à lacérer son costume avec un couteau, sans trop s'inquiéter de la peau qu'il y avait dessous. Tandis que la fraise de batiste déroulait jusqu'à la taille un flot de plis dévastés, le menton se trouva entamé. Les manches à crevés crachèrent leurs dentelles. Le pourpoint fut fendu tout du long. Entre linon et velours, apparut la fleur brune d'un tétin, assez joliment égratignée. Ils s'en prirent alors aux chausses. Ouvrant une jambe de la hanche au genou, ils mirent à l'air une cuisse musculeuse cerclée d'une estafilade. Les gueux riaient à s'en décrocher la mâchoire. Sans doute n'entrait-il pas dans leurs projets de nous assassiner, mais peut-on préjuger des inspirations qui peuvent naître dans une tête humaine, à l'odeur du sang versé ? Je maudissais le tricheur de nous avoir menés dans ce guet-apens, et regrettais de n'avoir pas une épée de bon acier. Je tentai de les raisonner, je ne réussis qu'à ramener sur moi l'humeur farceuse des galapiats. En un clin d'œil, mes bas furent constellés de trous et les jambes de ma culotte détaillées en lanières. À ce moment, un remue-ménage se fit en bas dans la boutique. La porte de la chambre s'ouvrit violemment. Une trogne de coupe-jarret y parut :

— *Gli avogadori...*

Aussitôt les arsouilles se jetèrent par les fenêtres. Le vicomte m'y enfourna d'un pousson dans le cul. Je m'arrachai une manche à l'arrêtoir d'un volet. Bientôt, je me trouvai le dos plaqué au mur, sur une génoise glissante à peine large d'un pied qui surplombait le canal. Quelque chose d'opalin, de glacial et de mouillé vous collait à la peau, sans que l'on pût savoir s'il s'agissait d'une bruine tombant du ciel ou d'un brouillard montant de l'eau. N'ayant ni chapeau ni manteau et un costume déchiré qui laissait passer l'air, je claquais des dents. Le vicomte me prit par la main et me tira derrière lui. Je courus un moment en aveugle sur des tuiles sonores qui cliquetaient sous mes pieds. Je glissai à sa suite le long d'un déversoir rempli de mousse, enjambai un balcon délabré, dévalai des escaliers encaissés entre des murs aveugles. Nous tombâmes, le cœur en farandole, dans un jardin clos où s'égouttait un bigaradier. Un chat indigné nous fusa dans les jambes. On entendait, dans la ruelle, le gros bruit de bottes que faisaient les gendarmes. Une lanterne parut sous un porche, qui jeta son trait de lumière sur un carré d'herbe mouillée. Du ventre et de la poitrine, le vicomte me colla contre un mur. Nous étions si étroitement serrés que je sentais battre dans ma poitrine son cœur emballé par la course. Avant de s'éteindre dans les profondeurs de la maison, la lanterne s'éleva plusieurs fois, puis, de nouveau, ce fut la nuit. Bien que la voie fût libérée, nous demeurâmes un instant immobiles, enlacés et muets dans le noir.

Il nous fallut encore escalader le mur en nous tirant l'un l'autre, franchir le faîte couronné de brique concassée, ce qui ruina définitivement ma culotte. Nous nous trouvâmes enfin dans une *calle* guère plus large qu'un conduit de cheminée. La bruine s'était précisée en une pluie serrée. Je sentais l'eau glacée me couler dans le dos. Au pas de course, nous passâmes un pont et un *sottoporteggo*, longeâmes une *fondamenta* nappée de mousse. Le vicomte avait pris sur moi quelque avance. Les lambeaux de sa fraise écharpée volaient derrière lui comme un drapeau défait. Bientôt il s'arrêta contre une porte enfoncée dans un parement de pierre polie.

III

La porte céda, nous précipitant dans une pièce sombre, seulement éclairée par un feu de bois. Je m'avançai du foyer sur une jonchée de fourrures encombrées de coussins. En battant la semelle, je frictionnai mes mains gourdes.

— Nous ne sommes même pas en retard, dit le vicomte.

— En retard ? Pourquoi ? demandai-je.

— Pour qui ? veux-tu dire. Pour les trois coquines qui jouaient au pharaon chez la procuratesse Barbarigo, pardi !

— Allons ! Ne dis pas de sottises ! Crois-tu que des patriciennes vont se galvauder si facilement dans un… dans une…

— Une *locanda*! dit-il.

Je regardai mieux la chambre où nous étions. Elle avait tout d'un authentique lupanar. Rien n'y manquait de ce qui fait le décor de ces lieux voués à la débauche ; ni les peaux de bêtes sur le sol, ni les flammes dans l'âtre, ni les miroirs aux murs et au plafond, ni les cartes et les dés, ni les verres et les flacons à vin et à liqueur. L'ensemble était monté dans le goût vénitien, c'est-à-dire à l'exact confluent de la grâce et de l'obscénité. Tous les patriciens fortunés louaient de ces appartements privés en ville où, loin de chez eux, ils se livraient à leurs dérèglements. Pouvais-je m'étonner, connaissant mon vicomte, qu'il sacrifiât volontiers à si plaisante coutume ?

Me voyant dubitatif, il leva un doigt sentencieux :

— C'est que, vois-tu, ta figure est un vrai passeport pour la lubricité. Jamais je n'eus moins d'éloquence à développer pour convaincre quelque partenaire…

— Tu radotes ! Elles ne viendront pas !

— Elles seront là dans une demi-heure.

— Je nous vois bien harnachés pour les recevoir à notre avantage ! dis-je, montrant les haillons trempés et tachés de vin dont nous étions couverts.

— Bah ! Ce n'est pas la vêture qui les attire !

Il prit alors à deux mains les pans de ma jaquette déchirée. Il la fit passer par-dessus ma tête comme une cotte, sans même sortir les boutons de leurs brides. Ma chemise mouillée me collait à la peau.

— Allons, dit-il, ôte cette guenille ! Si tu te laissais prendre le poumon, comme certain sot que je connais, tu sais bien que lui, il t'abandonnerait…

— Je n'en crois rien ! répondis-je, lui donnant une bourrade affectueuse dans l'épaule.

Il l'accusa en souplesse, me portant un coup de comédie au sternum. Je simulai par jeu la plus vive souffrance. Il dépouilla son pourpoint en loques. Bientôt nous fûmes contre l'âtre, nus jusqu'au ventre et nous frictionnant l'un l'autre avec vigueur, enchantés de la bonne chaleur du feu et de ce retour d'amitié. J'eusse dû lui en vouloir au moins un peu pour cette sotte aventure, mais je m'étais bien amusé à courir sur les toits derrière ce grand pendard que j'avais cru voir mort la semaine d'avant.

— Vois ! Tu as perdu au moins dix livres de chair ! On te compte les côtes ! dis-je.

— C'est ma foi vrai, admit-il.

Il était cependant encore fort éloigné de la maigreur et son torse présentait d'intéressants reliefs, ombrés d'une fine toison brune. Une égratignure brouillée de sang séché soulignait le sein gauche. J'avançai la main pour l'effacer, tant m'était devenu proche ce corps que j'avais secouru dans les affres de la maladie. À son regard surpris, je me rétractai vivement, mais je prononçai comme malgré moi :

— Il se pourrait bien qu'amoindri comme te voilà, je te fisse toucher sans peine les deux épaules.

— Il ferait beau voir ! répondit-il, me présentant ses deux bras pliés dans la posture du lutteur.

Je me mis en garde aussitôt. Je fis un pas en avant. Il en fit un en arrière, jouant l'épouvante. Son œil étincelait. Je m'avançais toujours, tandis qu'il reculait et glissait de côté, prenant la mesure de l'espace, comme un matador qui mène sa bête au milieu du rond. D'une brusque détente, je le saisis à la nuque, tandis qu'il me bourrait les côtes de claques point trop tendres. C'était un fier plaisir de s'affronter ainsi à pleins bras en attendant la venue de trois luronnes sans morale.

Je ne saurais dire à quel moment cette rude empoignade perdit de sa netteté pour devenir quelque peu confuse. De la confusion à la sensualité, le pas fut vite franchi. Il y avait de la liane et du serpent dans nos membres qui s'emmêlaient. Le geste ralenti, le souffle court, la main hésitante, je ne cherchai bientôt plus le défaut de la garde mais le simple contact, ce qui n'est guère classique. Il me vint par tout le corps une soif de défaite aussi harassante que délicieuse. Je m'avisai alors qu'une partie fort précise de mon anatomie se mêlait d'étranges fantaisies. Bander en me battant jeta le trouble dans mon esprit. Je perdis l'avantage que je m'étais acquis. Ce fut assez pour prêter le flanc. Le monstre était un athlète accompli : je me retrouvai plaqué au sol, à plat ventre sur la peau d'ours, un bras tordu derrière le dos, l'épaule proche de sortir de ses gonds, avec, sur le râble, cent cinquante livres de viande chaude et diablement tendue. Je haletais. Il se pencha sur ma nuque :

— Vois ! murmura-t-il à mon oreille d'une voix inconnue, je ne suis point encore bon pour le rebut !

À cet instant, nous entendîmes gratter à la porte.

*

Ainsi empilés l'un sur l'autre, nous étions immobiles, les regards tournés vers ce signal que nous espérions l'instant d'avant, et qui, en une seconde, était devenu importun.

— Les épaules ! plaidai-je misérablement. J'avais dit les épaules…

— Ça, par exemple, je me fiche bien des épaules ! dit-il entre ses dents que je sentais à deux lignes de mon cou, et prêtes à s'y planter.

Son souffle précipité me chatouillait l'oreille. Je compris que les trois dames resteraient sous la pluie. À partir de là, ce fut un corps à corps surprenant qui tenait à la fois de la soule et du libertinage. Car je ne saurais avancer sans mentir que, malgré ce simulacre de viol, je me trouvai forcé. Je l'avais provoqué, sinon avec discernement, du moins par mon désir confus. Je l'avais, pas à pas, conduit moi-même où il était, à deux doigts du triomphe, et fort peu disposé à me faire quartier. Il ne me restait plus qu'à livrer jusqu'au bout ce combat dont je ne savais rien, et que j'avais engagé dans l'unique dessein de le perdre. Ainsi bloqué à terre d'une méchante clef, je ne pouvais guère prétendre lui échapper par force, sauf à me faire déboîter un bras. Toutefois, je le savais, un mot cinglant eût suffi à le faire valser. Ce mot ne franchit pas mes lèvres.

Tandis qu'il s'acharnait sur la ceinture drapée qui m'enserrait la taille, je tentai vainement de le saisir par les cheveux. À chacun de mes soubresauts, il resserrait un peu plus son étreinte et déroulait un pan de soie. L'extrémité, finalement, lui resta dans la main. Comme je ne bougeais plus, il m'éperonna du genou. Ainsi font les félins lorsqu'ils tiennent une proie et l'incitent à se débattre un peu de la griffe à moitié rentrée pour mieux s'exciter l'appétit. Mes contorsions de poisson ferré lui permirent de me dépouiller des débris de mon costume qui agonisa dans une lamentation de tissus déchirés. Finalement, l'épaule en feu et nu comme un marron en octobre, j'abandonnai la lutte. Je me laissai aller, défait, sur les fourrures. À l'instant, il lâcha mon bras douloureux et se mit à le fouler d'une main savante, douce et lourde à la fois. De la plus cruelle brutalité, il se convertit, de tout son corps lové sur le mien, à une suavité si délicieuse que je l'eusse pu prendre pour la tendre effusion d'une femme amoureuse, si je n'avais senti, contre ma cuisse, qu'il bandait si fort. Doucement, il passa un bras sous ma taille pour me soulever un peu. Je poussai un cri, épouvanté par la précision de l'invite.

— Un moment vient où, même de dos, il faut regarder la réalité en face ! dit-il, fort bas.

Cette réalité, on en conviendra, était un peu raide à avaler ! Mais nous étions déjà partis trop loin pour revenir sur nos pas…

Le vicomte temporisa un moment infini sur le parvis de la place, avec tant d'art et d'habileté que j'en vins à le supplier avec des mots atroces de ne plus me ménager davantage. Même à ce point, il ne consentit pas encore à m'écouter tant il maîtrisait l'échange et s'employait, sans hâte et sans heurt, à écarter sans les briser mes ultimes défenses. De rage, d'humiliation, de désir, de peur, je sanglotais comme un enfant !

— Tout doux… tu n'y es pas… détends-toi… reste souple… plastique… tu prétends te donner et tu me dis encore ce que je devrais faire…

Il caressait ma nuque en me baisant au cou. Peu à peu, par degrés, je mollis, jusqu'à n'être plus qu'une pâte entre ses mains habiles. Alors seulement, il se poussa en avant et franchit cette porte non pas comme un capitaine intrépide ayant une ville à brûler, mais en monarque qui s'attend à des acclamations. Je ne me privai pas de lui offrir ce qu'il espérait, car ce fut dans la seconde un plaisir inconcevable et sidérant dont on ne peut s'étonner que les princes de l'Église, en papes consommés de la tromperie, l'aient placé aux portes de l'enfer, pour ce qu'il ouvre aussi sûrement celles du paradis. Cela n'en finissait pas de se moduler, de vibrer et de grandir encore, à l'inverse de ces décharges plus classiques, dont la violence n'a d'égale que la brièveté. J'eus le sentiment de perdre à cette effusion sans fin, non seulement ma dernière larme de foutre, mais tout le sang de mes artères et jusqu'à la moelle de mes os.

Quoi ? On voudrait du détail ? On n'en aura point. Foutre ! La vilaine attitude que d'attendre à l'abri qu'on nous fasse des récits de tempête ! Le lecteur curieux d'exotismes n'a qu'à y aller voir par lui-même !

— Sens-tu…, me dit le vicomte d'une voix tendue par la contenance qu'il s'imposait, sens-tu à quel point on est mal avisé, quand on conseille à qui nous insupporte de s'aller faire foutre ?

Je sais bien qu'à développer ces détails scabreux encore que métaphoriques, je viens de gravement compromettre l'estime que me portaient jusque-là certains de mes lecteurs. Ceux-là mêmes, sans doute, qui voulaient en savoir plus long, et, déçus, se font gloire à présent de l'interminable liste de leurs maîtresses ? À ces goguenards lovelaces, je dirai sans ambages qu'à trop battre la campagne à la recherche de sensations nouvelles, on finit toujours par se retrouver sur ce chemin-là. Si cette perspective les accable, qu'ils mettent vivement un frein à leurs maraudes et se contentent d'enconner leur bergère tous les trente du mois, avec, comme il se doit, carême en février. Ces transports, d'ailleurs, n'en sont pas moins estimables, puisqu'ils ont permis de perpétuer l'espèce depuis que des ébauches d'hommes poilus marchaient encore à quatre pattes.

Ainsi donc, ayant perdu quelques amis qui jusqu'ici m'avaient été fidèles, ce qui m'attriste, mais en ayant peut-être gagné d'autres, plus avisés, je poursuivrai tout aussi hardiment mon récit, qui gardera pour lui le mérite d'être honnête.

*

Sans doute devais-je me féliciter que le vicomte, en parfait libertin, fût rompu à ces pratiques ? Mais était-il disposé à m'en découvrir le réversible alphabet ? Car le coquin se montra fort réticent lorsque, restauré dans ma vigueur première, je prétendis me venger de ses caresses interdites. Je connus, sans l'ombre d'un doute à cela, ce que m'avait laissé entendre la lecture de son courrier, à savoir que s'il n'était pas regardant sur le sexe de ses partenaires, il se réservait toujours le grand rôle.

Le combat reprit, obscur et acharné. Énervés comme nous l'étions, et pour éviter un massacre, l'inspiration peu chrétienne me vint de tirer au sort la figure.

— Tiens ! dis-je, lui fourrant dans la main deux dés d'argent qui traînaient sur une table, la Fortune en décidera. Au *quinquenove* en cinq coups je te joue ce que tu m'as pris !

On se doute que le procédé, si fort dans sa manière, le tenta. Sans presque discuter, il y souscrivit. Nous jetâmes les dés. La chance l'avait fui, ou peut-être le désir de tricher ? Il ne tira que des contraires, cependant que j'amenais des doublets. Jamais issue de loterie ne fut accueillie avec tant de jubilation, que ce coup du sort qui me le livrait !

— C'est moi qui tiens le dé! dis-je quand sa défaite fut consommée.

Sans l'ombre d'une hésitation, je le culbutai. Ce fut une chose bien étonnante et furieusement nouvelle pour moi, qui avais baisé tant de moelleuses charnures féminines, que de baiser un homme, eût-il les cheveux longs jusqu'au milieu du dos et des pendants d'oreilles ! Car l'œil ne sert de rien. Tout est dans le toucher. La chair d'un mâle est ferme. C'est là ce qui rebute. Au moins les premiers temps…

Cependant, je n'étais, en matière d'amour, ni néophyte, ni routinier. Je retrouvai tout mon perçant dans cette partie où je savais m'illustrer tant par la vigueur que par une contenance infinie. L'idée que c'était le vicomte que je tenais sous moi, le souvenir de sa morgue, de son arrogance, de son dédain, des multiples vexations qu'il m'avait fait souffrir, me furent un puissant excitant de la lubricité. Je ne croyais pas qu'il fût possible de bander autant. Aussi, à trop évoquer nos méchants rapports, je fus moins tendre qu'il ne l'avait été avec moi. Je maîtrisai d'un enfourchement sans faiblesse ses sauts de carpe qui s'amenuisaient, et ne relâchai mon étreinte que je l'eusse bien fait gémir, crier, implorer grâce et réclamer encore, et ne fusse complètement assuré que je l'avais conduit au moins aussi loin qu'il m'avait emmené.

Il gisait le ventre à plat, les bras en croix sur les fourrures et pas mal démoli à en juger par les palpitations qui soulevaient ses flancs.

— Songe que tu n'eusses connu qu'une seule moitié du monde ! dis-je, claquant d'une main mutine les belles fesses carrées.

D'un bloc il se retourna, m'empoigna et reprit l'avantage.

— L'intéressant sujet que j'ai baisé en gentilhomme, et m'a foutu comme un croquant ! Croit-il si tôt triompher ?

Pour avoir été tant de fois au déduit ensemble, nous connaissions par cœur nos appétits, nos vices, nos ressources, les ressorts particuliers qui nous animaient, et ce goût filandreux pour les méchancetés que nous partagions si bien. Qui mieux que nous eût pu savoir à quel instant précis il convenait d'empoigner ou de lâcher prise, à quel autre de mordre, à quel autre encore de baiser ou de caresser ? Qui connaissait avec une égale sûreté, jusqu'à quel point extrême la corde de l'arc peut se tendre avant de se briser, et la flèche tenir encore dans la main déchirée avant de foudroyer l'espace ? Qui, surtout, s'était fabriqué tant de foutre dans les méninges, par la compression enragée du désir ? Quant à savoir qui baisait l'autre… la belle affaire ! La nuit entière ne suffit pas à partager les rôles. L'aube nous trouva emmêlés comme lutteurs de foire, baignant dans la sueur, à moitié étranglés, ayant déchargé dix fois, mais combattant toujours comme des forcenés, faisant rouler les dés et rampant sur les coudes pour aller voir lequel des deux ils condamnaient à pire bonheur. L'épuisement enfin nous fit rendre les armes, et délia d'un coup tant de nerfs embrouillés.

La *locanda* était dévastée. Dans la cheminée, le feu s'était éteint. Avec la lueur grise du jour naissant, la froidure qui montait des canaux s'écoulait comme un fluide sur nos corps exténués. Malgré le frisson qui hérissait ma peau, je ne pouvais détacher mes yeux de la superbe carcasse dont j'avais pu enfin, toute honte bue, me repaître à loisir, tant de la bouche avide que du creux sensible des mains. C'était une figure splendide où l'harmonie des proportions n'avait d'égale que la densité de la charnure. Rien n'était juste comme le lié du cou branché sur les épaules, sinon peut-être l'agencement parfait de la cuisse avec le glacis du ventre. Cependant que je l'observais avec cette impudeur qu'autorise une nuit agitée, d'une main distraite, il tira sur nous une couverture de lynx que, dans notre frénésie, nous avions rejetée. La morbide chaleur de la fourrure m'envahit peu à peu. Je me laissai aller sur le dos, les mains nouées derrière la nuque, les yeux clos.

— Foutre! dit-il tout à coup, avec un soupir à gonfler toutes les voiles d'un trois-mâts, de ma vie, je n'ai passé une nuit pareille!

Comme je ne répondais rien, il se leva sur un coude et me fixa avec un peu d'inquiétude:

— Nourrirais-tu quelque rancune à mon endroit?

— Bah! dis-je, il est d'éclatantes défaites qui valent bien une victoire indécise...

À cet axiome biscornu, il sourit comme un tableau de Léonard. Il mouilla un doigt de salive, qu'il fit courir sur mon front, l'arête de mon nez, mes lèvres et mon menton, dessinant un profil qui semblait le charmer autant que m'agitaient d'émotions diverses ses traits intéressants. Comme je ne protestais pas, il ajouta:

— Il n'empêche, que nous ne savons toujours pas...

— ... lequel...

— ... de nous deux...

— ... baise l'autre!

Une crise de rire nous prit à l'énoncé à deux voix de cette maxime. Il se laissa retomber sur moi agité par les convulsions de la gaîté. Je nouai mes bras autour de ses reins, et nous jouâmes à nous rouler pacifiquement l'un l'autre entre fourrure et velours dans une telle perfection de complicité que je crus sentir des sanglots de bonheur me remplir le gosier. C'était un vrai miracle, avec tout ce qu'il y avait entre nous de soupçons et de ressentiments, que nous nous fussions, dans l'étreinte, si magnifiquement accordés!

*

Il était à Venise un de ces endroits où les coquins qui se couchent tard viennent se frotter aux bonnes gens qui se lèvent tôt. On appelait cette place sur les bords du Canal, l'Erberia, car elle abritait un marché. De tous les îlots de la lagune, les paysans venaient à force d'aviron, sur des centaines de *peote* lourdement chargées, proposer leurs fruits, leurs fleurs et leurs légumes à de gros marchands qui les distribuaient à d'autres plus petits, eux-mêmes en affaire avec des boutiquiers. Chacun prélevait son écot. Ainsi pouvait-on, en moins d'une heure d'horloge, voir une livre d'oignons, sans qu'elle eût gagné ou perdu la minceur d'une pelure, passer du prix d'une racine à celui d'un mets distingué. On appelle cette volerie *commerce* dans les pays du monde entier.

C'est là que m'entraîna le vicomte à notre sortie de la *locanda*, malgré mes protestations à l'examen de nos costumes gâtés. Je compris vite, en voyant passer quelques promeneurs, que mon inquiétude n'était pas de saison. L'élégance, à cet endroit, était rien moins que classique. Il fallait s'y montrer dans une toilette détruite par une nuit que l'on avait à cœur de laisser supposer agitée. Les dames, l'air rompu, s'appuyaient lourdement au bras de leurs cavaliers qui laissaient flotter au travers des chalands des regards de triomphateurs lassés par les victoires. Ce n'était partout que dentelles froissées, rubans dénoués, longues mèches poissées évadées du peigne, ourlets défaits empâtés de débris. Les bas des messieurs n'étaient qu'à moitié tendus, leurs perruques posées de côté, leurs chemises avaient perdu des boutons, quand elles n'étaient pas enfilées à l'envers. On respirait là, en même temps que l'arôme vert des végétations, un parfum capiteux de luxure. Tous ces coquins défaits montraient à leur pas fléchissant une furieuse envie de s'aller mettre au lit.

Nous étions tout à fait dans le ton avec nos dentelles éclaboussées de vin, nos frusques déchirées qui laissaient flotter leur doublure et voir, entre les accrocs, des éclairs de peau écorchée. Sans doute, à l'impression générale de molle dépravation, nos costumes en lambeaux ajoutaient-ils quelque piquante note de violence, car nous volâmes en un clin d'œil leur célébrité à ceux qui venaient se montrer là chaque jour pour exciter l'envie de leurs contemporains. Le vicomte faisait sauter dans sa main les versatiles dés d'argent qui n'avaient pas su nous partager, et ce cliquetis minuscule, dont nous étions les seuls à mesurer la formidable indécence, nous liait ensemble plus sûrement que dix chaînes forgées.

Après tant d'exercice, je m'aperçus, au milieu de ces victuailles, que je crevais de faim. Sur un sac mal fermé je volai un oignon. L'ayant de l'ongle dépouillé de sa peau, j'y mordis à belles dents, puis je le tendis, ainsi ouvert par ma ganache, à mon compagnon. Il eut un mouvement effrayé de recul.

— Un oignon cru ! Quelle horreur !

— Allons, ne fais pas ta perruche ! dis-je, lui fourrant le bulbe dans le bec.

Son œil se mit à briller. Une larme roula sur la joue balafrée.

— Peste ! dit-il, mastiquant à contrecœur le cruel légume, comment, accoutumé à si brutale pitance, n'eusses-tu point goûté les émotions musquées !

Je lui volai les dés. Riant aux éclats, je lui pris le coude et l'entraînai plus loin, accélérant vivement la cadence de notre promenade. L'instant d'après nous courions le long du quai, sautant par-dessus les sacs, les corbeilles et les casiers pleins de fleurs et de fruits, nous bousculant comme deux chenapans en fuite après quelque sottise. Ce bel élan nous amena dans les jambes d'un groupe fatigué, au milieu duquel je reconnus nos trois conquêtes de la veille et le fameux sigisbée, tous démasqués et fort éteints par la longueur de la veillée.

— Par San Marco ! dit la comtesse Teotochi, quelle santé ! Sauter comme des chevreaux à sept heures de la matinée !

Puis, s'adressant au vicomte avec un sourire moqueur :

— Cela n'est guère généreux, monsieur, de garder pour soi tout seul ce que l'on peut partager…

— On peut proposer, madame, dit le vicomte dans un baisemain, quant à disposer…

— Vous souvient-il, au moins, que vous vous êtes engagé à vous battre ? grinça le sigisbée, bombant son torse maigre de baryton pneumonique.

— Bah ! Monsieur, répondit le vicomte, se battre pour avoir troussé une dame, passe encore, mais se battre pour ne l'avoir point fait…

— Vous vous rétractez donc ? claironna l'autre, triomphant.

— Autant qu'on peut le faire ! clama le vicomte, plongeant dans une courbette, et balayant de son tricorne déplumé les épluchures qui encombraient le quai.

— Voilà bien les manières sans honneur d'une république ! s'écria l'émigré.

— La Sérénissime en est une autre, et vous voilà bien goujat, comte, envers une nation qui vous accueille ! dit la dame, feignant d'être piquée.

Le vicomte leva un bras à la romaine, puis jura avec le plus grand sérieux :

— Pour les deux républiques : la Sérénissime et la Française !

D'un geste prompt, il prit le sigisbée par le collet et le fond de sa culotte, et le jeta dans le Canal. Le malheureux s'y débattit un moment au milieu des peaux d'oranges qui flottaient, avant d'être secouru par le bras même qui l'y avait précipité. Sans doute les marchands autant que les promeneurs étaient-ils accoutumés à ce genre de fantaisie, car on riait autour de nous. La comtesse semblait trouver l'aventure du dernier drôle. Pendant qu'on essorait le costume imbibé du fâcheux et qu'on l'enroulait dans une toile de tente, le vicomte me prit par le cou. J'enroulai mon bras autour de sa taille. Même à Venise, cela ne se faisait pas, au grand jour, entre garçons. Le sigisbée trempé eut un haut-le-corps. La comtesse tiqua. Ajoutant l'insolence du rire à celle de l'étreinte, nous nous éloignâmes enlacés.

— Je croyais qu'on se battait pour se battre..., lui dis-je, coulant mon pas dans le sien.

— J'ai changé d'avis, répondit-il.

— Pourquoi donc ?

— Parce que ce matin je n'ai plus envie de mourir !

— Tiens donc ?

Il embrassa le décor d'un geste de théâtre et lança avec emphase :

— Venise est belle ! La vie est belle ! Tu es... beau !

En retournant par les ruelles et les ponts, nous trouvâmes Venise plus belle encore qu'à l'accoutumée. On montait des tréteaux sur les places, on posait des tentures aux fenêtres, on tendait des guirlandes entre les maisons. C'était le premier jour du carnaval. Pouvait-on savoir qu'il serait le dernier ?

IV

Le froid mordant et la brume givrante glaçaient les *fondamente* tout le long des canaux. Les patriciens, qui n'avaient pas fui dans leurs propriétés des bords de la Brenta, se mêlaient aux gens du peuple massés dans les rues. Dissimulés et confondus sous leurs masques, tous se livraient à ces excès de joie féroce qui saisissent les désespérés.

À ce moment, Bonaparte venait d'occuper Ancône. L'étau se resserrait autour de Venise. Le général en chef provoquait par une insupportable insolence l'apathie du Sénat. Ses soldats pillaient, volaient, violaient comme des Turcs sur les terres de la vieille république exténuée. À chaque nouvel incident, le doge, au lieu de déclarer la guerre, présentait des excuses ! Jusqu'à quelles honteuses reculades les membres du Grand Conseil en viendraient-ils ? Cette lâcheté des patriciens, l'incapacité qu'ils montraient à maintenir la paix et la dignité dans la Sérénissime, énervait une jeunesse dorée, éveillée aux Lumières, qui en pinçait pour la France et la démocratie. De l'autre côté, toute une partie du peuple, exaspérée par l'arrogance des Français, ne songeait qu'à les déloger. C'est dans ce climat vicié que se déroula ce carnaval de l'année 1797.

Sous les arcades des Procuraties qui font une ceinture de marbre à la place Saint-Marc, la seule que les Vénitiens honorent du titre de *piazza*, on croisait en plein jour de ces masques qui, d'ordinaire, n'y rôdaient que la nuit. On devinait les officiers français à des éclairs de tricolore sous les plis du *tabarro*. Les bougres, évadés un moment de leurs garnisons d'Ancône ou de Salò, étaient embusqués dans tous les coins ombreux. Ils mettaient à profit, en de brusques étreintes, cette noire passion qui prend les peuples épuisés pour les barbares qui les vont réduire. Chacun donnait libre cours à ses chimères les plus secrètes.

Malgré l'incroyable quantité de médecins de la peste avec leur grand chapeau et leur bec de corbin, malgré le nombre presque égal d'*uomini selvatici* sous leurs peaux de bêtes, le plus répandu des rêves interdits, surpassant même celui de tuer ou de baiser un Français, semblait bien être celui de changer de sexe. Combien de vits de carton rouge ballottaient, pathétiques, sur des chausses mal arrimées, combien de seins de matrones s'offraient dans des échancrures prostituées, combien de fesses nues encadrées comme tableaux de maître proposaient aux passants leurs ténébreuses perspectives ! Entre les faux Maures et les vrais évêques, les vrais démons et les faux saints, les faux cochons et les vrais loups, on croisait des statures balourdes enrubannées de soies, des gorges amollies sanglées dans les chamarrures des dolmans d'officiers !

Comment expliquer au lecteur, qui sait presque tout de nos amours bizarres, que ces accoutrements aient pu nous paraître bouffons, et ces aspirations ridicules ? Comment lui faire admettre que ces deux coquins tout en muscles, qui dépassaient chacun les cinq pieds six pouces, aient pu en même temps se mordre la bouche à périr étouffés derrière les rideaux de la *felze*, et se tordre de rire aux brusqueries des apprenties tribades, comme aux grâces ridicules des postulants gitons. Rien, à notre avis, n'était plus éloigné de nous que ces invertis maladroits. Avec la certitude que nous ne ressemblions à personne, grandissait l'appétit que nous avions l'un de l'autre. Le vicomte en était pour ses frais, s'il avait compté ajouter un bardache de plus à sa collection de foutreries à un seul tour de scrutin. Je le voyais mordu à son tour par cette passion où il avait voulu m'enfermer après tant d'autres. Son désir toujours renouvelé d'étreintes brutales multipliait le mien.

De ma vie je n'ai su observer de modération pour les choses du sexe. S'il m'arriva souvent de connaître des mois et même des années de continence absolue sans en être autrement incommodé, d'autre fois, je me livrai à de tels excès que je mis mon existence en péril. Le vicomte n'était pas homme à mesurer ses élans. Ainsi, l'un poussant l'autre, et chacun acharné à conduire son amant plus haut et plus loin qu'il n'avait jamais été, nous nous jetâmes sans frein dans une passion déréglée, comme on peut se précipiter en hurlant du haut d'une falaise.

En ces jours de foire et de licence, confrontés sans cesse à des scènes lubriques qui nous chauffaient le sang, nous avions toutes les peines du monde à ne pas nous livrer en public à des démonstrations excessives d'amitié. Aussi, non contents de dormir au même lit, emboîtés comme couverts dans un écrin, recherchions-nous avec fureur les bousculades bigarrées qui nous jetaient l'un sur l'autre.

Ici, sur la Riva degli Schiavoni, un Maure qui montrait un rhinocéros débitait un discours pédant sur la faune et les naturels de l'Afrique. Enlacés sous un même manteau, nous riions des grosses plaisanteries que la populace faisait à propos de ses cornes.

Là, en travers de la Piazzetta, des saltimbanques avaient placé un fil qui reliait une meurtrière du campanile à une colonne du palais ducal. Sur ce cordage à demi tendu, un acrobate drapé de tricolore, dans une imitation comique des soldats français, se hasarda depuis la tour. Il prétendit descendre vers le palais, tandis que la foule, les yeux rivés à ses pieds ailés, poussait de multiples *atansion*! C'était une attraction classique du carnaval. Les spectateurs se fussent bientôt dispersés, si un autre artiste ne se fût à ce moment poussé en avant sur la corde du côté du palais, arborant, lui, la bannière jaune et bleu de Saint-Marc. Aussitôt, l'attroupement captivé se pressa au spectacle, puisque à l'acrobatie se mêlaient cette fois la politique et la comédie. Chacun des deux pitres se fit des partisans, la foule au comble de l'excitation scandait en frappant des mains *À basso i Francesi! Viva San Marco!* Bientôt, le numéro d'équilibre devint une bouffonnerie où l'un et l'autre se retenaient à la corde dans les poses les plus extravagantes. Pendant qu'ils s'empoignaient dans un époustouflant exercice de voltige, nous contemplions derrière eux le clocher rouge de San Giorgio, planté sur son île comme un vit en extase, aussi magnifiquement solitaire que nous étions deux.

*

Un soir, nous passâmes en gondole sous ce pont qui conduit à la Fondamenta dei Tetti. L'endroit devait son nom à ses prostituées qui faisaient, à la fenêtre, l'étalage de leurs tétons. Ainsi le chaland pouvait-il choisir entre les roses en bouton des jeunes Albanaises, les tétines brunes des beautés mauresques, les globes ronds et blancs des filles d'Allemagne, ou les lourdes poires juteuses des Égyptiennes.

— Peste ! dis-je au vicomte, le regard tiré en arrière sur un décolleté à remplir les deux mains. Sans vouloir rabaisser tes reliefs pectoraux qui se sont bien restaurés depuis ta pneumonie, il me semble que nos ébats manquent un peu de mamelles. J'ai grand plaisir, pour ma part, à manier ces beaux attributs de la féminité ! Qu'en dis-tu ?

— Que tu dois avoir raison..., répondit-il après une imperceptible hésitation.

Nous reprîmes alors nos affreuses bordées à quatre ou cinq et même davantage. Il me souvient que le seul interdit que sans un mot, mais de conserve, nous nous étions fixé, fut de n'y accepter aucun autre garçon.

À Venise comme ailleurs, on n'a guère de peine à s'attirer l'amitié des putains quand on a la bourse bien garnie. Cette singularité de prétendre baiser à deux nous coûta de l'argent. Personne, dans cette profession que l'on dit la plus vieille du monde, n'aime ces complications de cervelle, et le meilleur des coups demeurera toujours le plus vite tiré. Mais nous avions de l'or à ne savoir qu'en faire, de cet or facile prélevé sur la cassette des États, et qui pèse si peu à disperser...

Pour chercher une variante à ces amours tarifées, nous fréquentâmes du *casin* le plus élégant au bouge le plus sordide. L'enjeu n'était pas tant trois cartes assorties qu'une dame ou deux prêtes à consentir à tous les abandons. Lorsque l'affaire était conclue, il nous fallait encore, un pied sur la gondole, l'autre sur le porche d'eau, convaincre la luronne d'en prendre deux à la place d'un seul. Cela fut un prétexte vingt fois renouvelé à tractations tragicomiques, molles protestations de vertu, faux refus à balayer d'un geste, consentements enchifrenés couvrant à peine l'empressement. Une fois, nous dûmes faire face à une double demande en mariage, une autre fois, à un duel, une troisième, enfin, nous abandonnâmes sur l'eau une conquête trop facile, pour retourner chez nous, rire et baiser entre amis.

Enfin, nous nous mîmes à exploiter les ressources en fesses des couvents. Nous assistâmes à d'incroyables messes à San Moisè où les fidèles se gaussaient ouvertement du prédicateur qui s'époumonait en chaire :

— Vous vous perdez, mes frères, et vous plus encore mes sœurs, dans la mollesse, le luxe excessif, les spectacles oiseux, les faux divertissements et le vice…

On se passait des billets doux pendant cette exhortation à la vertu.

— Oh ! Venise, tremble ! Vois ce qui t'attend ! Le Christ s'éloignera de toi ainsi que la foi, et la foi et le Christ ! Que Dieu ne le veuille pas !

Nonnes et abbesses pouffaient à ces solennelles mises en garde. Toutes s'en moquaient comme d'une guigne. Les parloirs des couvents étaient remplis de masques. La nuit, nous franchissions les murs point assez élevés pour décourager les bandeurs, et derrière lesquels on s'adonnait à la luxure bien plus qu'à la prière. Là, bien à l'abri des fâcheux en soutane, nous nous régalions au milieu des cornettes, comme des renards qui font voler de la plume dans un poulailler.

Venise, qui pendant des siècles avait compté les heures à partir du coucher du soleil, devenait, dès la nuit tombée, un immense lupanar. Nous y formions à deux un fameux couple de scélérats !

Dans tous les pays du monde, cela s'appelle la débauche. Je ne ressens point cependant sur la langue ce goût de cendre qui, paraît-il, finit tôt ou tard par s'y attacher, et loin d'en éprouver du remords, je ne ressens que des regrets…

*

Nous passions, devant la cheminée où crépitaient les pins de la lagune, des soirées entières à faire tremper notre couenne dans la même baignoire, nous aspergeant de rire, de foutre et de vin mousseux.

Il n'y eut bientôt plus un pouce de cette magnifique charpente que je n'eusse cent fois fait rouler et frémir sous mes lèvres et mes doigts. J'en connaissais toutes les musiques, tous les parfums, toutes les saveurs, toutes les tissures, et la satiété, cependant, ne parvenait pas à s'en mêler. Aucune maîtresse, jamais, ne fut si peu rebelle, aucune n'opposa moins de résistance à mes gammes forcenées. Rien qui pût l'offusquer. J'étais assuré de le voir suivre mes désirs avec autant de complaisance que je m'abandonnais aux siens. Il devenait ma putain asservie aussi volontiers que j'acceptais d'être la sienne. C'est que pouvoir à chaque instant retourner la partie, reprendre ou inverser les postures et les rôles, alterner, conjuguer la faiblesse et la force, élargit singulièrement le débat. Le champ des voluptés qui s'offrait à nous, au lieu de se rétrécir par le fait d'une exploration méthodique, s'ouvrait sans cesse sur des horizons nouveaux, toujours plus complexes, toujours plus escarpés. Autant avais-je résisté à cette inclination, autant m'y livrais-je sans frein à présent. Pourtant, un soir où ma véhémence jointe à l'abus de *prosecco* l'avait un peu secoué :

— Je te vois prendre ce virage avec une désinvolture qui confond, me dit le vicomte. Foutre ! Tout de même ! Je suis un homme ! T'en es-tu bien pénétré ?

— On ne saurait mieux s'exprimer..., répondis-je en riant.

— Te souvient-il, au moins, que partout on appelle cela un crime ?

— Je ne reconnais pour crime que ce qui nuit à mes contemporains.

— Ne crains-tu donc plus les foudres du ciel ?

— Bah ! Dieu doit être si grand et je suis si petit ! Comment pourrait-il s'inquiéter en même temps de la formidable pulsation des planètes et des mesquins frémissements qui ébranlent mon vit ? Cette confusion entre l'éthique et la physique me paraît franchement pathétique.

Il sourit à mon théorème, de ce sourire volatil que j'avais un si vif plaisir à savourer. Puis, insistant comme un matador fou qui cherche le coup de corne :

— Peut-être bien que je ressemble... à ma sœur ?

Je tressaillis mais je parvins à cacher mon trouble.

— Allons ! Tu sais bien que tu ne ressembles à personne !

— Pourtant...

Je serrai ma main comme un bâillon sur ses lèvres pour lui interdire d'aller plus avant. Ce sujet entre nous demeurait sensible comme une cicatrice après un coup d'épée. Mais une cicatrice n'est pas une blessure. Elle ne saigne ni ne suppure. Le temps l'efface peu à peu, comme il estompait le souvenir de celle que je n'avais pas recherchée avec beaucoup d'énergie dans Venise, tout occupé que j'étais des folies de son frère. Je craignais même qu'il me parlât de cette famille vénitienne qui l'avait peut-être accueillie. Tandis que je tentais de le museler, il baisait voluptueusement la paume de ma main. Vaincu, je la retirai. Alors, se penchant vers moi, il me glissa :

— Tôt ou tard, elle t'eût imposé la chemise à trous des huguenots...

Quelques mois auparavant, j'avais voulu l'embrocher pour moins cruelle offense à ma princesse. Là, je ne dis mot. Je le laissai même pousser plus loin son avantage alors que l'eau fumante débordait du cuvier, imbibant le tapis de Chine où crachaient du feu deux dragons enlacés.

Ce diable de vicomte ! J'en étais possédé ! Ma mémoire était comme brûlée par la flamme de cette passion saugrenue. Rien ne s'y pouvait plus lire des principes et des amours anciens. Je vivais au bord de moi dans un dérèglement de tous les sens, comme un étourdi qui serait né la veille, et devrait mourir le lendemain.

Chaque jour je remettais la supplique que je voulais écrire à Pisani, et la visite à l'Albero d'Oro où m'avait donné rendez-vous le comte Sicuro. J'en vins même, comme il n'en parlait plus, à oublier que nous attendions un bateau.

Nous allions pourtant quelquefois, au-delà des Giardini, traîner autour de l'Arsenal. Nous admirions les remparts de brique dentelés de créneaux mauresques, les grands lions de marbre couchés sur les pylônes.

C'est là que je vis pour la première fois le *Bucentaure*, cette galère royale sur laquelle les doges s'en allaient célébrer chaque année, sur les hauts-fonds de la lagune, les noces de Venise avec la mer. Il était bien fatigué, mais encore rutilant de tous ses ors craquelés. Il ployait sous le fardeau de son toit de velours et de ses oriflammes de pourpre. Avec ses râteliers de rames appuyés sur les quais comme les nageoires de quelque monstre marin destiné à promener Neptune, il avait quelque chose de turc et même de chinois. Jamais navire ne fut moins conçu pour naviguer ! Aucun, jamais, ne fut plus magnifique...

*

Le printemps déboula tôt sur l'Adriatique cette année-là. Trois mois s'étaient écoulés depuis le soir de la *locanda*. Trois mois, c'est le temps qu'il faut, dit-on, pour amortir les passions. Prenant en défaut toutes les règles, la nôtre se resserrait chaque jour davantage. Nous avions espacé, puis abandonné les aventures d'un jour ou d'une nuit. Nous n'aspirions plus qu'à être ensemble, seuls au cœur d'une ville qui nous allait.

Je sais bien que des esprits chagrins avancent que Venise n'était plus que l'ombre d'elle-même ces années-là, que les fêtes y manquaient d'extravagance, le rire de sincérité, le libertinage d'inspiration, qu'elle sentait déjà sa fin prochaine. Mais la grâce existe-t-elle dans les mondes qui ont l'avenir devant eux ? Nous étions comme deux funambules qui dansent sur un fil, ivres de vertige et d'espace, sentant le vide sous nos pieds, et Venise nous ressemblait…

Certains soirs, débraillés, nous fréquentions les théâtres populaires, comme San Beneto ou San Samuele, où se donnaient en plein air, pour un public qui manifestait bruyamment sa joie, les comédies bouffonnes de Goldoni. D'autres, inondés de parfum et pomponnés comme des demoiselles, nous nous rendions à La Fenice. Un soir, dans une loge du premier balcon, j'eus l'occasion d'ajouter quelques vers au motet que Daffodil avait si bien oublié, jadis à Saint-Sulpice :

… Le fleuve enchanté
L'heureux Léthé
Coule ici parmi les fleurs.
On n'y voit ni douleurs
Ni souci ni langueur
Ni pleurs…

Il me faut avouer que le vicomte s'employa à brouiller mes cervelles avec un tel brio que je n'appris ce soir-là pas grand-chose de plus sur l'idée que se faisait monsieur Rameau de l'amitié entre Castor et Pollux.

Parfois, au petit matin, nous partions en barque pour gagner à la rame Murano ou San Michele, tout à la volupté de mesurer nos forces. D'autres, nous poussions jusqu'à Torcello traquer la perdrix, dans l'herbe et les fleurs jusqu'au ventre. Ou encore nous chevauchions à perdre haleine, botte contre botte, entre les dunes du Lido, poussant nos montures dans l'eau, faisant jaillir des gerbes d'écume et craquer sous leurs sabots les coquillages apportés par les marées d'hiver. Nous partagions avec les pêcheurs des *spaghetti* noirs ou du *risotto in tecia* qui collaient à l'assiette, nous dévorions des anguilles frites, de la morue et des anchois, nous buvions à la régalade des fiasques de vin blanc dont les bulles nous secouaient de hoquets. Alors nous plongions dans la lagune depuis un rocher ou un pont, acharnés à nous noyer l'un l'autre, charmés par ce prétexte à nous empoigner. Nous sortions des vagues à bout de souffle, les cheveux dans les yeux et crachant de l'eau. Nous nous laissions sécher au soleil, puis nous nous livrions sur les galets à ces jeux brutaux qui font les délices de tous les garçons du monde, à cela près qu'au lieu de craindre les rapprochements excessifs qu'impose la lutte grecque, nous les recherchions quelque peu…

Lorsque les giboulées faisaient frissonner les eaux vertes de la lagune, nous demeurions des journées entières au lit, poussant la nonchalance jusqu'à nous y faire servir nos repas. Nous passions notre temps à bavarder sur les sujets les plus futiles, évitant avec soin d'aborder celui de nos noms d'emprunt, craignant l'un et l'autre qu'il y eût là de quoi assombrir le paysage. Nous partagions tacitement cette lâcheté de qui se gagne un sursis en préférant ne pas savoir ce qui menace son bonheur. Notre silence était déjà un mensonge, mais la vérité ne risquait-elle pas de détruire ce fragile édifice que nous avions construit, comme Venise, sur du sable ? Ne vacillerait-il pas sur ses fondations éphémères, lorsque Bernard Morenasse et Hugues Style rencontreraient Vincent Lacoste et Siffrein de Saint-Roman ? Nous ne tenions pas à précipiter le cataclysme. Comme les gondoliers qui effleurent de leur godille la surface rutilante de l'eau, nous nous gardions de brasser la vase des fonds putrides. Du coup, alors que nous étions haïs, traqués, battus, trahis, mutilés même, comme peu d'ennemis jurés osent le faire, devenus amants nous vivions dans une harmonie parfaite teintée même d'une pointe de mièvrerie. Que le lecteur en juge plutôt.

*

Le vicomte avait une assez belle voix, un peu grave, mais sans ces vibrations cuivrées qui offusquent l'oreille. Un jour que je tentai vainement de l'engager à me faire la lecture d'une pièce de vers qui m'avaient touché :

— Fi donc ! s'écria-t-il, s'approprier des mots inventés pour d'autres ! Quelle imposture !

— C'est faire bon marché des poètes et de leur industrie !

— Cette engeance de solennels me fatigue.

— Je trouve pour ma part du charme à leur commerce !

— Eh ! Je le vois bien à tous ces livres que tu dévores !

— J'ai tant d'années d'ignorance à rattraper...

— Gare ! La cuistrerie te guette ! Je hais ces fâcheux qui ne peuvent dire trois mots sans citer les antiques !

— Allons ! Ne te fais pas plus brut que tu ne l'es !

La tempe posée sur le poing, il me dominait de la taille. Délicatement il prit à mon front une boucle, la tendit puis la laissa reprendre sa forme anglaise.

— Ses cheveux..., commença-t-il d'une voix hésitante, « ses cheveux sont un flot de brebis qui s'écoule en prospère troupeau dans les valons ombreux.

« Son front... c'est le rocher blanc dressé au bord de la plaine, où se marquent en fins sillons les âges successifs de la terre.

« Ses yeux... sont deux lacs de montagne.

« Son nez... c'est le promontoire où se perche le cerf.

« Ses joues... sont les flancs des collines, et l'haleine du vent y fait frissonner les maquis.

« Ses lèvres sont la grève dorée où la vague se meurt.

« Ses dents..., comme des écueils, font écumer sur leur arête la saveur des lames profondes.

« Sa langue est un haut-fond, et d'amères essences y semblent sourdre en cristaux que l'eau boit, et vont et viennent dans ses replis liquides, des éclairs de soleil, et le ciel et la mer... »

Je demeurai immobile et muet, saisi d'admiration.

— Qu'est-ce là ? demandai-je enfin.

Il rit un bon moment, puis :

— *Le Cantique des cantiques.* Mais révisé à ton intention. L'horreur des horreurs !

Vivement, il exécuta un demi-tour sur sa taille, prit les deux dés sur le chevet, et me les tendit en disant :

— À toi !

— À moi ? m'écriai-je, épouvanté par le défi.

D'un geste vif, il renversa en avant sa tignasse, en promena un moment les pointes sur ma poitrine nue.

— Ses cheveux…, dit-il.

Comme je me taisais, il reprit :

— Ses cheveux…, répète après moi !

— Ses cheveux…, ânonnai-je d'une voix contrainte.

Brusquement, quelque chose de mystérieux me souffla que le mot ne convenait pas.

— Sa chevelure…, murmurai-je encore incertain.

La sonorité des syllabes me prit je ne sais où, et tira de ma gorge étonnée un flot de paroles dont j'ignorais qu'elles y fussent enfermées :

— « Sa chevelure… est une marée d'algues au fond lugubre de l'océan, que viennent séparer les mâts des vaisseaux engloutis. »

Il releva la tête, et me considéra, surpris.

— « Son front est la falaise abrupte qui surplombe l'abysse, où se fracasse en mugissant le flux des équinoxes. Son œil… »

Il eut un rire sec.

— « Son œil est le nombril du monde, car de ce pôle magnétique se construit en spirale la révolution des planètes.

« Son nez, c'est l'escarpement qui donne son essor au faucon affamé de chair fraîche.

« Ses joues, comme un désert brûlé saignent sous l'étrille du soleil et des vents.

« Ses lèvres sont une crevasse au flanc d'un volcan que travaille le feu interne de la terre, et y bouillonne entre les rocs aigus, un fleuve ardent de lave, et… »

Je ne pus aller plus avant. Qui s'étonnera que tant de feu et tant d'eau mélangés fissent pas mal de vapeurs ensemble ? Comment eussions-nous, aveuglés comme nous l'étions par ces capiteux nuages, pris la mesure de la réprobation dans les yeux baissés d'Adriano qui nous portait du poulet froid sur un plateau d'argent ? Ce devait être un spectacle bien déprimant, pour un Italien coureur de jupon, que ces jambes de mâles si fort rapprochées que les deux toisons, la brune et la blonde, se prenaient ensemble !

*

Sans vouloir offenser le lecteur puritain qui se serait égaré dans ce livre, j'affirme que je recevrai sans broncher la première pierre que me jettera le méchant hypocrite affirmant n'avoir jamais ressenti un peu de trouble en faisant toucher le sol aux deux épaules de son meilleur ami. C'est là une émotion fort commune. Pour y avoir une fois cédé, on ne mérite ni les sarcasmes de ses contemporains, ni le bûcher. Au moins, je ne le fis pas du bout des lèvres et comme à regret, partagé entre la honte et le remords, mais avec cette allégresse et ce bel entrain qui donnent du lustre à toute chose. Loin de moi la tentation de vouloir plaider cette cause ou de me faire des disciples, encore moins de prétendre engager mes contemporains dans la ruelle du dos tourné. On ne m'empêchera cependant point de penser que toutes ces sociétés de garçons, qui prétendent se mêler de joutes ou de philosophie, ne sont que grimaces de cet élan naturel qui pousse les hommes à s'appareiller, et qu'elles les incitent, souvent injustement, à mépriser les femmes et à les asservir. Un jour peut-être, au lieu de vitupérer et de mal dire : « Cela est bien ! Cela est mal ! », on se contentera de constater : « Cela est faux ! Cela est vrai... » Quant aux femmes, j'affirme sans rougir après ce prône les avoir toujours aimées à la folie. Comprenne qui pourra...

Ainsi formions-nous un couple d'autant plus déroutant qu'il était si proche de l'amitié ordinaire. Eussions-nous affiché des fards et des ondulations de croupe, on eût simplement ri de nous. Or jamais je ne vis gaillard moins efféminé que le vicomte. Tant par la stature que les manières ou encore les traits, il était mâle, et superbement. Pour ma part, malgré certaines grâces de figure tenant à mes cheveux bouclés et à mes yeux clairs, j'avais gardé de ma jeunesse paysanne une musculature noueuse et des façons abruptes, fort éloignées de l'affectation que l'on voit aux gitons. Sans doute était-ce encore plus affreux pour les chafouins et les rigoristes d'avoir à se représenter, au milieu des dentelles, ces deux corps d'athlètes emmêlés ? Quant à trancher lequel des deux baisait l'autre, ce qui est la grande affaire pour les contempteurs bornés de ces débordements, comment eussent-ils pu en décider, puisque nous-mêmes n'en savions rien ?

Tout cela pour dire que ces deux *Francesi* volontiers débraillés, qui se promenaient par les *calle* et les *fondamente* en se tenant par les épaules, riant et parlant haut, n'étaient guère discrets. Je commettais l'impardonnable erreur de croire que les préventions du monde contre cette amitié singulière étaient tombées en même temps que les miennes.

*

Par une fin d'après-midi du mois d'avril, Adriano vint m'avertir que l'on m'attendait dans le vestibule pour me remettre un message.

Accoudé au balcon de l'*altana*, je regardais le soleil, large et rouge comme un plateau de cuivre, descendre lentement dans l'Adriatique. Le vicomte somnolait à l'étage au-dessous. Il avait de ces indolences d'oisif que je ne savais partager, ayant gardé de mon enfance inquiète l'habitude de dormir peu et d'un seul œil.

Agacé, je songeai à une invitation pour l'une ou l'autre de ces parties fines au cours desquelles nous nous étions taillé une assez jolie réputation de libertins. En descendant l'escalier, je cherchai dans ma tête quelque excuse pour la décliner.

Quelle ne fut pas ma surprise de ne pas voir un, mais deux messagers. Cela n'était guère d'usage de prendre tant de précautions pour un simple billet ! Ma surprise se mua en inquiétude lorsque je distinguai, sous les manteaux, deux habits qui ressemblaient fâcheusement aux uniformes des gardes du palais. Quant au message, de taille respectable et roulé sur lui-même, il portait dans la cire ce lion de Saint-Marc que je connaissais bien. En prenant la lettre, je sentis une humeur sournoise humecter mes vertèbres. Je brisai le sceau. Le pli, adressé au *Cavaliere* Hugues Style, lui demandait courtoisement, mais fermement, d'avoir à accompagner les porteurs.

— Est-ce une arrestation, messieurs ? demandai-je avec l'air de prendre la chose à rire.

— Simplement une invitation, *cavaliere*..., me répondit celui qui se donnait des airs de supérieur.

— Me permettrez-vous d'avertir mon... ami ? demandai-je alors.

À ce mot sur lequel j'avais failli buter, je vis un sourire fort déplaisant se dessiner sur les lèvres des deux hommes.

— Est-ce bien nécessaire? dit l'un d'eux. Le *Palazzo Ducale* n'est pas loin. Vous serez tantôt de retour...

Je pris donc en rageant mon tricorne et mon manteau, n'augurant rien de bon d'une invitation à laquelle il fallait se rendre entre deux *avogadori*.

V

De la Calle San Maurizio à la Piazzetta sur laquelle se trouve le palais ducal, le trajet n'est pas long. Il était suffisant pour me remettre en tête les chemins que j'avais parcourus entre deux gardes en Avignon, à Londres et à Paris.

Arrivés sur les lieux, nous empruntâmes un porche de belle taille et un escalier monumental qui donnaient vers la Riva degli Schiavoni. Cela me rasséréna un peu, car on introduit rarement par les portiques les coquins que l'on veut enfermer. Je gravis les marches de marbre marquetées de porphyre, toujours serré de près par les soldats. Nous traversâmes une salle de nobles proportions aux plafonds ornés de dorures. Enfin, l'un de mes gardiens toqua à une double porte, en ouvrit un battant et s'effaça pour me laisser passer. J'entrai la tête basse, craignant le pire. Lorsque je la relevai, je me trouvai devant le père Signoretti, strictement soutané de noir, avec sa tonsure, sa barbe de patriarche, sa croix pectorale, son regard vif et tendre à la fois. Il ouvrit grand les bras. Je m'y précipitai. L'émotion et le plaisir étaient égaux pour moi de retrouver mon maître d'école pour qui j'avais autant de respect que de tendresse.

Après m'avoir paternellement embrassé et tâté pour s'assurer de ma santé, le brave jésuite me tint à bout de bras :

— Venise te va, *polon*! Tu as une mine superbe!

Je me gardai de lui dire que je le trouvais vieilli, un peu voûté comme quelqu'un qui a subi des revers. Son regard brillait d'affection contenue par un peu de reproche.

— Tu es ici depuis plus de trois mois, et tu ne viens pas saluer tes amis ?

Je bafouillai une vague excuse et lui demandai des nouvelles de Francesco et de Caterina. Il me dit qu'ils s'ennuyaient dans leur villa de Stra et brûlaient de me revoir. Puis il glissa son bras sous le mien et m'entraîna par le palais.

— Sais-tu qu'Almorô a été élevé à la charge de procurateur de Saint-Marc ? Nous avons donné, au printemps dernier, une fête admirable pour marquer l'événement dans les mémoires. Quel dommage que tu n'aies pu y assister ! Le cortège sur le Grand Canal était féerique. De longtemps on ne verra plus de telles réjouissances à Venise !

À ce regret prémonitoire, son regard s'assombrit. Il pressa le pas. Nous traversâmes plusieurs salles officielles, immenses et regorgeant de dorures, sans qu'il cessât son plaisant bavardage.

— Nous avons pu quitter Londres et rentrer chez nous, lorsque Alvise Querini à été nommé ministre de Venise à Paris en remplacement d'Almorô. Les thermidoriens, sont, nous dit-il, gens de bonne compagnie, et...

— N'en croyez rien, mon père, ce sont des fripons !

— Et ce Bonaparte, lui, au moins, est un homme de bien ?

— Ce n'est pas un capon, mon père, mais il déteste Venise...

— Qu'en sais-tu ?

Je lui contai l'épisode du foie de veau de Vérone. Il hocha la tête. Nous passâmes sur un pont couvert qui enjambait un canal et permettait de passer du palais à un bâtiment voisin sans avoir à craindre les intempéries. Par les fenêtres grillées d'entrelacs de pierre, on pouvait voir la lagune, San Giorgio et l'île de la Giudecca.

Sitôt le pont franchi, le décor changea. Les moulures, les lambris, les bas-reliefs compliqués disparurent. Poutres et linteaux montraient à vif leur ossature dans un agencement qui ne laissait aucune place aux mollesses de la décoration. Je compris que nous nous trouvions dans cette fameuse prison des Plombs dont la triste renommée a largement franchi les *muraccie*.

Le père Signoretti attira mon attention sur une grille forgée, d'un vice sans exemple. Il est en effet d'usage, chez tous les forgerons du monde, de percer régulièrement les échelons transversaux pour y faire glisser les barres verticales. Cet appareil forme un treillis mobile dont le mortier qui les scelle assure la rigidité. Là, les trous étaient percés tantôt en long, tantôt en travers, si bien que l'ensemble composait un inextricable tissage de métal. Bien optimiste le prisonnier qui eût prétendu faire coulisser l'un ou l'autre de ces barreaux entrelacés pour se glisser dans l'intervalle !

— Comme cela est vénitien ! dis-je.
— N'est-ce pas ? répondit le moine avec un sourire charmant. C'est que, vois-tu, il y a peu de caves chez nous. Cet endroit est tout aérien. Il serait facile à quitter avec des cordes attachées aux fenêtres sans quelques sages précautions. Ainsi ce diable de Casanova nous donna bien du fil à retordre…
— En effet ! articulai-je péniblement, la chemise collée par une vilaine sueur dont je ne savais trop si elle était le produit de l'anxiété ou de la chaleur que faisaient régner là les plaques de plomb placées sur le toit.
— Vois-tu *polon*, si on s'évade peu des *Piombi*, reprit le jésuite toujours gracieux, tu conviendras qu'il y a ici moins de pensionnaires que le prétendent certains esprits grincheux.
— Certes, dis-je, avalant ma salive. Il y reste pas mal de place…
— Tu l'as dit ! acheva le coquin avec un sourire en biais.
Il se retourna comme au quadrille, me prit l'autre bras et me ramena, en sens inverse, vers le palais ducal. Lorsque nous passâmes une seconde fois le pont couvert, de soulagement, je laissai échapper un soupir.
Bientôt, nous fûmes dans le cabinet où il m'avait reçu. Il ne me restait plus qu'à prendre congé.
— J'ai eu grand plaisir à vous revoir, mon père, même si la visite des *Piombi* que vous m'avez proposée me laisse perplexe…
Il se tourna, prit sur son bureau une liasse de feuillets et me les mit en main avec quelque énergie.
— Il me souvient de t'avoir appris à lire, *Visente Dacosta…*

*

Je laissai tomber les yeux sur la première page :
« Je porte à connaissance de Votre Seigneurie illustrissime que ce 10 janvier, à la tombée de la nuit, sont arrivés à Venise deux Français qui ont établi leurs quartiers dans la Casa ai Nani, sur le canal San Maurizio… »
J'en pris une seconde :
« Comme suite à vos Ordres Souverains, je rapporte fidèlement à Votre Seigneurie illustrissime les noms et l'établissement des deux Français. L'un d'entre eux serait Justinien Morenasse, négociant,

l'autre Hugues Style, armateur. Toutefois, une tabellionne de Vérone, qui fut en affaire avec eux, émet les plus vives réserves sur leur identité comme sur leur état… »

« Ah ! Gueuse de Lucrezia, pensai-je. Qu'appelles-tu donc *être en affaire*? »

Une autre lettre complétait :

« Je rapporte humblement à Votre Seigneurie illustrissime avoir pris connaissance par un tailleur de la Calle dei Fuseri que les deux Français produisent, pour s'acquitter de leurs dépenses, des lettres de change au sceau de l'armée française. De plus, ils reçoivent de France une quantité anormale de plis chargés… »

Une autre encore :

« Pour obéir aux Ordres Vénérables de Votre Seigneurie illustrissime, je dois modestement vous exposer les renseignements que je me suis procurés. Les deux Français s'en vont rôder souvent, sans raison apparente, du côté de l'Arsenal… »

Toutes ces lettres, bourrées de conditionnels insinuants et précautionneux, étaient datées, signées, et demandaient en conclusion juste rémunération des renseignements avancés. C'était là l'œuvre de cette fâcheuse corporation des *confidenti* dont j'avais, à mon corps défendant, fait partie un moment. L'Inquisition les entretenait dans la cité à grand renfort de prébendes, comme des puces sur le dos d'un chien.

Je poursuivis ma lecture. Une cinquième et une sixième missive allaient plus loin dans le sous-entendu :

« … l'un d'eux a été vu en conversation dans la Calle dell'Ovo avec le comte Sicuro dont les opinions démocrates sont bien connues…

« … les deux Français causent du scandale à l'Erberia, et se sont pris de querelle avec le comte d'Antraigues qui ne fait pas mystère de ses amitiés royalistes… »

Une septième enfin tirait des conclusions :

« Pour obéir aux Vénérées Commissions qui m'ont été données par Votre Seigneurie illustrissime, j'ai noté que les deux Français n'ayant toujours pas, à cette heure, franchi les grilles du palazzo Surian-Bellotto où se tient l'ambassade française, il convient d'être fort vigilant sur des activités que visiblement ils dissimulent… »

À ce point, je levai la tête, effaré :

— Peut-on reprocher à quelqu'un ce qu'il n'a pas fait, sous prétexte que cela peut cacher quelque méchante intention ?

Le père Signoretti négligea de répondre. Il prit une seconde liasse qu'il me tendit :

— Tiens ! dit-il, ce n'est pas tout !

Celles-là étaient anonymes. Après un bien compréhensible mouvement de répulsion, je lus néanmoins :

« ... ils fréquentent avec assiduité les *casini*, les *magazzeni*, les *bastioni*, tous les lieux de débauche de Dorsoduro et les prostituées de la Giudecca... »

« ... ils visitent les parloirs de couvent et vont rôder la nuit sous les murs de Santa Caterina... »

« ... ils n'acceptent jamais de se livrer à la débauche séparément... »

« ... pendant le carnaval, ils se sont livrés en public à des effusions ambiguës... »

« ... le fait qu'ils soient des sodomites ne fait aucun doute, car ils se baignent dans la même cuve et dorment ensemble... »

— Adriano ! L'infâme ! grommelai-je entre mes dents serrées. Je vais le renvoyer sur l'heure !

— Je te le déconseille ! dit le père. Une batterie dont on connaît l'emplacement est à moitié désarmée...

Saisi par la justesse de sa remarque et accablé par tant d'ignominie, je laissai échapper les feuillets qui s'éparpillèrent sur le sol.

— Sodomite et probablement espion, c'est plus qu'il n'en faut pour goûter aux charmes rustiques des *Piombi*. Si tu n'étais l'ami d'un procurateur de Saint-Marc, qui vient chez nous en seconde place après le doge, tu y serais déjà. Nos inquisiteurs ne plaisantent pas !

— Comment pourriez-vous me faire décréter, mon père ? Je suis français...

— Ton ami sans doute ! Mais toi, tu es vénitien, *polon* ! J'ai moi-même baptisé dans l'église Santo Stefano Visente Dacosta né à Padoue... L'aurais-tu oublié ?

La nasse était bien refermée. Je respirai profondément pour retrouver un peu de calme.

— Que me proposez-vous, mon père ?

— De faire ce que l'on te reproche et dont tu es sans doute innocent.

— Pas vraiment mon père...
— Que veux-tu dire ?
— C'est moi qui habille les soldats français !
— Quelle carrière en si peu de temps ! Et qui montre bien la justesse des dispositions que nous sentions chez toi !
— Cela s'est fait, mon père, par des voies détournées...
— En existe-t-il d'autres ? Pour l'heure, je te demande de fréquenter les Français et les Vénitiens qui rêvent de démocratie, prendre la mesure du prestige de Pisani, en savoir plus, si tu le peux, sur Bonaparte et les négociations qu'il projette avec l'Autriche...
— En somme trahir mon pays ?
— Quel pays, *polon*, la France ou la Sérénissime ?
Je mordis mes lèvres, enragé de constater que j'avais un talent accompli pour venir toujours me fourrer entre le cul et la chaise. Je m'acharnai cependant à argumenter :
— Comment ferais-je, mon père ? Je ne connais personne !
— Pas même Sicuro et d'Antraigues ?
Je ne sus que répondre. Le père Signoretti me tapota affectueusement l'épaule, et, avec un sourire entendu :
— Pour ce qui est de la seconde accusation, ce n'est pas un jésuite qui te proposera la tonsure ! Vous prendrez votre bateau et vous irez où cela vous chante, puisque le chargement est embarqué...
— Quel chargement, mon père ?
Il se baissa, chercha parmi les feuillets épars que je n'avais pas parcourus. Il m'en tendit un après l'avoir défroissé.

*

« ... le borgne a été vu à Murano, négociant des perles de verre destinées au chargement du navire de commerce *Starfish*... »
Je ne sais trop comment je quittai le palais. Ces deux mots réunis dans la même phrase, « le borgne » et « Starfish », ouvraient devant moi un abîme insondable. Le sol manquait sous mes pieds. Je savais à présent que j'étais un jouet pour le vicomte. Je passai sans le voir devant cet horrible trou dans le mur de la Loggia où les Vénitiens venaient glisser d'odieux libelles dénonçant leurs voisins, leurs parents, leurs enfants, leurs maîtresses. En avaient-ils, les gueux,

des raisons de sortir masqués et drapés dans leurs manteaux noirs ! Prisonniers de cette ville si belle, mais mieux close qu'une prison, ils passaient leur temps à s'épier. Pouvait-on blâmer Bonaparte de les avoir pris en détestation ? Mais qui devais-je haïr le plus, du vicomte ou de Venise ? Qui dira jamais l'atroce souffrance de devoir un coup pareil à une main qui vous a caressé ?

J'allai par les ruelles, tourmenté et hagard, sentant peser sur moi vingt regards dérobés. Je regagnai San Maurizio à travers un lacis de ruelles encaissées, dénudé par la cruelle sensation d'être suivi partout.

Lorsque j'arrivai chez nous, la nuit était tombée. Adriano me débarrassa de mon manteau avec empressement. Pour la première fois, je laissai tomber sur lui un regard. Il n'était guère joli sans être franchement laid, médiocre de taille et mal établi en largeur, un peu louche, mais avec de ces beaux cheveux bruns et bouclés que l'on voit souvent aux Italiens.

« Voilà, me dis-je. Depuis que je suis maître, je ne regarde plus les valets dont je fus, il n'y a pas si longtemps. Puis-je m'indigner s'ils me trahissent ? »

Le vicomte n'était pas installé dans la salle à manger. Il devait dormir encore. Je montai dans sa chambre. Il y était en effet, allongé à plat ventre sur le lit, la tête enfouie dans ses bras repliés, aussi nu qu'au jour de sa naissance. Ses cheveux étaient vaguement retenus ensemble par un ruban dénoué qui courait tout le long du dos, soulignant comme un trait de pinceau sa courbure nerveuse. Le lien de soie s'en venait mourir au creux des reins, effiloché.

Le lecteur qui me voit décrire avec tant de soin cette figure se dira qu'à contempler la scène je sentais un peu d'émotion. Pourquoi le nier ? Le regarder était toujours pour moi une aventure. Maintes fois, je crus mourir en suivant des yeux le mouvement distrait de sa main sur le pelage d'un de ces chats tigrés qui sont légion à Venise.

Je regardai, autour de cette forme allongée, le décor voluptueux de la chambre. Les tentures sombres venaient s'appuyer sur la soie brillante des draps. Près du chevet où vacillait une chandelle, se trouvait un cabinet d'ébène sur lequel on avait posé une coupe remplie d'oranges. Il avait dû y goûter, car des frisons de peau étaient tombés partout, jusque sur le tapis. Le couteau qu'il avait utilisé, une dague courte au manche d'ivoire, était posé en équilibre sur le bord de la tablette, encore poissé de jus. Cette superbe académie eut inspiré le Caravage. Sans l'horrible révélation que je devais au père Signoretti, je m'y fusse coulé avec délices. J'eusse pris un infini plaisir à roidir à force de caresses le mol abandon de ce corps endormi.

Hélas ! La détresse serrait mes poumons dans un étau. Je ne voyais plus qu'indifférence dans ce dos détourné. J'étais trahi. Je souffrais abominablement. J'étouffais. Avec l'effondrement de la complicité qui nous avait liés, l'horreur de ma condition m'aveuglait, avec les mots abominables qui la qualifient. Bougre, bardache, giton, inverti, sodomite ! Qu'avait-il fait de moi, le monstre dépravé ? Car malgré la douleur de la trahison, et peut-être même à cause d'elle, le désir était là, plus brûlant que jamais, violent, impérieux, inadmissible !

Était-il possible que le traître nourrît le dessein de prendre seul ce bateau qu'il me faisait attendre ? Comment pouvait-il s'agir du *Starfish* ? Pourquoi ne m'en avait-il rien dit ? Que complotait-il avec la Bézuéjouls ? Et depuis quand ? Projetait-il de m'abandonner là ? Me retrouverais-je, un soir fatal, seul dans cette maison remplie de nains dont les postures obscènes soulevaient le cœur ?

« Non, me dis-je, cela est impossible ! Plutôt, je le tuerai ! »

Une force m'empoigna, aussi irrésistible qu'une quinte de toux dans un nuage de fumée. Je venais du dehors : j'étais ceinturé et botté de cuir, sanglé dans une jaquette fort juste dont les poignets brodés retombaient sur mes mains. Sans balancer, j'enfourchai le corps nu dans cet équipage. Je m'assis sur les reins, je serrai fermement mes mollets contre les flancs, comme un cavalier s'assure en selle pour franchir un obstacle. Je sentis à l'instant entre mes cuisses tous ses muscles bandés par la surprise. Cependant, je ne lui laissai guère le temps de supposer qu'il pouvait s'agir de quelque inspiration libertine : d'une main ferme je saisis une poignée de cheveux que je tirai violemment en arrière. De l'autre, j'appuyai, contre sa gorge offerte, le tranchant de la dague. Que pouvait-il faire ainsi arqué sur une lame qui entamait sa chair avec tout mon poids sur le dos ? Deux ou trois fois il battit des bras. Un silence affreux me remplissait les oreilles, ma cervelle bouillait, le sang me battait les tempes. Je vis, à travers la tignasse embrouillée, quelques gouttes de vermillon tomber délicatement sur la broderie de Burano, puis s'y précipiter en pluie serrée.

J'éprouvais avec une joie sauvage la vigueur des cheveux, la résistance des vertèbres et la fragilité de la peau qui éclatait sous le fil du poignard. Sans doute l'eussé-je égorgé lentement dans une jubilation proche de la folie, si une cloche ne s'était mise alors à sonner les vêpres quelque part dans un lointain campanile, rompant le sortilège et me tirant de mon délire. À Venise, ville si peu catholique, les cloches sonnaient encore le soir dans les églises vides, pour le seul plaisir de la musique…

Je lâchai en même temps le poignard et les cheveux dont plusieurs demeurèrent accrochés à mes ongles. Je retombai sans force sur les draps. Il s'assit sur le lit, porta les mains à sa gorge, puis considérant tour à tour avec effroi ses doigts sanglants et son assassin :

— Peste ! dit-il, tu t'y entends pour remettre du sel dans un ragoût qui s'affadit !

Je ne pouvais articuler la moindre syllabe. Mes yeux cependant devaient à ce point exprimer le désespoir que je vis son regard courroucé s'adoucir. Il caressa ma joue avec toute la tendresse du monde :

— Eh quoi ! Imbécile ! Que veux-tu d'autre ? Nous ne pouvons nous marier ni fabriquer un enfant…

— Le *Starfish,* haletai-je d'une voix blanche. Le *Starfish*…

Il se peigna deux ou trois fois en arrière avec les doigts, découvrant son front abrupt et son profil à frapper monnaie. Puis d'une voix contrainte :

— Ah ! dit-il. Il fallait bien qu'un jour ou l'autre tu le susses…

L'histoire qu'il me raconta avait tout d'un poème, et je ne sais aujourd'hui encore s'il faut lui accorder quelque crédit. Je ne peux que la livrer fidèlement au lecteur qui en fera ce qu'il voudra :

*

— Lorsque tu m'as quitté sous Saint-Sulpice en me jetant des pierres, j'étais, t'en souvient-il, aussi nu qu'aujourd'hui. Espérant y trouver quelques frusques pour me couvrir, je suis retourné dans l'abbaye. Fameuse idée ! Il y avait là de quoi vêtir un régiment, des effets enlevés aux cadavres que nous avons vu brûler par les gendarmes. J'en tâtai quelques-uns. Pour finir, je tombai sur une jaquette qui m'allait à peu près, quoique étant un peu large. Dans la basque je trouvai une lettre venant des Mascareignes. Elle était adressée rue du Petit-Pont à un citoyen Justinien Morenasse.

— Bernard ! rectifiai-je, car je ne perdais pas un mot de ce conte à dormir debout.

— Non ! Je dis bien : Justinien !

Puis il reprit :

— L'auteur de cette lettre, notaire à Port-Louis, sur l'île de France, lui faisait part en des termes touchants de la mort de son frère Bernard et de toute sa maisonnée, d'une fièvre tropicale. Cette opportune épidémie le rendait héritier d'une plantation de canne à sucre située dans l'île, et joliment nommée Poudre d'Or. Il l'engageait à se rendre sur place pour régler la succession, prendre en main ou vendre la propriété selon son désir. Sans doute le bonhomme comptait-il s'embarquer à Marseille quand il est passé à Beaune. Hélas, son chemin s'est arrêté à l'endroit où il a croisé celui de la Bézuéjouls. Pourquoi s'est-il rendu à l'abbaye de Saint-Sulpice ? Peut-être était-il suspect et traqué par les bleus ? Je n'en sais foutre rien ! Sauf qu'une miniature sur émail était jointe au message. On y voyait un drôle d'une trentaine d'années, la figure longue et osseuse, sombre d'œil et de poil. Je vis le parti à tirer de l'affaire. J'endossai en même temps le costume et l'identité du bonhomme, les deux m'allant assez bien. Ayant volé un cheval, je me trouvai deux jours plus tard à l'adresse indiquée par la lettre, à Paris, rue du Petit-Pont où je me présentai comme Bernard Morenasse et demandai après mon frère Justinien. Je ne craignais pas grand-chose, les deux ayant passé l'arme à gauche. Le majordome – Anicet que tu connais bien – me dit que son maître était parti en voyage, mais que je pouvais l'attendre. Ce que je fis. La maison était confortable, le lit douillet, les chaussons chauds. De plus, je découvris ce commerce de fourniture aux armées qui périclitait car le bonhomme avait traficoté avec les ennemis de la Nation. Je fixai donc une cocarde à l'aile de mon chapeau, puis clamant partout que je reniais mon frère émigré, je mis la maison Morenasse au service de la Convention.

— Fort bien ! Mais je ne vois pour l'instant aucune trace du *Starfish*…

— Un peu de patience ! Nous y voilà. Une fois installé dans mes nouveaux quartiers, l'idée me vint, pour me délasser, d'aller un peu voir à quoi ressemblait cette plantation dont le ciel me faisait héritier. Je pris un bateau. Quatre mois plus tard, je me trouvai à l'Isle de France où je devins Justinien Morenasse venant recueillir l'héritage de son frère Bernard. L'endroit me plut assez par son climat et la beauté de ses paysages, mais m'ennuya fortement par la cruelle solitude que j'y trouvai, n'ayant aucun adversaire – ou ami – de quelque poids pour donner un peu de piment à ma vie.

— Sur ce point manifeste tu ne saurais mentir ! Sans une victime à tourmenter, tu n'es plus toi-même...

Il négligea l'intermède.

— Je m'en allai dans la mélancolie, gavé au-delà de raison de beautés trop dociles, lorsque aborda sur nos côtes le *Starfish* qui nous venait vendre des esclaves. La Bézuéjouls et Biscantino s'en partageaient le commandement.

— Le *signor* Daffodil n'était-il pas de l'équipage ?

— Ma foi non... il avait repris son état de chanteur...

Je ne pouvais le suivre jusqu'au fond du détail, tout en étant forcé d'admettre qu'au moins sur le cas de son absence il disait la vérité vraie.

— Juge de notre surprise à nous retrouver sur une grève étrangère, si fort éloignée de la France, chacun pourvu d'une solide fortune après si peu de temps !

— Je gage qu'en si gracieuse compagnie ta mélancolie s'est envolée d'un coup !

— Tu l'as dit ! Nous nous prîmes si fort d'amitié que je fis avec eux le voyage de retour, les cales du *Starfish* remplies jusqu'au débord du sucre de mes terres. Nous devions débarquer à Bordeaux. C'est alors que, sottement, la République prit le parti de fermer nos ports aux vaisseaux britanniques, sous prétexte de guerre. De son côté, l'Anglais, toujours imprévisible, décida d'interdire le commerce du bois d'ébène, qu'il appelle, dans son jargon, *black ivory*. Il ne nous restait pour aborder que Venise, avec qui tout peut être négocié. Nous passâmes donc un contrat ensemble, puis un hiver ici, dans cette maison qui...

— ... appartient à Biscantino !

— Eh ! s'écria-t-il avec malice. Comment l'as-tu deviné ?

Il se tut, posa ses deux mains sur mes épaules et me regarda au fond des yeux :

— Voilà ! Es-tu satisfait ?

— Au moins, es-tu certain de m'avoir tout dit ? Comme par exemple la raison qui éloigne l'abbesse et son coquin de cette maison qui leur appartiendrait ?

— Ils sont à Milan. Daffodil s'y produit à la Scala dans l'*Orphée* de Monteverdi. Il doit leur remettre certains documents concernant le *Starfish.*

Mentait-il, ou était-il la dupe de l'abbesse ?

Comment le savoir, sans, du même coup, découvrir l'étendue des cachotteries que je lui avais faites, et qui valaient bien les siennes ? Le lecteur attentif n'aura pas manqué de noter que, tout en le confessant, je n'avais pas lâché la moindre confidence à propos de Hugues Style, et pris le plus grand soin de mes petits secrets.

— Au moins, es-tu sincère ? demandai-je sans le moindre remords.

— Autant que tu peux l'être toi-même !

— Voilà qui me convainc tout à fait, répondis-je en jouant du clair de ma prunelle.

— Si tu me disais, à présent, pourquoi tu t'appelles Hugues Style ? demanda-t-il avec la mine détachée de qui s'enquiert du temps qu'il fait aux antipodes.

— Tu le sais bien ! C'est un simple nom d'acteur ! Je l'ai conservé pour la commodité.

Sans demander d'autres précisions, il se leva et alla examiner dans un miroir l'entaille que je lui avais faite.

— Se pourrait-il que tu m'aimasses au point de me couper le cou ? dit-il en me regardant sans se retourner par le seul truchement du reflet.

— Ma foi... comment savoir ?

Ayant lavé la plaie au moyen d'un linge imbibé de Cologne, il grimaça, puis, suivant de la pulpe d'un doigt l'estafilade qui traversait la gorge sous la pomme d'Adam :

— Qu'aurais-tu fait de ma tête ?

— Je l'aurais ouverte en deux pour voir ce qu'il y a dedans.

VI

Cette affaire jeta la discorde entre nous. Notre amitié battait de l'aile comme un oiseau blessé. Tantôt nous échangions des paroles acerbes, tantôt l'un ou l'autre boudait dans son coin. Cela me permit de me consacrer à la mission que m'avait confiée le père Signoretti. Pour ce qui était du *Starfish*, je savais par mon maître d'école que trois vaisseaux français croisaient au large de la lagune, interdisant l'Adriatique à tous les bâtiments. Si le vicomte voulait s'en aller, il faudrait qu'il le fît à pied, ce qui n'était pas dans ses habitudes.

Un soir où nous nous étions pris de querelle au sujet d'un coup de dés sur lequel je prétendis sans raison qu'il avait triché, je décidai de me rendre au *casin* de la procuratesse Barbarigo.

Je vis dès mon arrivée que la comtesse Teotochi n'était pas accompagnée de son sigisbée. Dépité, car c'était lui que je cherchais, je m'apprêtai à m'esquiver. Mais la coquette m'avait reconnu malgré mon masque. Elle me fit, de son éventail, le signe de m'approcher. Je ne pouvais me défiler sans être cent fois mufle. Comme je m'avançais, la friponne se poussa sur sa banquette pour m'y faire une place. L'endroit était quelque peu exigu pour nos quatre fesses. Feignant de ne pas sentir ce resserrement pour le moins excessif, elle continuait à former des couples avec ses cartes.

— À quelle *palline* avez-vous amarré votre complice, monsieur ? demanda-t-elle sans me regarder, tout en faisant mine de porter toute son attention à la donne.

Ne tenant point à m'étendre sur mes démêlés avec le vicomte, je choisis de lui répondre par une autre question :

— M. d'Antraigues aurait-il pris une congestion à l'Erberia, pour vous abandonner ainsi, seule et désarmée, face aux périls de la nuit vénitienne ?

Elle rit, puis :

— Cette baignade impromptue ne lui a pas pris les poumons mais la tête!

— Voulez-vous dire qu'il a perdu le sens?

— On peut le voir ainsi, car depuis ce temps il ne jure plus que par Bonaparte!

— Vous plaisantez, *contessa*!

— Du tout! Hier il se passionnait pour le comte de Provence et la maison d'Autriche, aujourd'hui c'est du général qu'il s'est entiché. Il l'aime au point de l'aller visiter à tout propos dans ses cantonnements! On ne le voit plus, ce dont, d'ailleurs, nous ne saurions nous plaindre...

Cependant les ducats s'amoncelaient devant les jolis doigts. Je m'émerveillai qu'une femme pût en même temps, et avec tant de grâce, allumer un galant, médire sur un autre et gagner insolemment au jeu, ce qui en dit long sur les talents de ce sexe. Lorsqu'elle eut rangé toutes les pièces dans un réticule d'argent surbrodé de coraux et de perles, elle me prit le bras:

— Me ferez-vous l'amitié de remplir auprès de moi le rôle de sigisbée?

— Je n'oserais prétendre à cet honneur, bien que le désirant plus que tout au monde! répondis-je galamment.

— Eh bien, osez, monsieur, osez! dit-elle avec un sourire engageant.

Bientôt nous fûmes sous la *felze*, aussi rapprochés que dans le *casin*, à cela près que nous y étions seuls, donc moins embarrassés par les pinçons qu'au milieu du public.

— Savez-vous, monsieur, me dit-elle d'un coup, me fixant au fond des yeux, que Venise tout entière résonne du bruit de vos exploits?

— Cette renommée ne peut être qu'usurpée, répondis-je, car je n'ai point tiré l'épée depuis un an au moins!

Elle partit à rire et se renversa à son aise sur les coussins. Sa belle gorge palpitait sous les rubans noués en ganses. Je notai que la mouche avait changé de côté. Évitant mon regard, elle se mit à chantonner sur un ton badin:

— On dit aussi de vous des choses affreuses...

Je la sentais venir sur un terrain escarpé. La garce m'avait-elle conduit là pour constater ma déconfiture et se venger de l'humiliation que nous lui avions infligée ? Une prompte attaque est toujours la meilleure défense. Je lançai hardiment :

— La plus affreuse de ces choses serait-elle que mon complice est aussi mon amant ?

— Ah ! Monsieur ! Vous êtes bien abrupt pour un…

— La franchise ne serait donc pas l'apanage des…

— C'est au moins ce qu'on en dit !

— Et qu'en dit-on, madame ?

— Que ces gens cumulent les vices des deux genres, sans connaître cependant aucune de leurs vertus. Vaniteux, suffisants, cruels comme les hommes, et cependant fourbes, capons, dissimulés à l'image des femmes, ils ont bien les deux sexes, ou plutôt ils n'en ont aucun !

— Peste ! Quel réquisitoire ! On pourrait croire à vous entendre que cette société vous menace.

— Eh ! Que deviendrons-nous, nous autres pauvres filles, si les garçons se mêlent de s'arranger entre eux ? La seule idée de ces belles machines détournées par artifice de leur usage naturel n'a-t-elle pas de quoi révolter ? La loi ne saurait être trop sévère pour…

— Tout doux, madame ! Que n'acceptez-vous le défi de lutter loyalement avec vos armes, plutôt qu'à requérir les foudres de l'Inquisition pour vous venir conforter ?

— C'est que ce chemin est sans retour, monsieur ! La rédemption n'y existe point !

— Il faut donc que les charmes de Sodome dépassent de loin ceux de Cythère ! répondis-je en riant.

Cela eut le don de l'exaspérer. Elle me donna un coup d'éventail sur la main, qui, touchant par hasard un nerf, me fit voir des chandelles. Je lui arrachai l'instrument, et, par-delà le rideau de la *felze*, je l'envoyai dans l'eau.

— Quelle audace, monsieur !

— De l'audace, madame ? Pour un éventail ! Savez-vous bien de quoi vous parlez ? dis-je, riant de plus en plus fort.

Comme elle prétendit à ce point me souffleter, je troussai sans hésitation le cotillon de soie et, d'une main hardie, je m'emparai du temple de cette insolente Aphrodite. Tandis qu'elle s'offusquait d'une si brutale réplique, je la branlai méthodiquement. Je portais une quantité de bagues d'agate qui durent faire leur effet, car le souffle coupé, suffoquant de surprise et bientôt de lubricité, elle ne trouva mot à redire.

— Croyez-vous que vos balivernes vous protègent de mes entreprises ?

— Monsieur..., balbutia-t-elle, vous ne niez même pas ?

— De quoi serviraient les mots si votre opinion est faite ?

— Et vous voudriez me faire croire qu'un...

— Je vais même vous le prouver !

Sans prétendre à des prodiges, je bandais honorablement, et je n'étais pas fâché de secouer un peu les convictions de la belle évaporée. Ses lourds seins blancs m'offraient une perspective à donner des inspirations. Je les sortis à deux mains du corsage, et les utilisai à raffermir mes positions de cette façon peu classique à laquelle les tabellions ont attaché, on ne sait trop pourquoi, le nom de leur affligeante industrie. Elle prit vite son parti de cette cravate d'un nouveau genre, et poussa bientôt la complaisance jusqu'à la saluer d'un petit baiser à chacun de ses passages. Pouvais-je en demander plus ? Enfin, je me trouvai en mesure de pouvoir aller jusqu'au terme de ma démonstration. Accoutumé à de plus violentes étreintes, je ne me sentais point trop pressé, ce qui me permit d'explorer la place pendant un temps infini, ce dont aucune femme un peu chaude ne s'est jamais trouvée affligée.

— Ah ! Monsieur ! Ne me ménagez point ! s'écria-t-elle, les joues vermillonnées par tant de délicieux préliminaires.

Gorgée jusqu'à la suffocation de ce bon morceau qu'elle avait cru perdu à jamais pour son sexe, la comtesse ne déchargea pas moins de trois fois, avant que je consentisse à lui rendre mes armes.

— Vous m'avez convaincue, dit-elle, et je dirai partout que vous n'êtes pas un...

Je posai un doigt sur la belle bouche qui avait perdu son carmin à tant de friponneries :

— N'en faites rien, madame ! Vous vous tromperiez et tromperiez vos élèves !

Elle promena sur toute ma personne un regard effaré :

— Mon Dieu ! soupira-t-elle, que cela est donc singulier !

Elle prit mes deux mains, les porta à ses lèvres avec un empressement mêlé d'effroi.

— Le jour se lève, monsieur. Cela vous tenterait-il de faire quelques pas dans l'Erberia ?

Pouvais-je, après qu'elle m'eut, sans le savoir, assuré que je restais un homme, la priver de la vanité d'exhiber aux yeux de tous, comme un fleuron de plus à sa couronne, un coquin qui jouissait d'une aussi mauvaise réputation ?

— J'allais vous en prier, chère Isabela...

*

— D'Antraigues fricote avec Bonaparte.

— Qui t'a fait gober cette sottise, *polon*? dit le père Signoretti dans un haussement d'épaules.

— Permettez-moi de garder le mystère de mes sources, mon père.

— Allons, tu déraisonnes ! dit le jésuite. La république française n'a pas d'adversaire plus acharné que cet émigré de 90 ! Voici moins de huit jours, il clamait partout son attachement au comte de Provence et à l'archiduc !

— Il faut donc que depuis huit jours quelque chose ait changé...

— Certes ! Mais point d'une façon qui va dans le sens souhaité par d'Antraigues, puisque votre république est aux portes de Vienne. Le chef de brigade Junot s'est arrêté à Leoben, et il n'attend qu'un mot du Directoire pour y entrer.

— Pourtant, il faut raisonner là-dessus, mon père ! Si Junot s'est arrêté, c'est que Bonaparte désire parlementer avec l'Autrichien...

— Il le hait bien trop pour cela !

— Bonaparte ne hait personne qui puisse le servir. C'est un politique, mon père...

— Tu te laisses emporter ! Bonaparte n'est qu'un général de la République.

— Il ne le restera pas. Comment cet homme si net, si tranchant, pourrait-il longtemps travailler pour un gouvernement dirigé par un Barras ?

— Que sais-tu du vicomte de Fox-Amphoux ?

— Qu'il est tout le contraire de Bonaparte.

— Ce sont les affaires de la France, dit-il, haussant les épaules.

— Certes, mon père, mais elles se règlent trop près de Venise !

Il me prit par le bras et m'entraîna vers la porte. Là, il me confia à Lorenzo Vignola qui me bourra le dos de tapes affectueuses :

— Ce gredin est doué pour le renseignement, dit le jésuite, mais, comme il se sent de plus en plus vénitien, il se laisse emporter par la poésie…

Comme il s'éloignait, je lui criai de loin :

— Vous ai-je dit, mon père, à quel point Bonaparte déteste Venise ?

Il se retourna, et, avec un fin sourire :

— Je croyais qu'il ne détestait personne qui puisse le servir ?

— Venise ne peut *le* servir, mon père, mais elle peut encore *lui* servir…

— À quoi ?

— C'est ce qu'il vous faudra découvrir !

Lorenzo Vignola me remit un livret dont l'étude approfondie devait, d'après lui, me faire accepter par les amis du comte Sicuro, en me faisant passer pour un des leurs. À peine eussé-je laissé tomber mes yeux sur le premier feuillet, que je tiquai :

— Eh ! Lorenzo, quel est ce grimoire ? Comment pourrais-je saisir le sens d'un texte où la moitié des mots est remplacée par trois points enquillés l'un sur deux ? Que peut bien signifier : *l'O* des F* M* est une L* de F* sages et… ?*

Vignola rit de ma lecture hachée de consonnes :

— Ces mots sont toujours les mêmes, dit-il, et lorsque tu en auras reconnu la lettre initiale, ils te viendront sans difficulté. Par exemple, tu devras lire : « L'Ordre des Francs-Maçons est une Loge de Frères sages et vertueux, dont l'objet est de vivre dans une parfaite égalité, d'être intimement liés par les liens de l'estime, de la confiance et de l'amitié, sous la dénomination de Frères, et de s'exciter les uns les autres à la pratique des vertus. Animé de ces principes, le Grand Orient de France se rend moralement garant envers tous les Maçons… »

— Quel est ce galimatias ? m'écriai-je. Veut-on me faire entrer dans les ordres, ou en apprentissage ?

— Il y a un peu des deux, dit-il en souriant.

— Halte là ! J'ai mis vingt ans à me défaire de mes superstitions, et cinq à apprendre le maniement des affaires. Ce n'est point pour devenir aujourd'hui moine et ouvrier !

— Qui te demande cela ?

— Le texte que tu viens de me lire. De plus, poser la Vertu en premier principe me fait froid dans le dos. J'ai connu Robespierre, et je ne dois ma sauvegarde et ma tête qu'à ce qu'il fut décapité avant moi !

— Cette vertu-là est moins intransigeante !

— la Vertu est, ou elle n'est pas !

— Tiens, vois ! me dit-il, un doigt posé sur la feuille, celle-là ne porte pas de majuscule et se décline au pluriel. Il ne s'agit pas de la Vertu, mais des vertus...

— Peste ! grondai-je, tu es bien un élève de Signoretti ! Mais au moins ces gens ne me feront-ils pas un mauvais sort, si je viens à me couper dans mes gestes ou mes propos ?

— Tu n'auras point de messes noires à subir ou à célébrer, si c'est ce que tu crains !

— Je crains tous les gens entichés de mystères, dis-je, pensant avec ressentiment au vicomte et à la Bézuéjouls.

— On te demande d'observer et d'écouter, point d'adhérer, dit-il enfin pour balayer mes objections.

— Le comte Sicuro m'a fait l'effet d'un parfait honnête homme...

— Il l'est.

— ... et le tromper me déplaît fortement.

— Cela t'honore.

Comme je soupirais, marquant par là que j'étais à bout d'arguments, il ajouta :

— Tes scrupules montrent un profil qui conviendrait assez ! Il ne faudrait guère que deux Frères...

Je haussai les épaules :

— Où veux-tu les trouver ?

Il eut un fin sourire :

— Je ne sais... Peut-être le père Signoretti ? ou Pisani ? ou moi-même ?

— Que ne le disais-tu ? soupirai-je, rendant les armes. Mais pourquoi, alors, me demander d'aller espionner sur la dernière marche ce que vous connaissez d'en haut ?

— Pour l'exacte raison que tu viens de formuler. Un sentiment ne peut être accepté pour ferme que s'il est recoupé par de multiples observations !

Il me prit la main et me la secoua de cette même façon que l'avait fait le comte Sicuro dans la Calle dell'Ovo :

— C'est la griffe de Maître, me dit-il. Autant brûler les étapes. Comme Apprenti, tu ne pourrais placer un mot ! N'oublie pas que tu viens de la Vénérable Loge Droit Humain dans Avignon.

Je le quittai sur ces paroles obscures. Je traversai le Campo Santo Stefano serrant le volume sous mon bras. Je venais d'entrer à tâtons dans l'âme vénitienne où rien n'est clair, où rien n'est droit, et où la passion du mystère confine à l'un des beaux-arts.

Avant de rentrer à la Casa ai Nani, je m'en allai rôder jusqu'à l'Albero d'Oro sous les Anciennes Procuraties. Je commandai un café. Je ne l'eus pas plutôt devant moi que le comte Sicuro me vint entourer les épaules d'un bras fraternel.

— Ugo Stilé ! s'écria-t-il, jovial, je vous croyais retourné en France !

Nous nous secouâmes le bras avec cordialité. Bientôt je fus entouré d'une foule de jeunes gens affables, dont l'amitié spontanée me mit au supplice. Je n'eusse voulu pour rien au monde duper d'aussi aimables garçons. Je maudis le père Signoretti de m'y contraindre.

— Puisque te voilà parmi nous, dit le comte, adoptant aussitôt un tutoiement familier, viens donc nous visiter ce soir à la Ca' Mosto dans San Marcuola...

Les autres approuvèrent bruyamment l'invitation. Ils me poussèrent à leur parler de la France et de mon état.

— J'étais, et je suis encore, ma foi, fournisseur aux armées.

Cela mit un comble à leur admiration, car tous étaient coiffés de Bonaparte malgré ce qu'il faisait subir de vexations à leur pauvre patrie. J'eus toutes les peines du monde à écarter leurs embrassements, car le temps m'était compté, si je devais, avant minuit, me familiariser avec leurs rites qui tenaient pas mal de la fantasmagorie.

Lorsque j'arrivai chez nous, je croisai le vicomte fin harnaché dans le *portego*, tricorne en tête et manteau sur le dos.

— Je sors ! dit-il d'une voix insolente.

— Eh bien, vois-tu, moi, je rentre ! répondis-je, de même.

Je vis ses mâchoires se crisper. Un bref instant, j'eus la tentation de tout lui raconter, d'ouvrir le grimoire sur nos quatre genoux, et d'y plonger à deux comme jadis dans les eaux vertes de la lagune.

La poignante nostalgie me vint de notre ancienne complicité. Je me représentais le bonheur qui eût été alors le nôtre de jouer ensemble cette partie. Mais pouvais-je faire confiance à ce coquin qui m'avait si odieusement caché l'affaire du *Starfish*? Qui me mentait encore au sujet de Daffodil? Qui complotait peut-être sur mon dos avec la Bézuéjouls?

Je repris donc ma marche d'un pas ferme, le laissant sur place.

— Vincent..., dit-il d'une voix blanche.

Ce prénom, qu'il n'employait jamais, fissura gravement les digues de ma résolution. Je serrai les poings pour résister à la tentation de miséricorde. Je me retournai et le regardai durement :

— Va donc te faire foutre ailleurs, pauvre bougre!

Je le vis blêmir. Il amorça le geste de me gifler du revers de la main, se ravisa, couvrit son visage du masque blanc et s'en alla faisant voler son *tabarro*.

*

Les jeunes patriciens exaltés qui se réunissaient la nuit à San Marcuola étaient des enfants de chœur. Du génie calculateur des anciens doges qui avaient tenu dans leurs rets l'Europe entière, la Terre sainte et la Turquie, ils ne présentaient plus que la caricature. Ils s'adonnaient encore à leurs manies impénétrables, comme un vieil acteur répéterait les mêmes gestes sans plus comprendre ce qu'il dit. Comment s'étonner que Bonaparte eût si peu de peine à les berner, puis de scrupules à les trahir?

Jamais je ne vis particuliers aussi enragés de conspirations que ces foutus Vénitiens! Ils complotaient contre tout, contre tout le monde, et même contre les complots, comme en attestait ma mission. Ils se donnaient par les *calle* des rendez-vous secrets où chacun se rendait masqué, rasant les murs le manteau sur le nez. Ils se faufilaient à deux ou trois en chuchotant sous un *sottoporteggo*, se touchaient la main sur le dos d'un pont, puis chacun repartait de son côté. Ils se coulaient le long des *fondamente*, se passaient des billets d'une gondole à l'autre, naviguaient tous fanaux éteints, abordaient à des porches en ruine. Là, ils devaient se reconnaître avec des mots de passe, des billets ou des pièces coupées en deux. Ils imitaient le cri de la chouette, le chant du coucou, le miaulement du chat. Enfin ils se tassaient à vingt dans des salles basses, mal chauffées et obscures, décorées de grimoires et de symboles puérils où dominaient les triangles, les colonnes et les compas. Là-dessus veillait un œil diablement myope, ma foi, pour ne pas voir que les officiers français qui, sous prétexte de philosophie, étaient infiltrés partout comme des mites dans un bonnet, investissaient en tapinois une terre étrangère, enragée de poésie. À voix basse et avec des regards farouches, ils refaisaient le monde. Il ne s'agissait de rien moins que de renverser la vieille oligarchie, et de la remplacer par une moderne république, copiée sur le modèle français avec l'aide de Bonaparte.

Les membres de ces sociétés secrètes étaient pour la plupart des jeunes patriciens qui avaient lu les philosophes. Je les voyais aussi mal barrés, dans leur pathétique naïveté, que les pauvres aristocrates français qui, un certain 4 août, avaient si gaillardement coupé la branche sur laquelle ils étaient assis.

Pisani jouissait parmi eux d'un étonnant prestige. Cela m'amena à douter profondément de ma mission. Qu'un procurateur de Saint-Marc, membre du Grand Conseil où il occupait la charge de Sage, pût représenter une manière de recours pour des conjurés qui projetaient de renverser le gouvernement dont il était l'un des piliers, me laissait perplexe. Peut-être, à tant vouloir brouiller les pistes, Almorô avait-il fini par s'égarer lui-même dans le labyrinthe fort vénitien de ses propres machinations ?

En peu de jours, je devins un habitué de la Ca' Mosto où ma célébrité grandissait constamment. Si je me faisais modeste pendant les tenues, tant je craignais de me perdre dans l'effroyable complication des rites, je retrouvais mon naturel dans les parvis et au cours des agapes. L'affection grandissante que m'inspiraient Sicuro et ses amis me poussait à tenter d'ouvrir leurs yeux cillés.

Un soir de mai, nous devisions aimablement dans le jardin, attendant les retardataires. Le comte Sicuro s'exaltait de cette démocratie que la France offrait si généreusement. Ils étaient sept ou huit qui applaudissaient la splendide envolée.

— Frères ! dis-je, savez-vous point qu'il est périlleux d'ouvrir ses murs à trop beau présent venant d'un étranger ? Souvenez-vous du cheval de Troie…

L'image était belle. Je les vis s'interroger. À ce moment, un homme s'approcha de moi, et me dit à voix basse :

— Vous parlez bien mal de la France, monsieur. Vous tromperiez-vous de patrie ?

Le visage noyé d'ombre se précisa dans la lumière d'un flambeau. C'était Joseph Villetard, le secrétaire d'ambassade français que j'avais grassement défrayé cet hiver, lorsque Bonaparte avait demandé son renfort de cavalerie.

— Si je ne me trompe pas de bourse… Au fait, monsieur l'ambassadeur s'est-il remis de sa grippe ?

Il ne se troubla pas autrement.

— Pour qui jouez-vous à présent ?

— Pour moi ! répondis-je.

Il eut un haussement de sourcils dubitatif.

— Cet hiver vous n'étiez pas de la confrérie et vous voilà maître ? Quelle rapide promotion ! Que penseraient nos amis s'ils savaient que vous les trompez ? Ces manteaux noirs cachent des dagues…

— Ah çà ! Monsieur, soupirai-je, ne peut-on bouger un doigt à Venise sans être enrôlé dans un complot ? Je suis ici pour échapper aux Plombs, car on me croit votre complice, et vous voulez me faire trucider par ceux-là mêmes qui m'envoient ?

Le coquin se mit à rire :

— C'est Pisani qui vous délègue ? Que ne le disiez-vous ! Au moins, se porte-t-il bien, ce cher procurateur ?

— Autant qu'on peut le souhaiter !

— Et qu'attend-il de vos révélations qu'il ne sache déjà ?

— Des assurances.

— Eh bien, monsieur, vous lui direz, ce qui le réconfortera, que tout le monde l'aime, de la France, de Venise, et jusqu'à Bonaparte qui n'est guère prompt en affection !

Puis il baissa la voix et me dit à l'oreille :

— Mais dites-le-lui vite ! Car lorsqu'on est aimé par trop de gens, on n'est pas aimé très longtemps…

J'admirai la justesse et la cruauté de la formule.

— Mais vous-même, monsieur, qui sentez si bien ce qui n'effleure pas les autres, d'où vous vient cette perspicacité ?

— De la tendresse que m'inspire cette cité.

— Allons donc ! Le commerce des politiques est autrement formateur que ces fumeux sentiments ! Il ne faut aimer personne et ne croire à rien pour réussir de grandes choses ! Venez donc me voir à Surian-Belloto…

Villetard était enragé de double et de triple jeu, au point de battre sur ce terrain les Vénitiens eux-mêmes. Il me confia la mission de surveiller les républicains, Pisani, et même Lallement, son propre ambassadeur, tout en me faisant surveiller moi-même, car, de cet instant, j'eus un soldat français attaché à mes pas ! Qui pourra s'étonner que cet homme, qui devait à lui tout seul négocier la reddition de la Sérénissime, mourût fou quelques années plus tard à Charenton ?

*

Une nuit, après l'un de ces conciles, ayant tourné par les ruelles pour faire enrager le soldat qui me suivait, je rentrai à la Casa ai Nani. Pour passer devant la chambre du vicomte où la chandelle brûlait encore, je me dressai sur mes orteils et, courbant l'échine, je filai menu en silence, comme un époux adultère qui a pris sa nuit.

Je n'avais pas dépassé la porte de trois pas qu'un magistral coup de fouet sur le dos me redressa d'un coup. La mordante lanière s'abattit sur moi au moins dix fois, avec une telle fureur que je ne pouvais lever la tête pour envisager mon agresseur sans craindre d'être éborgné. Ma chemise lacérée s'était ouverte en deux, la mèche s'insinuait entre les déchirures. Le cuir effilé, comme trempé dans du vinaigre, s'enroulait autour de ma taille, zébrait mes épaules, mes aisselles et mes reins. Bientôt je ne fus plus qu'une brûlure de la taille aux poignets. Semblable avanie ne m'était arrivée depuis l'enfance, un jour que j'avais volé le pain noir de la maisonnée. Finalement, la fouettée cessa. Je regardai par-dessus mon coude avec d'infinies précautions.

— Ah çà ! Es-tu devenu fou ? m'écriai-je, voyant le vicomte rouler le fouet autour de son bras. Sont-ce des manières de fustiger ainsi ses amis ?

— Mon ami, un chien qui s'en va rouler la nuit sous les *sotto-porteggo*, se gamahucher avec des garçons ? Venise ne manque pas de gueuses à enconner ! Faut-il que le vice t'ait pris, de…

— Par saint Joseph, serais-tu jaloux ? dis-je en éclatant de rire.

— Point jaloux, mais trahi dans mon amitié !

— Appelle cela comme tu voudras !

J'eusse pu le détromper à l'instant, car rien n'était moins libertin que les colloques des francs-maçons. Je n'en fis rien, me trouvant grandi par le pouvoir que je me sentais sur lui. Le désir me prit de le mesurer, en utilisant un argument qu'une garce n'eût pas renié :

— Tu n'auras que ma parole pour gage de ma fidélité !

La conclusion qu'il en tira ne fut pas celle que j'attendais. Il me tendit le fouet :

— Tiens ! dit-il, montre-moi ta sincérité. Si je me suis trompé, donne-m'en autant que je t'en ai donné !

Cette preuve requise avait de quoi surprendre par ce qu'elle ajoutait, au risque d'être cocu, la certitude d'être battu.

— Faut-il que tu aies la conscience chargée pour me proposer de te donner ainsi de l'étrivière !

Je pris le fouet, je le fis claquer au-dessus de sa tête, puis :

— Non, vicomte, jamais tu ne m'entraîneras sur ce chemin-là. Ce sont manies de libertins criminels.

Je lui rendis le fouet. Alors que je m'apprêtais à me retirer la tête haute, la bande de cuir claqua et vint s'enrouler si serrée autour de mon cou que je me retrouvai à moitié étranglé. Il tira sur le manche et m'amena contre lui bec à bec, si près que nos fronts se touchaient :

— Peste ! dit-il, changeant de registre, tu es bien coriace à manier ! Ce n'est pas ta clémence que je réclame, c'est ton…

Il n'acheva pas sa phrase, mais, maintenant l'étreinte de ce méchant collier, il me fit reculer pas à pas, jusqu'à l'obstacle prévisible qui m'expédia d'une culbute en arrière sur son lit que j'avais déserté depuis tantôt un mois.

« La prochaine fois qu'il me laisse l'opportunité de l'étriller, je ne lui laisse pas un lambeau de chair sur les os ! », me dis-je avant de succomber à ses entreprises, ivre de rage et de délices, car il était l'amant le plus extravagant et le plus habile qui existât jamais.

— Rentrons à Paris…, me dit-il d'une voix tendre après qu'il se crut assuré d'avoir rétabli son pouvoir sur mon esprit.

— À Paris ? Jamais de la vie ! m'écriai-je.

— Et pourquoi non ?

— Parce que je veux voir la fin de la pièce !
— Puisses-tu ne pas le regretter…
De ce jour, je ne retournai plus dormir à la Casa ai Nani.

*

Alors que notre amitié prenait un tour bien compliqué, le petit peuple de la Sérénissime, compté pour rien par les démocrates et par les patriciens, se mêla de faire entendre sa voix.

Enclin par nature à se nourrir de polenta plutôt que de discours, il n'était pas tombé dans cette pâmoison d'amour pour les soldats qui le rançonnaient sans seulement lui avoir déclaré la guerre. Au début du moi de mai, il se souleva dans Vérone aux cris de *Viva San Marco*. Il étripa quelques pillards. Bonaparte, qui depuis de longs mois n'attendait qu'un faux pas, riposta en donnant l'ordre d'avancer aux vaisseaux français qui bloquaient les passes. Depuis l'arsenal, contraint et forcé, on les canonna, en prenant grand soin de ne pas les atteindre. Mais la guerre était déclarée. Elle dura six jours. Aucune des deux armées ne tira un coup d'escopette.

Les derniers patriciens, épouvantés, s'enfuirent vers la *terra firma*. Le Grand Conseil que depuis mille ans ils formaient n'existait plus. Il fut déclaré déchu. Les démocrates vénitiens, avec l'aide des Français, chassèrent les rares membres demeurés à leur poste. Le doge, Lodovico Manin, un vieil homme de qui les fugitifs contestaient la noblesse – sa lignée n'étant inscrite au Livre d'or que depuis… trois cents ans ! –, dut rendre son bonnet. Ainsi périssent les civilisations épuisées. Bonaparte était sans doute le petit-fils d'un brigand génois. Il n'en tenait pas moins Venise dans sa main. Le soir du 12 mai, tout était consommé.

À la tombée de la nuit, je me rendis au palais Pisani, pour rendre compte une dernière fois de ma dérisoire mission au père Signoretti, la considérant comme terminée par la force des choses. Almorô était là, le teint cireux, les mains agitées de tremblements. Il m'apprit que les débris du Grand Conseil s'étaient réunis pour la dernière fois dans l'après-midi. En l'absence de quorum, on avait décidé de les envoyer, lui et Signoretti, à Milan auprès de Bonaparte, pour négocier un traité de paix au nom du gouvernement provisoire.

— C'était bien triste, *polon*, devant cette salle vide, notre doge donnant sa coiffe à son serviteur, et lui disant : « Dorénavant, je n'en aurai plus besoin ! »

— Bah ! dis-je, ce n'est pas son chapeau que Louis XVI a perdu ! Il y est allé de sa tête ! Cependant, si je puis me permettre, aucun Autrichien n'a jamais posé son pied sur Paris...

Pisani eut sans doute pâli encore si cela eût été possible. Fallait-il qu'il fût troublé pour accepter qu'un aussi piètre contradicteur lui fît leçon de politique

— Ce sacrifice était nécessaire, comprends-tu ? La France et la Sérénissime chemineront dorénavant main dans la main.

— Excellence, me sentant moitié français et moitié vénitien, je devrais applaudir. D'où vient que je me sente une envie de pleurer ?

— La solution française était inévitable..., dit encore Pisani.

— Excellence, je ne suis qu'un paysan et mes avis ne sauraient refléter que la rusticité de mon éducation. Cependant, il me semble qu'on ne devrait jamais abandonner le sort de son pays aux mains d'un étranger, si langoureux parût-il dans les approches et la cour qu'il nous fait. J'ai vu en fort peu de temps Carpentras abandonné par les Italiens, Toulon trahi par les Anglais, et je crains de voir cette cité qui m'est devenue chère vendue par les Français à je ne sais qui.

Pisani arpentait la bibliothèque à grands pas.

— Comment protéger autrement ma famille, ma maison, mes enfants ?

— Excellence, quand on s'est mêlé de conduire un État, il ne faudrait pas s'arrêter à ces choses...

Il était pâle, défait. D'un geste las, il embrassa le splendide décor de la pièce, puis laissa retomber son bras, accablé. Rien ne frémit des merveilles entassées là par cinquante générations de Pisani inscrits au Livre d'or depuis la nuit des temps ; pas plus les reliures de maroquin et de chagrin frappées d'or fin, que les cabinets de médailles, les monnaies antiques, les eaux-fortes et les gravures, les précieux portulans du *quattrocento* qui avaient porté la Sérénissime jusqu'en Chine, ni les vastes fresques de Tiepolo avec leurs perspectives plafonnantes ouvrant sur des jardins fleuris où devisaient les Vénitiens d'autrefois, superbes et insolents.

Je me retrouvai sur le Campo Santo Stefano, bien triste pour un Français dont la nation venait de remporter une victoire. Face à l'église, je crus sentir se réveiller en moi le souvenir de mon baptême. Par quel tour de magie, qui devait tant aux manipulations de Villetard, ce diable d'Almorô pouvait-il, le même jour, quitter l'ancien gouvernement et entrer dans le nouveau ? Certes, cet homme était habile, mais que pèserait-il face à Bonaparte ? À Leoben, un mois plus tôt, au terme d'âpres pourparlers avec le comte de Merveldt et le comte de Beauregard, les émissaires de l'empereur d'Autriche, il avait déjà, sans que personne en sût rien, échangé Venise contre la rive gauche du Rhin. Car telle était la raison de cette passion subite qui avait pris d'Antraigues pour le général de la République. Mais personne n'avait voulu me croire…

Comme je passais devant le palais Morosini, je vis la silhouette du soldat français attaché à mes basques se dissimuler derrière une colonne. L'envie me prit de bondir au milieu de la place en grimaçant comme Pulcinella, et de lui crier de loin : *« Finita la commedia ! »*

VII

Dans le jour qui tombait, je me donnai un triste plaisir à perdre par cette ville que je connaissais si bien mon rustaud de poursuivant français. Par deux fois je traversai le Grand Canal. D'abord je passai sur le pont du Rialto, puis je pris place dans un *traghetto*, où je savais me tenir debout, aussi ferme que n'importe quel Vénitien. Sur l'étain fondu des canaux, le soleil couchant jetait des copeaux de cuivre. L'ombre s'épaississait au creux des ruelles. Là-haut, dans les fenêtres à ogives, les vitres enflammées jetaient de longs éclats miroitants.

La beauté de cette cité et le pressentiment des malheurs qui l'attendaient m'avaient comme dilaté le cœur. Impuissant à étreindre ces campaniles, ces ponts et ces palais, je me portais vers le vicomte tout gonflé de tendresse imprécise, engagé malgré moi sur le lâche sentier du pardon. Depuis combien de jours n'avais-je pas mis les pieds à la Casa ai Nani ?

Je sourcillai en voyant une gondole étrangère amarrée à l'une des *palline* du porche d'eau. Tiens ? Le vicomte recevait donc des visiteurs ? Je sentis une vive contrariété à constater qu'il s'ennuyait moins que je l'imaginais. S'agissait-il de quelque rendez-vous crapuleux ? Je me dirigeai à pas de loup vers sa chambre, mais j'entendis un bruit de voix venant du salon. Je m'avançai en rasant les murs et je tendis l'oreille. L'organe appartenait à une femme. Dirai-je que je fus rassuré ?

— C'est assez balancé, mon cousin ! Il faut vous décider…

— Je n'en ferai rien que vous ne m'ayez montré ce que vous me promettez.

— Puisque je vous dis que la chose est à Milan, et qu'on ne pourra l'obtenir que contre…

— Je suis thomiste jusqu'aux moelles et ne crois que ce que je vois !

— Êtes-vous certain de ne pas nous avoir fait une fable ?

Le style autant que le timbre me parlaient de la Bézuéjouls.

— Du tout, ma chère, mais il va, il vient, et ne se restaure jamais ici.

— On ne vous demande point de le nourrir, mais de lui faire boire trois gouttes de jusquiame. Après cela nous nous chargeons de tout.

Le vicomte ne répondit rien. L'organe grasseyant de Biscantino se mêla à ce moment de la conversation.

— Quelques *bravi* bien appointés eussent déjà réglé le problème avec un bon coup de gourdin.

— Croyez-vous que l'on obtient tout par force ? ricana le vicomte.

— Pardi ! Et plus rapidement ! reprit le nain.

— Sauf que l'on ne peut ni assommer ni droguer quelqu'un qui n'est pas là..., ricana la Bézuéjouls.

— Il peut y être d'un moment à l'autre..., reprit le vicomte d'une voix mal assurée.

Les termes de la discussion ne laissaient pas de demeurer obscurs. Je comprenais seulement que les trois coquins prétendaient échanger quelque chose et estourbir quelqu'un. Je m'aplatis contre la porte afin d'en apprendre un peu plus.

— Au moins, est-il digne de sa lignée ?

— Autant qu'on peut le souhaiter !

— J'ai cependant le souvenir d'un rustaud sans esprit qui puait la merde...

— Vous l'aurez mal jugé !

— Il est vrai que, s'il fut amusant, l'échange fut bref à Saint-Sulpice ! dit la garce avec un rire sec.

Je n'en croyais pas mes oreilles. Les monstres ne parlaient-ils point de moi ? Par quelle crapulerie et contre quel acquêt, le vicomte prétendait-il me brocanter après m'avoir fait boire un poison ?

— Qu'en ferez-vous ?

— Ce qu'il nous plaira !

— Mais encore ?

— Autant prétendre contrôler ce que veut faire le roulier avec l'aumône qu'on lui donne...

— Cela est loin d'être une aumône, ma cousine !

Devais-je me réjouir qu'engagé à me monnayer, il m'estimât un bon prix ? Frappé de stupeur j'hésitais encore entre l'amertume et la rage.

— Quoi qu'il en soit, ce n'est que de la chair. Vous y gagnez, vicomte ! Vous échangez du périssable contre de l'immortel !

— Cependant…

— Il suffit ! Depuis trop longtemps vous faites languir Daffodil !

Daffodil ? Que diantre le malheureux castrat – qui, depuis le temps qu'il était cadavre, devait en rire jusqu'aux oreilles – venait foutre dans cette histoire ?

— Mais pour quelle raison s'est-il fixé sur cet échange, alors que je lui peux donner plus d'or qu'il n'en verra jamais ?

— Pour la raison qu'avec ce qu'il lui manque il veut échanger les mots du père contre le vit du fils.

Le lecteur aura compris en même temps que moi que le vicomte prétendait m'échanger contre ce foutu manuscrit ! Homme d'honneur ou femme de cœur, il en sera également choqué, car peut-on troquer un ami qui vous aime contre un bout de papier ? Du coup, il s'imaginera qu'écoutant une juste colère je bondis dans la pièce et, prenant mon amant à la gorge, je l'étranglai jusqu'à l'asphyxie. Il se sera trompé, car à tant fréquenter, dans cette ville compliquée, les espions et les comploteurs, j'étais, par contagion, devenu quelque peu vénitien.

L'affaire était ténébreuse : Daffodil étant mort, il ne pouvait proposer de marché. Ce manuscrit, je le savais, personne ne le tenait puisque le malheureux l'avait perdu. Le vicomte était la dupe de l'abbesse : il allait donc devenir la mienne.

« Ah ! Mon cochon ! me dis-je, tu me fais des chansons ? Tu vas danser ! »

*

Je courus à ma chambre, je glissai dans ma manche l'acte que je conservais depuis le siège de Toulon, et qui faisait Owen Steel propriétaire du *Starfish*. D'un pas allègre, je me présentai devant la porte du salon. Fermement, j'appuyai sur la poignée, j'entrai avec fracas et lançai un claironnant :

— Madame ! Quel honneur ! Cette place m'est faste à vous y rencontrer !

Là-dessus je plongeai dans une révérence que le Bien-Aimé eût récompensée pour le moins d'une Toison d'or. Je la vis ciller. Se tournant vers le vicomte, elle dit :

— Foutre, mon cousin ! Que lui avez-vous fait ?

— Sauf votre respect, ma cousine, je l'ai baisé !

— Ce que je lui rendis avec effet, madame, dis-je cérémonieux.

— Il faudra que vous ayez là une manière de baguette magique ! dit-elle au vicomte.

Puis se tournant vers moi :

— Je n'en dirai pas autant de vous, monsieur ! Ce malheureux n'est plus que l'ombre de lui-même : pleurnichard, capon, irrésolu...

Je ne pus m'empêcher de penser que la garce avait du nez, car à ce congrès j'avais gagné en assurance et en effronterie autant que le vicomte avait perdu. Un violent désir me vint de le prendre dans mes bras et de chasser la gueuse à coups de pied. Je n'en fis rien. Je me contentai de remarquer :

— C'est un bien beau navire que le *Starfish*, madame !

— N'est-ce pas ? répondit-elle pour gagner du temps, comme font tous les balourds que l'embarras engonce.

— Et je suis bien aise de vous voir de retour de Milan, ayant résolu ce problème le concernant !

Elle jeta vers le vicomte un regard interrogateur. Il ne broncha point.

— Au moins, notre ami Daffodil a-t-il remporté à la Scala tout le succès que son art lui mérite ?

Cette fois, le temps d'hésitation fut plus long. Le regard se colora d'inquiétude.

— Autant qu'on peut le souhaiter...

— Vous me voyez, madame, ravi d'apprendre par votre jolie bouche, que la corde qu'on lui a passée au cou ne l'empêche pas de chanter.

De vives alarmes assombrirent les yeux. Quant au vicomte, la plus violente stupéfaction se peignit sur ses traits.

— M'éclairera-t-on sur cette affaire de corde ? dit-il, le sourcil froncé.

La Bézuéjouls ne pipait mot. Je pris en main le dialogue :

— J'ai vu, il y a bien quatre ans de cela, dans une prison de Londres, ce pauvre Daffodil pendu par le col jusqu'à ce que mort s'ensuive, ce qui, entre nous, ne l'a pas fait bander…

D'une voix altérée, elle dit :

— M. Biscantino pourra confirmer qu'il a recueilli…

— M. Biscantino n'était pas là.

— C'est vite dit !

— C'est vite dit, mais on peut le prouver.

— Je n'en crois rien !

— Il faudra vous y faire ! C'est moi qui l'ai assisté dans ses derniers moments, de même que son frère, Owen, fusillé par Bonaparte à Toulon, six mois plus tard.

Je pris alors l'air dolent d'un misérable orphelin. Pour un peu, j'eusse versé des larmes :

— Le destin me fit par hasard dépositaire de leur pauvre héritage : leur souvenir qui m'est cher… de la verroterie… un bizarre rouleau de papier… un certificat…

Sortant l'acte de propriété du *Starfish* de ma manche, je le tendis au vicomte. Biscantino bondit du fauteuil qu'il occupait, ce qui ne l'éleva pas très haut. Dans un geste bien féminin, pour une coquine qui avait si peu de cœur, la Bézuéjouls porta ses deux mains à sa poitrine, comme si elle allait périr de palpitations. Le vicomte lut. Il laissa retomber la page au bout de son bras ballant. À deux doigts de tomber dans les pommes, il balbutiait des mots sans suite que j'étais le seul à pouvoir assembler :

— Mais… je… tu… Steel… Style… Vérone… armateur… Ah ! Mon Dieu !

Cette prière saugrenue montrait l'étendue de son désarroi.

— Va ! Tu as bien raison d'en appeler au Barbu ! raillai-je, impitoyable. Vu toute la piété que tu as montrée jusqu'ici, il ne va pas manquer de te porter secours !

En même temps, je me disais que cette bévue involontaire sur le mot d'armateur accréditait complètement ma fable. Ah ! Le pouvoir du mensonge…

— C'est donc toi… qui as… le… et depuis tout ce temps… tu…

Je ne me donnai pas la peine de répondre. Je me levai. Délicatement, je lui pris la feuille des mains, je la pliai avec soin, puis je la remis dans ma manche. Il semblait foudroyé. Je m'approchai de lui. Longuement je le frôlai, le humai comme un vieillard lubrique s'enivre du parfum d'une pucelle. Pour finir, je déposai un baiser léger sur le coin de ses lèvres et murmurai à son oreille :

— Vicomte ! C'est ce soir que tu vas devoir décider lequel de nous deux, « depuis tout ce temps » comme tu dis, baise l'autre !

Je sortis, les laissant confronter leurs mensonges ou s'écharper si cela leur chantait.

*

Ils n'en firent rien. Comme les politiques, les coquins trouvent toujours entre eux des arrangements. Comment leur arracher quelques lambeaux de vérité sans leur découvrir tout ce que j'ignorais ? La seule chose certaine était que le méchant couple savait tout de la pendaison de Daffodil, et qu'en prétendant me livrer à lui pour quelque motif de pure fantaisie, ils trompaient le vicomte. Owen leur avait dit que j'accompagnais le castrat au gibet. Ils m'avaient d'abord cru pendu avec lui, ce qui n'avait pas dû leur tirer des larmes. Sans doute le vicomte, avec qui ils étaient en relations à mon insu, leur avait-il découvert que j'étais bien vivant et, de plus, affublé d'un nom qui leur disait des choses. Cela les avait persuadés que je connaissais peut-être les huit chiffres du code. N'est-il pas d'usage d'échanger ses secrets au pied de l'échafaud ? Au lieu de jouer cartes sur table, ils avaient fait au vicomte ce ridicule poème à propos de l'échange entre le vit et les mots, comptant se garder l'intégral bénéfice de leur magot placé en banque. C'était pour leur propre compte qu'ils voulaient me tenir, dans l'unique dessein de me faire parler, en me brûlant le bout des pieds s'il le fallait. Hélas pour eux, depuis ma fâcherie avec le vicomte et mon intrigue politique, je ne mettais plus guère les pieds à San Maurizio. Tantôt je dormais au palais Pisani, tantôt chez Sicuro, tantôt à Surrian-Bellotto, si bien qu'ils en étaient venus à douter de pouvoir me croiser un jour. Las d'attendre, énervés, doutant peut-être de ma présence à Venise, ils étaient venus presser le vicomte.

Ce que j'ignorais était la partie jouée par mon amant dans l'affaire. Le monstre m'avait-il entraîné à Venise pour me livrer aux deux brigands contre ce foutu livre, ou simplement dans l'espoir de réduire mes défenses en cet endroit si bien fait pour les amollir ? Avait-il, du temps de nos amours, été un moment sincère ? Comment décider du motif organisant cette cervelle compliquée, si l'on ajoute à sa bizarre mécanique le fait que son propriétaire revendiquait à son avantage le droit continuel de changer d'avis ? Au moment de m'administrer le soporifique, je l'avais vu hésiter. De cela, je ne pouvais douter. Au col du Grand Saint-Bernard, il m'avait jadis proposé de partir ensemble. Quelques jours plus tôt, ne m'avait-il pas engagé encore à rentrer à Paris avec lui ? Chaque fois, j'avais refusé. Peut-être, dans un secret recoin de ses méninges enflammées, le monstre m'aimait-il un peu, après tout ? Mais enfin ! Quelle sorte de livre pouvait donc mériter un pareil sacrifice ?

*

Je ne sais quel marché les trois coquins conclurent ensemble. Je mis à profit le temps que duraient leurs négociations pour monter mon projet. Je me rendis dans le quartier de Dorsoduro, et là, près de l'église San Sebastiano, je trouvai un atelier de maître papetier. Je fis confectionner, avec des bandes collées entre elles, un rouleau en tout point semblable à la matrice du fameux manuscrit. Cela me coûta une jolie poignée de ducats, car la forme n'en était guère classique. Chargé de mon emplette, je me mis en quête d'un copiste. J'en trouvai un, à la Scuola dei Carmini, moine défroqué par l'Inquisition pour affaire de fesses. Le gredin utilisait son alphabet latin à recopier des pièces de comédie grivoises que lui commandaient des acteurs démunis. Il avait le teint vermillon et la barbe drue, ce qui avait dû lui compliquer le vœu de chasteté. Il sourcilla en considérant la masse de travail que je lui demandais. Après qu'il m'eut montré un échantillon de son savoir-faire, je secouai la tête :

— Non, *maestro* Zanella, il faut écrire plus fin, aussi fin que pourrait le faire une mouche avec ses petits pieds !

L'homme tordit la bouche, compara l'importance de la tâche et l'élégance de ma mise qui lui laissait espérer des moyens.

— *Ocio !* Il me faudra un mois entier pour recouvrir de fines écritures ce serpent de papier !

— Il faut aller plus vite !

— Il vous en coûtera de quoi me nourrir, malgré tout, au moins pendant ce temps.

Comme je ne poussais pas les hauts cris :

— Sans parler de la chandelle qu'il me faudra pour travailler la nuit, du tabac pour me tenir en veille, de la…

— Tu es un coquin, dis-je, mais j'y souscris. Marché conclu !

De sa paume, il me claqua la main, puis :

— Que me faudra-t-il écrire, *cavaliere* ?

Je ne savais de cette histoire que ce qu'on m'en avait lu, mais les premiers mots étaient demeurés gravés dans ma tête. Fermant les yeux pour rassembler mes souvenirs, je me mis à dicter :

> *« C'est maintenant, ami lecteur, qu'il faut disposer ton corps et ton esprit au récit le plus impur qui ait jamais été fait, depuis que le monde existe, le pareil livre ne se rencontrant ni chez les anciens, ni chez les modernes… Sans doute, beaucoup de tous les écarts que tu vas voir peints te déplairont, on le sait, mais il s'en trouvera quelques-uns qui t'échaufferont au point de te coûter du foutre, et voilà tout ce qu'il nous faut. »*

Lorsque je levai les paupières, je vis que l'homme n'avait pas écrit un mot. Il me regardait fixement.

— *Ostreghèta !* C'est du français ! Il vous en coûtera plus cher, les mots y étant contournés à la différence des *venexians*.

Maître Zanella fut pas mal étonné, lorsque, ayant copié la sueur au front ce morceau, je lui dis qu'il n'y avait rien d'autre.

— Que devrai-je écrire sur tout ce papier qui reste, *cavaliere* ?

— Ce qu'il vous plaira, *maestro*…

J'ai dit qu'il avait été moine : il y copia cent fois le *De profundis*.

*

Dès que l'encre fut sèche, je montrai le livre aux trois en même temps. Cela leur secoua d'un coup la convoitise. L'abbesse et le nain semblaient enragés de ce manuscrit. Cela m'engagea à penser que je n'avais peut-être pas tout entendu de leurs raisons, surtout pour Biscantino qui ne lisait pas le français.

Les six mains se tendirent que je claquai des doigts. J'agitai le livre de loin, j'en déroulai un empan, et, tel l'illusionniste, le refermai aussitôt sur ses patenôtres. Après quoi, je m'en allai par la ville le tenant sous le bras. Je revins à la nuit, faisant voler mes mains, afin de leur bien montrer qu'il n'était plus sur moi. Je l'avais dissimulé derrière une corniche de la tribune à Santa Maria dei Miracoli, qui est la plus charmante église de Venise. Le lecteur comprendra aisément ce geste de prudence : je craignais que les trois coquins s'entendissent entre eux et m'assassinassent afin de me voler.

À partir de là, chacun en aparté tenta de me séduire et le fit avec ses appâts.

L'abbesse me proposa de prendre la part des frères Steel dans l'armement du *Starfish*. Cela me réjouit.

— Votre générosité, madame, n'a point de bornes ! Vous me donneriez ce qui m'appartient déjà ?

— Comment cela ?

Je lui mis sous le nez l'ordre de mission que Barras m'avait remis à Saint-Maximin trois ans plus tôt. En m'y désignant sous le nom d'Hugues Style, il m'établissait, par comparaison avec l'acte du *Starfish*, propriétaire entier du négrier, car l'héritant de mon frère Owen. Qui eût osé, malgré l'orthographe, contester, à Venise, le paraphe de celui qui était à présent le maître de la France ? Les bottes de ses soldats ne sonnaient-elles pas sur les dalles de la Piazza, « le plus beau salon de l'Europe », comme se plaisait à le clamer Bonaparte, son homme de main ?

La Bézuéjouls n'en croyait pas ses yeux. Je lui adressai un sourire gracieux :

— Eh oui ! Hugh Steel, alias Daffodil, est ressuscité. Il chante moins bien, je vous l'accorde, mais il a retrouvé tous ses attributs.

Je crus que, de fureur, elle allait périr étouffée.

Biscantino voulut m'offrir la Casa ai Nani qu'il tenait lui-même d'un noble patricien affligé de la même calamiteuse petitesse, et dont il avait été, dans son jeune âge, le pitre ou le giton. Il m'en vint proposer un soir le certificat, couvert d'un sceau magnifique.

— Il faudrait alors me changer les frises, et leur donner un peu plus d'esprit français, dis-je.

Le lendemain, des ouvriers staffeurs vinrent remplacer les gnomes rouges du salon par des roses et des rubans.

Le vicomte vint m'entreprendre sur le registre des sentiments :

— Tu ne peux pas donner ce livre à cette femme et à ce monstre !

— Et pourquoi non ?
— Ils ont voulu nous séparer…
— Voyons… développe un peu ton système…
— Tu l'as vu… ils ont tenté de t'arracher à moi.
— « Arracher » me paraît excessif. Je t'ai surpris me marchandant comme un maquignon l'eût fait pour un vieux cheval ! Tu étais même décidé à me faire avaler du poison !
— C'était une feinte pour obtenir d'abord le manuscrit. Jamais je n'eusse consenti à te perdre. Tu le sais bien !
— Eh ! Je ne sais rien du tout !
— Je t'en supplie, crois-moi…
— Je te croirai lorsque les rats mangeront les chats !
Je devais au moins convenir à part moi qu'au moment de me vendre il ne le faisait pas de bon cœur, et qu'il avait repoussé l'intervention des *bravi* qui devaient m'assommer. Il avait pourtant balancé et cela méritait que j'en tirasse vengeance, car c'était à lui que j'en voulais le plus, par cette chimie bien connue de la passion vexée qui porte en elle les germes de la pire rancune. Mais foutre ! Que pouvait donc conter ce manuscrit pour le mettre dans un tel état ? Le lecteur comprendra aisément que, prétendant le tenir, je ne pouvais feindre de ne pas l'avoir lu, et lui demander de m'en faire un précis.
— Écoute, lui dis-je finalement, tu es un monstre, mais c'est peut-être à toi que je le donnerai…
Il tomba à genoux, enserra ma taille de ses bras et se mit à me baiser à l'entour de la taille, avec autant d'adresse que de flamme. Je savais par cœur ses manœuvres et la faiblesse que je leur opposais. Je me dégageai :
— Doucement ! N'allons pas si vite… Je te le donnerai quand tu l'auras mérité.
Il prit une pose d'enfant docile :
— Commande : j'obéis !
Sachant avec quel talent il pouvait jouer tous les rôles, je me méfiais :
— Voilà ! dis-je, depuis tantôt dix ans je te vois te gamahucher les cervelles avec les horreurs que ce livre contient, et qu'il y a là de quoi faire vaciller le monde sur son orbite. Fort bien. C'est beaucoup de mots pour peu de mouvement. Si tu veux le tenir, il faudra m'en faire un peu l'illustration.

Je vis le beau visage se contracter un peu.
— L'illustration, dis-tu ?
— Parfaitement ! Je veux m'en régaler un brin…
Il me considéra d'un air fort inquiet.
— Veux-tu parler des passions simples, des passions doubles, des passions criminelles ?
— Commençons par les simples, dis-je avec assurance, il y a un temps pour tout…
Il me quitta avec un air grave qui me laissa quelque peu perplexe. Le lecteur, qui est un fin lettré, aura déjà compris ce que je ne pouvais savoir, ne connaissant de ce livre que quelques lignes. Le ton quelque peu vantard m'avait fait accroire qu'il s'agissait de l'un ou l'autre de ces romans poivrés dont la lecture me faisait pâtir d'ennui, habitué que j'étais à des émotions moins abstraites. De plus, j'avais vu cet homme qui en était l'auteur et passait pour mon père : je lui avais trouvé l'air, comment dire ? bénin… Je ne savais pas encore qu'il est vain de prétendre trouver dans la charnure d'un poète le principe fluide qui lui fait écrire ses vers. Cette chimie est aussi remplie de mystère que la formation d'un chaton blanc dans le ventre roux de sa mère, ou la naissance d'une fleur parfumée dans le corps puant d'un oignon. L'œuvre et son facteur ont peu de choses à voir, et bien puérils sont les lecteurs qui aujourd'hui encore se font de mon père une image en rapport avec ce terrible livre qu'il fit.
Car ce livre que je lui proposais d'illustrer n'est pas un roman leste. Il est bien cette chose unique et sidérante annoncée par son auteur dans ses préfaces.

*

Alors que je m'enfonçais dans une intrigue contournée, Venise la sinueuse revenait à la clarté. Les masques étaient interdits. On occulta de plâtre les « bouches de la vérité », ces boîtes grimaçantes où les Vénitiens venaient depuis des siècles jeter en se cachant leurs placets anonymes. Sur ce point, Bonaparte avait tenu parole. L'Inquisition avait vécu.
Dans le même temps et comme en tapinois, il occupait les îles Ioniennes. On entendait, depuis les Giardini, les masses et les

marteaux qui démolissaient l'Arsenal. Une chose, plus bénigne et plus proche à la fois, me contrariait fortement. Malgré cette fureur de limpidité qu'on affichait partout, le gredin que Villetard avait placé derrière moi ne délogeait pas d'un pouce. J'avais toutes les peines du monde à me débarrasser de ses assiduités.

Depuis notre marché, je tenais haute la dragée au vicomte, lui faisant savoir que je le trouvais lambin en diable sur le thème de l'illustration. Chaque jour, il s'assombrissait. Pour le faire enrager, je lui donnais des rendez-vous dans les églises. Là, je me répandais en paroles d'esthète sur la teinte particulière de certain péplum couvrant quelque beau martyr dû au pinceau de Véronèse ou à celui du Tintoret. S'il lui arrivait, devant ces chefs-d'œuvre, de se montrer un peu tendre, je le rabrouais vertement. Ne comprenant rien à cette pratique absurde qui me ressemblait si peu, il commençait à perdre ses couleurs. Il me jetait les regards remplis d'effroi de qui a pris un venin pernicieux pour du petit-lait, et vient d'en avaler une pinte d'un coup. J'avais si bien retourné la cabale montée contre moi qu'il me prenait pour un disciple de mon père, les ayant tous manipulés depuis Saint-Sulpice, et ourdi contre lui une machination aussi cruelle qu'alambiquée. Ce changement de partie dont il faisait les frais lui avait coupé net l'envie de rire, mais point du tout le pouvoir de bander, comme il arrive souvent aux cervelles déviées. Trop content de répondre à mes rares invites, il se montrait plus enclin que d'ordinaire à me laisser jouer le beau rôle, ce dont je m'acquittais avec certaine méchanceté.

— Allons ! lui disais-je, où en sont ces illustrations ?

Un jour que je l'avais convié à me venir rejoindre dans la Madonna dell'Orto, à deux pas du Ghetto, je le vis arriver, tenant par la main une petite fille de cinq ou six ans, *la plus jolie qu'on eût su voir.* L'enfant était claire de peau et fine de membrure, avec de beaux cheveux bouclés flottant sur ses épaules. Cependant, l'extrême indigence de son costume laissait supposer une misère qui me fendit le cœur par ce qu'elle me ramenait aux tristes jours de mon enfance.

— Tiens, me dit le vicomte, tu peux commencer tes illustrations.

Avant que j'eusse le temps d'ajouter un seul mot, il avait disparu, me laissant seul avec l'enfant. La fillette me regardait avec ce sourire confiant que les enfants offrent imprudemment au premier venu, sur simple garantie de sa bonne figure. Le lecteur jugera de mon embarras. Qu'eût-il fait à ma place ? Je le fis. Prenant la menotte dans la mienne, je promenai l'enfant par les ruelles jusqu'à un *campo* ensoleillé où une gargotière vendait des beignets. Là, je la laissai s'empiffrer à loisir de *baicoli* craquants.

— *Grassie tante, paron !* me dit-elle, lorsque je la quittai, après lui avoir recommandé dans son patois vénitien de ne pas suivre le premier *sior* qui lui offrirait des bonbons. Mais peut-on raisonner les filles, après qu'elles se sont régalées une fois ?

Le lendemain, à la chiesa del Redentore, sur la Giudecca, je me trouvai en charge d'une autre blondinette, à cela près qu'elle devait avoir dans les dix ans, et l'air de savoir ce qu'on attendait d'elle. Sa surprise n'eut d'égale que sa déception lorsque je lui fourrai dans les mains un *bussolai* roulé dans le chocolat. Elle me fit comprendre qu'il lui fallait aussi quelques piécettes. Je m'exécutai. Je ne crus pas pertinent de la mettre en garde contre des coquins comme nous. Le mal était déjà fait.

Puis ce furent des garçons âgés de sept à douze ans, tous miséreux, les plus jeunes innocents, les plus grands aussi corrompus que les pires putains de la Giudecca. Et ce diable de soldat qui était toujours là !

Après que j'eus régalé de pâtisseries diverses et de ducats trébuchants la moitié des petits miséreux et des jeunes prostitués de Venise, je commençai à me dire que le manuscrit de mon père ne devait pas être un roman courtois.

— Es-tu content ? Veux-tu continuer ? me demanda le vicomte.

— Ma foi... tout cela est de l'amusette !

— De l'amusette ? dit-il, roulant des yeux épouvantés.

Brusquement, il se jeta à mes pieds, prit mes mains, les pressa dans les siennes, les baisa avec rage, puis...

— Cela suffit ! Cesse de me torturer ! Il faut garder ses fantômes luxurieux dans les replis du cervelet. Les mettre à l'exercice est une imbécillité, car jamais la chair ne tient ce que promettent les méninges.

— C'est toi qui me dis cela ?

— Oui, et du fond du cœur !

— Encore faudrait-il que tu en eusses un !

— Hélas ! gémit-il, j'en ai un et il saigne !

— À la bonne heure ! Faisons donc un civet !

— Écoute-moi. Ce livre, allons le chercher…

— Eh ! Pourquoi donc ? répondis-je, me dégageant comme d'une toile d'araignée.

— Pour le brûler ensemble et puis nous en aller…

À ce moment, je regrettai presque de n'avoir pas l'objet…

C'est alors que la Bézuéjouls, foulant aux pieds l'humiliation que je lui avais faite, s'en vint, toute honte bue, relancer les débats.

VIII

— Assez joué, dit-elle. Je sais que tu ne vas pas donner le rouleau à cet imbécile qui n'en pourra rien faire, sinon le lire ou l'imprimer. Tu l'as baisé ? Fort bien ! Qu'en peux-tu tirer d'autre ? C'est un esprit inconséquent. Il n'a aucun sens des affaires. Voyons plus loin. Tu as pris grand plaisir à nous faire enrager ? Je le conçois. Mais nous avons partie liée. Maintenant, annonce ton prix.

— Madame, ce manuscrit est inestimable !

— Certes, mais un « inestimable » qui, malgré tout, se divise en trois parts...

Ne comprenant rien à ce qu'elle voulait dire, je fis le mystérieux :

— Nous allons y songer...

Des jours entiers je me pressurai les méninges. Que pouvait-on faire d'un livre, sinon le lire ou l'imprimer ? Biscantino vint alors, sans le savoir, m'éclairer :

— Tu as la dent dure, *polon* !

Ce mot, qui avait été celui de l'amitié dans la bouche de Pisani et du père Signoretti, me révulsa dans celle du nabot.

— Eh, quoi ! Je ferais confiance à des gredins, qui, par deux fois, se sont parjurés ?

— Qui parle de confiance ? Nous irons à Londres ensemble et nous ouvrirons l'armoire de même. Après...

— Qui te fait croire que Daffodil m'a donné le chiffre ?

— Le soin que tu prends à dissimuler ce rouleau de papier.

D'un coup, tout devenait limpide ! Je comprenais enfin qu'il y avait un lien entre le chiffre et le manuscrit. N'ayant pas, pour ma part, de trou dans la mémoire, le souvenir me revint du mot – mais sans doute était-ce un chiffre ? – que Daffodil avait écrit dans la marge du livre à Saint-Sulpice. Foutre ! C'était donc cela ? Le vicomte convoitait le livre pour sa poésie, alors que les deux autres désiraient seulement connaître le code que le castrat y avait noté. Le manuscrit leur importait peu, mais il était un recours s'ils ne pouvaient me forcer à leur livrer le code que je devais avoir gravé depuis dans ma cervelle. Huit chiffres sont si peu de chose à retenir… Ah ! Si seulement j'eusse tenu la chose ! Mais quoi, je ne l'avais pas ! Quant à l'improviser, la chose était problématique. Qui sait combien de combinaisons étaient possibles ?

À ce point, je voudrais que le lecteur m'entende bien. Je ne convoitais en aucune façon le magot des brigands. La soif de l'or ne me fit jamais perdre la tête. Ce qui m'échauffait, c'était le désir d'en tenir la clef et de la leur faire désirer en vain, de tirer parti de cette puissance pour les faire enrager. C'est ainsi que l'idée me vint d'une feinte : brûler mon faux grimoire en grande cérémonie, affermir mon emprise sur les deux coquins qui n'auraient plus, dès lors, d'autre recours que ma mémoire.

J'étais si furieusement occupé à monter l'embuscade que je notai à peine les alarmes des Vénitiens lorsque Bonaparte signa la paix avec l'empereur d'Autriche, à Campo-Formio.

Jusque-là, les Français, sous un faux air bonhomme, se comportaient comme une troupe ordinaire d'occupation. Ils parlaient haut, marchaient au milieu des rues les coudes en dehors, mais ils apportaient une bouffée de fraîcheur dans cette ville fardée. Les Vénitiens les supportaient avec cette indulgence un peu lasse que montrent les personnes rassises, confrontées à des enfants turbulents. Ils finiraient bien par porter plus loin leur république échevelée, maintenant qu'ils avaient fait voler par-dessus la Brenta les robes noires des vieux Sages du Grand Conseil. L'Albanie n'était pas loin, et puis la Grèce, la Roumanie, la Bulgarie, peut-être même la Turquie ? On ne voyait plus de bornes à cette chevauchée de la liberté dans les masses indistinctes de ces pays d'Europe centrale et d'Orient qui ployaient sous des tyrans irascibles.

Des rumeurs commençaient à courir que la garnison devait quitter la ville. Déjà, les jeunes démocrates, dont j'avais pu juger de la vertu sinon du réalisme, s'apprêtaient à construire une jeune république sur les ruines de la vieille oligarchie. On peut juger de leur stupeur lorsqu'ils apprirent que les Autrichiens viendraient remplacer les Français.

Sourd à ces alarmes, je cherchais partout dans Venise un endroit digne de servir de cadre à mon apothéose. Je composais dans ma tête le discours que je ferais aux trois gredins, au moment de mettre feu au manuscrit. Je m'en allais par la cité d'un pas d'esthète, pesant et comparant les multiples splendeurs qu'elle propose au passant ébloui. Je ne savais que décider, émerveillé par tant de beautés rassemblées en si peu d'espace. Comment choisir entre la splendide érection du grand Campanile, les puissantes coupoles de la Salute, les mosaïques d'or de San Marco ? Peut-on trancher entre l'élégance du Rialto, l'équilibre pompéien de San Giorgio, la folle exubérance de San Moisè, la grâce de Santa Maria dei Miracoli ? Sans parvenir à prendre un arrêt, je me donnai le bonheur d'admirer dans ses détails cette ville sublime qui est sans doute la plus belle de l'univers.

Un soir, alors que je passais sur la Piazzetta entre les deux colonnes, je vis une foule massée le long de la Riva degli Schiavoni, jusqu'aux Sette Martiri. Tous ces gens regardaient, entre San Giorgio et le Lido, un navire qu'on avait tiré hors de l'Arsenal. À sa longue silhouette, à sa tente cramoisie et à ses enfléchures dorées, je reconnus le *Bucentaure.*

*

Des barques et des gondoles affrétées par des curieux quittaient le quai et s'en allaient tourner autour de cette dépouille de la vieille république des doges. Rien, dans Venise, ne pouvait rivaliser avec cette chose somptueuse et ruinée sur le chapitre de la magnificence et de l'étrangeté. Vivement, j'allai prendre mon rouleau là où je l'avais caché. Je me mis en quête de rameurs.

Le navire était gardé par des soldats français qui en arpentaient le pont, baïonnette au canon. J'eus un peu de mal à les convaincre de me laisser monter à bord. Je n'y parvins qu'en me faisant prévaloir de mon état de Français, de ma bien compréhensible curiosité, et en me délestant de quelques ducats. Je pus alors aller à ma guise sur ce vaisseau légendaire dont le souvenir est resté si cher aux Vénitiens.

C'était une galère, c'est-à-dire un navire des temps anciens. Comme tel, il n'était pas actionné par la force du vent dans les voiles, mais par les bras de forçats condamnés à ramer pour prix de leurs forfaits. Depuis fort longtemps le bâtiment n'avait pas navigué plus loin que le Lido. Il ne servait qu'aux fêtes de l'Ascension. Il était alors la fastueuse monture du doge, lorsque, entouré de tous ses nobles drapés de rouge, il s'en allait jeter dans la lagune son anneau d'or.

Le pont supérieur se composait d'une unique et immense salle parquetée. Elle était partagée en son milieu par une rangée de statues dorées qui soutenaient un plafond d'entrelacs à claire-voie. On voyait, sur ses bordures, le long des marches recouvertes d'étoffes pourpres déchirées par places, les marques d'anciens sofas qu'on avait enlevés, ainsi que le trône du doge, au bout, face à la mer. On avait dégarni le vaisseau de tout ce qui s'en pouvait arracher. Probablement, l'idée rôdait de le démanteler après l'avoir désarmé. L'ensemble avait encore pour toit une tente de velours couleur de feu, dont les lourdes broderies d'or avaient crevé la trame, laissant passer le soleil au travers des accrocs, ce qui constellait le parquet d'un firmament d'étoiles d'or. L'embrasure des fenêtres, l'encorbellement des balcons, tout n'était qu'écarlate et dorures, jusqu'aux bancs de nage recouverts de brocart cramoisi, mais tout cela fatigué, élimé, craquelé, à bout de résistance, comme un vieux décor de théâtre ou un chariot de carnaval.

Je dissimulai le rouleau derrière l'une des deux têtes de lion qui ornaient le portique doré conduisant à la chiourme. Content de moi, je retournai en barque jusqu'à San Marco, croisant un grand charroi de *peote* remplies à ras bord de paille bottelée.

Sitôt que je fus à la Casa ai Nani, j'appelai mes trois dupes.

*

— Voilà, leur dis-je, depuis tantôt un mois vous tentez tous de me circonvenir, et je ne sais auquel d'entre vous trois céder.

Le regard du vicomte s'embua de détresse à ce préambule.

— Ne sachant comment vous partager, j'ai placé ce que vous savez dans un lieu sûr de Venise. Le meilleur d'entre vous pourra s'en emparer. Pour savoir qui remportera la palme, il faudra trouver le secret d'une énigme.

Les trois coquins se regardèrent entre eux, effarés.

— Ce soir, sur la Riva dei Sette Martiri, vous arriverez en barque, à l'heure où sort la lune. Je vous proposerai alors le second terme de la charade. Voici le premier...

Ce disant, je laissai tomber sur la table un fort beau volume de *La Divine Comédie*, le chef-d'œuvre de Dante Alighieri.

Le vicomte fut le plus prompt. Ayant le bras plus long, il s'en saisit d'un coup. Il ouvrit le livre et cilla. La farce était de taille, car c'est un gros morceau en trois parties, *le Paradis*, *le Purgatoire* et *l'Enfer*, écrit en italien et pas du plus facile. Trouver là-dedans le bon mot relevait de l'exploit. Il jeta le livre à l'autre extrémité de la table avec rage.

— Par la couille rouge du diable, dit-il, tu te moques de moi ?

— Hé ! Hé ! dis-je avec un sourire entendu, tu n'en es pas si loin.

Là-dessus, je les laissai se torturer le cervelet. Je me rendis jusqu'à San Marco en fredonnant. Je m'amusais beaucoup. Je me trouvais fort malicieux d'avoir laissé en pâture à ces gredins qui recherchaient un livre abominable cet autre qui portait, gravé dans le chagrin, un titre aussi pieux. Mon instruction n'était pas telle que j'en connusse grand-chose. Ma science en la matière, et celle aussi, probablement, de bon nombre de cuistres qui se donnent des airs, se borna toujours à ce que m'en avait découvert dans le temps le père Signoretti qui en faisait grand cas, à savoir les trois derniers vers de l'inscription gravée sur la porte de l'enfer :

> « *Per me si va tra la perduta gente,*
> *Per me si va nell'eterno dolore,*
> *Lasciate ogni speranza voi ch'entrate*[1]. »

Cela me semblait convenir parfaitement au passage qui menait aux bancs de nage où l'on enchaînait jadis les galériens...

D'un pas léger je me dirigeai vers la Riva dei Sette Martiri, me félicitant de la belle mise en scène que j'avais organisée. C'était, ma foi, on en conviendra, un assez joli montage gothique qu'un rendez-vous à cet endroit, *« à l'heure où sort la lune »*. Rien n'y manquait, dans cette ville si bien faite pour énerver l'imagination,

---

1. Par ici on se mêle aux races criminelles,
   Par ici on arrive aux tourments éternels,
   Vous qui vous présentez, abandonnez l'espoir.

ni le grimoire, falsifié de surcroît, ni *La Divine Comédie*, ni le code, ni le trésor, pas même la porte de l'Enfer, et j'allais me régaler bien fort du désarroi de ces trois imbéciles, l'un enragé de stupre et les deux autres de rapine. J'arpentais le quai, au comble de la gaîté. De temps en temps, de petits rires de satisfaction m'échappaient.

La foule était plus nombreuse qu'à l'ordinaire, à cette heure vespérale, en cet endroit charmant proche des Giardini, où les Vénitiens se plaisent à conduire leurs pas dans la soirée. Des soldats français allaient et venaient jusqu'à la porte de l'Arsenal. D'autres y montaient la garde. Je regardai avec satisfaction le charroi qui se faisait encore autour du *Bucentaure*. Je me félicitai, lorsque je vis que les sentinelles montées à bord s'embarquaient sur des navettes et regagnaient les bassins abrités par les remparts de l'Arsenal.

« Cela nous facilitera la montée à bord, me dis-je, de n'avoir pas à soudoyer les gardes… »

Bientôt, la lune, rousse et fort large, éleva sa face de cuivre entre San Giorgio et le Lido. À ce moment mes trois dupes arrivèrent dans une gondole découverte. Je fis un signe au gondolier. Ils abordèrent.

*

— Voilà, me dit le vicomte, nous avons trouvé : c'est une porte dont il s'agit.

— Bien ! dis-je avec un sourire de sphinx. Mais de quelle porte ?

— La porte de l'Enfer ! dit la Bézuéjouls.

— J'y consens ! Mais cet Enfer, où se trouve-t-il ?

Dans cette infinité d'églises, les peintres vénitiens s'étaient déchaînés, mais leur tempérament aimable les avait peu portés vers la représentation de cette fable atroce qui fit tant pour la gloire de Michel-Ange et de la Sixtine. Ils préféraient représenter de jolies choses comme des vierges à l'Enfant ou de beaux éphèbes en Jean Baptiste. Perplexes, les trois gredins tournaient leur tête en tous sens :

— L'Arsenal ? demanda la Bézuéjouls, point trop convaincue.

— Quelle idée !

— Les *Piombi*? proposa le vicomte.

— C'est astucieux, mais tu te trompes.

Biscantino n'avait encore rien dit. On se représentera qu'il était, parmi nous, le seul Vénitien. Il regardait autour de lui, scrutait les clochers, les canaux, la mer. Brusquement, je vis sa trogne bizarre s'illuminer.

— Le *Bucentaure* ! La chiourme ! cria-t-il, montrant la silhouette rouge et or qui s'étalait sur l'horizon.

— Voilà qui est raisonné !

— *'ndiamo de ande !* dit le nain.

Le gondolier me tendit la main pour m'aider à monter dans l'embarcation. J'avais déjà un pied hors du quai lorsqu'on me tira par la manche.

— Attends !

*

Mis en péril par le geste imprévu que contrariait le balancement de la barque, je trébuchai, m'embarrassai dans mon manteau, manquai tomber à l'eau, me redressai et me retrouvai, pour finir, en déséquilibre sur le quai, le cœur palpitant suite à l'algarade. Déjà, la gondole s'était écartée du bord. Je ne pouvais plus y monter. Biscantino m'adressa un salut moqueur. Furibond, je me retournai vers celui qui m'avait fait manquer mon affaire. Le quidam portait une cape noire, et, pour chapeau, l'un de ces bicornes emplumés que les soldats français tenaient crânement penchés sur la figure. Sous les plis du manteau, on devinait les chamarrures d'un uniforme d'officier. Je compris que c'était le misérable accroché depuis si longtemps à ma suite, et qui avait, ce soir, repris du service.

— Il ferait beau voir, citoyen, grondai-je, qu'un coquin investi d'un si vilain métier prétendît me dicter ma conduite !

J'étais furieux. Mon beau plan s'effondrait. Si je ne montais pas avec les trois sur le *Bucentaure*, je ne pourrais pas, comme je l'avais projeté, brûler le rouleau sans le leur montrer. Il serait découvert, et avec lui ma supercherie. Je ne doutais pas un instant que ce serait le vicomte, qui, le premier, étant le plus grand, mettrait la main dessus. Je serais jugé menteur, hâbleur, pis encore : ridicule ! Tout cela pour un stupide cafard de soldat français ! J'enrageais. Je me jetai sur lui.

— Maladroit ! Imbécile !

Je n'eus pas le temps de le toucher. Deux soldats me tombèrent dessus. En un tournemain je fus maîtrisé. Je me débattis comme un diable mais, chacun me tenant un bras, je dus temporiser.

— Colonel, devons-nous l'emmener ? demanda l'un des hommes.

— Non, estafettes, laissez !

— Colonel, c'est un forcené...

— Bah ! dit l'homme. Je n'en crois rien. Je le connais...

— Mais..., tenta d'argumenter le soldat.

Le ton, qui était courtois, monta et se fit cassant :

— Il suffit, sergent ! Rompez !

Les deux soldats claquèrent des talons. Humilié par son indulgence, je remis un peu d'ordre dans ma tenue en marmonnant :

— Sans doute devrais-je vous remercier, colonel... colonel... ?

Une main se dégagea de la cape noire et repoussa le bicorne vers l'arrière.

— Colonel Malegarde.

— Analys ?

— Comme tu le dis bien ! lança-t-elle avec un soupçon de raillerie dans la voix.

D'un bref mouvement de l'épaule, elle rejeta le manteau, découvrant un uniforme vert et blanc artistement galonné, car la passementerie – je le reconnus aussitôt – provenait des magasins Morenasse. J'avais même fait retourner au fabricant un lot de ces hongroises, car les emmanchures en étaient mal cousues. J'examinai d'ailleurs avec tant d'insistance l'endroit sensible qu'elle suivit mon regard avec quelque inquiétude. C'est seulement cet absurde examen terminé que je compris vraiment ce qu'il m'arrivait. Elle était là, devant moi, celle que j'avais perdue, cherchée, oubliée, trahie, retrouvée enfin, et, d'un coup, l'espace semblait s'être élargi, le ciel élevé, la terre affermie. Sans pouvoir prononcer un mot, ravi, je la regardais.

Rien n'est piquant comme une femme habillée en soldat. Avec cette culotte taillée au plus près, ce dolman soutaché, ces bottes souples, elle était à peindre. Je songeai que cette armée invincible, qui faisait trembler l'Europe, marchait sous un général qui n'avait pas trente ans. Elle était composée d'hommes si jeunes qu'on eût pu prendre certains pour des enfants ; nombre d'entre eux n'avait pas encore de barbe ; une fille intrépide pouvait se fondre dans leurs rangs.

— C'était donc vous qui me suiviez?

— C'était moi.

Un accablement me vint à cette nouvelle: elle savait donc tout de mes agissements. D'une voix mal assurée, je murmurai:

— Et vous aurez vu…

— … avec quelle bonté tu as traité ces malheureux enfants que te livrait mon frère. Ah! Le monstre! Le tigre! Un tel vice peut-il exister dans le monde?

« Foutre! me dis-je, ragaillardi, cette fois encore je vais m'en tirer! » On ne voit jamais, quand on aime, que des vertus à l'élu de son cœur, et sa turpitude éclaterait-elle aux yeux du monde entier qu'on mettrait encore sa main au feu pour témoigner de son innocence. L'interprétation qu'elle faisait de nos manœuvres était loin de la vérité, mais où trouver le courage de la réfuter? Est-ce mentir tout à fait que ne point corriger une erreur d'interprétation? Je ne la confortai point dans sa vilaine opinion de son frère, mais j'eus le front d'ajouter:

— Ah! J'ai bien souffert, allez… Que le temps me fut long depuis que je vous perdis, ce triste jour, à Beaune!

Ce disant, je ne mentais qu'à moitié. Cette douleur, je l'avais bien sentie, mais tant de plaisirs, de joies, de bonheur même, étaient venus, depuis, la panser…

— Quand je songe aux choses affreuses qui se disaient de vous! dit-elle avec un sourire compatissant.

— Ah? risquai-je, inquiet tout à coup.

— Que vous étiez compères de maltôte, de débauche, et même… que vous étiez amants!

Je toussotai un peu avant de lancer:

— L'infâme calomnie!

Là, je ne puis nier que je mentais comme un Barbaresque en la regardant d'un œil clair. Je retrouvais sur son visage altier, le front haut, le nez droit, les longs sourcils arqués, la bouche un peu trop grande et le menton fendu de son frère, tous ces grands traits fins mais sans faiblesse que j'avais suivis de la bouche et des doigts, égaré de plaisir au cours de nuits brûlantes, mais dans une version différente dont je ne pouvais encore décider s'il fallait la dire adoucie ou affadie. Mais tout cela était baigné dans la lumière, comme un pré plein de fleurs au sortir d'un épais taillis. Qui n'aspire au repos après un tel voyage ? Elle était devant moi, simple et droite, qui m'avait retrouvé. Ces quatre années loin d'elle n'étaient plus qu'une longue épreuve dont j'allais, pour finir, sortir victorieux.

— Ainsi, dis-je, vous avez rejoint le bataillon…

— Du tout. Je ne l'ai point quitté.

— Comment cela ? Vous n'étiez plus à mes côtés dans la fenière lorsque je me suis éveillé…

Elle baissa les yeux :

— Une demoiselle, si intrépide soit-elle, peut-elle soulager sa vessie contre un mur comme un homme ?

« Foutredieu ! pensai-je, cela est-il possible ? Tant de tracas, d'alarmes, de tourments, tant de tribulations, d'aventures, tant de duels avec la Camarde, pour la seule raison qu'une fille, au petit matin, s'en est allée pisser ? »

— Quand je suis revenue dans le grenier, il y avait un terrible chambard autour de Rambuteau que tu avais blessé. Sans doute avait-il découvert le secret de mon identité ?

Bah ! Dans la voie du mensonge, seul le premier pas coûte. Je m'y engageai d'un bon pied.

— Il savait tout, le bougre, et vous eût dénoncée ! Ah ! Sans cesse traqué, poursuivi, j'ai dû en parcourir des chemins de traverse ! Et vous, de tout ce temps vous n'avez pas bougé…

Elle eut une moue quelque peu vexée :

— Je passai toutefois par Valmy, Fleurus, Castiglione, Arcole… Mais quatre ans c'est assez ! Je me doutais qu'au bout je te retrouverais. Briguerai-je demain le grade de général pour suivre Bonaparte ?

C'était, je le voyais, à moi d'en décider. Je pouvais l'emmener. Un mot, un seul, et nous partions ensemble. Les trois gueusards pouvaient bien s'étriper, là-bas, sur le *Bucentaure* ! Quand ils s'en reviendraient, avec mon manuscrit de carnaval, je ne serais plus là. À qui pourraient-ils demander raison ? Quant à mon vicomte, joué, berné, dupé, pis encore, encorné, il n'aurait pas assez de son œil pour pleurer. Quelle éclatante façon de marquer sur lui ma victoire finale !

À ce moment, une ordonnance se présenta, et, claquant des talons :

— Colonel ! Le chef de brigade Junot m'envoie de l'Arsenal. Dans une heure, il faut lever le pied ! En avez-vous terminé ? Peut-il donner le signal ?

— Un moment !

Elle se retourna vers moi. Nous nous regardâmes longuement, ravis, et seuls son uniforme et la foule nous retenaient de nous enlacer. Tout à coup elle tressaillit comme un dormeur qui s'éveille, et me tendit un paquet roulé dans un chiffon taché de graisse et de poudre à canon.

— Tiens ! Cela vient de Pastan.

Faisant taire mon dégoût, j'écartai le tissu.

Là, bien serré sur lui-même, et lié au moyen d'une corde de chanvre, je vis ce manuscrit qui, tant de fois, m'avait gâché la vie et qui s'apprêtait, une fois encore, à accomplir sa funeste mission.

*

— Comment est-ce possible ? Où l'avez-vous trouvé ? m'écriai-je.

— Les gendarmes l'ont découvert dans un souterrain, au fond des caves d'une abbaye proche de Beaune. Ne sachant qu'en faire, ils l'ont rapporté aux Hospices. Qui d'autre que Pastan et moi savaient lire, entre les Marseillais ? Nous l'avons conservé, malgré la juste horreur qu'il inspire.

Oserais-je le dire ? Plutôt qu'à demander des nouvelles du citoyen poète, mon cher et vieil ami, j'entrepris fiévreusement la corde. Les nœuds étaient serrés. Je m'y brisai un ongle. Ne pouvant en venir à bout, j'y mis les dents. Un goût âcre de poil brûlé et de lard rance m'emplit la bouche.

— Colonel, le signal ? reprit le soldat qui se tenait en arrière.

— Attendez !

Bientôt je vins à bout de l'attache puante. Je la crachai au loin. Déroulant un morceau, je cherchai dans la marge. D'un côté. De l'autre. Rien. Je retournai l'objet. Rien de plus.

— Sacrebleu ! C'était là ! Je l'ai vu ! De mes yeux ! Ce qui s'appelle vu !

Analys arrondissait ses beaux yeux de surprise :

— Que cherches-tu ?

Je frappais le papier de la main :

— Il était là ! Là, vous dis-je !

— Quoi ?

— Le chiffre.

— Quel chiffre ?

Tout à coup, je compris. On avait lu le livre, ligne après ligne, en le roulant après, si bien qu'une fois terminé il s'était retrouvé avec le devant à la place du derrière. Ce n'était pas le début mais la fin que j'avais sous les yeux. Deux tableaux comme d'un comptable y étaient portés, ce qui m'avait trompé, me faisant croire à une en-tête. Aussitôt, le soulevant au-dessus de ma tête, je le fis couler comme un tapis au fil d'un escalier. Il était si long que, pour atteindre l'extrémité, je dus le secouer. La feuille interminable dansait devant nos pieds, ondulait en méandres, faisait des conques, des nœuds, des ganses sur le quai.

— Me diras-tu, enfin, ce que tu cherches ?

J'étais trop affairé à chercher le début pour répondre. Bientôt j'y arrivai. Je poussai un cri de triomphe. Un mot était là, écrit un peu en biais, en gros caractères, d'une autre encre, d'une autre main :

« Hamlet »

Ma frénésie tomba d'un coup.

— Hamlet ? dis-je, éberlué.

— Tiens, dit-elle. Je vois qu'à présent tu sais lire ?

Son regard s'était assombri, mais je n'y pris point garde.

— Hamlet… Hamlet…, murmurai-je à part moi, sans daigner lui répondre. « C'est bien le dernier mot que Daffodil a crié à son frère. Hamlet ! Il faut qu'il ait quelque sens. Mais il nous faut huit chiffres et nous avons six lettres… »

Je me grattai la tête, je me frottai le menton, je me rongeai même un peu les ongles, enfin, je fis tout ce qui passe pour stimuler la réflexion.

— M'éclaireras-tu ? demanda-t-elle avec un frémissement d'impatience.

— Bast ! Une minute ! Attendez donc… Hamlet… Hamlet… Voyons… comment convertir des lettres en chiffres ? Peut-être compter par ordre d'entrée dans l'alphabet, cela ferait… disons 8 pour le H, 1 pour le A. Le M est la treizième, le L, juste avant : 12 donc ! Le 5 marque l'E, et comptant jusqu'au T nous arrivons à 20. Cela nous fait : 811312520 ! Peste ! Neuf chiffres… Neuf ! C'est un de trop. Ah ! J'y suis ! Le zéro de la fin comptera pour des prunes…

Le soldat insistait :

— Colonel, il faut…

— Merde ! Je vous ai dit d'attendre. Et à moi, sur un ton où perçait l'exaspération :

— Qu'est-ce donc, à la fin ?

Je n'entendais plus rien. De joie, de triomphe, je bondissais sur le quai. Brandissant le poing vers l'horizon où balançait le *Bucentaure*, je bramai comme un possédé :

— Ah ! Mes foutus cochons ! Cette fois, je vous tiens ! Dans le creux de ma main, je vais vous écraser ! Et toi qui m'as trahi, toi mon ami, mon compagnon que j'aimais ! Bougre ! Pendard ! Scélérat ! Il te va bien falloir à présent le brûler sous mes yeux !

Analys était pâle. C'était trop de secrets, trop d'intrigues, trop de passion affichée pour un autre, assortie de trop de tiédeur vers elle qui, depuis plus de quatre ans, m'espérait. Sur si pâle sentiment, quitterait-on l'armée pour se mettre en ménage ? Elle se redressa.

— Soldat, dit-elle fermement, dites à Junot qu'il peut ordonner la mise à feu !

Sans prêter attention à cet ordre qui ne me concernait pas, je me baissai et ramassai une extrémité du rouleau mis en désordre sur le quai. Enfin, j'allais savoir ce qu'il en était de ce livre que le vicomte m'avait présenté comme l'évangile du Mal. L'écriture en était régulière et d'une taille infime, mais aujourd'hui je savais lire, et elle ne présentait plus pour moi l'aspect d'un grimoire indéchiffrable. Mes yeux tombèrent par hasard sur ce passage :

> *« … je fus chez le marquis de Saint-Giraud, dont la fantaisie était de placer une femme nue dans une escarpolette, et de la faire enlever ainsi à une très grande hauteur. À chaque secousse, on lui passe devant le nez ; il vous attend, et il faut, à ce moment-là, ou faire un pet, ou recevoir une claque sur le cul. Je le satisfis de mon mieux ; j'eus quelques claques, mais je fis force pets. Et le paillard, ayant enfin déchargé au bout d'une heure de cette ennuyeuse et fatigante cérémonie, l'escarpolette s'arrêta, et… »*

Soudain le canon tonne. Surpris, je lève la tête. Là-bas, la mer bouillonne. Je vois alors jaillir de l'Arsenal, et dessiner une courbe dans le ciel d'opale, une deuxième salve de boulets rouges mieux ajustés. L'ardente grêle tombe sur la paille dont est chargé le *Bucentaure*. Il s'enflamme d'un coup. En un instant, c'est un brasier qui gronde, doublé par son reflet, sur le miroir de la lagune. Des lambeaux de velours enflammé, soulevés par la chaleur, s'envolent dans le ciel.

Le manuscrit me tomba des mains. Hors de moi, je courus jusqu'au bord du quai et je me jetai à la mer. Je nageai avec fureur vers la fournaise où brûlait le vicomte. Je criai son nom, la bouche remplie d'eau, et je coulai à pic, dans les plis noirs de mon manteau.

ÉPILOGUE

Avant de quitter Venise, les Français avaient décroché les tableaux du Tintoret, de Canaletto, de Véronèse et enlevé les Chevaux de Saint-Marc. Mesurant sans doute l'impossible tâche de démonter Venise tout entière pour l'emporter avec eux, ils avaient décidé, dans un accès de cruauté inutile, de détruire le *Bucentaure*, ce vieux vaisseau délabré, symbole de la Sérénissime expirante. Venise s'était offerte à lui ; Bonaparte venait de la donner à l'Autrichien, comme on jette un os faisandé à un vieux chien qui grogne.

Le long de la Riva dei Sette Martiri, les Vénitiens muets regardaient le *Bucentaure*, orgueil de mille ans d'histoire, qui achevait de se consumer. L'incendie avait duré toute la nuit. Grelottant dans mes frusques trempées, le cœur brisé, je le regardais, les genoux au menton, rencogné sur la mousse d'un porche d'eau. La fumée, à présent, perdait de sa matière. Elle ne bourgeonnait plus. Elle s'étirait, éclaircie, presque diaphane, mauve laiteux contre le mauve transparent de l'aube. La mer et le ciel, où flottaient des écharpes de brume, étaient d'un rose à fendre l'âme.

Là-haut, par la fenêtre d'une maison rouge coulait de la musique. Dans les pires épreuves, jamais Venise ne saurait s'en passer. À ce triste moment où la défaite porte souvent le vaincu à chercher réconfort et espoir auprès des génies de la patrie, on n'entendait ni les violons nerveux de Vivaldi, ni les roucoulades de Monteverdi, mais un clavecin qui égrenait quelque chose de clair et de net, de mesuré, quelque chose de bien français. Sans doute le musicien était-il néophyte, car il reprenait sans cesse le motif. Il chantait en s'accompagnant, d'une voix fraîche et malhabile, tandis que les doigts tentaient d'apprivoiser les notes. Malgré moi, je me mis à fredonner avec lui :

Le fleuve enchanté,
L'heureux Léthé,
Coule ici parmi les fleurs.
On n'y voit ni douleur
Ni souci ni langueur
Ni pleurs…

Après, je ne savais plus. Je me tus et je tendis l'oreille. La jeune voix, poudrée d'or par l'accent vénitien, poursuivit avec application :

L'oubli n'emporte avec lui
Que les soins et l'ennui.
Les Dieux nous laissent
Sans cesse,
Le souvenir du plaisir.

Je me levai, j'époussetai machinalement mes manches, lorsque je sentis qu'on me tirait par les basques.

— *Paron ! La carità…*

C'était un garçon de douze ou treize ans, un de ces négrillons aux yeux de faon que les belles patriciennes aimaient à enturbanner de soie et à rouler sur leur sein parfumé. Quand le poil leur venait aux mollets, ils passaient du boudoir aux cuisines. Sa maîtresse l'avait sans doute abandonné quand elle s'était enfuie vers la *terra firma.* On voyait encore sur lui des lambeaux de brocart, et l'on eût dit un acteur qui, le théâtre ayant brûlé, s'en revient sur la scène, saluer son public enfui. Son large sourire découvrait des dents admirables.

Je lui demandai :

— *Come te 'iami ?*

— Mahogani.

Le nom comme le teint de bronze parlaient de l'Orient.

— *D'onde veni ?*

— *Del Palazzo Ducale !*

Amusé, je secouai la tête :

— *Si ! Ma… prima ?*

Ses yeux brillèrent. Du doigt, il me montra la mer :

— *Prima ? Egito !*

L'Égypte, cette terre d'Afrique dont les anciens rois n'épousaient, paraît-il, que leur sœur… Je posai une main sur son épaule. Comprenant qu'il m'avait captivé, le drôle se proposa de mettre à profit l'opportunité pour me soutirer un peu plus qu'une obole. Avec un talent que lui eussent envié les acteurs de la *commedia dell'arte*, il se mit à jouer pour moi, sur le quai, une scène d'enlèvement, de captivité, de marchandage.

La foule, peu à peu, s'était rapprochée. Quelques Autrichiens étaient là, jolies marionnettes sanglées dans leur costume blanc. L'enfant noir, enhardi par ce succès, multipliait les facéties. Son visage plastique prenait tour à tour les marques de la plus atroce douleur, puis celles d'une joie insensée. Autour de lui, Venise riait, et les Autrichiens avec elle, car la pantomime n'a point de patrie.

Des piécettes tombèrent en pluie autour du pitre. Le souffle court, le front emperlé de sueur, il salua son public avec grâce, avant de les ramasser. Puis il tourna vers moi un regard où se mêlaient surprise et déception car je n'avais pas délié les cordons de ma bourse. Il se mit à grimacer à la façon des pauvres bougres qui, pour plaire, doivent de leur malheur faire rire les autres. Enfin, il esquissa une autre fois le geste humble, inquiet, presque coupable du mendiant. Il quémandait. Je pouvais dire oui ; je pouvais dire non.

Je compris à cela que la page était tournée de ma jeunesse, de ces génies bons ou mauvais qui venaient me secourir ou m'éprouver, et m'enseigner la vie en passant. D'autres, à présent, aussi naïfs et démunis que je l'avais été, espéraient de moi ce que d'autres m'avaient donné.

Je saisis la main que l'enfant me tendait pour y recevoir un ducat démonétisé. Je la serrai dans la mienne et je l'entraînai vers le *Starfish* qui attendait là-bas, dans l'Arsenal démoli dont les merlons gibelins effilochaient la brume.

« L'Égypte ? Pourquoi pas… »

Au même moment, Barras, de sa belle main d'aristocrate, signait au nom de la République l'ordre de mission qui allait y expédier Bonaparte, en espérant que les crocodiles du Nil le mangeraient.

Bibliographie

AGULHON Maurice, *Histoire de Toulon*, Privat, 1998.
BARRAS Paul, *Archives inédites de la commune de Fox-Amphoux. 1755-1798.*
BLOND Georges, *Rien n'a pu les abattre*, Presses de la Cité, 1967.
BONAPARTE Napoléon, *Le Souper de Beaucaire*, Éditions Guy Dupré, 1987.
BROSSES Président de, *Lettres familières écrites d'Italie*, Les Introuvables, 1976.
CASANOVA Giovanni Giacomo, *Histoire de ma fuite des prisons de Venise...*, Allia, 1988.
CHASTENET Jacques, *William Pitt*, Fayard, 1959.
CHATEAUBRIAND Alphonse de, *Mémoires d'outre-tombe*, tomes I et II, LGF, 1973.
CLELAND John, *Mémoires de Fanny Hill*, Éditions Famot, Genève, 1978.
CLIDIÈRE Martine, *Jeux de société*, Éditions Gérard & Cie, Verviers, Belgique, 1968.
COMISSO Giovanni, *Les Agents secrets de Venise*, Le Promeneur, 1990.
DELON Michel, *Les Vies de Sade*, Textuel, 2007.
DEMORIANE, GOUZE, SCHLUMBERGER, *Venise entre les lignes*, Denoël, 1999.
DUBY Georges, *Histoire de la France de 1348 à 1852*, Larousse, 1986.
FONTANA Alessandro, FURLAN Francesco, SARO Georges, *Venise et la Révolution française*, Robert Laffont, 1997.
FURET François, *Penser la Révolution française*, Gallimard, 1978.
FURET François, OZOUF Mona, *Dictionnaire critique de la Révolution française*, Flammarion, 1992.
GAILLARD Lucien, PERONNET Michel, *La Révolution dans les Bouches-du-Rhône*, Horvath, 1988.
GALLO Max, *Le Chant du départ*, Robert Laffont, 1997.
JEAN Raymond, *Un portrait de Sade*, Actes Sud, 1989.
LELY Gilbert, *Sade*, Gallimard, 1966.
LUDWIG Emil, *Napoléon*, Payot, 1985.
Manuel pratique du franc-maçon, Librairie maçonnique de Berlandier, 1845.

MICHELET Jules, *Portraits de la Révolution*, LGF, 1989.
Les Femmes de la Révolution, Carrère, 1988.
MIQUEL Pierre, *La Grande Révolution,* Plon, 1988.
Les Mensonges de l'histoire, Perrin, 2002.
MIRABEAU Honoré de, *Lettres à Sophie*, Éditions Garnier, 1875.
MONNIER Philippe, *Venise au* XVIII*e siècle*, Librairie Académique Perrin, 1937.
MOULINAS René, *Journées révolutionnaires à Avignon*, Jacqueline Chambon, 1989.
NORWICH John Julius, *Histoire de Venise*, Payot, 1988.
PULLIERO Augusto, *Venezia venduta all'Austria, Il Gazzettino*, 21 avril 1997.
SADE marquis de, *La Philosophie dans le boudoir*, Gallimard, 2010.
Les 120 Journées de Sodome, P.O.L, 2008.
Dialogue entre un prêtre et un moribond, Pauvert, 1996.
Lettres choisies, Omnibus, 1996.
Journal inédit, Pauvert, 1965.
SAUREL Étienne, *Histoire de l'équitation des origines à nos jours*, Stock, 1990.
SOLLERS Philippe, *Dictionnaire amoureux de Venise*, Plon, 2004.
SYDNEY S., *La Chasse à courre en Angleterre*, Pygmalion, 1985.
TULARD Jean, *La France de la Révolution et de l'Empire*, Puf, 2009.
VOVELLE Michel, *La Chute de la monarchie, 1787-1792*, Le Seuil, 1965.
L'État de la France pendant la Révolution, 1789-1799, La Découverte, 1988.
WEISS Peter, *Marat-Sade*, Le Seuil, 1965.
ZORZI Alvise, *La République du lion. Histoire de Venise*, Payot, 1996.

Table

Cet ouvrage a été composé
par Atlant'Communication
au Bernard (Vendée)

Achevé d'imprimer sur Roto-Page
par l'Imprimerie Floch à Mayenne
en avril 2011
pour le compte des Éditions de l'Archipel
département éditorial
de la S.A.S. Écriture-Communication

Imprimé en France
N° d'impression : 79374
Dépôt légal : avril 2011